아르케
북스

080

허
남
춘 許南春, Heo, Namchoon

제주대학교 국어국문학과 교수
제주대학교 탐라문화연구소장, 박물관장 역임
저서에 『황조가에서 청산별곡 너머』(2010), 『제주도 본풀이와 주변신화』(2011),
　　　『이용옥심방 본풀이』, 『양창보심방 본풀이』, 『고순안심방 본풀이』, 『서순실심방 본풀이』(공저, 2009~2015),
　　　『할망 하르방이 들려주는 제주음식 이야기』(공저, 2015)가 있다.
이메일 : hnc423@jejunu.ac.kr
블로그 : Daum 허남춘의 슬로시티(http://blog.daum.net/hnc423)

민속원 아르케북스 080 minsokwon archebooks

설문대할망과 제주신화

| 허남춘 |

민 속 원

머리말

*

    우리가 알고 있는 신화는 중고등학교 시절에 배웠던 건국신화들이 대부분이다. 우선 단군신화를 우리 민족의 기원신화로 배웠고 다음으로 고구려와 신라의 주몽신화와 혁거세신화를 배웠을 것이다. 삼국에 속하지 못하는 가야의 수로신화도 익숙할 것이다. 그 다음은? 고려 왕건 신화를 아는 이는 적을 것이고 무속신화인 바리공주를 아는 이도 드물 것이다. 우리가 알고 있던 우리의 신화는 건국신화 일색이었고, 우리가 풍부하게 알고 있는 것들은 그리스 로마신화였다.

    제우스, 아폴로, 헤라, 포세이돈, 프로셀피네 등등의 이름은 익숙한데 대별왕, 자청비, 가문장아기, 자지명왕아기씨 등의 이름은 낯설다고 하겠다. 남의 것은 잘 아는데 우리 것은 잘 모른다. 〈잭과 콩나무〉에서 잭이 콩을 심었더니 넝쿨이 하늘에 닿아 그것을 타고 하늘 여행하는 내용은 잘 아는데, 대별왕이 콩을 심어 그 넝쿨을 타고 천상계에 올라 아버지를 만나는 여정은 잘 모른다. 대별왕 이야기는 무속신화에 담겨 있어서 무속을 천대하고 배격하는 풍토에서 잘 알려질 수 없었다.

    우리의 전통문화를 깊이 들여다보면 그 안에 풍부한 이야기가 담겨 있고 그리스 로마신화에 비견되는 신화가 아주 많다. 세상을 만든 창세신화도 있다. 하늘과 땅이 붙어 있다가 떡징처럼 벌어지고, 암흑세상이던 상황에서 하늘 닭이 울어 천지가 밝아진 이야기 〈천지왕본풀이〉가 있다. 그 후 하늘에서 청이슬이 내리고 땅에서 흑이슬이 솟아 만나면서 세상 만물이 생겨났다고 한다. 이런 창세신화가 제주와 함경도 무가에 남아 있다. 중심에서 볼 수 없는 것이 주변에 남아 있다. 이런 창세신화가 그리스나 메소포타미아나 이집트에만 남아 있던 것이 아니다.

창세에서 인간 생명 탄생, 그리고 죽음까지의 신화가 무가 본풀이 속에 풍부하다. 거기에는 인간의 탄생과 죽음을 주재하는 신도 있고, 죽은 자를 살려내는 서천꽃밭의 꽃도 있고, 인간의 운명을 주재하는 여신도 있다. 인간에게 곡식을 가져다 준 풍요의 신도 있고, 집안을 지켜주는 신도 있다. 우주에서 집안까지 두루 신화의 연속이다.

우리나라에 남겨진 기록신화의 주인공은 대부분 남성영웅인데 제주에 구비전승되는 신화에는 여성영웅이 많이 등장한다. 역사가 진행되는 과정에서 여성은 남성의 주변 혹은 하위가 되면서 신화 속에서도 남성 주인공 일색의 신화가 남게 된다. 그 전환 시기는 고대 건국 즈음이었다. 씨족 혹은 부족 단위의 작은 공동체가 생활의 기반이던 단계에서 부족국가와 고대국가가 만들어지는 단계에 이르면, 힘에 의한 정복 전쟁이 판을 치게 된다. 청동기 혹은 철기를 가진 강한 세력이 다른 세력을 지배하는 과정에서 지배 귀족과 피지배 백성이 생겨났다. 힘에 의한 경쟁체계는 중세를 거쳐 근대에까지 조직을 지탱하는 근간이다. 힘 대신 지적 능력이 중시되는 쪽으로 바뀌었다 하더라도 그것들 모두가 권력이란 이름에서 같다. 권력을 가진 자가 그렇지 못한 인간을 지배하는 구조가 고대국가 시기부터 근대까지의 패러다임이다. 남성 중심주의 문명이 인간 역사를 파멸에 이르게 한 주역이다.

이제 여성 문화에 관심을 기울일 때가 왔다. 여성영웅의 이야기 속에서 남성 중심주의 이전의 이념과 가치를 발견해야 할 때이다. 남성의 힘이 중심이 되는 고대국가 이전의 사회는 어떤 것인가. 땅을 나누고 공동 생산과 분배의 공존이 중시되던 사회로 추정한다. 땅처럼 만물을 키우는 어머니의 사랑이 중시되던 사회라 가정하고 그곳으로 회귀하면 된다. 거기에 생명의 탄생과 화육化育과 안전과 평화를 주재하던 어머니 여신이 살던 곳이 있을 것 같다. 오래 된 이야기 속에서 그 근거를 찾아보자.

고대국가의 통치 질서가 마련되기 이전, 기록문화가 만들어지기 이전의 구전설화를 통해 우리의 오래된 과거를 만나 보자.

남성영웅 이전의 여성영웅 이야기가 제주에 많이 남겨진 이유는 무엇인가. 고대에서 중세에 이르는 남성 중심주의 문화가 제주에서는 기승을 부리지 않았기 때문일 것이다. 정치적 중심에서 먼 바다 건너인 지정학적 이점도 작용하였다. 물론 제주에도 고대국가가 있었다. 탐라국이다. 고·양·부 3성이 탄생하여 땅을 나누어 다스린 내력이 전한다. 그런데 중세 이념이 제주를 지배하지 못했고, 남성중심 사유인 유교가 18세기까지도 민중 속에 틈입하지 못하였다. 그러니 원시적인 무속 사유가 오래 지탱할 수 있었다. 불교도 민중지향적인 미륵신앙과 무속이 결합한 무불습합의 양상으로 토착화에 성공하다보니 무속의 지속을 도왔다.

아이의 탄생을 주재하는 삼승할망, 무조신의 어머니로서 역경을 헤쳐나간 자지명왕아기씨, 인간의 운명을 주재하는 가문장아기, 하늘나라에서 오곡종자를 가져와 농사를 짓고 살도록 배려한 자청비, 바다의 풍요를 가져다주는 영등할망에 이르기까지 여성영웅의 모습이 생생한 곳이 제주다. 그렇다고 남신이 배격당하지는 않는다. 마을을 관장하는 당신堂神에도 남녀신이 두루 공존한다. 일부 마을 신들이 식성食性 때문에 갈등을 벌이는 경우도 있지만 함께 좌정하기도 하고 가까이에 나누어 좌정하기도 한다. 사냥을 위주로 하는 남신보다는 농경을 중시하는 여신이 상위의 신으로 받들어지기도 한다. 농경과 여신과 공존의 원형질이 희미하게 남아 있다.

앞에서 창세를 말하였는데 창세의 여신으로 설문대할망을 들 수 있다. 중국의 남신 반고처럼 제주도에서는 여신 설문대가 하늘과 땅을 들어 올리고 밀어내 천지 사이가 마련되었다고 한다. 설문대 대신 도수문장이 하늘과 땅을 들어 올리고 밀어냈다는 유형도 있어 어느 것이 먼저인지는 알 수 없다. 중국의 반고를 원천으로 여기면 남신이 하던 일을 여신이 했다고 할 수 있지만, 애초 여신이 하던 일을 남신이 맡아서 하게 된 이야기가 많다. 여신이 먼저인 이야기는 동아시아에 널리 퍼져 있다. 만주의 아부카허허는 여신으로 창세의 신이었다가 나중에 남신인 아부카언두리에게 그 권한을 넘긴다. 설문대처럼 하늘과 땅을 밀어 천지 사이를 마련한 유규의 아만추 등이 모두 여신이다. 그런데 설문대할망의 창세 이야기는 특히 지형형성에 집중되어 있다. 물밑에서 흙을 퍼올려 제주 섬을 만들었다는 이야기도 있지만, 대부분은 지상의 흙을 퍼담아 한라산을 만들었고 그 과정에서 흙을 운반하던 앞치마의 구멍으로 흙이 새서 360여 개의 오름이 만들어졌다는 이야기다.

제주의 한라산과 360여 개의 오름이 설문대할망 이야기의 증거물이다. 그런데 산만큼 크지는 않지만 바위도 증거물이 된다. 큰 바위 세 개가 나란히 삼각형을 이루고 있는데 이것은 설문대할망이 솥을 올려놓던 솥덕(솥 받침돌)이라고 한다. 성산일출봉을 오르는데 보이는 큰 바위는 설문대할망이 바느질을 하면서 등잔불을 올려놓던 등경돌이라 한다. 우도는 설문대할망이 빨래판으로 삼았던 곳이고 일출봉은 빨래 구덕(바구니)로 삼았던 곳이라 한다. 한내에 있는 족두리 모양의 바위는 바로 설문대할망이 쓰던 족두리라고 한다. 설문대할망이 제주 앞 바다에 서면 발등까지밖에 물이 차지 않았다고 하는 점을 상상하면 몸의 크기가 연상이 된다. 명주 100동(1동은 50필)이 있어야 설문대할망의 속옷을 지을 수 있었다는 이야기 속에서도 그 몸 크기가 연상된다. 할머니의 몸은 창세의 거대신의 모습이었다가, 장대한 거인의 모습이었다가 거구였다가, 혹은 서서히 인간과 비슷한 모습(等身大)으로 바뀌어 간다. 설문대할망은 어머니처럼 자애로운 모습으로 바뀌고 바느질과 빨래하는 여성성의 여신으로 순화된다. 이제 설문대할망은 아들을 낳아 기르는 어머니의 모습이 성하게 된다. 하지만 500명의 아들을 길렀다고 하니 그 생산성과 다산성은 대지모大地母를 닮았다.

세상의 어머니처럼 500 아들을 기르던 여신은 아이들을 위한 죽을 끓이다 죽솥에 빠져 죽는다. 혹은 물장오리의 물이 얼마나 깊은지 가늠하러 들어갔다가 그 물에 빠져 죽었다고 한다. 대지를 만든 여신인데, 용담 앞 바다이건 서귀포 홍리물이건 들어서도 발목만이 잠길 정도로 거대한 여신이 물에 빠져 죽다니 말이 되는가 500명을 위한 솥이 크겠지만 발을 뻗으면 해안에서 20킬로미터 앞 관탈섬까지 닿는 그 거대 여신이 실수를 저지르고 죽솥에 빠져 죽다니 말이 되는가. 시간이 흐르면서 할머니의 몸이 작아지고 우리 인간보다 조금 클 정도의 거구로 혹은 인간의 모습과 비슷한 정도의 힘센 장사로 살다가 결국은 비극적인 죽음을 맞는 것으로 왜소해지는 것 같다.

그 죽음은 여성영웅의 시대가 끝났음을 보여주는 증표다. 남성영웅의 시대를 맞으며 여성신은 이제 남성영웅의 어머니로 바뀌어 주인공의 배경 역할을 한다. 주몽의 어머니인 유화처럼, 수로의 어머니인 정견모주政見母主처럼, 혁거세의 어머니인 선도성모仙桃聖母처럼 고대 건국신화 주인공의 어머니 역할로 바뀐다. 이 어머니들은 정견모주처럼 가야산신이고, 선도성모처럼 선도산 산신이 된다. 또 시간이 흐르면 이 여신들은 마고, 노고, 할미의 이름과 함께 산신으로 좌정한다. 지리산 성모聖母라 하기도 하고 천왕天王 혹은 대왕大王이라 칭하기도 한다. 지리산 노고단도 그런 이름이다. 이 후기 여신들도 바위 혹은 산성과 연관된 거대한 몸을 지닌다. 그렇게 산속에 숨어들었다가 마고할미는 마귀할미가 되기도 한다. 그러나 할미는 단순한 할머니가 아니라 여신의 다른 이름임을 떠올려야 한다. 설문대할망의 죽음은 바로 여신시대의 종언이다.

**

설문대할망을 왜 다시 언급해야 하는가. 앞에서 말했듯이 지금 우리의 삶을 치유할 방책을 찾아낼 수 있다면 깊이 들여다 볼 필요가 있을 것이다. 죽솥에 빠져 죽은 설문대할망의 희생은 의도되었던 그렇지 않던 연민을 불러일으킨다. 아들을 위해 자기 혼신의 힘을 다하다가 죽었으니 그 순수증여의 정신을 떠올리게 만든다. 힘센 어머니로서 세상을 지탱하는 그 모성성은 우리가 다시 기억해 내야 옳다.

대지진이었다
지반이 쩌억 금이 가고
세상이 크게 휘청거렸다
그 순간
하느님은 사람 중에 가장

힘센 사람을

저 지하 층 층 아래에서

땅을 받쳐 들게 하였다.

어머니였다

수억 천 년 어머니의 아들과 딸이

그 땅을 밟고 살고 있다.   신달자, 어머니의 땅

　시인은 어머니의 땅 저 깊은 곳을 잘 알고 있다. 어머니의 땅이 만들어지던 저 먼 옛날을 잘 알고 있다. 대지진만큼 시의 전율을 느끼면서, 땅을 만들고 땅을 받쳐 들고 있는 설문대할망을 떠올린다. 대지의 사랑이 만물을 길러냈듯이 어머니의 사랑이 인간을 길러냈다. 자기만 알고 개인의 자유는 알지만 남의 처지나 이웃의 불행은 모르는 근대인들. 끊임없는 경쟁 속에서 살아남는 법을 배우고 끝없는 속도전으로 달려 나가고 있는 근대인들. 물질적 목표만 있고 정신적 결핍에 대해서는 전혀 아랑곳하지 않는 근대인들. 영혼을 잃은 사람들. 이들을 치유할 방책이 오래된 과거 속에 있다. 바로 어머니의 땅에서 순수증여의 의미를 깨닫는 길이다. 공생과 공존의 의미를 알아가는 길이다. 하늘의 비가 땅을 가리지 않고 내리듯, 땅이 온갖 생명을 차별 없이 길러내듯 평등한 생명존중의 정신이 회복되어야 한다.

　2016년에서 2017년으로 오는 길목은 민족주의가 부활하는 해이기도 했다. 미국과 러시아와 영국이 민족 이기주의를 앞세우면서 배타적 이익을 부추기더니 올해 중국도 이에 가세하고 일본은 이미 파시즘적 파탄 지경에 이르렀다. 우리에게 필요한 이념은 민족의 존엄을 근거로 타 민족을 배척하는 것이 아니다. 민족과 종교를 넘어 인간이 함께 중시되고 공존하는 세상이다. 우리에게 필요한 종교와 신화는 민족의 존엄을 근거로 타 민족을 배척하는 것이 아니다. 인간을 대등하게 사랑하는 종교가 필요하다. 모든 인류를 대등하게 감싸는 신화가 주목되어야 한다.

　근대 민족주의로 말미암아 지구가 '찌억 금이 가는 소리'가 들려온다. 태평양 불의 고리가 활동을 재개하면서 지진이 일어남과 동시에 인간이 인간을 해치고 말살하는

재앙이 요동친다. 수억 년 전에도 그랬듯이 이 대지진의 재앙을 받쳐 줄 '힘센 사람'은 설문대할망 같은 어머니다. 신화 속에 등장하는 여신들의 자발적 사랑이 해결책이다. 인간만이 아니라 동물들까지, 모든 생명체를 보듬어주는 여신들의 보편적 사랑이 필요하다. 이제 힘과 경쟁을 위주로 하는 남성성에서 벗어나 자기희생과 증여와 공존을 추구하는 여성성으로 회귀할 때이다. 설문대할망은 그런 매개다.

***

제주신화는 제주 무속에서 배태되고 지속되어 왔다. 제주무속은 큰 그릇이다. 여기에는 무속 신앙만 담겨 있는 것이 아니다. 노래와 춤과 연물 공연뿐만 아니라 조형미술도 있고 신화 본풀이도 들어 있다. 언어·예술·생활·사회 문화가 총체적으로 결집되어 있는 종합예술이다.

특히 주목할 것은 굿 속에 있는 신화 본풀이다. 그리스 로마 신화는 기록된 것으로 세계 최고라고 한다면, 제주신화는 구비 전승되는 것으로 세계 최고라 할 만하다. 그리스 로마 신화가 죽은 신화라고 한다면 제주 본풀이는 살아 있는 신화다. 하늘과 땅이 열리고 만물이 생겨난 창세신화를 비롯해, 탄생과 죽음을 노래하는 신화, 수렵과 농경을 시작해 풍요와 안녕을 가져온 신화, 인간의 운명과 집안의 신성을 일깨우는 신화로 그득하다. 우리네 역사책이 인간과 우주와 자연의 역사이듯이 제주신화는 우주에서 인간의 집까지 이어진다.

한반도의 끝자락에 위치해 문명의 흐름에서 다소 벗어나 있었던 것은 어쩌면 다행처럼 여겨진다 한국의 전통문화를 지금까지 남기고 있기 때문이다. 다소 낡은 그릇에 담겨 미신 타령을 겪고 근대화 과정에서 비난과 탄압에 내몰리기도 했지만, 제주무속은 다양한 전통문화를 오롯이 잘 전하고 있다. 고대신화에 대한 중세 합리주의도 중요하고, 중세 종교에 대한 근대 합리주의도 중요하지만 원시·고대의 정신세계를 담은 무속의 전통도 우리에겐 소중하다. 왜 소중한가. 거기엔 인간과 자연과 우주가 대등하여 인간 중심주의에 의해 황폐해진 자연을 치유할 수 있는 근거가 있다. 뭇

생명에 대한 경외감이 있어 소나 돼지 수백 만 마리를 함부로 묻어버리는 현대인의 생명경시사상을 극복할 근거가 있다. 2016~2017년 사이에 죽은 3천 만 마리의 닭을 조문하면서, 인간의 먹이가 되는 동물에 대해 경배를 드리며 존중했던 오래된 사유방식이 부활해야 할 근거를 제주 무속신화에서 찾는다.

최근에는 무속－샤머니즘을 새로운 영성 회복의 매개로 삼으면서 주목하는 사례들이 보인다. 제주 무속은 그런 치유의 역사를 지니고 있다. 무당이 굿을 하면 병이 낫는다는 그런 허황된 치병의례의 말이 아니다. 제주는 근대사의 가장 큰 비극을 겪은 곳이다. 20세기 들어 이념적 대결이 지구를 에워싸더니, 매카시즘의 광풍이 불었다. 그 바람이 남북분단의 진영에도 불었는데 분단된 곳에서 가장 먼 제주에서 좌익의 누명을 쓰고 3만 여 명의 양민들이 학살당했다. 이 엄혹한 이념 대결의 국면에서 희생된 그들을 위안할 어떤 명분도 없던 시절, 제주 심방들이 그 원혼을 달래주었다. 1948년 4월 3일, 해방공간에서 일어난 이 어처구니없는 사건은 현기영의 〈순이삼촌〉이란 소설이 발표될 때까지 30여 년간 발설할 수 없는 죄의 역사였다. 어두운 그늘에서나마 심방들이 굿을 하면서 죽은 영혼을 불러 위안하고, 산 자들의 서늘한 가슴까지 쓰다듬어 주었다.

죽은 자의 영혼이 심방에게 빙의되어 산 자에게 메시지를 전한다. 억울하게 총살당하고 시체마저 구렁에 버려진 그 비극적 주인공의 영혼이 산 자에게 말한다. 이제 모든 것을 다 용서하고 이해하니 여한이 없다고, 그러니 자네들도 너무 슬퍼 말라고, 자신은 이제 저 세상으로 미련 없이 떠난다고, 그렇게 산 자를 위안한다. 실은 심방이 영혼을 대신해 말하는데 설움이 북받쳐 울먹이며 콧물까지 흘린다. 영게울림이라고 한다. 산 자들, 굿판에 모인 모든 사람들이 함께 울음을 참을 수 없다. 모두 같은 처지이기 때문이리라. 한바탕 울고 나면 죽은 자를 위해 맺힌 시름이 일정 정도는 풀린다. 너구나 좋은 곳으로 떠나게 되었다는 말은 큰 위안이 된다. 이제 산 자는 빙의된 영혼에게 하직 인사를 올린다. 잘 가시라고, 여기 남은 자는 다시 일상을 추스르고 본분으로 돌아가 열심히 살아가겠노라고, 약속과 다짐을 하면서 현실로 돌아온다. 초월적 상황은 종료되고 다시 현실이 된다. 원한에 사무친 과거를 털어내고 치유된 일상으로 돌아오게 된다. 이것이 굿의 치유력이었다. 수십 년 동안 제주도민을 위안해 주었던 무속과 심방은 진정 삶의 위안처였다.

그러나 해방 후 20세기 동안 무속은 온전히 버티지 못 했다. 학교 교육의 현장에서는 부단히 무속을 미신으로 처단하고 학생들에게 믿어서는 안 될 금기사항으로 삼았다. 철저히 지속적으로 세뇌교육을 받았다. 비슷한 시기 새마을운동으로 초가집을 없애는 그 와중에 당집을 없애고 무당을 핍박하고 무구巫具를 경찰이 압수했다. 굿을 엄금하고 범죄 취급을 했다. 서구 근대사상에 의해, 미국식 합리주의에 의해 철저히 짓밟혔다. 그렇게 무속은 서서히 역사의 뒤안길로 사라져 갔다. 그나마 제주에서는 그 횡포 속에서도 무속이 명맥을 유지할 수 있었던 이유는 앞에서 밝힌 대규모 학살에 상처 입은 공동체의 치유가 필요했기 때문이었다. 무속이 해녀 물질과 같은 위험한 생업에 내몰린 민중의 삶을 위안할 수 있는 것이었기 때문이었다. 그래서 마을 공동체의 당굿도 명맥을 이을 수 있었다. 개인 집에서도 삶과 죽음의 문제 때문에 무속을 처단하는 광풍 속에서도 살아남게 되었다.

억압과 멸시 속에서 명맥을 유지하던 제주 무속도 이젠 서서히 시들어가고 있다. 심방(무당)의 숫자도 줄어들고, 단골(신앙민)도 60~70대 이상이 전부이고, 신당도 폐당이 되어 간다. 무속의 중요성을 가르치지 않았던 학교 교육 탓에 대부분의 제주사람들은 전통문화의 가치를 돌아보지 않는다. 이제 떠나보내야 하는가. 지금이라도 보존의 손길이 닿길 바란다. 학교에서 무속 전통문화의 가치를 가르쳐야 한다. 근대가 파탄 지경인데 아직도 근대정신을 추종하면서 그 앞 시대(고대와 중세)를 전근대라고 몰아세우면서 척결을 주장하면 안 된다. 근대가 아름다운 점이 있는 만큼 고대와 중세에도 아름다운 점이 있다. 그 전근대적이라 하는 무속 속에 민족의 전통문화가 고갱이처럼 앉아 있다. 근대를 극복하고 탈근대의 새로운 패러다임을 마련하려면 전근대와 근대의 가치를 모두 합하여 긍정적 요소들을 새롭게 추출해야 한다.

땅속에 묻힌 선사 유적이 중요하듯이, 고려청자가 중요하듯이 한국 무속도 우리 전통문화 속에 중요하다. 중세 불교나 유교에 핍박당하고 근대 이념에 의해 밀려났던 역사적 과정을 우리는 잘 안다. 그것은 하나의 사상이 다른 사상을 밀어내는 역사의 흐름이었으니까. 그 쟁투 속을 들여다보면 지배 이념에 밀려난 무속이 아래쪽에 남아 피지배자의 삶을 보듬어 주었던 긴 역사를 발견하게 된다. 그것은 민중의 종교였고 민족의 기층문화였다. 교육의 현장이 이 민중의 역사와 전통문화를 외면했던 잘못을 바로잡아야 한다. 사라져가는 전통문화를 주목하면서 거기서 민족을 넘어 인간의 공존방식을 찾아야 한다. 뭇생명을 존중하는 정신을 배워 인간과 자연과 우주가 공존하는 길을 열어야 한다. 우리의 미래를 위해 한국 무속학은 큰 역할을 할 수 있을 것이다.

2017년 봄
한라산 기슭에서
허남춘

차례

머리말 4
참고문헌 373
찾아보기 379

제1부
설문대할망 이야기

제1장 설문대할망 설화 개요 ___ 020

1. 〈설문대할망〉 이야기의 다양성 ·· 22
2. 창세신적 특성 ·· 27
3. 거인 여성신화로서의 특성 ·· 28
4. 노고·마고·할미·할망의 의미 ··· 30

제2장 〈설문대할망〉 설화 분류 ___ 032

1. 창세(지형창조) ··· 32
2. 거구 ·· 36
3. 대식大食 ·· 41
4. 대근大根 – 큰 음부로 사냥하기 ··· 42
5. 대의大衣 ·· 43
6. 배설 ·· 48
7. 죽음 ·· 49
8. 당신 좌정 ·· 53

제3장   대표적인 설문대할망 설화   054

1. 설문대할망 ·· 54
2. 설문대할망 ·· 55
3. 선문대할망 ·· 59
4. 설문대할망(雪漫頭 할머니) ··· 62
5. 설문대할망 ·· 63
6. 설문대할망과 설문대하르방 ·· 64

제4장   설문대할망의 창세신적 특성   066
      -주변민족 거인신화와의 비교를 중심으로-

1. 서 ·· 66
2. 창세신화의 흔적 ·· 68
3. 설문대할망 신화의 재창조 ·· 85
4. 결 ·· 89

제5장   설문대할망과 거인신화 비교   094

1. 서 ·· 94
2. 국토형성과 창조여신 ·· 97
3. 거녀巨女 ··· 102
4. 여성신의 변모 ·· 112
5. 결 ·· 118

제6장　할망, 그리고 성모 · 노고 · 할미___ 120

　　1. 서 ·· 120
　　2. 지리산 성모聖母 ··· 122
　　3. 천왕天王과 대왕大王 ·· 130
　　4. 노고와 마고 ··· 133
　　5. 할미와 할망 ··· 136
　　6. 결 ·· 142

```
┌──────────────────┐
│      제2부        │
│   ──────────     │
│   제주도 신화     │
└──────────────────┘
```

제7장　왜 제주신화인가___ 146

　　1. 근대문명의 파탄과 돌파구 ··· 146
　　2. 우리에게 신화란 ·· 148
　　3. 제주신화 속에 담긴 '공생, 공존' ······································· 149
　　4. 제주에 신화가 잘 전해져 오는 이유는 무엇인가. ············ 151
　　5. 제주신화의 운명 ··· 152

제8장　제주도 신화 본풀이 개요___ 154

　　1. 서 ·· 154
　　2. 탐라국 건국신화 ··· 156
　　3. 제주도 본풀이 ·· 163
　　4. 제주신화 활용방안 ··· 183

제9장 일반신본풀이 ___ 187

　　1. 고순안 심방 본풀이 ……………………………………………… 187
　　2. 서순실 심방 본풀이 ……………………………………………… 205
　　3. 본풀이 내용 고찰 ………………………………………………… 227

제10장 뱀신 - 칠성본풀이 ___ 277

　　1. 서 …………………………………………………………………… 277
　　2. 칠성신앙과 북두칠성 …………………………………………… 279
　　3. 부군府君 신앙과 서울 부군당 ………………………………… 287
　　4. 칠성과 뱀 신앙 …………………………………………………… 295
　　5. 마무리 ……………………………………………………………… 306

제11장 사냥의 신 - 서귀본향당본풀이 ___ 310

　　1. 서 …………………………………………………………………… 310
　　2. 서귀본향당본풀이의 자료 개관 ……………………………… 313
　　3. 서귀본향당본풀이의 중요 신화소 …………………………… 316
　　4. 결 …………………………………………………………………… 336

제12장 바다의 신 - 제주 해양신화 ___ 340

　　1. 바다를 건너 온 신 ……………………………………………… 340
　　2. 바다를 관장하는 용신 ………………………………………… 346
　　3. 해양능력과 탐라국 신화 ……………………………………… 355
　　4. 바다 바깥과의 교류 …………………………………………… 359
　　5. 결 …………………………………………………………………… 370

제1부

설문대할망
이야기

―

제1장 설문대할망 설화 개요
제2장 〈설문대할망〉 설화 분류
제3장 대표적인 설문대할망 설화
제4장 설문대할망의 창세신적 특성
제5장 설문대할망과 거인신화 비교
제6장 할망, 그리고 성모 · 노고 · 할미

01 .

설문대할망 설화 개요

-
-
-

제주도의 상징 중에 대표적인 것을 꼽으라면 돌하르방이나 해녀가 먼저 떠오른다. 돌하르방이 남신이라면 이에 견줄 수 있는 여신은 설문대할망이다. 엄청나게 큰 몸을 지니고 있어서 바다에 서면 발목밖에 차지 않았다고 하고, 흙을 퍼담아 한라산을 만들었다는 주인공이다. 한라산을 만들다가 흘린 흙이 360여 개의 오름이 되었다고 한다. 남쪽 산방산은 설문대할망이 한라산 봉우리를 던져 거기 가 있는 것이라고 한다. 한라산과 오름을 만들었다는 것은 결국 제주도를 만들었다는 창조의 신화다.

2016년 봄에 전화 한 통이 걸려 왔다. 2016년부터 본격적으로 제주돌문화공원 내에 〈설문대할망 전시관〉을 준비하고 있는 백운철 기획단장으로부터다. "왜 설문대할망 전설을 신화라고 하면서 진실을 왜곡하느냐."라고 항의하면서, 어떤 분이 도청 앞에서 1인 시위를 하고 있다는 답답한 내용이었다. 설문대할망 이야기는 전설처럼 전해지고 있는 게 사실이다. 오름과 바위와 동굴 등 증거물을 남기고 있으면서 주인공의 죽음으로 끝나는 이야기는 전설 그 자체임에 틀림없다. 그런데 그 증거물들이 워낙 거대하여 기존의 전설과는 다르다는 점이다. 큰 바위를 상회하는 섬과 오름의 이야기까지는 전설의 증거물이라 할 수도 있지만, 남한에서 제일 높은 한라산을 비롯한 국토형성의 이야기에 닿으면 이것은 신화의 근거가 된다. 중국의 반고처럼 천지를 창조한 신에 비견된다. 그래서 신화가 세월을 흐르면서 풍화한 흔적을 우리는 설문대할망 이

한라산과 주변 오름 ⓒ강봉수

야기 속에서 만나게 된다. 1인 시위를 했던 그 분은 동전의 한 면만을 알고 있었다. 세상 모든 것이 변화하는데 그런 진실을 간과했던 것이다.

그래서 우선 설문대할망 이야기를 다양하게 제시하고 분류하면서 대표적인 이야기를 먼저 제시했다. 그리고 설문대할망 설화의 창세신화적 특성을 밝혔다. 만주의 아부카허허나 유구의 아만추 신화를 비교하면서 여성 거인신화의 실체에 접근하고자 노력하였다. 다음으로 일본의 다이다라봇치 이야기와 견주면서 다양한 국토형성 화소를 비교 고찰하였다. 일본의 다이다라봇치 이야기도 지금은 전설처럼 전해지는데, 그 속살을 들여다보면 창세신화의 풍화임을 알 수 있다. 하늘을 들어 올리고 땅을 밀어 인간이 살 수 있는 공간을 만들었다는 화소는 동아시아에 두루 발견되는 창세의 이야기다. 다음으로 '할망'의 실체가 한반도에서는 어떻게 구현되는가를 살펴보았다. 거대한 여신이었다가 다소 외소해진 '거녀巨女'가 바로 '노고·마고·할미'다. 역시 전설로 남아 있지만 그 근원을 추적하다 보면 설문대할망과 같은 창세의 여신이었을 것으로 보인다.

왜 설문대할망에 주목했는가. 우리나라 주류의 신화가 대부분 남성영웅 신화인데 그 그림자에 가려진 여성 신화가 제주도에 많이 남아 있고, 애초의 세상을 만들어 보듬어주었던 것은 여신이었다. 땅을 만들고 만물을 생육하게 했던 여신을 찾아내고, 그리스 신화의 데메테르와 같은 여신과 비교하면서 생산과 풍요의 세상을 만든 주역을 만나고 싶었다. '힘' 중심 세상을 만들고 '경쟁'만이 살 길이라고 가르쳐주었던 남성 중심의 사유를 벗어나야 인간이 살고, 지구상의 모든 생명체가 살아남을 수 있을 것 같다고 생각했다. 여성신화 속에서 상생과 공존의 방식을 밝혀내고 싶었다. 저 먼 신화 속에서 그런 작업이 과연 가능할까. 역사가 미래의 길잡이가 되어 주듯이, 신화도 현재의 우리를 반성하고 미래를 밝혀줄 등불이 될 수 있을까. 그런 희망사항을 담아 할망 이야기는 시작된다.

1. 〈설문대할망〉
이야기의 다양성

〈설문대할망〉 이야기는 제주의 한라산과 오름이 형성된 배경을 말해 주는 설화로, 제주 전도에 걸쳐 전승되고 있으며, 다양한 이야기 구성을 지니고 있고, 여러 가지 증거물이 남아 있어 과거와 현재를 연결시켜 주는 이야기다. 천지창조 뒤에 나타나는 지형형성의 신화로 볼 수 있으며, 남성신화가 나타나기 전의 여성신화이다. 대단한 생산력을 지닌 여성신으로서의 설문대할망은 제주의 생명력을 상징적으로 보여준다. 〈설문대할망〉 이야기는 따듯한 인간애를 드러내는 신화이면서 제주인의 소망을 담은 미래지향적 이야기라 하겠다.[1]

• • •

1 설문대할망 설화 자료는 다음을 참조했다. 김영돈·현용준·현길언, 『제주설화집성』 1, 제주대학교 탐라문화연구소, 1985; 임석재 편, 『한국구전설화』 전라남도편, 제주도편, 평민사, 1992; 진성기, 『남국의 전설』(개정판), 일지

설문대할망과 마고할미, 중국의 여와, 북유럽 신화의 이미르Yimir, 바빌로니아 신화의 티아마트Tiamat 등은 모두 거구의 창세신들이다. 원시 인류는 최고의 능력을 지닌 대모신격大母神格을 그 능력에 걸맞는 거구의 형상으로서 표현하고자 했을 것이다. 그러므로 이때의 '크다'는 것은 실제적인 '크다'의 의미를 초월한 일종의 상징적인 표현이므로, 최고의 능력을 표현하기 위한 것이다.[2] 이처럼 몸집이 크면서 엄청난 능력을 발휘한 설문대할망의 실체를 구명하고자 하는 것이 이 글의 목표다. 설문대할망의 능력이 무엇인지 알기 위해 여성신화가 지닌 특성을 살피면서, 특히 일본과 중국 소수민족의 신화와 비교를 통해 논지를 전개해 나가고자 한다.

설문대할망 설화는 신화적 특성을 충분히 구비하고 있지만, 지금 남겨진 것들은 지명 유래와 연관된 전설이 대부분이다. 그래서 신화, 전설, 민담을 아우르는 설화란 용어를 쓴다. 시간이 흐르면서 신화가 전설로 이행해 간 단면을 느낄 수 있다. 그러나 비교 대상은 신화들이다. 왜냐하면 이 이야기 속에는 창세의 모티프가 있어 주변 신화와의 대비를 통해야 비로소 그 면모가 명확해질 것이기 때문이다. 우선 거녀巨女의 이미지를 지닌 여성신의 에피소드로 구성되어 있다.[3] 잘 알려진 것으로는 우선 설문대할망이 앞치마에 흙을 퍼담아 나르다가 구멍이 뚫어진 곳에서 흙이 새어나와 그것들이 360여 개의 오름이 되었고, 마지막 흙을 날라다 부은 곳이 한라산이 되었다는 이야기다. 다음 설문대할망은 오백명의 아들을 낳았는데, 그들을 먹이기 위해 죽을 쑤다가 죽에 빠져 죽었고, 어머니의 고기를 먹은 아들들은 모두 죽어 한라산 영실의 오백장군 바위가 되었다는 창조성과 다산성을 지닌 이야기다. 그리고 거구인 할망이 배가 고파 음부로 사슴 열 마리와 멧돼지 일곱 마리를 잡아 포식하였다거나, 할망이 음부로 고기를 잡아먹었다는 대식성을 드러내는 이야기이다. 설문대할망은 물상오리의 물이 얼마나 깊은지 알아보려고 들어갔다가 결국 그 물에 빠져 죽었다고 하는데,

　　　사, 1968; 진성기, 『남국의 전설』(증보판), 학문사, 1978; 현용준, 『제주도 전설』, 서문당, 1996.

2　송정화, 『중국여신연구』, 민음사, 2007, 66쪽.

3　설문대는 선문대, 설명두, 세명뒤할망, 詵麻姑, 沙蔓頭姑라고도 한다. 巨女신화의 특징에 대해서는 권태효, 『거인설화의 전승양상과 변이유형 연구』, 경기대 박사학위논문, 1998(『한국의 거인설화』, 역락, 2002)에 자세하다.

거대한 여성신의 죽음은 힘에 의해 지배되는 남성신 중심의 시대가 도래하면서 빚어진 패배라고 해석된다. 여성 중심의 사회가 남성 중심의 사회로 변화된 역사적 변천과정을 읽을 수 있다. 이와 유사한 설화가 백두산에 전해지고 있고, 마고할미가 물러난 뒤 단군이 세계를 지배하게 된다고 했다. 여성 중심에서 남성 중심사회로 넘어가는 과정을 보여주고 있고, 단군에 관한 기록신화의 이면을 엿볼 수 있다. 마고할미 설화는 바로 설문대할망 설화의 변이과정을 추적하게 해 주는 좋은 단서가 된다.[4] 영웅서사시에서는 여성영웅서사시가 먼저 나타나고 남성영웅서사시가 뒤를 이었다.[5]

우리에게 잘 알려진 설문대할망 이야기는 몇 가지 부류로 나뉘는데, 한라산과 오름을 만들었다는 이야기, 육지까지 다리를 놓아주려 했던 이야기, 오백 아들을 먹이려하다가 죽솥에 빠져 죽은 이야기 등이 대표적이다. 이 이야기의 근원에는 거대신巨大神의 이야기가 있었고, 이것이 풍화되면 거인신巨人神의 이야기가 되고, 다시 거인巨人의 이야기로 바뀌고 나중에는 인간과 대등하되 힘이 장사인 이야기로 바뀌는 과정에 유념하여 설문대할망 이야기를 분류해 보고자 한다.

첫째, 거대신巨大神으로 섬을 만들었다는 부류인데 흙을 앞치마에 퍼 담아 한라산을 만들었는데 치마에 구멍이 나 있어 샌 흙이 360여 개의 오름이 되었다는 전설이다. 그 증거물이 너무 장대하여 단순히 전설이라 할 수 없고, 일본의 섬을 만든 이자나기와 이자나미처럼 거대신의 지형창조 신화적 흔적을 엿볼 수 있는 신화 반열의 이야기라 할 수 있다. 한라산을 베고 누우면 발이 관탈섬까지 닿았다는 일화를 통해 제주 바닷가에서 한라산까지 20 킬로미터, 다시 바닷가에서 관탈섬까지 20킬로미터인 점을

• • •

4 마고할미 설화는 다음과 같다. 단군이 거느리는 박달족이 마고할미가 족장으로 있는 인근 마고성의 마고족을 공격했다. 전투에 진 마고할미는 달아나서 박달족과 단군족장의 동태를 살피는데, 알고 보니 자기 부족에게 너무도 잘해주는 것이 아닌가. 그래서 마고할미는 단군에게 심복하게 되었고, 단군은 마고할미의 신하인 아홉 장수를 귀한 손님으로 맞이해 극진히 대접했다. 그 아홉 손님을 맞아 대접한 곳을 구빈(九賓) 마을이라 하고 마고할미가 단군에 복속하기 위해 고성으로 되돌아오며 넘은 고개를 왕림(枉臨)고개라 한다는 것이다(『중앙일보』, 1997.7.4).
5 이는 고대국가 형성기에 천신을 자처한 남성 정복자의 등장을 의미한다. 애초 여성영웅과 남성영웅은 대등하였으나, "남성영웅과 여성영웅 사이에서 태어난 자식이 주역으로 등장하면서 대립이 해소되었는데, 그 자식은 딸이 아니고 아들이다. 그렇게 해서 여성영웅과 남성영웅이 병립하던 시대는 가고 남성영웅 독주의 시대가 시작되었다." (조동일, 『동아시아 구비서사시의 양상과 변천』, 문학과지성사, 1997, 65쪽)

한라산과 주변 오름

엉장메코지

계산하면 40킬로미터가 넘는 거대신의
면모가 있음을 짐작케 한다.

둘째, 거인신으로 제주에서 육지까지
다리를 놓아주려다가 그만 둔 이야기
인데, 지금도 다리를 놓던 흔적이 조천
근처 북쪽 바다에 '엉장메코지'라는 증거물이 남았다는 전설이다. 제주에서 육지까지
80킬로미터가 넘는 멀고 깊은 바다를 메워 다리를 놓겠다는 발상은 거인신의 면모를
유감없이 발휘하면서 신화적 상상력이 느껴진다. 제주도민들의 요구에 부응하기 위해

서는 할망의 속옷을 한 벌 지어야 하는데, 옷을 짓기 위한 명주 백 동에서 한 동이 모자라 실패했다고 하니 그 비극적 정황을 감지할 수 있다. 물론 한 동이 백 필이니 그 규모가 크다 하겠지만, 한 동이 부족하다는 것은 신화적 상상력이 깨지고 비극적 전설의 출발이 된다.

셋째, 거인으로 큰 바위 위에 솥을 걸고 밥을 지었다거나 큰 바위 위에 등잔을 올려놓고 바느질을 했다거나, 우도를 빨래판으로 삼아 빨래를 했다는 이야기인데, 밥을 하고 빨래를 하고 바느질하는 여성의 일상이 바로 설문대할망의 행위인 것을 보니 앞의 거인신의 면모보다는 무척 왜소한 느낌이다. 오백 아들을 먹이기 위해 죽을 쑤다가 죽솥에 빠져 죽고 말았다는 이야기에서는 실패담 위주의 전설임을 여실히 직감하게 된다.

오랜 시간의 흐름 속에 설문대할망 이야기는 큰굿의 제차祭次에서 불리는 본풀이에서도 사라지고, 독립된 신화로도 존속하지 못했다. 숱한 증거물을 동반한 전설 속에서 설문대할망을 찾아볼 수 있지만, 지형창조의 증거물이 제주도 섬과 한라산이라는 점에 이르면 이것은 신화적 궤적이 여실함을 느끼게 만든다. 그런데 드물게 천지개벽을 주도하여, 하늘과 땅을 밀어내고 바다에서 흙을 퍼 올려 섬을 만들었다는 신화가 전하고 있어 주목하게 만든다. 그렇다면 이런 부류의 이야기는 여성 창세신화라고 할 수 있을 텐데, 그런 신화가 시간이 흐르면서 서서히 해체되고, 설문대할망 이야기는 전설화한다. 많은 증거물을 지니고 있고 죽음으로 마무리한 전설적 요소가 이를 반증한다.

제주의 지형을 형성한 거대한 여신 설문대할망은 죽음으로 끝나고 이에 관한 이야기는 전설로만 전한다. 신화적 상상력은 대부분 제거되었고, 신의 내력을 풀어내는 방대한 제주 서사무가 속에 설문대할망에 대한 이야기는 없다. 마고할미 전설에서 알 수 있듯이 한반도 전역에서 여성신화가 물러나고 남성신화가 등장한다. 고대국가 건설기 즈음까지 남아 있던 유화나 선도성모에 관한 이야기는 농경과 관련된 대지신으로서의 주체적 성격을 지니고 있다가 소거당하고 만 듯하다. 그러나 한국의 건국신화 속에는 태초의 여신들이 고대국가 건국주의 어머니로서, 신모神母 혹은 곡모穀母라 불리며 남아 있는데, 제주에는 그런 흔적조차 남아 있지 않은 것이 의아하다. 서사무가 본풀이 속에서 설문대할망의 상징성을 찾아내는 것이 앞으로의 과제라 하겠다. 대지신으로서의 여성, 그리고 땅과 관련된 설문대할망의 기억은 매우 중요하다. 우리는 '땅, 물, 달, 농경, 여성' 등에 관련된 상징체계의 의미를 중시해야 한다.[6] 지금 남겨진 설문대할망 설화 속에 내장된 여성 신화의 이미지를 찾아내 그 상징성을 해명하고, 아울러 주변 신화와 대비를 통해서 제주 설문대할망의 위상을 재조명하게 된다면 애초에 지녔던 창세신의 의미를 규명할 수 있을 것이다.

2. 창세신적
특성

　　　　　　　　　설문대할망 이야기는 지금 전설로 남아 있다. 할망이 밥 짓고 빨래하고 바느질하던 흔적도 있고, 할망이 놓다 만 다리도 있다. 대개는 할망의 실패담이며 그 끝에는 죽솥에 빠져 죽었다거나 물장오리에 빠져 죽었다는 비극적인 전설이다. 그런데 할망이 한라산과 360여 개의 오름을 만들었다는 지형형성의 이야기가 있어 우리를 주목하게 했다. 그것은 창세신화의 흔적이기 때문이다. 그런데 설문대할망이 천지를 분리하는 이야기에 덧붙여 바다에서 흙을 퍼올려 섬을 만들었다는 창세신화도 보인다. 이런 여성 창세신은 동아시아에 보편적이었다. 유구琉球에는 붙어 있는 하늘과 땅을 분리시켰다는 여신 아만추가 있다. 중국 소수민족 신화에도 여신이 하늘과 땅을 분리시킨다. 아부카허허는 하늘과 땅의 공간을 구분하고, 이어 낮과 밤의 시간을 구분하는 여신이다.

　유구의 아마미쿄는 아만추의 변형인데, 천상의 흙을 가져다가 섬을 만들었다고 한다. 천상에서 가져왔다고 했지만, 일부 이야기 속에는 바다 저편에서 가져왔다는 흔

6　허남춘, 『제주도 본풀이와 주변 신화』, 제주대 탐라문화연구소, 2011, 147~149쪽 참조.

적이 있어, 수직적인 세계관에 앞서 수평적 세계관이 있었을 것으로 보았다. 수직적 세계관은 천상과 연결되고, 천상이 남신과 연결된다. 창세신화는 서서히 여신에서 남신으로 바뀐다. 만주족 신화를 예로 든다면, 아부카허허는 뒤로 물러나고 아부카언두리라는 남신이 천지를 창조한 것으로 변모한다. 제주도 〈초감제〉에서는 도수문장이 하늘과 땅을 분리시켰다고 했다. 그 후 하늘과 땅은 저절로 개벽한다는 이야기로 바뀐다. 천지혼합의 상황에서 어느 날 천리가 분리된다고 했다. 인격신이 등장하던 이야기는 사라지고 비인격신의 이야기가 나타난다. 음양과 청탁의 기운으로 천지가 분리된다고 하는 일본 신화의 예를 보더라도 신화 속에 중세 합리주의적 사고가 작용하게 된다.

여성신에서 남성신으로 바뀐 신화체계는 지속된다. 여성신 이야기는 계속 풍화된다. 할머니 신은 마고나 노고가 되고 산신으로 숨어든다. 설문대할망도 음부로 물고기를 잡거나 사냥을 하는 세속화된 이야기의 주인공으로 전락하고 만다. 그런데 왜 우리 시대에 갑자기 여성신이 호출되는가. 설문대할망 이야기가 다시 부활한 것은 나름의 연유가 있을 것이다. 여성신의 순수증여와 사랑은 남성신의 횡포와 우승열패의 신화가 횡행하는 세상을 바꿀 수 있다는 기대가 작용하기도 했다. 원시와 고대의 신화 속에 담긴 중요한 메시지, '사람과 다른 생명체, 인간과 자연의 바람직한 관계'를 회복하려는 의도가 작용하기도 했다. 여성신화의 부활 속에서 우리는 경쟁의 사회에서 공감의 사회로 나아가고자 하는 기미를 느낄 수 있다. 무한 경쟁으로 지구를 파멸시켰던 근대문명을 반성하고 인간과 지구의 생명을 중시하는 정신이 창세신화를 통해 회복되기를 기원하는 바람이 담겨 있다.

3. 거인 여성신화로서의
특성

제주에는 창세신화가 여러 심방들의 무가 속에 남아 있다. 〈천지왕본풀이〉가 대표적인데, 창세의 흔적을 지니고 있는 설문대할망 설화도 이와 함께 주목해야 한다. 제주도의 국토를 형성한 이야기로 거구의 여신이 엄청나게 많은 음식을 먹으며, 엄청난 양을 배설하고, 큰 옷을 지어달라고 하는 이야기가 전한다.

설문대할망은 거대한 몸으로 국토를 형성하는 역할을 담당하여, 거대한 몸으로 하늘을 들어 올려 세상을 만든 창세신과 대비된다. 단순하게 지형을 형성하였다고도 할 수 있지만, 신화체계를 본다면 천지분리와 국토생성은 모두 창세신화의 반열에 든다고 하겠다. 지형전설처럼 보이는 설화에도 섬과 오름의 창조 모티프가 담겨 있어 원래 설문대할망 설화가 지니고 있었던 창세신화적 면모를 발견할 수 있었다.

그래서 중국과 일본의 창세신화와 비교하여 설문대할망 설화가 지닌 창세신화적 면모를 찾았다. 중국 여와와 무리우자 여신과 대비를 통해 설문대할망이 하늘과 땅을 바느질하여 창조한 여신과 동격임을 밝혔다. 거인의 배설물과 편력에 의해 지형이 만들어졌다는 이야기는 일본의 '다이다라봇치' 거인설화와 유사하여, 한국과 일본의 거인 모티프에 담긴 창세신적 특성을 알 수 있다.

원시와 고대의 신화가 고대 남성 중심의 신화체계로 재편된 우리나라 대부분의 신화에는 여성 신화가 빈약한 편이다. 그런데 만 년 전부터 오천 년 전까지 모계중심사회가 전개될 당시의 신화체계를 지니고 있는 제주도에는 여성신화가 풍부하다. 그 여주인공들의 활약 앞에 거대하고 강력한 여신 설문대할망이 있었다.

이런 여성신이 역사적 시간의 추이에 따라 변모하는 과정도 살폈다. 첫째, 여성 중심 사회가 남성 중심 사회로 바뀌면서, 여성영웅은 사라지거나 죽고 남성영웅이 등장하는 현상을 찾았다. 둘째, 여성 창세신이 남성 배우자를 만나고 남성신의 배우자로서의 위치를 갖게 되고 이어서 아이를 낳는 어머니 여성신의 면모가 드러난다. 셋째, 거대신이 거인신으로 바뀌고 거인으로 바뀐 후 인간 크기와 비슷한 신으로 점점 왜소해가는 현상을 볼 수 있었다. 넷째 야생적이고 반인반수의 신이 점차 부드럽고 자애로운 여성으로 변모하는 현상을 볼 수 있었다. 그러면서 여성신 이야기는 왜소해지고 파편화하면서 전설로 바뀌는 경로를 따라간다. 그래서 설문대할망 이야기는 전설로 남게 된다.

4. 노고·마고·할미·할망의
의미

　　　　　　　모계사회가 부계사회에 앞서 존재하였듯이, 신화의 출발에는 당연히 여성신화가 중심이 되었을 것이다. 그래서 고대신화에 아버지 없이 어머니 혼자 영웅을 낳아 기르는 화소가 우세하다. 그러나 중세가 시작되면서 기록화가 된 탓에 여성신화의 흔적은 미미하고 남성신화가 주가 되고 여성신은 남성신의 보조역으로 등장한다. 고대신화 주인공의 어머니신이 대표적인데, 그 어머니는 성모聖母라 지칭되고 대체로 산에 좌정한 산신으로도 나타난다.

　그래서 우선 성모란 호칭부터 살펴보았다. 지리산 성모란 호칭에서 시작하여 신라와 가야의 신화에 등장하는 성모를 예로 들었다. 역사적인 순서를 더듬어보면 건국영웅의 어머니를 성모라 했던 관례가 고려 건국신화 속의 위숙왕후를 성모라 칭하게 된 내력까지 이어짐을 살필 수 있다. 그리고 지리산 성모가 지리산 천왕봉의 천왕사에 모셔지는 여산신임을 근거로 성모와 천왕의 관련성에 귀 기울였다. 이를 근거로 고대 건국신화에 두루 나타나는 성모, 신모神母, 모주母主의 실체를 파악하는 가운데 그 여신들이 봉작封爵되어 '대왕大王' '천왕天王'으로 불리는 양상을 볼 수 있다.

　다음으로 지리산 '노고'가 앞의 성모와 다르지 않음을 볼 수 있었는데, 이 '노고'는 '마고'라 지칭되기도 하였다. 그래서 한반도에 두루 존재하는 마고와 노고의 양상을 살피면서 그 기능을 찾았는데 산신 할머니에서 기원되었다고 본다. 할미라는 존칭은 쇠퇴하고 한자어인 마고 혹은 노고로 대체된 것이다. 중세 어느 시기 중국 도교의 여신인 마고신앙과 습합되면서 마고할미가 된다. 할미를 '老姑'라 한문 번역했던 것은 한문과 중세문화가 들어오던 초창기의 사정이었을 것이다. 성모와 신모라는 호칭은 불교나 도교가 본격적으로 받아들여지던 중세화의 시기에 변질된 명칭으로 보인다. 중세 질서에 걸맞게 여성신들은 성모로 치장되어 오랜 동안 중세 텍스트 속에 남아 있게 되었을 것으로 보인다.

　사실 마고와 노고도 존귀한 신격인 '할미'였는데, 그 원래 의미가 풍화되고 서서히 '마귀할미' 이야기로 변질되기도 하였다. 할미의 원형은 제주도 설문대할망에 남아 있다. 설문대할망은 거녀신으로 한라산과 제주 지형을 만든 창세신의 능력을 보였다가 시간이 흐르면서 왜소해진다. 그래서 그런 원초적인 여신의 모습을 다양하게 제시하면서 '할망'과 '할미'의 신성한 의미를 밝혀 놓았다. 할미는 애초 창조신이었는데, 창조신이 산신으로 변화되었고, 성모라 불리며 건국주의 어머니 역할을 하였다. 후에 그 산신은 성을 쌓거나 돌을 나르는 거인으로서의 면모를 잇고 있다. 시간의 흐름에 따라 할미에서 성모로, 성모가 천왕 혹은 대왕으로 봉작되었고, 신성한 할머니가 '마고할미'로 불렸던 사정을 알 수 있다.

02 .

〈설문대할망〉 설화 분류

-
-
-

1. 창세(지형창조)

1) 한라산과 오름

옛날에는 하늘과 땅이 붙어 있었는데 큰 사람(아주 키가 크고 힘센 사람)이 와서 하늘은 위로 가게 하고 땅은 밑으로 가게 한 후, 물바다로 사람이 살 수 없으니 가장자리로 돌아가면서 흙을 파올려 제주도를 만들었다.   『한국구비문학대계』 9-2, 710~714쪽

할망이 치마폭에 흙을 담다가 쏟아 부은 것이 한라산이 되었고, 치마폭의 뚫어진 구멍으로 흘러내린 흙들은 도내에 산재한 작은 산(오름)이 되었다.

장주근, 『한국의 신화』, 6~7쪽

할망이 삽으로 흙을 떠서 쏟아 부은 것이 한라산이 되고, 조금씩 흘린 흙들이 도내 작은 산이 되었다.   장주근, 『한국의 신화』, 7쪽

제주도에는 많은 오름들이 산재해 있는데 이 오름들은 할머니가 치맛자락에 흙을

제주도와 한라산

담아 나를 때 치마의 터진 구멍으로 새어나온 흙이 쌓여서 된 것이라 한다.

현용준, 『제주도전설』, 22쪽

    한림에 있는 산 하나는 선문대할망이 신고 다니던 나막신에 묻어 있던 흙이 떨어져 굳은 것이 오름이 되었다고 하고, 이런 오름이 여러 곳에 있다고 한다.

임동권, 「선문대할망 설화고」, 119쪽

    오백장군의 어머니인 설문대할망은 키가 크고 힘이 셌다. 흙을 파서 삽으로 일곱 번 떠 떤진 것이 한라산이 되었고, 도내 여러 곳의 산들은 할망이 신고 있던 나막신에 서 떨어진 흙이다.

진성기, 『남국의 전설』, 105~106쪽

삽으로 흙을 퍼담아 조금 던진 것은 작은 오름이 되었고, 많이 던진 것은 한라산이 되었다.
제주대 국문학과, 『국문학보』 14집, 1997

몸이 커서 삽으로 열두 번 걸어치니 한라산이 되고, 할망 나막신에 묻은 흙을 터니 사방 오름이 되었다.
제주대 국어교육과, 『백록어문』 22집, 2006, 310~311쪽

한쪽 발은 한라산에, 다른 한쪽은 일출봉 신산오름에 놓고 삽으로 흙을 부어 오름들을 만들었다. 몸이 큰 거인이라고 했다.
제주대 국어교육과, 『백록어문』 20 · 21집, 2005, 351쪽

설문대할망은 육지 할망인데, 한쪽 가달은 육지에 다른 한쪽은 제주에 놓고 삽으로 육지 흙을 퍼서 한라산을 만들었고, 조금씩 떨어진 흙이 영아리나 붉은오름 같은 작은 산(오름)이 되었다.
제주대 국어교육과, 『백록어문』 22집, 2006, 329쪽

2) 한라산과 산방산

할망이 몸을 굽혀서 빨래를 하는데 한라산이 좀 높으므로 봉우리를 꺾어 던지니 산방산이 되었다고 한다. 그래서 한라산은 암산이 되고 산방산은 숫산이 되었다.
김영돈 외, 『제주설화집성』, 511~512쪽

안덕면 산방산은 설문대할망이 한라산 한쪽 부리를 뽑아 던진 것이라 하며, 산부리가 뽑혀 웅덩이진 곳이 백록담이라 한다.
임동권, 「선문대할망 설화고」, 119쪽

설문대할망은 굉장히 큰 할망인데 한라산에 앉아 빨래를 하려 하는데 너무 높아 불편해서 한라산 꼭대기를 집어 던졌는데 그것이 지금 산방산이 되었다. 그래서 한라산 꼭대기는 평평하게 되었다. 사람들은 한라산을 암산이라 하고 산방산을 숫산이

라 한다.   임석재, 『한국구전설화』 9, 202쪽

· 비슷하지만 다른 이야기 : 백록담과 산방산의 형성

한 사냥꾼이 사슴을 향해 활을 쏘았으나 빗나가 옥황상제의 엉덩이를 맞추자 상제는 화가 나 한라산 봉우리를 뽑아 던졌다. 그것이 산방산이 되고 뽑아버린 자국이 지금의 백록담이 되었다고 한다.   제주도, 『제주노 선설지』, 36쪽

3) 오름의 분화구

제주도 오름들은 할머니가 삽으로 흙을 날라 가면서 한 줌씩 집어 놓은 것이라 한다 구좌 다랑쉬오름은 할머니가 흙을 집어 놓고 보니 너무 많아 보여서 주먹으로 봉

백록담 ⓒ강봉수

우리를 탁 쳐서 산봉우리가 움푹 파인 것이다.

현용준, 『제주도전설』, 24쪽; 제주도, 『제주도전설지』, 1985, 68쪽

2. 거구

1) 큰 키

선문대할망이라는 키 큰 할머니가 있었는데 얼마나 키가 컸던지 한라산을 베고 누으면 다리가 제주 앞바다 관탈섬에 걸쳐졌다고 한다.

현용준, 『제주도전설』, 22쪽; 제주도, 『제주도전설지』, 1985, 68쪽

할머니는 키가 커서 한라산과 일출봉 사이를 한 발자국에 놓았다고 한다.

현용준, 『제주도전설』, 24쪽

키가 큰 것이 자랑이어서 용담 깊은 물에 들어갔는데 물이 발등밖에 차지 않았다.

장주근, 『한국의 신화』, 8쪽

할망은 키가 커서 한쪽 발은 한라산을 딛고 한쪽 발은 산방산을 딛고 섰다고 한다.

현용준, 『제주도전설』, 25~26쪽

옛날 마고할망이라는 키 큰 할망이 있었는데 한쪽 발은 한라산을 딛고 한쪽 발은 표선면의 한모살을 딛고 서 있었다고 한다.   현용준, 『제주도전설』, 26쪽

할망은 키가 커서 하늘에 치솟아 머리가 잘 보이지 않을 정도였다. 할망은 한라산을 베개 삼아 베고 누우면 두 발은 성산포 앞까지 닿았다고 한다.

임동권, 「선문대할망 설화고」, 118~119쪽

키가 큰 선문대할망은 육지와 왕래할 적에 신발을 벗고 치맛자락을 살짝 들고 목포쪽을 향해 건넜다고 하는데, 바다의 가장 깊은 곳도 무릎 아래밖에 차지 않았다고 한다.   임동권, 「선문대할망 설화고」, 119쪽

할망이 한라산을 베고 누우면 발이 바닷물에 닿았나. 할낭이 한라산과 관달심을 앙 발로 디디고 서 있었다고 한다.   진성기, 『남국의 전설』, 105~106쪽

한라산을 만든 거대한 신이 바로 선문대할망이다. 한라산을 베고 누우면 다리는 관탈섬에 걸쳐졌다.

제주도, 『제주도전설지』, 1985, 34~35쪽

한라산에 누워 발을 뻗으면 비양도까지 닿았다.

제주대 국문학과, 『국문학보』 18집, 2011

바다를 건너와도 발등에 물이 차지 않고, 명주 50동으로 소중이를 만들어도 밑댈 옷감(처지)가 부족할 만큼 큰 여신이었다.

제주대 국어교육과, 『백록어문』 10집, 1994, 127~128쪽

2) 거구와 바위 구멍

한라산을 베고 누우면 다리가 바다에 잠길 정도였다고 한다. 서귀포 법환리 앞 바다의 '섶섬'에 있는 커다란 구멍 두 개는 할망이 발을 뻗다가 생긴 구멍이라고 한다.

장주근, 『한국의 신화』, 5쪽

서귀포 법환리 앞바다 섬에는 커다란 구멍이 두 개 뚫려 있는데, 이는 선문대할망이 한라산을 베개 삼아 남쪽으로 발을 뻗었을 때 두 엄지발가락이 닿아 생긴 구멍이라 한다.

임동권, 「선문대할망 설화고」, 119쪽

서귀포 법환리 앞바다에 있는 섶섬에는 커다란 구멍 두 개가 뚫려 있는데 이것은 할머니가 누울 때 잘못 발을 뻗어 생긴 것이라 한다.

진성기, 『남국의 전설』, 105~106쪽

한라산을 베고 누워 물장구를 치다가 발가락으로 밀어 법환 범섬에 구멍 두 개가 생겼다.

제주대 국어교육과, 『백록어문』 22집, 2006, 310~311쪽

3) 거구와 빨래하기

한 발은 제주도 서남쪽 가파도에, 한 발은 동북쪽 성산 일출봉에 디디고 빨래를 했다.

장주근, 『한국의 신화』, 6쪽

한라산과 제주 북쪽 관탈섬에 발을 디디고 바닷물에 빨래를 했다.

장주근, 『한국의 신화』, 6쪽

선문대할망이라는 키 큰 할머니가 있었는데 제주 앞바다 관탈섬에 빨래를 놓아 밟고 팔은 한라산 꼭대기를 짚고 서서 빨래를 했다고 한다.

현용준, 『제주도전설』, 22쪽; 제주도, 『제주도전설지』, 1985, 34~35쪽

선문대할망이 한라산을 엉덩이로 깔고 앉아 한쪽 다리는 관탈섬에, 한쪽 다리는 서귀포 지귀섬에 (혹은 대정 마라도에) 딛고 성산봉을 빨래통으로 삼고 우도를 빨래판으로 삼아 빨래를 했다. 　현용준, 『제주도전설』, 23쪽; 제주도, 『제주도전설지』, 1985, 34~35쪽

설명두라는 키 큰 할머니가 한쪽 발은 한라산을 밟고, 한쪽 발은 소섬을 밟고 서서 빨래를 했다. 키가 큰 것이 자랑이어서 용담 깊은 물에 들어갔는데 물이 발등밖에 차지 않았다.

장주근, 『한국의 신화』, 8쪽

할망의 키가 커서 한라산에 걸터 앉아 한 발은 소섬(우도)에 걸치고 한 발은 서귀포의 범섬에 걸치고 성산봉을 빨래판으로 삼아 빨래를 했다고 한다.

임석재, 『한국구전설화』 9, 277~279쪽

빨래할 때 왼 발은 성산일출봉에 오른쪽은 마라도를 딛고 서서 서귀포쪽의 직기섬에 놓고 빨래를 했다. 북쪽 바다에서 빨래를 할 때, 추자도와 완도에 발을 딛고서 보

길도에 옷을 놓고 빨래를 했다.   제주도, 『제주도전설지』, 1985, 68쪽

　왼쪽 발은 한라산을 딛고, 오른쪽 발은 산방산을 딛고 서서 태평양 물에 빨래를 할
정도로 몸이 컸다.   제주도, 『제주도전설지』, 1985, 68쪽

4) 거구와 길쌈하기

　성산에는 바위 위에 다시 큰 바위를 얹어놓은 것이 있는데 설문대할망이 김쌈을 하
다가 등잔이 낮으므로 바위를 놀려놓고 그 위에 등잔을 올려놓았다고 하는데 그 바위
를 등경돌이라 한다. 현용준,『제주도전설』, 24쪽; 제주도, 『제주도전설지』, 1985, 68~69쪽

등경돌 ⓒ강봉수

5) 두럭산

제주도에는 산들을 오름이라 부르는데, 산이라 부르는 것이 다섯 있어 오대산이라 한다. 한라산, 성산(청산이라고도 한다), 성읍 영주산, 안덕 산방산, 그리고 김녕의 두럭산이다. 대부분의 산은 위용이 있는데 두럭산은 산일 할 만한 것이 못되는 바닷가 조그만 바위다.

그런데 이것을 산이라 하는 이유는 한라산과 대對가 되는 산으로, 한라산에 운이 돌아와 장군이 나면 두럭산에서는 장군이 탈 용마가 난다고 하여 신성하게 여겼기 때문이다.

옛날 키가 큰 설문대할망이 한라산과 청산(성산)을 밟고 앉아 이 두럭산을 빨래판으로 삼아 빨래를 했다고 한다.　　　　　　　　　　　현용준, 『제주도전설』, 16~17쪽

3. 대식大食

구좌면 송당리 동쪽 들판에 있는 세 개의 바위는 할망에 솥을 걸고 밥을 짓던 곳이다.

　　　　　　　　　　　　　　　　　　　　　　　장주근, 『한국의 신화』, 6쪽

애월면 곽지리에 흡사 솥덕 모양의 바위 세 개가 있는데 이것은 할망이 솥을 앉혀 밥을 해먹던 곳이라 한다. 할망은 앉은 채로 애월의 물을 떠 넣었다고 한다.

　　　　　　　　　　　　　　　　　　　　　현용준, 『제주도전설』, 26쪽

할망을 키가 큰 만큼 먹는 양도 많았다고 한다. 송당리에 있는 큰 바위 세 개는 할망이 밥을 지을 때 솥 받침으로 사용히된 놀이라 하고, 세화에서 목장 가는 도중에 작은 오름이 셋 있는데 이는 할망이 밥을 지을 때 솥을 올려놓았던 곳이라 한다.

　　　　　　　　　　　　　　　　　임동권, 「선문대할망 설화고」, 119쪽

4. 대근大根
-큰 음부로 사냥하기

할망이 가랑이를 벌리고 오줌을 누려 하는데, 포수에게 내몰린 사슴들이 할머니의 음부 속으로 숨어버렸다. 사슴(각록) 여러 마리가 숨을 정도로 넓었다고 한다.

『한국구비문학대계』9-1, 200~202쪽

설문대할망에게는 남편인 설문대하르방이 있었는데, 하루는 하르방이 고기를 먹고 싶다고 하자, 할망에 하르방에게 한라산 꼭대기에 올라가 남근으로 나무를 두들기면서 오줌을 세게 갈겨대라고 일러주었다. 그 말대로 하니 산돼지와 노루가 도망을 가다가 할망의 음부로 모두 숨어들어가니 그것을 잡아다 일년 반찬을 해 먹었다고 한다.

『한국구비문학대계』9-2, 710~714쪽

설문대할망과 설문대하르방이 함께 사는데, 배가 고프자 하르방이 제안하여 하르방은 성기로 고기를 몰고 할망은 섭지코지 앞의 물에 가서 가랑이를 벌리고 앉아 음부에 고기를 담았다고 한다.   김영돈 외, 『제주설화집성』, 705~706쪽

설문대할망은 배가 고프면 성산 앞바다에 가서 두 다리를 벌리고 앉아 있으면 고기들이 할망의 음부로 모두 들어가고, 그때 하문을 잠그고 나와 육지에 쏟아 먹곤 했다. 여기는 고래도 많고 물개도 많고 고기도 많아 할망은 여기서 그것들을 잡아먹곤 했다.

임석재, 『한국구전설화』9, 277~279쪽

설문대하르방은 성기가 커서 배필이 없다가 키가 큰 설문대할망을 만나 부부가 된다. 할망이 아들 오백 형제를 낳고 고기가 먹고 싶어 하르방에게 고기를 잡으러 가자고 한다. 둘은 바다에 와 하르방은 성기로 물고기를 쑤시며 몰고 할망은 음부를 벌리고 있어 고기가 모두 하문으로 들어갔다. 육지에 나와 풀어놓으니 수백 섬이 나왔고 그

고기를 모두 끓여먹고 삼천 삼백 년을 살았다고 한다.

임석재, 『한국구전설화』 9, 277~279쪽

5. 대의大衣

1) 속옷 지어주기와 다리 놓기

할머니는 키가 너무 커 옷을 제대로 입을 수가 없었다. 그래서 속옷 한 벌을 만들어주면 육지까지 다리를 놓아 주겠다고 했다. 속옷 한 벌을 만드는데 명주 100통이 드는데 제주 백성들은 99통밖에 모을 수 없어 속옷을 만들지 못했고, 할머니는 다리를 놓다가 중단했는데 그 자취가 조천과 신촌 앞바다에 남긴 여(바위)라고 한다.

현용준, 『제주도전설』, 22~23쪽; 제주도, 『제주도전설지』, 1985, 34~35쪽

명주 백 통을 모아 속옷 한 벌을 만들어주면 육지까지 다리를 놓아 주겠다고 하여, 도내의 명주를 모두 모았더니 99통밖에 못 돼서 옷을 만들어주지 못했고, 그래서 할망도 다리를 놓다가 말았다고 한다. 그 놓다가 만 다리가 한림 앞바다에 있는 긴 곶이라 한다.

장주근, 『한국의 신화』, 5쪽

할망이 옷을 하나만 지어주면 육지까지 다리를 놓아주겠다고 하자 제주도 백성들이 무명 한 필씩을 모아 옷을 지었는데 가랑이 한 쪽밖에 안 되었다고 한다. 그래시 할망도 흙 한 줌으로 빚어놓은 것이 모슬포 앞 긴 곶이 앞뜨르라고 한다.

장주근, 『한국의 신화』, 7~8쪽

할망은 속옷 한 벌만 해 주면 육지까지 다리를 놓아주겠다고 했는데 명주를 모아 보니 99필밖에 안 되어 속옷을 만들다가 사타구니 부분의 옷감이 모자라 완성하지 못

했고, 그래서 다리도 놓아주지 않게 되었다.   현용준, 『제주도전설』, 25쪽

　할머니의 속옷 한 벌을 만드는데 명주 100통이 드는데 명주가 99통밖에 없어 옷을
못 만들었다고 한다.   현용준, 『제주도전설』, 26쪽

　설문대할망은 몸이 거대한 할머니였다. 명주로 속옷을 만들어주면 제주도에서 진도
까지 다리를 놓아 주겠다고 했는데 도민들은 명주 쉰 통을 들이고도 옷을 짓지 못했
다고 한다.   김영돈 외, 『제주설화집성』, 511~512쪽

　할망은 제주도에서 육지까지 다리를 놓아 주기로 하고 대신에 섬사람들에게 속옷 한
벌을 지어달라고 했다. 속옷 만드는 데는 명주 100통이 필요했으니 섬에 있는 명주를
모두 모아 보니 99통밖에 없어 속옷 한 쪽 가랑이가 짧게 되었다 할망은 속옷이 만족
할 만한 것이 아니어서 화가 나 육지와 다리 놓던 일을 그만두었다고 한다. 그 다리를
놓던 자리가 조천에 남아 있다고 한다.   임동권, 「선문대할망 설화고」, 119~120쪽

　이 할머니는 도민들에게 명주 백 동(1동은 50필)을 모아 속옷을 한 벌 만들어주면 본
토까지 걸어다닐 수 있도록 다리를
만들어주겠다고 했다. 도민들은 있는
한 모았으나 한 동이 모자랐고 육지
와의 다리는 놓다가 말았다. 그 다리
를 놓던 흔적이 조천에 있는 엉장매
코지라고 한다.
　　진성기, 『남국의 전설』, 105~106쪽

　설문대할망은 몸이 컸기 때문에 옷
을 해입지 못했다. 그래서 할망은 제

엉장메코지

주 사람들에게 옷을 지어주면 육지까지 다리를 놓아주겠다고 했다. 제주 사람들은 옷감을 모았고 할망은 조천에서부터 다리를 놓기 시작했다. 사람들은 있는 옷감을 다 모아 옷을 지었으나 짧은 속옷밖에 못 만들었고 할망은 다리 놓기를 그만두었다고 한다.

임석재, 『한국구전설화』 9, 277~279쪽

설망도할망이 속옷을 만들어주면 다리를 놓아준다고 하여, 있는 명주를 다 모아 속옷을 만들다가 모자라 다 만들지 못하니, 다리도 놓다 말았다. 명주를 모두 모았는데 속옷 하나 만들지 못하니 그 할망의 크기를 알 수 있다.

제주대 국문학과, 『국문학보』 11집, 1992, 224쪽

설문대가 목포와 제주 사이 깊은 바다에 들어도 무릎밖에 안 닿았다. 도민에게 옷 한 벌 해주면 목포와 제주 사이에 다리를 놓아주겠다고 하였다. 돈을 모아도 옷 한 벌 사줄 수 없어 다리를 못 놓았다. 제주대 국문학과, 『국문학보』 20집, 2013, 97~98쪽

속옷을 지어주면 소섬과 성산 사이에 다리를 놓아주겠다고 하였는데, 명주 7동을 들어도 부족해 결국 다리를 못 놓아주었다고 한다.

제주대 국문학과, 『국문학보』 14집, 1997, 204쪽

명주 백 동만 모으면 소중기를 만들 수 있고 그러면 목포까지 다리를 놓아서 걸어 다니게 해 주겠다고 하였다. 한 동이 쉰 필이고, 한 필이 스무 자라, 백 동을 마련할 수 없어 부족해서 결국 옷을 만들어주지 못하고 다리도 실패하였다. 조천 엉장매코지(웅장벽호지)에 시작한 흔적이 남아 있다.

제주대 국어교육과, 『백록어문』 22집, 2006, 310~311쪽

한라산의 봉우리도 99봉, 골도 99인데 100개면 왕도 나고 범도 났을 텐데 그러지 못했다고 하는 풍수 이야기를 하면서, 성산 일출봉도 99봉인데 설문대할망이 그곳 돌

위에 불을 얹어놓고 바느질을 했다고 한다. 명주도 99동밖에 없었는데, 100동을 채웠으면 속옷이 만들어지는데 실패하였다고 한다. 99동으로 치마를 해 입었는데 치마에 흙을 담아 한라산으로 가다가 흘린 것이 오름이 되었다고 한다. 모두 100에서 하나 부족한 사연들로 아쉬움을 표하고 있다.

제주대 국어교육과, 『백록어문』 11집, 1995, 261~261쪽

2) 속옷과 백사장 메우기

설문대할망이 어느 날 표선에 와서 속옷 한 벌을 만들어주면 깊은 바다를 메워 육지로 만들어주겠다고 했다. 표선 사람들은 옷감을 모았으나 99필이어서 한 필이 모자라 앞자락을 붙이지 못하였다. 할망은 마음에 차지 않았지만 표선 사람의 성의가 고마워서 앞바다를 메워주었는데 마을의 모든 톱날은 무디어 있었고 소와 말은 모두 등가죽이 벗겨져 있었다고 한다. 설문대할망이 밤새 톱을 걷어와 한라산 나무를 베고 소와 말로 옮겨와 바다를 메우고 그 위에 흙을 덮었다고 한다. 지금도 큰 파도가 일면 나무 조각이 올라온다고 한다.

임석재, 『한국구전설화』 9, 203~204쪽

표선면 해안의 백사장은 물이 깊어 풍파에 가옥이 침수하는 등 고생하였으며 아이들도 놀다가 빠져 죽었다고 한다. 할망이 명주로 속옷을 만들어주면 메꾸어준다고 하기애 백성들이 모아서 만들어주었더니 하룻밤 사이에 산의 나무를 베어다가 바다에 깔고 백사장을 만들어 주었다. 지금도 조수가 나간 뒤에 모래를 헤쳐 보면 굵은 나무가 보인다고 한다.

장주근, 『한국의 신화』, 7쪽

3) 할머니의 감투

설문대할망 감투가 오라동 한내에 있었는데, 모자 모양으로 되어 있는데 경주 이원 홈 족감석이라 쓰여 있었다고 한다.

『한국구비문학대계』 9-2, 710~714쪽

족두리바위 ©강봉수

제주시 한내 위쪽에는 큰 구멍이 파인 바위가 있는데 이것은 할머니가 쓰던 감투라고 한다.

현용준,『제주도전설』, 22쪽

오라 내창에 큰 돌이 있었는데 할머니의 족두리라고 한다. 바둑판도 있었다고 한다.

제주대 국문학과,『국문학보』19집, 2012

오라 한내 '고지렛도'라는 곳에 모자 모양의 바위가 있는데 선문대할망의 감투라고 한다.

제주도,『제주도전설지』, 1985, 34~35쪽

6. 배설

1) 오줌발과 지형형성

성산과 우도는 붙어 있었는데 할망이 한쪽은 식산봉을 디디고 한쪽은 성산일출봉을 디디고 오줌을 쌌는데 오줌 줄기가 세었기에 육지 한 조각이 잘려나가 우도(소섬)이 되었다. 지금도 성산과 우도 사이에는 조류가 세다고 한다.

현용준, 『제주도전설』, 24~25쪽; 제주도, 『제주도전설지』, 1985, 68~69쪽

성산 앞바다에 있는 소섬(우도)은 원래 제주에 붙어 있었는데 설문대할망이 한쪽 발은 식산봉을 딛고 한쪽 발은 일출봉을 딛고 앉아서 소변을 보았더니, 오줌줄기가 너무 세서 우도가 잘려 나가고 지금도 성산과 우도 사이에는 조류가 세게 흐른다고 한다.

임석재, 『한국구전설화』 9, 277~279쪽

설문대할망이 비양도에 발을 걸치고 오줌을 누어 백록담에 물이 고이고, 그 남은 물이 스며들어 제주에는 물이 풍부하다고 한다.

제주대 국문학과, 『국문학보』 21집, 2014, 119쪽

2) 배변의 흔적

워낙 몸이 커서 수수범벅을 먹고 똥을 싼 것이 산이 되었는데, 그 산이 '굿상망오름'이다.

장주근, 『한국의 신화』, 7쪽

물장오리 ⓒ강봉수

7. 죽음

1) 물장오리에서의 죽음

키가 큰 것이 자랑이어서 용담 깊은 물에 들어갔는데 물이 발등밖에 차지 않았다. 남군 어느 물에 들었더니 물이 무릎밖에 차지 않았다. 그래서 한라산 물장오리에 들어가 봤다가 그만 빠져 죽고 말았다.　　　　　　　　　　　장주근,『한국의 신화』8쪽

키 큰 선문대할망은 제주도 안의 물이 얼마나 깊은지 시험해 보았다. 용담에 들어가니 물이 발등에 찼고, 서귀포 홍리물에 들어가니 무릎까지 닿았다. 이렇게 시험을 해보다가 마지막으로 물장오리에 들어갔는데 빠져 죽고 말았다. 물장오리는 밑이 터

진 깊은 물이었기 때문이다.
현용준, 『제주도전설』, 23쪽

선문대할망이 키 자랑을 하기 위해 용연에 들어갔으나 물이 겨우 발등에 묻할 정도였으며, 한라산 물장오리에 드렁갔더니 얼마나 깊던지 할망도 빠져 죽고 말았다.
임동권, 「선문대할망 설화고」, 120쪽

할머니는 자신의 키가 큰 것을 늘 자랑했는데 용연물이 깊다 하여 들어갔더니 겨우 발등에 찼으며, 홍리물(서귀포)은 무릎까지 찼다. 그러나 한라산 물장오리 물은 밑이 없는 연못이라 나오려는 순간 그만 빠져죽고 말았다고 한다.
진성기, 『남국의 전설』, 105~106쪽

할망은 바닷물이 얼마나 깊은지 알아보려고 여기저기 들어가 보았는데, 제주 용소를 들어가니 물이 발등에 찼고, 서귀표 홍리물에 들어가니 무릎밖에 안 차고, 한라산 물장오리가 깊다고 하여 들어갔다가 거기 빠져 죽고 말았다.
임석재, 『한국구전설화』 9, 277~279쪽

흙을 모두 치마에 싸서 가다가 흙을 흘려버리니 오름이 되었다. 한라산에 가 누웠다가 물장오리 물이 크다고 하니 목욕하러 거기 들어섰다가 빠져죽었다.
제주대 국어교육과, 『백록어문』 10집, 1994, 127~128쪽

2) 죽솥에 빠져 죽음

아들 오백 형제를 낳고 그 많은 아들을 먹이기 위해 큰 솥에 죽을 끓이다가 그만 잘못해서 빠져 죽고 말았다. 자식들이 그것을 알고 같이 산중에 들어가 죽어 돌이 되었으니, 한라산 영실의 오백장군이 바로 그것이다.   장주근, 『한국의 신화』, 8~9쪽

오백장군 ⓒ강봉수

흉년이 든 해에 아들들이 도둑질을 하러 나간 사이에 아버지는 아들들에게 먹일 죽을 끓이다가 가마솥에 빠지고 말았다. 아무 것도 모른 채 죽을 먹던 아들들은 갑자기 죽이 맛있다는 것에 의심을 하고 죽솥을 저어 보았더니 거기에 뼈가 나왔고 그것이 아버지의 것임을 확인하고는 울다가 화석이 되고 말았다.

진성기, 『남국의 전설』, 105~106쪽

집안이 가난해서 오백형제에게 식량 도둑질을 시켜 보내고 아버지는 죽을 끓이다가 팥죽에 빠져 죽고, 그 죽을 먹은 아들들은 아버지의 뼈를 발견하고 슬피 울어 눈물이 얼어붙어 오백장군 바위가 되었다. 화가 난 할망이 한라산 꼭대기를 던지자 떨어져 나와 산방산이 되었다.   제주대 국어교육과, 『백록어문』 22집, 2006, 310~311쪽

차귀도 ⓒ강봉수

　설문대할망에게는 오백장군이 있었는데 죽을 끓이다가 죽솥에 빠져 죽었다. 장군들은 놀라 얼어붙어 버렸고 500장군 바위가 되었다고 한다. 막내는 차귀도 바위가 되었다. 뒤에는 이 할망이 영등할망이라고 하면서, 정월 열나흘에 들어와 보름에 나간다고 했다가, 다시 이월 보름에 나간다고도 했다. 할망의 정체를 혼동한 흔적이다.

제주대 국어교육과, 『백록어문』 16집, 2000, 366~368쪽

　영실기암 : 영실에는 오백장군이 있는데 실은 499개다 옛날 한 어머니가 아들 500을 두었는데, 죽을 끓이다가 죽솥에 빠져 죽고 말았다. 이를 모르는 아들들은 죽을 먹다가 어머니의 뼈를 발견하고 부끄러워, 막내 동생은 차귀섬으로 달려가 바위가 되었고, 형들은 통곡하다가 바위로 굳어져 영실 바위가 되었다.

제주도, 『제주도 전설지』, 1985, 36쪽

3) 기타의 죽음

치맛자락으로 흙을 싸서 바메기오름을 만들었는데, 바메기오름 동그란 물을 디디니 옴박 들어가버렸다고 한다.　　　　제주대 국어교육과, 『백록어문』 10집, 1994, 267~268쪽

제주도에 고양부 3을나가 태어난 시기에 설문대할망이 제주를 통치하러 왔으나 뜻 대로 되지 않아 물에 빠져 죽고 말았다.　　　　제주도, 『제주도전설지』, 1985, 68쪽

· 죽음과 관련한 마고할미 이야기 : 매고할망

매고라는 예쁜 여인에게 남편이 있었는데, 이웃 총각이 여인을 흠모하여 이 남편을 몰래 죽이고 속여 결혼하였다. 함께 살며 아들 일곱을 두었는데 나이가 들어 전 남편 을 죽인 사실을 실토하였더니 남편을 관가에 고발하고 아들 일곱을 모두 자기 손으로 죽였다. 여인은 홀로 토굴 속에 들어가 결국 죽음을 맞았다고 한다. 아들과 엄마의 죽 음, 마고 신화의 변이 형태를 볼 수 있다.　　　　김영돈 외, 『제주설화집성』, 968~970쪽

8. 당신 좌정

옛날 한라산에서 솟아난 당개할망은 저 바당 한집과 사이에 아들이 7형제였다. 명 주 99동을 모아 속옷을 만들어주었는데 음부를 가릴 한 동이 모자라 결국 육지를 잇 는 다리를 놓지 않게 되었다. 그때 7형제 중 다섯 형제는 한라산 5백장규을 거느리고, 아들 하나는 할망의 부류으로 외서 죽을 쑤다가 죽에 빠져 죽어버렸다. 이 아들은 소 섬을 차지하는 신이 되고 다섯 아들은 한라산 오백장군 오백 선생을 거느리며 좌정하 고, 설문대할망은 표선리 한모살에 쌓아서 만든 공이 있었는데 거기를 좌정처로 삼아 당개할망이 되었다. 나주목사가 여기에 와 설문대할망의 영험함을 보고 두려워하며 돌아갔다고 한다.　　　　표선리 원로회, 『표선리 향토지』, 1996, 154~155쪽

03 .
대표적인 설문대할망 설화

-
-
-

1. 설문대할망

　　　　　　　* 바지 잃은 사돈 이야기가 끝나 한참 웃고 다시 잡담을
하다가 이 이야기가 나왔다.

　선문대할망, 설문대할망, 설명두할망, 세명뒤할망 등이라 일컬어지는 이 거녀巨女의
이야기는 전도적으로 분포되어 널리 회자되는 이야기다. 짤막 짤막한 단편적인 에피
소드로 전승되는데, 이 여인의 거녀적 모습을 표상하는 요소가 가장 많다.

　설문대 할망이 잇어나십주(있었읍지오.)
　원 그거 모릅주.[1] 거 뭐, 비단 백필만 허영 소중기[2] 맨들어 주민(만들어 주쪽) 추즈도
끄지 드리(다리) 놔 주멘(놓아 주마고) 허였다고.
　주문ᄒ단 흔 필이 부족허여서[3] 못허여 주니 걸[4] 아이 허여 줘 부렀다고.
　겨니(그러니) 설문대 할망이 경하여도(그리해도) 족은장오리[5]에는 빠젼 죽었다고 ᄒ니

• • •
1　그 이야기가 사실인지 아니지는 모르지오의 뜻.
2　여자의 속옷의 일종.
3　온 도민이 힘을 모아 비단을 모았으나 한 필이 부족해서.
4　그것을, 곧 다리 놓기를.

족은장오리가 원 그렇게 짚은가(깊은가) 모르겠어. 그렇게.

한라산 머릿박ᄒ고[6] 사ᄉᆞ(泗水) ᄒ고 추ᄌᆞ(楸子島)는 발 걸치고 허연 눠난(누웠던) 할망(할머니)이라고 ᄒ니, 허허허. 엉뚱ᄒ 할망이주.

그 할망이 경 허였주계(그리 했지요). 한라산 우의(위에) 가가지고 웅 (이렇게) 가달(다리) 벌견(벌려서) 오좀을 싸는디, 포수가 각록(角鹿)덜을, 사슴덜을 다울려가지고(몰아서) 총으로 쏘을랴고, 거, 굴 속에 곱아 부러(숨어 버려).[7] 어, 보니, 웅 (이렇게) 보니 엉큼ᄒ 할망인디, 할망(할머니) 그디[8]가 들어가 부렀어. 각록이. 하하하하.

(조사자 : 각록이?)

각록이. 들어가 근지러와가니 오좀 싸니 것이(그것이) 내가 뒈였다고.

(조사자 : 아,아,아.)

설문대 할망이 크긴 커난(컸던) 모양이라 양, 각록 ᄋᆞ나문(여남은) 개가 그디(거기) 들어가게쿠름. 허허허허.

(현원봉 : 엣, 말도. 허 허 허.)

서김녕리 용두동 1979.4.22. 현용준, 김영돈 조사, 안용인 남 74
한국정신문화연구원, 『구비문학대계』 9-1, 1980. 201~202쪽.

2. 설문대할망

　　　　　　　* 고재환씨의 안내로 송기조씨를 찾아갔다. 자그마한 방이지마는 글씨 한 폭이 걸려 있었다. 활달한 성격이요 익살스런 분이란 말은 이미 들었었지마는 괜찮은 글씨 한 폭이 표구도 안 된 채로ᄂᆞ끼 걸려 있는 것으로 보아시, 생활감정만은 운치를 지니고 있는 듯 햇다. 취지를 말하고 제주도 전설로서는 가장

* * *

5　한라산 허리에 있는 물 이름.
6　한라산을 베개 삼아 머리로 베고의 뜻.
7　포수가 잡을려고 하니 사슴들의 굴 속으로 도망쳐 숨어 버렸다는 말.
8　거기. 곧 설문대할망의 성기 속에.

잘 알려진 '설문대할망'에 대해서 우선 물어 보았다. 제보자는 이내 이 마을 남쪽 내에 놓인 돌덩이 '족두리석' 이야기부터 꺼냈다. '족두리석'은 꼭 족두리처럼 생긴 돌인데 설문대할망이 쓰던 족두리라 한다. 송기조씨는 이야기의 골격만을 말하고 마는 투여서 조사자들이 가끔 질문을 던져야 말이 이어져 나갔다. 그리고 될 수 있으면 표준어화하여 말하는 편이어서 순제주도 방언과는 거리가 있는 말씨였다.*

설문대할망 감투가 요디(여기) 이십쥬(있지요.) [김영돈 : 아 감투마씸? 어디 잇어마씸?] 고지렛도. 기연디(그런데) 거기 경주이원흠(慶州李元欽)이 족감석(族感石)이라 새겨졌주. 경주이씨 이원흠에 대한 겨레족재(族字), 감동감재(感字), 친족이 감동해서 새긴 돌이라 써진 게 잇긴 잇는디.

우리가 엿날(옛날) 들으니까, 설문대할망이 키도 크고 심도(힘도) 쎄고(세고) ᄒ여난(하였던) 모양입니다. 그래서 ᄒᆞᆫ착발(한쪽발)은 사라봉에 디디고 ᄒᆞᆫ착발은 저디 물장오리라고 거길 디디여서 산짓물에 빨래(빨래) ᄒᆞ다가, 산짓물에 빨래ᄒᆞ잰(빨래하려고) 구빡ᄒᆞ단(꾸벅하다가) 벗어지영(벗어져서) 털어젓다(떨어졌다) 그렇게 말ᄒᆞᆸ디다.

그 돌을 보민 ᄒᆞᆫ펜으로(한편으로) 영(이리) 모ᄌᆞ(帽子) 모냥으로 뒌 디가(데가) 잇언(있어서) [고재환 : 예, 있습니다.] [김영돈 : 거 어디 잇어?] 여기서 주차장 감만 ᄒᆞ민(갈 만큼 가족) 바로 가ᄁᆞ우난(가까우니까) 볼 수 잇수다. [고재환 : 가운디 영(이렇게) 보민(보면) 바로 모ᄌᆞ 써난(썼던) 것ᄀᆞ치룩(것같이) 되었습니다.] 그 모ᄌᆞ 모냥으로 뒌 거기에 경주이원흠 족감석이라 우리가 보니까 써 이십디다. '경주'라는 건 '경주이씨'. 원흠이 본관 '경주이씨'를 말ᄒᆞ고, '경주이씨' 이엔도 안ᄒᆞ고 그냥 '경주이원흠 족감석' 이라. 이원흠 친족덜이 감동ᄒᆞᆫ 돌이라 ᄒᆞ니 그건 이원흠 이름을 나타내는 거주 그건, [김영돈 : 이원흠씨ᄒᆞ고 설문대할망ᄒᆞ고 무슨?] 관계 읎습니다. 그디(거기에) 글 새기는 이만 물어 보도(보지도) 않고 이름을 나타내우잰(나타내려고) ᄒᆞ는 것뿐입쥬.

[김영돈 : 설문대망이 한라산을 어떵ᄒᆞ영 만들엇댕(만들었다고) ᄒᆞ니까?] 요존이 아으덜(아이들)이 전설을 써 주시오 ᄒᆞ기에 써 줘신디(주었는데), 뭐엔(무어라고) 써줘싱고(서 줬는고) ᄒᆞ니, 엿날에는 여기가 하늘광(하늘과) 땅이 부떳다(붙었다). 부떳는지 큰 사름이 나와

서 떼여 부럿다(버렸다). 떼연(떼어서) 보니, 여기 물바닥이라 살 수가 읎으니 ㄱ드로(가로) 물을 파면서, 목포(木浦) ꞏ지 아니 파시민(파시쪽) 질을(길을) 그냥 내불테인디(버릴 터인데) 그ꞏ지 파부니(파 버리니) 목포도 끊어젓다.

그것은 그때에 여기를 육지 맨드는(만드는) 법이 잘못흔 거쥬. 기연디(그런데) 설문대 할망이 혹(흙)을 싸다가. 거길 메울려고 싸다가 걸어가당(걸어가다가) 많이 떨어지민 큰 오롬이 뒈곡, 족게 떨어지믄 족은 오름이 뒈엇다, 그건 엿말입니다. [김영돈: 어떵마 씸?] 치매(치마)에, 치매에 혹(흙)을 사다가 많이 떨어지민 한라산이 뒈곡, 족게(적게) 떨 어지민 도둘봉이 뒈엿다, 그건 엿날 전설이곡.

저 생각으론 이 제주도를 처음 맨드는 분이 잘못 생각ㅎ엿어. 우방으로 혹을 지처 시민(위로 던졌으면) 바다는 바다대로 가곡, 육진 돌라져시민(도려내졌으면) 뒐 건디, 웨 육 지레(육지로) 가는디 파부럿느냐, 나 ㄱ뜨민(같으면) 파지 맙셍(마시라) ㅎ컬(할 걸).

[김영돈: 육지ㅎ곡 부떳당은애(붙었다가는)] 부뜬(붙은) 게 아니고 전부 물바다로 보아 서 하늘광 땅이 부떳는지 천지개벽흘 때 아미영ㅎ여도(아무리 하여도) 열린 사름이 이실 거라 말이우다. 그 열린 사름이 누게가 열렷느냐 ㅎ민 아주 키 크고 쎈 사름이 딱 떼 어서 하늘은 우테레(위로) 가게 ㅎ고 땅을 밋트로(밑으로) ㅎ여서 ㅎ고 보니 여기 물바다 로 살 수가 읎으니 ㄱ드로(가로) 돌아가멍 혹 파 올려서 제주도를 맨들엇다 ㅎ는디 거 다 전설로 ㅎ는 말입쥬.[김영돈: 하, 다 바당이엇는데 예.] 예. [김영돈: 또 속옷이야기 가 잇던데 예?] 제주도에서. 속옷이 아니고 허리 허리만 당ㅎ여 주면은 목포레 가는 ㄷ릴(다리를) 놔주겟다(놓아 주겠다). 기연디(그런데) 그걸 ㅎ여 주질 못ㅎ여서 ㄷ릴 못 낫 고(놓았고). 기여니 명지(명주)가 멧 동이 드는지 알게 뭐야 원, 워낙 커노니까. 기영ㅎ난 못 낫쥬(놓았지).

기연디(그런데) 그 때도 그런 말이 잇엇답니다. 민일 ㄷ릴 놓앗더민(놓았더라면) 호랑이 제와서 (겨워서) 못 실 거라고. 호랑이ꞏ범이 들어오거든. 헌데 제주도에 웨 범이 읎어 젓느냐 ㅎ면은 구구곡(九九谷)이라고 아은아옵골이 이십쥬. 거(그거) 백골 뒈여서는 범이 와 살 테인디(터인데) 골 ㅎ나히(하나가) 부족ㅎ니 범은 범ㅎ지 못한다. 육지 가도 제주 도 사름신디(사람한테) 범이 댕이도(다니지도) 못혼다고, 흑내 남젱(난다고). 제주도 사름안

틴(사람한테는) 범이 아니 오라(와).

[김영돈: 기연디 원래 제주도에 범이 잇엇단(있었다가) 어디 중국 사름이 들어완에(들어와서는) 흔 골짜기에 몰아단 범들을 죽여부럿다 흐는 말도 잇는디예] 그런 말 못 들어낫수다. 흐디 우리 읔은(자란) 후에끄지 잇어난 게 깍녹(사슴)·산톄지(멧돼지), 곧 멧돼지, 그것은 우리 읔은 후에 끄지 잇어나십쥬(있었었지요.)

[다음 부분은 녹음해서는 절대 안 된다고 하면서 살짝 덧붙였다. 녹음은 되어 있지 않다.]

설문대하르방이 잇어낫쥬(있었었거든). [김영돈: 설문대하르방도 잇어마씸?] 설문대할망이 이신디(있는데) 하르방이 웃입니까. 할망이 이시민 하르방이 잇쥬. 하르방이 잇다가,

"궤기(고기)가 꼭 먹고 싶다."

고. 할망이 곧는(말하는) 말이,

"한라산 꼭대기에 강 잇다가 나 말대로만 흡서(하십시오)."

갓어. 갓는디 하르방 보고,

"당신이랑 한라산 꼭대기에 가서 대변 보멍(보면서) 그것으로 낭(나무)을 막 패어 두드리멍(두드리면서) 오줌을 작작 굴깁서(갈기십시오). 굴기면은 산톳(멧돼지)이고 노루고 다 잡아질 텝쥬(터지지요).

아닌게 아니라, 이영햇더니(이리했더니) 산톳이고 노루고 막 도망가. 할망은 자빠전 누워 잇엇댄(있었다고). 비브름 피흐젠(피하려고) 흐단 그것들은 할망 그디(그곳, 陰部) 간 몬딱(모두) 곱안(숨었어). 곱으니(숨으니) 이젠 그것들 잡아단(잡아다가) 흔 일년 반찬 흐연 먹엿댄(먹었다고) 흐여.

오라동 동카름 1980.11.23. 김영돈, 고재환 조사, 송기조 남 74
한국정신문화연구원, 『구비문학대계』 9-2, 1981, 710~714쪽

3. 선문대할망

○ 옛날 선문대할망이라는 키 큰 할머니가 있었다. 얼마나 키가 컸던지, 한라산을 베개 삼고 누우면 다리는 제주시濟州市 앞바다에 있는 관탈섬에 걸쳐졌다 한다.

1975.2.25 舊左面 金寧里 安用仁(男) 提供

○ 옛날 선문대할망이라는 키 큰 할머니가 있었다. 할머니는 빨래를 하려면 빨래를 제주시 앞바다의 관탈섬에 놓아 발로 밟고, 팔은 한라산 꼭대기를 짚고 서서 빨래를 발로 문질러 빨았다 한다.

○ 제주시 한내漢川 위쪽에는 큰 구멍이 팬 바위가 있는데, 이것은 할머니가 쓰던 감투라 한다.

○ 제주도에는 많은 오름(小火山)들이 여기저기 흩어져 있는데, 이 오름들은 할머니가 치맛자락에다 흙을 담아 나를 때에, 치마의 터진 구멍으로 흙이 조금씩 새어 흘러서 된 것이라 한다.

○ 할머니는 키가 너무 커 놓으니 옷을 제대로 입을 수가 없었다. 그래서 속옷을 한 벌만 만들어 주면 육지까지 다리를 놓아 주겠다고 했다. 속옷 한 벌을 만드는 데에는 명주 1백 통(1통은 50필)이 든다. 제주 백성들이 있는 힘을 다하여 명주를 모았으나 99 통밖에 안 되었다. 그래서 속옷은 만들지 못하고, 할머니는 다리를 조금 놓아 가다가 중단하여 버렸다. 그 자취가 조천면 조천리·신촌리 등 앞바다에 있다 한다. 바다에 흘러 뻗어간 여(바위 줄기)가 바로 그것이라는 것이다.

濟州市 老衡里에서 어렸을 때 듣다

○ 선문대할망은 기가 큰 것이 자랑거리였다. 할머니는 제주도 안에 있는 깊은 물들이 자기의 키보다 깊은 것이 있는가를 시험해 보려 하였다. 제주시 용담동龍潭洞에 있는 용소龍淵가 깊다는 말을 듣고 들어서 보니 물이 발등에 닿았고, 서귀읍 서홍리西歸邑 西洪里에 있는 홍리물이 깊다 해서 들어서 보니 무릎까지 닿았다. 이렇게 물마다 깊이

를 시험해 돌아다니다가 마지막에 한라산에 있는 물장오리에 들어섰더니, 그만 풍덩 빠져 죽어버렸다는 것이다. 물장오리가 밑이 터져 한정 없이 깊은 물임을 미처 몰랐기 때문이다.

濟州市 老衡里에서 어렸을 때 듣다

○ 옛날 설문대할망이라는 할머니가 있었다. 할머니는 한라산을 엉덩이로 깔아 앉고, 한쪽 다리는 관탈에 놓고, 또 한쪽 다리는 서귀읍西歸邑 앞바다의 지귀섬地歸島(또는 대정읍 앞 바다의 마라도)에 놓고 해서, 성산봉城山峰(城山面 城山里)을 구시통(빨래 바구니)으로 삼고, 소섬(舊左面 牛島)은 팡돌(빨랫돌)로 삼아 빨래를 했다.

1975.2.28 城山面 始興里 梁基彬(男・69歲) 提供

○ 옛날 설명두할망 또는 세명뒤할망이라고 하는 키 큰 할머니가 있었다. 할머니는 한쪽발은 한라산을 밟고 한쪽 발은 소섬을 밟고 서서 바닷물에 빨래를 했다 한다.

○ 제주도의 많은 오름(小火山)들은 할머니가 삽으로 흙을 날라 가면서 한 줌씩 집어 놓은 것이라 한다.

○ 구좌면舊左面의 드랑쉬目郎崇는 산 봉우리가 움푹하게 패어져 있는데, 이것은 할머니가 흙은 집어 놓고 보니 너무 많아 보여서 주먹으로 봉우리를 탁 쳐 버렸는데 움푹 패어진 것이라 한다.

○ 할머니는 키가 커서 한라산과 일출봉日出峯(城山面 城山里) 사이를 한 발자국에 놓았다 한다.

○ 성산면 성산리 일출봉에는 많은 기암奇岩이 있는데, 그 중에 높이 솟은 바위에 다시 큰 바위를 얹어 놓는 듯한 기암이 있다. 이 바위는 설명두할망이 길삼을 할 때에 접시불(또는 솔불)을 켰던 등잔이라 한다. 처음은 위에 다시 바위를 올려 놓지 않았는데, 불을 켜 보니 등잔이 얕으므로 다시 바위를 하나 올려 놓아 등잔을 높인 것이라 한다. 등잔으로 썼다 해서 이 바위를 등경돌燈檠石이라 한다.

○ 본래 성산리城山里 앞바다에 있는 소섬牛島은 따로 떨어진 섬이 아니었다. 옛날 설명두할망이 한쪽 발은 성산면 오조리五照里의 식산봉食山峯에 디디고, 한쪽 발은 성산면

성산리 일출봉에 디디고 앉아 오줌을 쌌다. 그 오줌 줄기의 힘이 어떻게 세었던지 육지가 패어지며 오줌이 장강수長江水가 되어 흘러 나갔고, 육지 한 조각이 동강이 나서 섬이 되었다. 이 섬이 바로 소섬이다. 그 때 흘러 나간 오줌이 지금의 성산城山과 소섬 사이의 바닷물인데, 그 오줌 줄기의 힘이 하도 세었기 때문에 깊이 패어서, 지금 고래·물개 따위가 사는 깊은 바다가 되었고, 그 때 세차게 오줌이 흘러가던 흔적으로 지금도 이 바다는 조류가 세어서 파선하는 일이 많다. 여기에서 배가 깨어지면 조류에 휩쓸려 내려가서 그 형체를 찾을 수가 없다.

일설一說에는 이 할머니가 성산 일출봉과 성산면 시흥리 바닷가의 ᄇ름알선돌이라는 바위를 디디고 앉아 오줌을 누었다고 하기도 한다.

○ 설명두할망은 속옷 한 벌만 해 주면 육지까지 다리를 놓아 주겠다고 했다. 명주를 모아 보니 99필이 되어 속옷을 만들다 보니, 처지(속옷 사타구니 부분의 붙임 조각)가 하나 모자라서 속옷을 완성하지 못했다. 그래서 다리도 놓아 주지 않았다고 한다.

○ 설명두할망은 세명뒤할망, 쒜멩듸할망, 또는 설명대할망이라고도 한다.

1974.10.19 城山面 古城里 金錫保(男)·韓公翊(男) 提供

○ 옛날 설문대할망이라는 키 큰 할머니가 있었는데, 한쪽 발은 한라산을 딛고, 한쪽 발은 산방산山房山(安德面)을 디디고 앉았다 한다. 그만큼 키가 컸었다.

1975.3.4 安德面 和順里 梁性弼(男·77歲) 提供

○ 옛날 마고麻姑할망이라는 키가 큰 할머니가 있었다. 어찌나 키가 컸던지 한쪽 발은 한라산을 디디고 한쪽 발은 표선면表善面 표선리 바닷가의 한모살(ᄆ래톱)을 디디있다 한다.

○ 이 할머니의 속옷 한 벌을 만드는 데에는 명주 100통이 드는데, 명주가 99통밖에 없어 못 만들었다 한다.

○ 마고할망은 일명 설명지할망이라고도 한다.

1975.3.2 表善面 表善里 洪成治(男·73歲) 提供

○ 애월면 곽지리郭支里에 흡사 솥덕(돌 뜨위로 솥전이 걸리도록 놓는 것) 모양으로 바위 세 개가 세워져 있는 곳이 있다. 이것은 선문대할망이 솥을 앉혀 밥을 해 먹었던 곳이라 한다. 할망은 밥을 해 먹을 때, 앉은 채로 애월리涯月里의 물을 떠 넣었다 한다.

1975.12.19 翰京面 高山里 李自榮(男·77歲) 提供

현용준,『제주도 전설』, 서문당, 1976, 27~32쪽

4. 설문대할망

[雪漫頭 할머니]

　　　　　　오백장군의 어머니 설문대할망은 굉장히 키가 클 뿐만 아니라 힘도 세었다. 흙을 파서 삽으로 일곱 번 떠 던진 것이 한라산이 되었으며, 도내島內 여러 곳의 산들은 다 할머니가 신고 있던 나막신에서 떨어진 한 덩이의 흙들이다. 그리고, 오백 형제나 되는 많은 아들을 거느리고 살았다. 그런데, 이 할머니의 아들에 대해서는 이러한 이야기가 있다.

흉년이 든 어느 해, 아들들이 도둑질하러 다 나가 버렸다. 아버지는 아들들이 돌아오면 먹이려고 죽을 쑤다가 잘못하여 그 커다란 가마솥에 빠지고 말았다. 아들들은 그런 줄도 모르고, 돌아오자마자 죽을 퍼먹기 시작하였다. 여느 때 없이 죽맛이 참으로 좋았다. 그런데, 맨 나중에 돌아온 아들은 이상하게 여겼다. 죽맛이 갑자기 좋아질 리가 없었기 때문이다. 그는 국자로 죽솥을 휘저었다. 뭔가 국자 끝에 걸리었다. 뼈다귀였다. 계속해서 휘저었다. 그러자, 사람의 두개골 같이 보이는 뼈가 나왔다. 그리고 보니, 아버지가 보이질 않았다. 아버지가 죽을 휘젓다가 빠져 죽었음이 틀림없었다.

그래, 그들은 날이면 날마다 멀리서 아버지를 그리며 울다 보니 화석으로 굳어져 버렸다.

그리하여, 남편과 또 그 많은 아들들을 잃어버린 설문대할망은 홀몸이 되었다. 이제 갈 데도 올 데도 없는 단신이라 만단수심萬端愁心을 다 잊어버리고자 나다녔다.

할머니는 한라산을 베개 삼고 누우면 발끝은 바닷물에 잠기어 물장구를 쳤다. 그리

고, 빨래를 할 때만 하여도 한쪽 발은 한라산, 또 한쪽은 관탈섬을 디디었다. 그리고, 서귀포와 법환리의 앞바다에 있는 섶섬에는 커다란 구멍이 두 개 뚫려 있는데, 이것은 이 할머니가 누울 때 잘못 발을 뻗쳐 생긴 것이라 한다.

그런데, 이 할머니는 늘 도민들에게 명주 백동(1동은 50필)을 모아 속옷을 한 벌만 만들어 준다면, 본토本土에까지 걸어서 다닐 수 있도록 다리를 만들어 주마고 하였다. 이 말을 들은 도민들은 모을 수 있는 데까지 모았으나 꼭 한 동이 모자랐다. 육지와의 다리는 실현되지 못하였지만, 조천리에 있는 엉장매코지는 이 할머니가 놓으려던 다리의 흔적이며, 신촌리의 암석에 있는 큰 발자국은 그 때의 자취라고 한다.

이 할머니는 자신의 키가 큰 것을 늘 자랑하였다. 그래서, 용연물(제주시 용담동 해변에 있음)이 깊다길래 들어섰더니 발등에 겨우 닿았으며, 홍릿물(서귀읍 서홍리에 있음)은 무릎까지 올라왔다. 그러나, 한라산의 물장오리 물은 밑이 없는 연못이라 나오려는 순간 그만 빠져죽고 말았다 한다.

1958년 8월, 안덕면 화순리 문 인길님 談.

진성기, 『남국의 전설』, 1981, 22~23쪽

5. 설문대할망

　　　　　　　　* 줄거리 : '설문대할망'은 몸집이 아주 거대한 할머니였다. 명주로 그녀의 속옷 한 벌만 만들어 준다면 제주도에서 진도珍島까지 다리를 놓아주겠다고 했으나 도민들은 명주 다섯통을 들이고서도 옷을 못 만들었었다 한다. 그리고 굽어서 바닷물에 빨래하는 데에는 한라산이 좀 높으므로 한라산 봉우리를 소금 꺾어서 던지니 산방산이 되었다고 한다. 그래서인지 제주도는 넓지 않지만 우양호사牛羊虎獅가 사방에 있어서 큰 대환大患이 잘 미치지 않는다고 한다.*

춤 설문대할망이 원 어떤 서눙새가 돼여난딘 모르주만 제주도에서 말홀 것 ㄱ트민 당신이 속옷 ㅎ나만 멩주 속옷 ㅎ나 해줄 것 ㄱ트민 내가 여기서 진도ᄁ진가 그ᄁ지

드릴 놔주겟다고 햇어. 멩주 쉰통을 들이고도 속옷 ᄒ나는 못해놓기로 츰 그 드릴 츰 못 낫다고 ᄒ여.

[조사자 : 다릴 안 눈예?]

드리를 놓지 못했다고 ᄒ는 전설이 그거 ᄒ나 나오는 것이로뒈. ᄒ니까 한라산 고 고리를다(꼭대기를다가), 대정大靜산방산山房山이, 한라산이 너미(너무) 노프니끼니 굽어 가 지고 서답ᄒ기에 바당물에 빨래ᄒ기에 좀 노파 가지고 좀 뭐ᄒ을랴고 한로산 봉우리를 다가 조금 꺼꺼다가 던지니 산방산 뒈엿다곤 그런 전설인디, 거 이제 당추,

[조사자 : 거 저 설문대할망이 서답ᄒ젠 ᄒ난 답답ᄒ난 거 뽑안 데껴줄엇구나예?]

경ᄒ연 던져부리니 산방산이 할로산 봉우린디, 한로산은 암산이 뒈고 산방산은 가 니 숫산이 뒈엿다고.

게니 우리 제주도가 절도絶島이 바닥이 너르지 안ᄒ여도 제주도가 뭘ᄒ민 우양호사 라고, 우양호사가 ᄉ방으로, 우도牛島는 소섬, 양은 비양도飛揚島, 범호자는 대정 범섬虎 島, 정의 사ᄌ섬. 우양호사가 ᄉ방에 잇으니까니 제주도가 어떤어떤 큰 대환은 잘 미 치지 안ᄒ다는 거주.

애월읍 고성리, 1983.2.12., 김영돈, 변성구 조사, 김병수, 남, 82.
김영돈 · 현용준 · 현길언, 『제주설화집성』 1, 511~512쪽.

6. 설문대할망과
설문대하르방

섬 안에는 대당한 거인이었던 설문대할망에 대한 여러 가지 전설이 전해 내려오고 있다.

예를 들면, 섬 사람들과 명주 백동을 마련해주면 섬과 육지를 잇는 다리를 놓아 주 겠다고 약속을 했다가 아흔아홉 동으로 한 동이 모자라 다리를 놓지 못했다는 이야기 라든가, 얼마나 몸집이 컸던지 한라산과 관탈섬에 양발을 걸치고 빨래를 했었다는 이 야기 등 섬 전체에 걸쳐 이 거인 할머니에 대한 이야기는 많다.

한편 이 할머니에게 아들 오백이 있었는데 이 아들들이 사냥을 나간 사이에 이들에게 줄 팥죽을 쑤다가 가마솥에 빠져 죽었다는 영실의 오백장군 전설을 보면 이 할망에게 남편이 있었던 것은 분명한데 설문대하르방에 대한 전설은 지금까지 별로 알려진 게 없다.

그런데, 성산읍 신양리의 해수욕장 동남쪽, 소위 "섶지코지"라 불리는 곳에는 이 거인 설문대할망과 설문대하르방에 대한 전설이 있어 흥미를 끈다. 이 섶지코지는 제주섬에서 동남쪽으로 가장 길게 뻗어나간 만으로 이 코지 끝에는 지금까지 거의 원형대로 남아 있어 지방기념물 3-28호로 보존되고 있는 봉수대가 있으며, 일제시대에는 일본 군인들이 이곳 붉은오름에 레이다기지를 만들려다 철수한 흔적이 보이기도 한다.

설문대할망과 하르방은 한 때 이곳에서 바닷고기들을 잡아 먹으며 살았는데 원체 거인이었던 이들에게 생계를 이어 가기란 그리 쉬운 일이 아니었다.

그런데 어느 날 할머니는 할아버지에게 제안을 했다.

"하르방 저 쇠섬 여으로 강 고기를 좀 몰아옵서."

할아버지가 우도 옆으로 가서 고기를 섶지코지 쪽으로 몰면 섶지코지 쪽 바다에 앉았던 할머니가 하문下門으로 그물을 치듯이 에워 잡아 그걸로 생계를 유지했다고 한다.

신풍리 오문복, 50

오성찬, 『제주의 마을시리즈』 5 제주의 핵심마을 고성리, 227~228쪽.

04.

설문대할망의 창세신적 특성

–주변민족 거인신화와의 비교를 중심으로

．

．

1. 서

설문대할망 이야기는 지금 우리에게 무엇인가. 무가 본풀이에서 구연되는 것도 아니고 신화의 면모를 산실한 채 전승되고 있다. 주로 전설의 파편화된 이야기일 뿐이다. 그런데 왜 신화를 거론하는가. 설문대할망 이야기의 흔적을 더듬어보면 제주도 지형창조의 창세신적 면모가 감추어져 있고, 그 이야기를 복원하면 여신 창세신화의 비밀을 찾아낼 수 있을 것이라 여기기 때문이다. 창세신화는 다양하게 전승되고 있다. 우리나라의 경우 〈창세가〉〈시루말〉〈천지왕본풀이〉계열은 미륵과 석가와 천지왕 등 남성신 위주의 창세신화다. 창세 여성신 신화는 미미하다. 여성신이 대지를 창조하거나 인간을 창조하는 세계적 보편 신화가 우리에게는 잘 보이지 않는다. 그러나 설문대할망 이야기를 조망하면 그 흔적의 일단을 확보할 수 있다. 그래서 신석기시대의 대지모신 혹은 거석巨石시대의 거녀신을 만날 수 있게 된다.

여성신화에 대한 관심과 여성신의 의미 규명에 대한 최근의 열의는 무엇인가. 남성 중심, 가부장적 권위에서 벗어나 여신의 자애로움이나 모성, 그리고 만물 생육의 가치를 찾으려 함이 아니던가. 힘 위주의 경쟁이 낳은 폐단은 이어져 무한경쟁의 시대를 맞고, 우승열패의 신화 속에서 양극화가 심각하게 진행되고 있다. 더 이상 근대문명이 행복을 주지 못하고 있다. 그래서 중세와 고대의 가치로 회귀하려 하고 있다. 중세의 인간에 대한 배려와 예의의 가치, 고대의 고난 극복의 투지와 영웅의 성취, 더 거슬러 올라가 인간과 자연과 그 안에 깃든 생명의 공존을 추구하는 여성성의 가치를 회복하고자 한다.

설문대할망 이야기가 제주에서 다시 부각된 이유는 무엇인가. 이런 현상은 학계 바깥에서 비롯되었다. 20여 년 전 설문대할망 이야기가 스토리텔링이 되고, 10여 년 전 제주돌문화공원에 설문대할망 전시관이 들어선다는 계획이 있고부터다. 단순한 전설을 왜 신화라고 하느냐는 반론도 나오고, 오백 장군의 화석전설과 거녀전설의 작위적인 결합이고 조작이라는 문제제기도 있었다. 이에 대해 학계가 답을 하면서 설문대할망 이야기는 광포전설의 차원을 넘어서 신화적 원형 탐구로 이어지고 신화 스토리텔링의 현실적 필요성도 제기되었다.[1]

학계에서도 20여 년 전부터 제주도의 구비서사시(본풀이)가 한국 신화의 지평을 넓혀준다는 측면에서 관심의 대상으로 떠올랐다. 원시와 고대신화에 대한 탐구가 이루어지는 과정에서, 지금까지의 관심 대상은 건국신화 위주였는데 무속신화에까지 영역을 넓혔더니 다채로운 신화의 세계가 펼쳐졌고, 그 중에서 제주의 무속신화가 주목의 대상이 되었다. 특히 〈세경본풀이〉의 '자청비' 이야기나 〈삼공본풀이〉의 '가문장' 이야기는 여성신의 주체성을 여실히 느낄 수 있는 매력적인 것이었다. 이와 더불어 거녀巨女인 설문대할망 이야기도 관심의 대상으로 떠올랐다.

오랜 시간의 흐름 속에 설문대할망 이야기는 큰굿의 제차祭次에서 불리는 본풀이에서도 사라지고, 독립된 신화로도 존속하지 못했다. 숱한 증거물을 동반한 전설 속에서 설문대할망을 찾아볼 수 있지만, 지형창조의 증거물이 제주도 섬과 한라산이라는 점에 이르면 이것은 신화적 궤적이 여실함을 느끼게 만든다. 그런데 드물게 천지개벽을 주도하여, 하늘과 땅을 밀어내고 바다에서 흙을 퍼 올려 섬을 만들었다는 신화가

• • •

1   이에 대한 자세한 논의는 허남춘, 「설문대할망과 여성신화」, 『탐라문화』 42호, 제주대 탐라문화연구소, 2013, 128
    ~136쪽에 밝혔다.

전하고 있어 주목하게 만든다. 그렇다면 이런 부류의 이야기는 여성 창세신화라고 할수 있을 텐데, 그런 유형의 이야기가 동아시아 주변에도 있는 보편적인 것인지 가늠해 보아야 할 것이다. 우리는 중국의 반고盤古신화처럼 남성신의 창세신화는 잘 알고 있다. 중국의 주변부 소수민족에게도 반고신화가 전하기는 하지만, 설문대할망처럼 여신 창세신화가 함께 전하고 있고, 일본의 소수민족이라 할 유구 속에도 창세 여신 아만추가 있다.

　　제주도 구비문학은 여느 소수민족의 문학이 그러하듯이 온전한 소수민족의 전범을 보이고 있으며 제주도 구비문학은 이러한 각도에서 논의를 해야만 온전한 의의를 가지고 있다고 생각한다. 아울러서 소수민족의 문학인 제4세계문학으로서의 보편성을 검증하기 위해서 유사한 사례의 소수민족과 비교가 불가피하다.[2] 그런 사례로 적절한 대상이 되는 것이 일본에서는 홋카이도와 오키나와 소수민족이고, 중국에서는 만주와 몽골 그리고 중국 남부 운남 등의 소수민족이라 하겠다. 그래서 이 장에서는 제주와 오키나와 비교를 중심축으로 하여, 주변 소수민족의 창세신화를 함께 언급하면서 여성 거인신화의 정체성을 밝히고자 한다.

2. 창세신화의 흔적

1) 천지분리

　　일반적인 설문대할망 이야기는 전설화되고 파편화된 것들이 대부분이다. 설문대할망과 관련된 증거물들이 크고 할망의 몸집도 크기 때문에 이 이야기의 애초의 모습은 거인설화일 것이라 추정할 뿐이었다. 그런데 우리가 상상하지 못했던 창세신화의 흔

2　김헌선, 「제4세계문학 범례로서의 제주구비문학연구」, 『한국언어문화』 제29집, 한국언어문화학회, 2006, 6쪽.

적을 담은 설화를 만나게 되었다.

1980년 제주시 오라동에서 채록된 것인데 많은 연구자들이 주목하지 않았던 설화다. 최근 몇몇 연구자가 이 설화의 신화적 면모를 주목했다. 오라동에 마을에 남아 있는 족두리석에 대해 이야기를 꺼냈는데 제보자는 설문대할망이 썼던 족두리라는 이야기의 골격만 말하고 마는 상황이어서 조사자들이 가끔 질문을 던져서 말을 이어 나갔다. 그때 조사자가 "설문대할망이 한라산을 어떻게 해서 만들었다고 합니까"라고 물으니 다음과 같이 특별한 이야기를 전개했다.

> [김영돈 : 설문대할망이 한라산을 어떵ᄒ영(어떻게 해서) 만들엇댕(만들었다고) 흡니까?] 요전이 아으딜(아이들)이 전설을 써 주시오 ᄒ기에 서 줘신디(주었는데), 뭐엔(무어라고) 써줘싱고(써줬는고) ᄒ니, 옛날에는 여기가 하늘광(하늘과) 땅이 부떳다(붙었다). 부떳는디 큰 사름이 나와서 떼여 부럿다(버렸다). 떼연(떼어서) 보니, 여기 불바닥이라 살 수가 읎으니 ᄀᆞ디로(가로)물을 파면서, 목포(木浦)ᄁᆞ지 아니 파시민(팠으면) 질을(길을) 그냥 내 불테인데(버릴 터인데) 그ᄁᆞ지 파부니(파 버리니) 목포도 끊어젓다.[3]

이 이야기는 설문대할망이 한라산을 어떻게 만들었냐고 하는 조사자의 질문에 답한 내용이다. 처음에는 키가 크고 힘이 센 사람이 나와서 천지를 분리시키고 난 후, 여기가 물바닥이어서 살 수가 없어서 가장자리로 흙을 파면서, 목포까지 흙을 파버리니 육지와 길이 끊어졌다고 말했다. 이어서 설문대할망이 치마에 흙을 퍼다가 물바닥을 메우려고 하다가 흙이 많이 떨어진 곳은 큰 오름(한라산)이 되고 적게 떨어진 곳은 작은 오름이 되었다고 한다. 육지와 떨어진 사연을 이야기하는 대목에서 소사사가 나시 '붙었다가 떨어진' 사연을 묻자 이어서 아래의 이야기를 반복했다. 하늘과 땅이 붙었다가 떨어진 이야기와, 물바닥에 흙을 퍼담아 섬으로 만든 이야기와, 제주가 육지와

•••

3 『한국구비문학대계』 9-2, 한국정신문화연구원, 1981, 710~714쪽. 오라동 설화 23, 송기조 남, 74.

떨어지게 된 이야기가 연속되었는데, 조사자의 부적절한 개입에 의해 '하늘과 땅을 분리시킨 이야기'가 두 번 구술되었다.

하늘광 땅이 부떳는디 천지개벽홀 때 아미영ᄒ여도(아무리 하여도) 열린 사름이 이실 거라 말이우다. 그 열린 사름이 누게가 열렷느냐 ᄒ민 아주 키 크고 쎈 사름이 딱 떼어서 하늘을 우테레(위로) 가게 ᄒ고 땅을 밋트로(밑으로) ᄒ여서 ᄒ고 보니 여기 물바다로 살 수가 읏으니 굿드로(가로) 돌아가멍 혹 파 올려서 제주도로 맨들엇다 ᄒ는디 거 다 전설로 ᄒ는 말입쥬.

하늘과 땅이 붙어 있었는데, 천지개벽할 때에 아무래도 열어젖힌 사람이 있을 것이란 말입니다. 그 연 사람이 누군가 하면 아주 키 크고 힘이 센 사람이 (붙은 것을) 딱 떼어서 하늘은 위로 가게 하고 땅은 아래로 가게 하고 보니, 그곳이 물바다로 살 수가 없어서 가장자리로 돌아가면서 흙을 퍼 올려서 제주도를 만들었다고 하는데, 그것이 모두 전설로 하는 말입니다.[4]

조사자의 부적절한 개입 덕분에 우리는 확실한 것을 얻게 되었다. 제보자의 생각은 명료했다. 키가 크고 힘이 센 설문대할망이 천지가 붙어 있던 혼돈의 시절에 하늘을 밀어올려 분리시켰던 이야기와, 제주도 섬을 만든 이야기를 함께 구술했다. 이 중요한 대목을 독자들은 왜 지나쳤을까. 그리고는 우리가 익히 알고 있는 치마에 흙을 퍼 담아 한라산과 오름을 만든 지형형성 이야기에만 주목했을까.

구술한 앞의 이야기는 성글고 뒤의 이야기는 촘촘한 편이다. 설문대할망이 어떻게 한라산을 만들었냐고 묻자, 천지가 붙어 있을 때 '큰 사람'이 나와서 분리시켰다고 했고, 뒤에는 '키가 크고 힘이 센 사람'이 나와서 분리시켰다고 했다. '큰 사람'은 '설문대할망'의 모습을 구체적으로 형상화해서 표현한 것이고, 뒤에는 더 구체적으로 형상화하였다. 제보자는 천지분리 이야기에 이어서 치마에 흙을 퍼 담아 한라산과 오름을

• • •

4   『한국구비문학대계』 9-2, 710~714쪽.

만드는 주체를 '설문대할망'이라고 적시하고 있다.

그것은 그때에 여기를 육지 맨드는(만드는) 법이 잘못흔 거쥬. 기연디(그런데) 설문대할망이 흑(흙)을 싸다가, 거길 메울려고 싸다가 걸어가당(걸어가다가) 많이 떨어지민 큰오롬이 돼곡, 족 게 떨어지문 족은 오롬이 돼엿다, 그런 엿말입니다. [김영돈 : 어떵마심?] 치매(치마)에, 치매에 흑 (흙)을 싸다가 많이 떨어지민 한라산이 돼곡, 족게(적게) 떨어지민 도돌봉이 돼엿다, 그건 엿날 전설이곡.

그런데 우리는 여태까지 설문대할망이 앞치마에 흙을 퍼 담아 한라산과 오름 등 제주 지형을 형성한 '지형형성' 혹은 '국토형성' 이야기에만 주목해 왔다. 기실 키가 크고 힘이 센 설문대할망이 천지가 붙어 있던 혼돈의 시절에 하늘을 밀어올려 분리시켰던 이야기나 남아 있는데 말이다. 그렇다면 설문대할망은 창세신화 중 국토형성에만 관여한 신이고, 천리분리에는 전혀 관여하지 않았다는 편견은 시정되어야 한다. 설문대할망 이야기 속에 천지분리와 지형형성의 온전한 창세신화를 발견할 수 있겠다.[5]

설문대할망은 하늘과 땅을 두 개로 쪼개어 놓고, 한 손으로는 하늘을 떠받들고 다른 한 손으로는 땅을 짓누르며 힘차게 일어섰다. 그러자 맞붙었던 하늘과 땅 덩어리가 금세 두 쪽으로 벌어지면서 하늘의 머리는 자방위(子方位)로, 땅의 머리는 축방위(丑方位)로 제각기 트였다.[6]

여기서도 『구비문학대계』의 설화처럼 설문대할망의 천지분리 화소가 명확하다. 위에서는 하늘과 땅을 분리시켰다고만 했는데, 여기서는 한 손으로 하늘을 떠받들고, 나

• • •

5 설문대할망이 지형형성뿐만 아니라 천지분리에까지 관여하여 창조여신적 면모를 지니고 있음은 이미 권태효의 다음 논문에서 확인할 수 있다. 권태효, 「여성거인설화의 자료 존재양상과 성격」, 『탐라문화』 37호, 제주대 탐라문화연구소, 2010, 245~246쪽; 권태효, 「지형창조 거인설화의 성격과 본질」, 『탐라문화』 46호, 제주대 탐라문화연구소, 2014, 24~25쪽.
6 진성기, 『신화와 전설』(증보 제21판), 제주민속연구소, 2005, 28쪽.

른 한 손으로 땅을 짓눌렀다고 좀더 구체적으로 표현되어 있다. 뒤에는 다음의 이야기가 이어진다. 천리분리의 사실을 안 옥황상제는 진노하였는데, 그 이유는 땅의 세계가 옥황상제 권역 밖이 되었기 때문이다. 이것이 말젯딸(설문대할망) 소행임을 알고 그를 땅의 세계로 쫓아냈다. 설문대할망은 속옷도 챙겨 입지 못하고 인간세상에 내려오는데, 흙을 치마폭에 담고 내려와 흙으로 제주도를 만들었다고 한다. 천지분리에 이어 지형창조가 이루어짐은 위의 신화와 같다. 진영삼의 구술인 이 이야기에는 속옷도 챙겨 입지 못하고 내려온 것과 결부되어 속옷을 만들어주면 육지에까지 닿는 다리를 놓아주려 했던 이야기 등등 설문대할망과 관련된 이야기가 모두 종합되어 있다. 천지분리 화소를 제외하고는 모두 익숙한 화소들이다. 그런 측면에서 천지분리 화소도 신빙성이 있다고 판단된다.

설문대할망의 천지분리와 지형형성 화소가 특이한 것은 아니다. 유구의 신화 속에는 천지를 분리하는 창세 여신의 흔적이 명료하게 드러난다. 물론 후대의 이야기일수록 천상계 신의 명령으로 하계에 내려와 지상의 땅을 만드는 지형형성 이야기로 되어 있고, 남녀신이 함께 등장하는 경우도 있다. 중국의 소수민족 신화에서도 여신이 천지분리의 반을 담당하는 내용이 있어 주목된다.

유구에 살았다는 거인 아만추가 있다. '천인天人'이란 의미다. 그는 태고 적 하늘이 낮아 인간은 개구리처럼 엎드려 살았는데, 아만추가 인간을 불쌍히 여겨 양손과 양발의 힘을 다해 하늘을 들어 올렸다고 한다. 『오키나와민속지沖繩民話集』에는 천지 사이가 좁았을 때 아만츄메가 하늘을 들어 올렸다고 되어 있다. 창세신화의 흔적들이다. 다른 아만추 이야기를 보자.

아만추의 발자국 : 오랜 옛날 천지는 하나로 붙어 있어서 당시 인간들은 개구리처럼 기어다녔다. 아만추―고류큐 개벽의 신, 오모로 신가 등에는 '아마미쿄'라고 적혀 있다―는 이것을 불편하다고 여겨, 하루는 단단한 바위가 있는 곳에 가 바위를 발판으로 양손으로 하늘을 밀며 일어섰다. 이때부터 천지는 멀어지게 되고 인간은 서서 걸을 수 있게 되었다.[7]

아만추의 천지분리 : 옛날에는 하늘과 땅이 떨어져 있지 않고 거의 붙어 있었다. 그래서 사람들은 기어다닐 수밖에 없었다. 먹을 것을 구하면서 일어나서 걸어다녀야 하므로 하늘과 땅이 붙어 있다는 것은 곤란한 상황이었다. 그런데 어디서 내려왔는지 모르나 아만추라는 이가 와서 나하의 유치노사치라는 곳에 서서 '이얍!' 하고 하늘을 들어올렸다. 이때부터 사람들은 서서 걸을 수도, 먹을 것을 구할 수도 있게 되었다.[8]

아마미쿄는 여신이다. 이 거인 아만추 이야기는 아마미쿄 이야기와 뒤섞이게 된다. 그 명칭상의 유사성 때문이다. 오모로사우시(10권 52번) 유구 개벽의 이야기를 보면, 최초에 일신日神이 온 세상을 비추었는데 세상을 내려다 보다가 아마미쿄에게 명령해 세상에 내려가 섬들을 만들게 했고 후에 하늘나라 백성과 같은 사람이 살도록 했다고 한다. 이 비슷한 이야기가 『중산세감中山世鑑』에 전한다. 천제가 아마미쿠阿麻美久를 불러 아래에 신이 머물만한 영지靈處가 있으니 내려가 섬을 만들도록 명령했다. 아마미쿠가 내려와 보니 영처로 보여 하늘로부터 토석초목土石草木을 받아 그것으로 섬을 여럿 만들었다. 아마미쿠는 하늘에 올라가 사람 종자를 받아 갔다.[9] 거인 아만추 이야기가 변질되어 천지분리 이야기에서 국토 창조의 이야기로 바뀌고 있으며 인간 창조의 내용도 담고 있다.

『중산세감中山世鑑』에서는 천제의 1남1녀가 인간의 시조가 되었다고 했다. 다른 곳에서는 아마미쿄(혹은 아마미야)의 여신과 남신(시네리야) 부부가 지상에 내려와 섬을 만들고, 3남2녀를 두었다고 했다. 첫 아들은 왕이 되고, 2남은 아지按司가 되고, 3남은 백성이 되었으며, 1녀는 신녀神女가 되고 2녀는 무녀巫女(のろ)가 되었다고 했다. 왕은 유

• • •

7 정진희, 『오키나와 옛이야기』, 보고사, 2013, 64쪽.
8 위의 책, 76쪽. 옛날에는 하늘과 땅이 붙어 있었다. 그래서 사람들은 기어 다닐 수밖에 없었다. 서서 다니지 않으면 먹을 것을 구할 수가 없었기 때문에, 어디서 하강해 왔는지 '아만츄'라는 이가 나하(那覇)의 '유치노사치'라는 곳에 서서 하늘을 들어올렸다. 그 후 사람들은 서서 걸어 다닐 수 있게 되었고, 먹을 것을 구해서 먹을 수도 있게 되었다. 그 사람의 발자국은 아직도 '유치사키'에 남아 있다(福田晃·遠藤広治·山下欣一, 『日本傳說大系』, みずうみ書房, 1989, 25面).
9 伊波普猷, 外間守善 校訂, 『古琉球』, 岩波文庫, 2000, 220~222面.

구를 3개로 분할하여 통치했다고 한다. 이는 삼산시대三山時代를 반영하는 변이라고 하겠다.[10]

중국의 지눠족基諾族의 아모요백阿嬷腰白이란 여신은 물속에서 나와 하늘과 땅을 분리시키는데, 반을 밟고 반을 밀어 올려 천지를 형성시켰다고 했다.[11] 하늘과 땅이 붙어 있었다는 전제를 떠올릴 수 있다. 천지를 분리시킨 것은 천지 형성과 맥락이 통한다. 다음의 중국 신화는 천지를 형성한 이야기가 주종이다. 중국 남부 소수민족인 백족白族의 창세서사시인 〈창세기〉에는 반고와 반생이 등장하는데, 반고의 몸은 하늘이 되고 반생은 땅이 되었다고 한다. 동족侗族의 창세서사시인 〈기원지가〉에서는 악위라는 신이 땅을 만들고, 왕의杜誼라는 신이 하늘을 만들었다고 했다.[12] 하늘을 만든 신이 남신이고 땅을 만든 신이 여신일 것으로 추정되는 납서족과 이족의 신화가 있다. 납서족納西族의 창세서사시 〈숭반도〉에는 천신 아홉 형제가 하늘을 열고, 지신 일곱 자매가 땅을 이룩했다고 한 것을 근거로 하면 남녀신이 합세하여 하늘과 땅을 만든 것으로 나타나 천지분리의 파생형이라 하겠다. 이족의 신화집인 〈메이커〉에서 남신 5형제는 하늘을 만들고, 여신 4자매는 땅을 만들었다고 하는데, 남녀신의 합작으로 천지가 만들어졌다고 한다.[13] 다음의 만주족 신화에서는 창세여신의 역할이 두드러진다.

만족의 창조여신인 거루돈葛魯頓은 물에서 탄생하였는데, 물방울을 덥혀 놓았는데 그 다음의 변화를 보자. "가벼운 것은 구름이 되고 무거운 것은 산이 되었네. / 머리 아홉에 팔이 여덟 개인 거루돈 마마께서는 / 눈빛 한 번에 산을 흙이 되게 하고 / 입

10 허남춘, 「유구 오모로사우시의 고대·중세 서사시적 특성」, 『비교민속학』 47집, 비교민속학회, 2012, 364~365쪽.
11 김화경, 『신화에 그려진 여신들』, 영남대학교출판부, 2009, 97~99쪽.
12 조동일, 『동아시아 구비서사시의 양상과 변천』, 문학과지성사, 1999, 201쪽.
13 나상진 역, 『오래된 이야기 梅葛』, 민속원, 2014, 82~85쪽. 내용의 일부를 소개하면 다음과 같다. "땅을 만드는 네 딸들 / 세심하고 섬세하기도 하지 / 딸들마다 즐겁게 땅 만들고 / 모두들 즐겁게 일하네 / 둘째는 나는 듯이 재빠르게 일하고 / 셋째는 잠시도 손을 쉬지 않은 채 / 넷째는 밥 먹을 생각도 잊고 쉼 없이 일하였지 / 부지런한 네 자매 / 먹고 입는 것도 / 자는 것도 잊고 땅을 만들었지." 거쯔 천신의 다섯 형제는 놀면서 자면서 먹으면서 하늘을 만든 대신에, 거쯔 천신의 네 자매는 먹지도 자지도 놀지도 않으면서 부지런히 땅을 만들었다고 한다. 그래서 "하늘은 너무 작게 / 땅은 너무 크게" 만들어져, 땅을 주름 잡고 파헤쳐 산과 강을 만들고 나서야 하늘과 땅의 크기가 맞게 되었다고 한다.

김 한 번에 흙에서 초목이 자라나게 하셨네. / 그래서 대지와 창천이 있게 된 거라네."[14] 여기서 하늘로 올라간 구름과 땅으로 내려온 물기가 각각 하늘과 땅이 되는 내력인데, '산을 흙으로 만들고 이어 대지'가 생겨나게 한다. 설문대할망은 흙을 쌓아 산을 만들었는데, 거두돈 여신은 산을 흙으로 만든다. 거두돈 여신의 몸이 녹아 해와 달 그리고 하천과 삼림이 창조된다. 여신의 몸에서 천체만물이 창조되었다는 이야기는 같은 만족의 여신 아부카허허에서 더욱 자세하다. 아부카 여신의 몸이 녹아 해, 달, 별, 하천, 살림 등이 만들어진다. 그 장면을 자세히 보면 다음과 같다.

> 그녀는 공기로 만물을 만들고, 빛으로 만물을 만들고, 자기 몸으로 만물을 만들어 허공에 만물이 많아졌다. 그래서 청탁이 갈라져, 맑디맑은 것은 상승하고 흐린 것은 하강하였다. 빛은 상승하고 안개는 하강하여, 위쪽은 맑아지고 아래쪽은 흐려졌다. 그리고 아부카허허 하신(下身)이 찢어지며 바나무허허(땅의 신) 여신을 생산해 내시었다. 이렇게 맑은 빛이 하늘이 되고 흐린 안개는 땅이 되면서, 비로소 하늘과 땅 두 자매신이 있게 되었다.[15]

맑은 기운은 하늘로 올라가고 흐린 것은 땅으로 내려오면서 하늘과 땅이 만들어졌다고 하면서, 동시에 하늘을 관장하는 여신 아부카허허와 땅을 관장하는 여신 바나무허허의 탄생으로 하늘과 땅이 만들어졌다고 이중으로 말하였다. 여신은 자연의 다른 이름인 셈이다. 만주 〈우처구우러번〉의 창조여신 아부카허허는 하늘에 닿을 만큼 큰 여신이다. 이런 창조신의 거인성은 자연의 거대함, 자연에 내재한 초월성에 대한 인류 상상의 소산이며 초월적 자연의 의인화라 하겠다.[16] 여신을 숭배하는 관념은 바로 자연을 숭배하는 것이고 자연과의 공존을 추구하는 원시적 상상력이라 히겠다.

아부카허허는 혼돈에서 탄생하여 하늘과 땅을 구분하고(공간의 구분), 낮과 밤을 창조

• • •

14 김재용, 「동북아 창조신화와 양성원리」, 『창조신화의 세계』, 소명출판, 2002, 46쪽.
15 김재용·이종주, 『왜 우리 신화인가』, 동아시아, 1999, 347쪽.
16 조현설, 『마고할미 신화연구』, 민속원, 2013, 45~46쪽.

하고(시간의 구분), 해와 달과 별 그리고 만물을 창조하는 주체여서, '여신이 창조의 주체'[17]임을 명확히 확인할 수 있다. 그러나 예루리와의 끝없는 싸움 뒤에 홍수가 일어나고, 그 후에 남신 아브카언두리가 등장한다. 그리고 아부카언두리가 세계와 인간을 창조했다는 신화도 창출된다. 이렇게 여신 창세신화는 남신 창세신화로 변모해 간다.

그러나 천지를 분리한 위대한 여신 이야기가 남신 이야기로 바뀐다고 하더라도 아직 여성신화의 위상은 남아 있다. 우주의 형성이 남신의 권위로 이해해 가더라도 땅에 대한 것은 아직 여성신의 몫으로 남았다. 여성과 땅, 생산과 풍요의 상징성은 오래도록 여성신의 권능으로 유지된 흔적이 역력하다. 그런 지형형성과 지신으로서의 이야기를 다음 단계에 살펴보고자 한다.

2) 지형형성

설문대할망 신화는 하늘과 땅이 붙어 있었는데 밀어올려 분리된 이야기에서 시작하여, 물바닥(혹은 물바다)에 흙을 퍼 담아 섬을 만든 이야기, 치마에 흙을 담아 한라산과 오름을 만든 이야기로 이어진다. 설문대할망이 한라산을 만들었다는 세 번째 화소는 빈번하게 나타나는 것인데, 흙을 퍼 올려 섬을 만들었다는 두 번째 화소에 주목하여야 한다. 동아시아 주변 신화 속에서 흙을 퍼 담아 땅을 만든 이야기가 여럿 보인다. 우선 물속에서 흙을 퍼 올렸다는 중국 주변신화에 주목해 본다.

하늘과 땅을 분리하려고 결정한 몽골의 에헤보르항(창조신)은 야압野鴨을 만들어 야압으로 하여금 물속에서 진흙을 가져오게 한다. 이 진흙으로 어머니가 될 대지大地 우르겐(울젠)을 창조한다.[18] 하늘의 불이 타서 커지자, 우주의 공기와 흙이 수면으로 떨어져 쌓여 대지가 형성되었다는 '여천신 맥덕이'라는 파생신화도 있지만 물속에서 흙을

• • •

17 김재용, 「동북아 창조신화와 양성원리」, 50쪽.
18 하선미 편, 『세계의 신화와 전설』, 해원출판사, 1994; 박종성, 「동아시아의 청세신화 연구」, 『창조신화의 세계』, 소명출판, 2002, 144~145쪽에서 재인용.

가져다 대지를 만든다는 사유는 대지모 신앙과 함께 오래 된 것이다. 에벤키 신화에서도 오리가 등장한다. 세상이 처음 시작할 때 오직 물과 두 형제뿐이었다 동생 에크세리는 오리를 키웠는데, 오리를 물속으로 보내 흙을 가져와 땅을 만들게 되었다고 한다. 창세의 상위신적 존재의 명령에 의하여 흙을 전달하는 존재가 하위신적 존재이기도 하고 창세와 관련된 새이기도 하여 어느 한 쪽이 다른 한 쪽으로 변한 것으로 추정[19]한 것을 보면, 흙을 가져오는 존재의 가변성을 알 수 있다. 그러나 그것이 설문대할망 신화와 같은 지형형성 혹은 그보다 더 고형인 천지창조 신화라는 것은 충분히 인정할 수 있다. 아울러 태초에 땅을 만들 때 물속의 흙을 퍼 올려 대지가 이루어졌다는 원형질이 설문대할망 신화에 남아 있음을 확인할 수 있다.

> 日神 이치로쿠가
> 日神 하치로쿠가
> 아마미쿄를 불러서
> 시네리쿄를 불러서
> 섬을 만들라 하시다
> 나라를 만들라 하시다
> 많은 섬들
> 많은 나라들
> 섬이 완성되는 것도
> 나라가 완성되는 것도
> 日神은 기다리다 지쳐
> 아마미야 사람(니치야)을 낳는구나
> 시네라야 사람을 낳는구나.(오모로사우시)[20]

* * *

19 박종성, 앞의 글, 2002, 152쪽.
20 外間守善, 『おもろさうし』, 岩波書店, 1985, 10권 두 번째 노래.

'스치야'는 왕족 등의 귀인이나 신녀神女를 의미한다고 본다. '아마미야'는 '아마미쿄'가 있던 먼 곳이란 의미에서 아득히 먼 옛날이란 시간을 의미하는 쪽으로 변모한 것으로 본다. 그리고 일신 '이치로쿠' '하치로쿠'라 반복된 것은 운을 맞추기 위한 장치로서 동일한 일신(데다)를 의미하고 마찬가지로 '아마미쿄'와 '시네리쿄'도 운을 맞추기 위한 반복으로 보는 것이 타당하다[21]고 본다. 태양신 데다가 아마미쿄를 불러 섬과 나라를 만들고 사람도 만들도록 시켰다고 했다. 어떻게 만들었는지는 상세하게 나오지 않는다. 아마미쿄(혹은 아마미쿠)는 천상과의 연관성을 지닌 신으로 중세 문헌에 전한다.

천상의 흙을 가져다 섬을 만든 이야기는 유구 쪽에 흔하다. 앞에서 잠시 거론하였듯이, "천제가 아마미쿠阿麻美久를 불러 아래에 신이 머물만한 영지靈處가 있으니 내려가 섬을 만들도록 명령했다. 아마미쿠가 내려와 보니 영처로 보여 하늘로부터 토석초목土石草木을 받아 그것으로 섬을 여럿 만들었다."[22]는 이야기와 유사한 것들이 여럿 있다. 미야코지마宮古島의 창세신화인데, 하늘의 신이 딸에게 하계로 내려가 세상을 만들라고 보냈다. 흙이 없다고 하자 벼락과 번개를 동반해 흙을 내려보내고 이어 곡물 종자도 내려 보냈고, 처음 만나는 자를 남편으로 삼아, 미야코 세상이 열렸다고 한다. 이시가키지마石垣島 이야기에서도, 하늘의 신이 '아만'을 불러 하계로 내려가 섬을 만들라고 하고, 아만은 흙과 돌을 받아 하늘의 창으로 섞자 이시가키지마가 생겼다고 한다.[23] 유구의 신화는 흙으로 땅을 처음 만든 창세신화를 전하는데, 그 흙을 하늘에서 가져왔다고 하고 있다.

『중산세감中山世鑑』의 이 이야기는 시간이 흐르면서 『채탁본蔡鐸本 중산세보中山世譜』

• • •

21 정진희, 「류큐왕조의 아마미쿄 신화와 현대 구비전승」, 『국어문학』 42집, 국어문학회, 2007, 278~279쪽. 『중산세감』에는 '아마미쿠'라는 여신만 등장하다가, 〈채온본 중산세보〉에는 남신 志仁禮久(시니레쿠)와 여신 阿摩彌姑(아마미쿠) 둘의 결합에 의해 인간이 탄생하였다고 한다. 여신만의 탄생에서 남녀신 결합으로 바뀌며 합리적 서술을 해나가는 변모를 읽을 수 있다. 정진희 교수는 현대 구비전승을 살피면서, 거인설화 속에 '창조신 아마미쿠'라는 인식이 이어져 온다고 했다. 17세기 기록은 합리적 서술로 변했지만 민중의 구비전승 속에서는 본래의 창세신적 면모가 두드러진다고 하겠다.

22 伊波普猷, 外間守善 校訂, 『古琉球』, 岩波文庫, 2000, 220~222面.

23 정진희, 앞의 책, 2013, 47~52쪽.

(1701)에서는 음양과 청탁에 의해 천지가 분리된다고 했고, 『채온본蔡溫本 중산세보中山世譜』(1725)에서는 파도가 넘실대는 곳에 토석土石을 옮기고 초목草木을 심어 물결을 막으니 '악삼嶽森', 즉 우타키가 생겨났고 또 우타키가 이루어지니 '인물人物'이 많아졌다고 한다. 그런데 토석과 초석을 가져온 곳이 하늘이라고 명시되지 않은 점이 『중산세감』과 다르다.[24] 바다에 돌과 흙을 옮기었다고 하면서 그것들을 바다에서 가져온 듯한 착시를 일으키게 한다. 그런 측면에서 채온의 기록은 『중산세감』보다 더 연원이 오랜 문헌을 참조하여 보완된 것일 수도 있다. 채탁본은 유교적 세계관으로 전환한 데 반해, 채온본은 아버지의 책을 보완하여 편찬되었고, "신성한 국토의 창조가 덧붙여짐으로써, 국토의 신성성이 확보"[25]되는 일면이 있다고 했는데, 그런 작업 속에 『중신세감』을 보탠 흔적이라고만 했다. 유구의 섬 창조 신화 속에는 바다 저편의 흔적이 녹아 있다.

신이 하늘에서 하강한 이야기가 주류를 이루지만, 원래는 바다 먼 곳에서 도래한 것이 먼저였을 것으로 추정된다. 아마미쿄의 등장을 두고 오리구치 시노부折口信夫는 바다로부터 오는 내방신에 주목했다.[26] 창세 여신은 바다를 건너오는 원초형도 있고 위에서처럼 하늘에서 하강하기도 한다. 유구에는 하늘에서 인간세계로 내려오는 수직적 타계관 이전에 수평적 세계관이 자리하고 있었다. 그렇다면 바다에서 흙을 건져 올려 섬을 만드는 사유가 먼저 있다가, 천상계 신격의 도래가 보편화되면서 천상에서 흙을 가져오는 것으로 변모하였다고 볼 수도 있다.

널리 알려져 있듯이 니라이가나이는 풍요의 신이 출자하는 곳이다. 바다 저편에 있는 이상향으로 사유되는데 바다의 동쪽에 있다고 하고, 혹은 지역에 따라 남쪽, 서남

- - -

24 天地未分之初, 混混沌沌, 無有陰陽清濁之辨, 旣而大極生兩儀, 兩儀生四象, 四象變化, 庶類繁顆. 由是天地始爲天地, 人物始爲人物.… 蓋我國開闢之初, 海浪汜濫, 不足居處, 時有一男一女, 生于大荒際, 男名志仁禮久, 女名阿摩彌姑. 運土石, 植草木, 用防海浪, 而嶽森始矣. 嶽森旣成, 人物繁顆.

25 정진희, 「雨屬期 류큐 개벽신화의 재편과 그 의미」, 『아시아문화연구』 16집, 가천대 아시아문화연구소, 2009, 247~248쪽.

26 松前健, 『日本の神々』, 中央公論新社, 1974.

쪽에 있다고도 한다. 오모로사우시에 의하면 니루야 신은 수평이동을 하는 것으로 나타난다. 이런 수평적 이동의 사유가 보편적이었는데, 후에 왕권을 강화하기 위한 수단으로 천상계의 개입이 중요하게 되었고, 그래서 고대국가 형성기에는 천상계에서의 수직적 이동이 두드러지게 된다. 이런 시간적 추이에 따라 수평적 이동에 의한 신의 내방은 희박해지고, 혹은 신의 내방이 수직적 이동으로 바뀌게 되었고, 혹은 수직이동 뒤에 수평이동이 부가된 경우도 있게 된다.[27]

베트남의 비엣족 창세신화는 중국 반고신화의 영향을 받은 탓인지 거인이 하늘을 밀어올린 이야기가 있어, 베트남 소수민족의 창세신화와 다르다. 신이 흙과 돌을 모아 기둥을 세워 하늘을 떠받쳤고, 기둥이 위로 올라감에 따라 하늘과 땅이 나뉘어졌다고 한다. 그 다음 "하늘이 충분히 높아지고 굳어지자 무슨 까닭에선지 신은 돌기둥을 부숴버렸다. 신은 흙과 돌을 사방으로 던져버렸다. 던져진 돌덩어리는 지금의 산과 섬이 되었고, 사방에 부려진 흙은 지금의 구릉과 고원이 되었다."[28]고 하는데, 이 신이 남신인지 여신인지는 불분명하다. 다만 흙을 모은 후 다시 뿌려서 산을 만들고 구릉을 만들었다는 점이 설문대할망 신화와 흡사하다.

흙을 퍼 담아 국토를 형성했다는 이야기는 동아시아 보편적인 것이다. 키가 큰 설문대할망이 어디에선가 왔다고만 했지만, 바다를 건너 왕래하는 설화[29]가 있는 것을 보면 설문대할망은 바다를 건너 도래한 신격일 수 있고, 바다의 흙으로 섬을 만드는 지형형성 신화의 원형을 간직하고 있다고 하겠다. 설문대할망 설화가 창조신화였을 것이라는 추정을 우리는 '지형형성'에서 찾고 있다. 한라산과 오름을 만들었다거나 우도를 분리시켰다는 내용을 두고 지형형성 설화라 했고, 이것은 천지창조 신화의 파편화라고 추정한다.

일본 연구자들에게도 이것은 보편적으로 받아들여진다. 오바야시 타료大林太良가 대

• • •

27 波照間永吉, 『琉球の歴史と文化 『おもろさうし』の世界』, 角川学芸出版, 2007, 153~156쪽.
28 최귀묵, 「월남 므엉족의 창세서사시 〈땅과 물의 기원〉」, 『동아시아 제민족의 신화』, 박이정, 2001, 243쪽.
29 임동권, 「선문대할망 설화고」, 『제주도』 17, 제주시, 1964, 119쪽. "육지와 왕래할 적에 목포 쪽을 향해 건넜다고 하는데 바다의 가장 깊은 곳도 무릎 아래밖에 닿지 못했다."

표 편자로 만든 『세계신화사전』에서 조선반도 신화를 소개하면서 '천지창조신화' 항목을 제일 앞에 두고 있는데, 거기에는 '천지분리 신화, 복수의 해와 달, 국토생성' 세 가지 분류를 두었다. 천지분리 신화에는 제주도 일반신본풀이 초감제와 함경도의 창세가, 복수의 해와 달에는 두 개의 해를 영웅이 해결하는 셍인굿과 도솔가, 국토생성에는 거인과 떠오는 섬 두 가지를 소개하고 있다. '국토생성' 모티프는 일본신화의 '국생신화國生神話'와 같은 반열에서 보았던 것 같다. '국토생성설화'에는 거인의 배설물과 편력에 의해 산천이 만들어졌다는 이야기로 일본의 '다이다라봇치'와 흡사한 것이라 소개하고 있다.[30] 이런 유형이 바로 설문대할망 설화와 같은 거녀 설화다.

한편 여신신앙을 연구한 노무라 신이치는 초창기 여신의 계보를 설명하면서 그 첫머리에 '천지를 창조한 여신'을 두었는데, 여기서 설문대할망을 포함하여 마고할미와 개양할미를 소개하고 있다. 설문대할망은 한라산을 베고 눕는 거대한 여신으로서 제주도의 오름을 만든 여신이라고 요약하고 있다.[31] 이제 설문대할망 신화는 천지분리와 국토생성의 두 가지를 모두 담고 있는 창세신화로 보아야 한다. 물론 흙을 퍼 담아 한라산과 제주도의 지형을 만든 이야기가 주종을 이루지만, 하늘과 땅을 밀어올려 천지를 분리한 이야기도 애초에 존재했을 가능성을 엿보았기 때문이다.

3) 여성신에서 남성신으로

제주에는 창세신화가 여러 심방들의 무가 속에 남아 있다. 〈천지왕본풀이〉가 대표적인데, 창세의 흔적을 지니고 있는 설문대할망 이야기도 이와 함께 주목해야 한다. 제주도의 국토를 형성한 이야기로 거구의 여신이 엄청나게 많은 음식을 먹으며, 엄청난 양을 배설하고, 큰 옷을 지어달라고 하는 이야기다.

설문대할망은 거대한 몸으로 국토를 형성하는 역할을 담당하여, 거대한 몸으로 하

• • •
30 大林太良 外, 『世界神話事典』, 角川書店, 1994, 352~353面.
31 野村伸一 編, 『東アジアの女神信仰と女性生活』, 慶應義塾大學出版會, 2004, 7~9面.

늘을 들어 올려 세상을 만든 창세신이기도 하다. 가장 대표적인 화소는 국토 혹은 지형을 형성하였다고도 할 수 있지만, 신화체계를 본다면 천지분리와 국토생성을 모두 갖춘 창세신화의 반열에 든다고 하겠다. 지형전설처럼 보이는 화소에도 섬과 오름의 창조 모티프까지 담겨 있어 원래 설문대할망 신화가 지니고 있었던 창세신화적 면모를 발견할 수 있었다.

애초 대지의 창조는 여성신의 몫이었을 것 같다. 혼돈 속에서 모든 것의 어머니 '가이아'가 탄생하는 것을 보면 알 수 있다. 대지가 모든 생명체의 어머니이기 때문이기도 하다. 그러나 설문대할망과 같은 여성신은 역사적 시간의 추이에 따라 변모한다. 여성 중심 사회가 남성 중심 사회로 바뀌면서, 여성영웅은 사라지거나 죽고 남성영웅이 등장한다. 여성 창세신이 남성 배우자를 만나고 남성신의 배우자로서의 위치를 갖게 되고 이어서 아이를 낳는 어머니 여성신의 면모가 두드러진다. 강력한 힘을 가진 거대한 신이 점차 부드럽고 자애로운 여성으로 변모하는 현상을 볼 수 있다. 신화는 이렇게 전설로 바뀌는 경로를 따라간다. 그래서 설문대할망 이야기는 전설로 남게 된다.

키 크고 힘이 센 사람이 붙은 것을 딱 떼어서 하늘은 위로 가게 하고 땅은 아래로 가게 하였다는 주인공 설문대할망은 서서히 밀려나고 그 대신 힘 센 남신의 이야기로 바뀐다. 창조신의 지위를 천지왕이나 미륵과 같은 남성신으로 대체하는 변모가 일어나는데, 이는 고대국가가 남성중심적 사회이고 남성신을 중시하는 가운데 그렇게 되었다[32]고 역사적 흐름을 가늠하기도 한다. 고창학본 구연 〈초감제〉를 보면 다음과 같다.

> 하늘광 땅이
> 늬귀 줌쑥 떡징글이 눌어,
> 늬귀가 합수ᄒ니
> 혼합으로 제이르자.

• • •

32 조현설, 앞의 책, 2013, 126쪽.

천지개벽 도업으로 제이르자

도수문장이 흔 손으로

하늘을 치받고

또 흔 손으로 지하를 짓눌러

하늘 머린

건술 건방 ᄌ방으로 도업ᄒ고

땅의 머린

축방으로 율립네다.[33]

도수문장이 한 손으로 하늘을 치받고, 또 한 손으로 지하를 눌러 개벽하였다는 이 야기는 '천지개벽형 신화'이고, 달리 '천지분리형 신화'이기도 하다.[34] 하늘과 땅이 붙 어 있었는데 어느 순간 서서히 떡징처럼 벌어졌다고도 한다. 누군가 거인의 힘으로 밀어올렸다는 이야기는 우주의 힘으로 자연스럽게 저절로 개벽하였다는 합리적인 서 술로 흘러간다. 창조자가 나타나 있지 않다. 인격신에서 비인격신의 사유로 변모하는 과정인 듯하다. 인간 사유가 과학적이고 합리적인 쪽으로 선회하였음을 상징하는 바 라 하겠다. 중세적 사유가 만연하기 이전 고대적 사유 속에서 여신의 이야기는 남신 의 이야기로 바뀐다. 혹은 원시·고대의 경계면 속에서 창세서사시가 영웅서사시로 바뀌는 양면을 갖춘 시기에 일어난 변모라고도할 수 있다.[35] 좀더 엄밀하게 말한다면, 제주도 지역의 천지개벽 신화소는 현저하게 축약되어 변이된 형태로 보인다. 전반적

• • •

33 진성기, 『제주노부가본풀이사전』, 민속원, 1991, 655쪽.
34 김헌선은 '천지개벽형 신화'를 크게 셋으로 구분한다. 첫째는 거인 또는 신인이 밀어올리는 유형의 천지개벽이 있 다. 둘째는 여인의 언동 또는 절구로 쳐올리는 유형의 개벽신화이다. 셋째는 불 또는 태양에 의해 분리되는 유형 의 개벽신화이다. 제주 지역의 창세신화에서 천지개벽은 매우 복합적인 형상으로 나타난다고 한다(김헌선, 『한국 의 창세신화』, 길벗, 1994, 119~121쪽).
35 〈천지왕본풀이〉는 원시서사시를 고대서사시로 바꾸어놓는 작업이 철저하게 이루어지지 않아, 영웅의 신이한 능력 을 강조하고, 원시서사시의 요소를 그냥 존속시킬 필요가 있어, 거인신과 영웅의 이미지가 중첩된 것으로 보았다 (조동일, 앞의 책, 1999, 62쪽).

으로 천지개벽의 내용을 함축하고 있는 신화소가 대거 위축되거나 타락해서 민담화하고 있는 추세이고 그 대표적 예가 설문대할망 이야기로 추정하고 있다.[36]

앞에서 여신 아부카허허 대신 남신 아부카언두리의 등장을 예고한 바 있다. 부권사회가 성립하면서 창조주 여신의 존재는 크게 약화되었다. 그리고 만족의 성지인 장백산주長白山主는 먼 옛날 지고의 여신에서 남신으로, 그와 동시에 아브카언두리의 또 다른 형상으로 만족신화에 등장하는 것[37]이란 예는 시사하는 바가 크다.

설문대할망의 성격 변화도 바로 이런 남성 중심 이데올로기가 가미된 때문이다. 거대한 몸으로 국토를 형성시켰고, 당당한 음부로 엄청난 생식력을 보인 할망이 어느 날 초라하게 죽게 된다. 아이들을 위해 자애롭고 희생적인 어머니로서의 역할이 강조된 것이다. 김선자 교수는 중국의 여와 신화를 예로 들어 여성성의 쇠퇴와 교체를 설명하고 있다. 여와는 잘 알다시피 천지와 인류 창조의 여신인데, 그 강하고 두렵고 무서운 힘이 해체되고 남신 복희의 아내로 자리매김하면서 부속적·종속적 존재가 되었다. 여성신의 위대함에서 한 남자의 아내로서 아이를 낳아 기르는 역할로 변모된 것이다.[38] 설문대할망도 비극적 희생을 감수하는 생육신生育神으로서의 성격으로 변모한다. 중세 질서는 이렇게 여성에게 희생을 강요했고, 고대로부터 전해 오는 신화 속 여신들도 중세적 남성 중심 질서에 편입되고 말았다.[39]

대지가 모든 생명체의 어머니로 사유하는 대지모신Great Mother 신화는 인류 보편적이다. 그리스 신화에서도 혼돈 속에서 '모든 것의 어머니'인 가이아가 탄생한다. 가이아는 에로스와 결합하여 우라노스와 폰토스를 낳았고, 가이아는 다시 우라노스와의 사이에서 많은 자식을 낳는다. 이들은 티탄(남신)과 티티니아스(여신)으로 합하여 티탄Titan족이라 했다. 초기 신족이던 티탄족들이 오명을 쓰고 그리스 신화의 악역을 맡으면서 유명무실하게 사라지게 된 것은 '제우스 중심의 질서를 재편'하면서부터다.[40] 할

• • •

36 김헌선, 『한국의 창세신화』, 길벗, 1994, 121쪽.
37 박종성, 앞의 글, 2002, 158~159쪽.
38 김선자, 「중국의 여신과 여신신앙」, 『동아시아 여성신화와 여성 정체성』, 이화여자대학교출판부, 2010, 161~162쪽.
39 허남춘, 「설문대할망과 여성신화」, 『탐라문화』 42호, 제주대 탐라문화연구소, 2013, 125~126쪽.

머니의 신족들과 제우스의 형제들의 싸움에서 제우스는 승리하면서 아폴론은 티폰을 살해하고 아폴론의 아들 페르세우스는 메두사를 살해한다. 그 후 오래도록 땅의 신들과 남성영웅이 벌이는 복수혈전이 이어진다. 아울러 티탄족(땅의 신)은 괴물로 등장하는 전철이 계속된다. 이를 두고 동북부에서 내려온 유목집단이 전차를 몰고 지중해의 평야지대를 침략한 역사적 사건과 연결된다고 하고, 이후 "지하의 힘을 대변하는 존재가 바로 괴물화된 티탄들이다."[41] 는 말은 시사하는 바 크다. 여신들은 남신들의 세상에서 부차적인 지위로 강등되었고, 이후 남신의 탁월함만이 남게 된다. 그래서 인류의 진보가 시작되는 듯하지만, 실은 파탄의 길이었음을 뒤에 확인하게 된다.

역사의 흐름은 고대국가 성립의 시대로 이행되는데, 이때 남성신이 대거 등장한다. 농경부족 중심의 사회에는 여성신이 중심이었는데, 약탈과 정복전쟁이 시작되면서 남성신이 중심이 된다. 청동기와 철기를 가진 유목민족이 이동하면서 남성적 신화가 탄생한다. 우리의 단군신화나 주몽신화가 바로 이런 문명의 이동을 의미한다. 고아시아족이 머물던 공간에 알타이부족인 환웅이 오게 되면서, 토착족과 도래족의 결합으로 우리 선조인 예맥족이 형성된다. 도래족인 '단군족'의 지배가 시작되는 것이다. 수신족인 하백과 유화가 머물던 곳에 철기문명을 지닌 해모수가 오면서 '주몽족'의 지배가 시작되는 것이다. 환웅과 해모수 모두 하늘을 근거지로 삼는다. 남신 천신족의 우위가 신화를 장식한다.

3. 설문대할망 신화의
재창조

고대 건국신화의 시대는 남성신의 시대였고 여성신은 남성신의 모계 혹은 배우자로서의 지위로 바뀌었다. 여성신은 풍요를 주재하는 신의

• • •
40 김융희, 『삶의 길목에서 만난 신화』, 서해문집, 2013, 31~32쪽.
41 위의 책, 33~34쪽.

지위를 지니고 있다가 그 지위마저 남성신에게 넘긴다. 그리고 서서히 중세가 찾아온다. 천상계의 권위를 바탕으로 한 '천자' 혹은 '교황'의 질서 또한 남성 신인神人 위주였다. 중세의 종교와 이념은 고대의 신화를 대체하여, 생산과 풍요와 안전의 권능을 주재하는 천신과 천신의 권위를 대행하는 '천자'를 중심으로 재편된다. 그리고 천자의 책봉을 받은 왕에게 이어지는데 역시 남성 중심의 권역임은 물론이다. 그렇게 중세가 흘러가다가 근대를 맞으면서 신화와 종교 모두가 불신 당하였다.

그리고 현세적 세계관에 갇힌 답답한 현대인들에게 초월적 상상적 공간과 시간의 이미지가 부활되기 시작한다. 그때 신화는 다시 관심의 대상이 되고 문화콘텐츠의 원천으로 대우받게 된다. 그 과정에서 여성신화가 다시 주목을 받게 된다. 다음은 여성신화의 시대에서 남성신화의 시대로 바뀌는 과정과 다시 여성신화가 부활되는 동기를 다시 계기적으로 정리하여 보여주고자 한다. 그러면서 "왜 설문대할망 이야기가 우리 시대에 부활되는가."하는 상황을 다시 제기하고자 한다.

세계 보편 신화들도 대체로 천지 분리와 지형형성을 이야기한다. 수메르의 천지창조 신화를 보면, 태초에 어둠과 바다와 남무Nammu가 있었는데 남무가 안키Anki를 낳고 안키는 엔릴을 낳았다. 공기의 신 엔릴은 부모를 하늘인 안An과 땅인 키Ki로 나누었다. 하늘인 안은 올려졌고 땅인 키는 내려졌다. 그 후 엔릴과 땅의 신 키는 물과 초목과 지혜의 신이자 세계의 지배자 엔키Enki를 만들었다고 한다. 하늘과 땅이 분리되고 이어 땅과 만물이 형성되면서 땅의 지배자 남신이 등장한다.

일본의 천지분리 신화는 신들의 등장 이전으로 그려지고 있다. 『일본서기』에서 하늘과 땅이 분리되기 이전은 혼돈의 상태였는데, 그 가운데 맑고 밝은淸明 기운은 길게 드리워 하늘이 되고, 무겁고 탁한重濁 기운은 침전하여 땅이 되었다고 한다. 땅이 굳어지기 전에 떠다니는 상태일 때 세 명의 주신柱神이 등장하게 된다. 신이 하늘과 땅을 만들었다고 하지 않고 자연적으로 하늘과 땅이 분리되었다고 했다. 8세기의 역사책이 하늘과 땅의 분리를 추상화하여 그려내고 있다. 유구의 경우도 그런 변화가 드러나고 있다. 앞에서 제시하였듯이 '아마미쿄'가 하늘을 들어올린 이야기, 하늘로부터 흙을 가져와 섬을 만들었다는 이야기(『중산세감』, 1650)가 서서히 변모하여, 음양과 청탁의 구분 및 분리에 의해 천지가 생성(『蔡鐸本 中山世譜』, 1701)[42]되었다고 했다. 음양설에 의한 우주생성이란 측면에서 위의 일본신화와 맥락을 같이 한다. 시기의 차이는 있어도 일본 본토에 뒤진 상황에서 유구가 중세화한 내력이 아닌가 한다.

제주의 〈천지왕본풀이〉도 태초의 천지융합 상태가 시간이 흐르며 서서히 자연적으로 분리되는 것으로 그려지고 있다. 천지왕본풀이의 창세담도 구상적인 것에서 추상화하고 있음을 알 수 있다. 천지왕본풀이 일부에서는 신이 직접 들어올리고 밟아 내리는 것으로 그려진다. 함흥지방의 〈창세가〉에서도 미륵이 하늘과 땅이 분리되기 이전의 상태에서 탄생하여 하늘과 땅을 분리시킨 뒤 땅 네 귀에 구리기둥을 세운 것으로 되어 있다. 이러한 내용은 중국의 '반고신화盤古神話'와 같은 성격이며 창세신에 의한 창조론적 세계관을 보여주는 것이다.

천지분리 이후에는 일월조정과 인세 차지 경쟁담이 이어진다. 대별왕과 소별왕의 경쟁 혹은 미륵과 석가의 경쟁이 나타나는데, 일본의 미야코지마 창세담에서도 역시 미륵과 석가의 꽃피우기 경쟁이 나타난다.[43] 아마미오시마와 요론도에서도 미륵과 석가의 꽃피우기 경쟁담이 보고되고 있다.[44] 이런 유사성을 두고 중국 남조와의 해상 교역 경로를 따라 〈창세가〉형 신화가 전승되었거나, 북전불교의 영향에 의해 중국 남조를 거쳐 한반도와 일본과 유구에 유사한 신화가 전파되었을 것이라는 추정과 더불어 한반도 북부지역의 신화가 유구에 전파되었을 것이라는 주장[45]이 있다. 제주의 대별왕과 소별왕 경쟁담이 미륵과 석가의 경쟁담의 변이형이라는 것을 염두에 둔다면, 한반도 남부와 유구의 교류를 떠올리는 것이 더 온당할 것이다. 이렇게 여성신의 창조 뒤에는 남성신의 지배가 있게 되는데, 인세차지를 위해 남성신 둘이 경쟁하는 이야기가 창세담의 마지막을 장식하고 있다. 여신의 창조와 남신의 싸움 사이에는 역사

• • •

42 夫未生之初, 名曰太極時, 乃混混沌沌, 無有陰陽淸濁之辨. 旣而自分兩儀, 淸者升以爲陽, 濁者降以爲陰, 自是, 天地位定.

43 김헌선, 「한국과 유구의 창세신화 비교연구」, 『고전문학연구』 21집, 한국고전문학회, 2002.

44 편무영, 「생불화를 통해 본 무불습합론」, 『비교민속학』 13집, 비교민속학회, 1996.

45 박종성, 『한국창세서사시연구』, 태학사, 1999, 394쪽.

의 흐름이 느껴지고, 그 극단에 자본주의의 경쟁사회가 놓인다. 이제 그 벼랑을 뛰어 넘어 다시 새로운 사유를 일궈내야 한다. 그 매개가 설문대할망과 여신의 이야기일 수 있다.

설문대할망 이야기 중에서 가장 유명한 것은 앞에 거듭 조명한 바 있듯이 앞치마에 흙을 퍼 담아 한라산과 오름을 만든 화소이고, 육지까지 다리를 놓아주겠다고 하면서 속옷을 지어달라고 했지만 명주 99동만 마련되고 마지막 한 동이 부족해 다리놓기가 실패하고 말았다는 화소다. 그리고 오백 아들을 위해 밥을 짓다가 죽솥에 빠져 죽는 비극적인 화소가 널리 알려진 것이다. 이 죽솥에 빠져 죽는 화소에서 모자관계가 '어느 어머니'에서 '설문대할망'으로 바뀌었다는 문제제기가 있었다. 이를 두고 현대 스토리텔링의 차원에서 접근하여, "설문대할망을 신격화하려는 의도가 구현된 스토리텔링"으로 "설문대할망은 한라산을 창조했으며 동시에 한라산신의 어머니이기도 한 중첩된 신격"이며, 왜곡 여부를 떠나 이 화소가 지속적으로 수용되는 현실을 주목하게 되면 "제주의 역사를 재구성하는 담론으로서 창작·향유되고 있음을 의미"[46]한다고 했다. 오백아들 혹은 오백장군의 어머니가 설문대할망일 개연성은 충분히 있다. 대지를 창조한 어머니신으로서 다산과 풍요의 신격이 될 수 있음은 자명하기 때문이다. 그러나 그 사실 여부를 떠나 오백 아들에 대한 사랑과 희생적 죽음이 다시 거론되는 것은 현대 수용자의 관심이 이 이야기에 모아진 것이고, 설문대할망 이야기를 전면에 부각시키며 제주의 역사를 재구성하려는 의도도 읽힌다.

왜 설문대할망 이야기를 비롯한 신화가 우리 시대에 호출되는가. 그 근저에는 우선 파탄 난 근대에 대한 불안이 있다. 우승열패의 신화로 일등주의와 투쟁에서의 승리만을 최선의 가치라고 여기면서 빛나는 근대의 발전을 구가했던 그 끄트머리에는 지구 멸망의 그림자가 드리웠다. 미래에 대한 불안과 위기감에 떨며 탈근대의 패러다임을 꿈꾸고 있다. 근대를 극복하고 다음 시대를 창조해야 하는데, 그러기 위해서 '원시·

• • •

46 정진희, 「제주도 구비설화 〈설문대할망〉과 현대 스토리텔링」, 『국문학연구』 19호, 국문학회, 2009, 245~249쪽.

고대·중세의 과거'의 장점이 미래로 전환되어야 한다. 제주에는 과거의 기억을 담고 있는 서사시를 생생하고 풍부하게 간직하고 있는데, "인류문명 창조의 소중한 유산을 불우한 민족이 간직하고 있어, 지금의 인류가 승패와 우열에 대한 그릇된 생각을 반성하는 지혜를 찾을 수 있게 한다."[47]는 발언 속에서 제주의 가능성을 느낄 수 있다.

과거 어느 시대건 미래를 밝혀줄 빛이 있다. 중세 통치가 지향한 이상을 현실에 반영시키는 데 문제가 있었지만, 중세의 평화와 평등의 이상[48]은 우리 시대의 민족모순과 계급모순을 해결할 근거가 될 것이다. 고대신화가 지닌 고난을 극복하는 투지는 민족과 그 하위단위인 소수민족 등 제4세계에 '자각의 근거'가 되어 줄 수 있다. 원시서사시의 요소는 '사람과 다른 생명체, 인간과 자연의 바람직한 관계'를 일깨운다. "자연을 얼마든지 정복해서 이용할 수 있다는 그릇된 생각을 시정하고, 우주 안의 모든 것이 서로 대등한 관계에서 화합을 이룩해야 마땅하다는 가르침"[49]을 원시서사시가 간직하고 있다. 자연을 함부로 파헤치고 쓰는 것을 아끼지 않고 함부로 버리며, 자연을 대등하게 바라보지 않고 소유하여 인간에 유익한 것을 무한정 얻으려 했던 무모함을 반성해야 새로운 미래가 열릴 것이고, 그 해답을 오래된 신화의 정신에서 느낄 수 있다. 그래서 우리에게 신화가 필요하다.

4. 결

우리에게 신화란 무엇인가. 단순하게 스토리텔링과 문화콘텐츠의 원천에 불과한 것인가. 우리에게 신화가 필요하다면 어떤 것이어야 하는

···

47 조동일, 앞의 책, 1997, 501~502쪽.
48 중세화하는 과정에서 불교를 받아들여 왕권강화를 시도하면서도 백성을 위한다는 명분을 두었는데, "일반 백성까지 사람은 누구나 다 같은 사람이라고 하고서 통치질서를 정비하는 것이 진보적이고 효율적인 통치를 하지는 혁명이었다."(조동일, 『한국문학통사』 1, 지식산업사, 2005, 112쪽) 고대의 정복전쟁이 지나고 '백성과 농업과 평화'를 추구한 것이 중세의 시작이었다.
49 위의 책, 504~505쪽.

가. 그런 메시지를 경청해 본다.

우리에게 필요한 신화는 모든 인간이 민족이나 국가, 이상에 따라 속한 집단에 구애받지 않은 채, 서로에게 동질감을 느낄 수 있게 도와주는 신화이다. 우리에게 필요한 신화는 실용주의적이고 합리적인 이 세상이 충분히 생산적이지도 능률적이지도 않다고 치부하는, 연민의 중요성을 깨우쳐주는 신화다. 우리에게 필요한 신화는 우리가 정신을 중시하는 태도를 가질 수 있게 해주고, 당장의 부족함을 넘어서서 생각할 수 있게 해주며, 우리의 유아론(唯我論)적 이기주의에 이의를 제기하는 초월적 가치를 경험하게 해주는 신화다. 우리에게 필요한 신화는 우리가 다시금 대지를 신성한 것으로 받들고, 단순한 '자원'으로 이용하지 않게 해주는 신화이다. 이는 매우 중요하다. 우리가 가진 뛰어난 과학 기술적 능력과 나란히 할 정신적 개혁이 어떤 식으로든 일어나지 않는 한, 우리는 지구를 살릴 수 없을 것이다.[50]

대지와 자연을 자원으로 바라보고 이용하는 데 골몰했던 문명을 반성하여야 지구를 살릴 수 있다고 한다. 위쪽의 발언은 인간과 자연을 대등하게 바라보는 연장선상에서 인간과 인간을 대등하게 바라보고, 물질주의에서 벗어나 인간 정신을 중시하고, 그 정신의 내부를 관통하는 '연민'의 중요성을 일깨우는 말이다. 지구를 살리기 위해서는 과학기술을 능사로 여기지만 말고 그에 상응하는 정신의 혁명이 필요한데, 그 해답이 신화에 있다고 말한다. 현세적 가치를 넘는 초월적 가치를 경험하기 위해 우리는 신화를 주목해야 한다. 정신 내부에 담긴 '연민'을 회복해야 하는데, 죽솥에 빠져 죽은 설문대할망 이야기가 그런 '연민'을 환기시킨다.

의도하였든 실수였던 간에 자식들을 위해 애쓰다 죽솥에 빠져 죽은 어머니는 지극한 사랑의 상징이다. 권력가와 재벌에 만연한 증여와 교환의 범람을 실감하는 현실에서 '순수증여'의 의미는 남다르다. 물질성을 초월하고, 아무런 보답도 바라지 않는 것,

• • •

50 카렌 암스트롱, 이다희 역, 『신화의 역사』, 문학동네, 2005, 146~147쪽.

눈에 보이지 않는 힘에 의해 이루어지는 것이 순수증여[51]의 실상이다. 신화 속의 순수증여는 연민을 뛰어넘어 '공감'의 차원에까지 이르게 한다. 연민이 자기 위주라면, 공감은 다른 사람의 입장이 되어 생각하는 감정이입의 단계를 거친 단계다.[52] 인간이 물질주의적이고 이기적이고 실제적인 존재이지만, 공감을 넓히려는 본성을 찾아내 타자는 물론이고 심지어는 동물에 이르기까지 공감을 확대하여 지속가능한 균형을 회복해야 한다.[53]

연민과 사랑과 공감의 차원을 논하면서 다다르는 시간과 공간은 신석기시대에 농경과 함께 등장하기 시작한 대지모신의 품안이다. 농사를 짓고 공동으로 분배하던 원시공산사회의 평화는 고대국가의 출현으로 마감된다. 강력한 남성 정복자가 땅을 넓히고, 지배한 곳의 백성을 노예로 삼으면서 거대한 땅을 건설하고, 잉여농산물과 가축을 길들여 얻은 잉여가치를 바탕으로 고대제국의 영역을 더욱 확대해 갔다. 그 이후 지구는 힘을 바탕으로 한 쟁투를 일삼고 자연의 자원을 끌어다 쓰며 파괴가 극에 달하는 데에까지 이르렀다. 우리는 이성 중심, 사유 중심, 또는 전두엽 중심적인 문명에서 벗어나야 한다. 현대문명의 냉혹함은 파충류적인 본능과 전두엽의 기계적인 지성이 혼종된 결과다. 지성이 연민과 공감, 감성을 소실한 채 파충류적 생존본능과 결탁한 것이 문명의 괴물인 셈이다.[54] 이제 다시 힘 중심의 쟁투를 반성하고 공존의 여성성에 회귀하여야 한다는 심정을 통해 여성신화의 가치를 새삼 느끼게 된다.

그러나 남성성의 횡포에 반해 여성성을 강하게 주장하며 여성신화를 돌아보게 만드는 반성 속에도 함정이 있다. 영적 에코페미니스트들은, 여성의 역할을 가이아의 역할과 동일시하여 자연과 여성의 관계가 자연과 남성의 관계보다 우월하며 여성만이 자연을 치유할 수 있는 능력을 가졌다는 여성우월의 극단주의에 빠지기도 하여 또 다른 분리주의를 낳는다는 지적[55]은 직설하다. 서구에서는 여성과 자연의 타자화는 남성

• • •

51 나카자와 신이치, 김옥희 역, 『사랑과 경제의 로고스』, 동아시아, 2004, 68쪽.
52 제러미 리프킨, 이경남 역, 『공감의 시대』, 민음사, 2010, 19쪽.
53 위의 책, 55쪽.
54 김융희, 앞의 책, 2013, 124쪽.

을 중심으로 한 도시문명과 긴밀한 관계를 갖는 것은 사실이지만, 그렇다고 자연을 치유하고 지구를 구원할 수 있는 것이 온전히 '여성과 자연'의 관계에서만 이루어질 수 있다는 극단적 분리주의 또한 경계하여야 마땅하다. 우리가 신화를 바탕으로 여성성을 회복하고자 함은 경쟁을 위주로 하는 남성주의를 극복하려 함인데, 오히려 분리주의에 빠져 공존과 공감의 세계를 훼손한다면 그것은 치유방식일 수 없다. 남성성의 횡포를 벗어나자마자 경제권을 쥔 여성성의 무지막지한 횡포에 시달려야 하는 한국의 풍속도는 시사하는 바가 크다.

설문대할망은 제주에서 부활하고 있다. 제주돌문화공원은 설문대할망 신화를 형상화한 신화박물관인 셈이고, 미래 제주도를 상징하는 명품이 될 것이다.[56] 그리고 세계문화유산 1번지가 되기 위해 신화의 가치 창조는 매우 중요하고, 향후 신화 스토리텔링과 기타 축제를 결합하여 '융복합형 제주신화 테마파크의 소통과 공감'[57]을 만들어야 하는 과제가 놓여 있다고 하겠다. 제주의 신화는 살아 있는 신화다. 그리스 신화가 책 속에 있는 신화라고 한다면, 제주신화는 심방들에 의해 지금도 제의의 현장에서

설문대할망제

• • •

55 송정화, 「여성신화 연구사 개관 및 동아시아 여성신화의 전망」, 『기호학연구』 15집, 한국기호학회, 2004, 155쪽.
56 이창식, 「설문대할망 관련 전승물의 가치와 활용」, 『온지논총』 37집, 온지학회, 2013, 71쪽.
57 위의 논문, 76~87쪽.

불리고 있다. 그렇기 때문에 현대적 삶과 연관되면서 끊임없이 스토리텔링되고 있는 신화의 현장성을 주목할 필요가 있다.

제주도신화 본풀이는 '신의 내력'을 푸는 관습적 자질을 가지고 있다. 그렇다고 해서 근원적 관습에 너무 매여 있어서는 안 되고, 전통 보존을 지향하는 보수적인 방향과 부단히 새로움을 추구하는 개방적이고 혁신적인 방향을 아우르고, 공감성과 보편성을 겨냥하는 화제를 잘 선택해야 한다.[58] 과거에서 현재까지 삶의 과제를 담아내며 '당대성'으로 수렴돼야 우리가 지금 겪는 갈등을 잘 풀어낼 수 있을 것이다. 본풀이는 본을 푸는 것이면서 갈등을 푸는 것이어야 하고, 이런 화해와 상생의 정신이 제주신화의 세계화에 기여할 것이다.

<hr />

58 김대행, 『우리시대의 판소리문화』, 역락, 2001, 244~247쪽.

05.
설문대할망과 거인신화 비교

- •
- •
- •

1. 서

　　　　　　　　〈설문대할망〉 이야기는 제주의 한라산과 오름이 형성된 배경을 말해 주는 설화로, 제주 전도에 걸쳐 전승되고 있으며, 다양한 이야기 구성을 지니고 있고, 여러 가지 증거물이 남아 있어 과거와 현재를 연결시켜 주는 이야기다. 천지창조 뒤에 나타나는 지형형성의 신화로 볼 수 있으며, 남성신화가 나타나기 전의 여성신화이다. 대단한 생산력을 지닌 여성신으로서의 설문대할망은 제주의 생명력을 상징적으로 보여준다. 〈설문대할망〉 이야기는 따듯한 인간애를 드러내는 신화이면서 제주인의 소망을 담은 미래지향적 이야기라 하겠다.[1]

　　설문대할망과 마고할미, 중국의 여와, 북유럽 신화의 이미르Yimir, 바빌로니아 신화의 티아마트Tiamat 등은 모두 거구의 창세신들이다. 원시 인류는 최고의 능력을 지닌 대모신격大母神格을 그 능력에 걸맞는 거구의 형상으로서 표현하고자 했을 것이다. 그러므로 이때의 '크다'는 것은 실제적인 '크다'의 의미를 초월한 일종의 상징적인 표현

• • •

1　설문대할망 설화 자료는 다음을 참조했다. 김영돈・현용준・현길언, 『제주설화집성』 1, 제주대학교 탐라문화연구소, 1985; 임석재 편, 『한국구전설화』 전라남도편, 제주도편, 평민사, 1992; 진성기, 『남국의 전설』(개정판), 일지사, 1968; 진성기, 『남국의 전설』(증보판), 학문사, 1978; 현용준, 『제주도 전설』, 서문당, 1996.

오백장군

이므로, 최고의 능력을 표현하기 위한 것이다.[2] 이처럼 몸집이 크면서 엄청난 능력을 발휘한 설문대할망의 실체를 구명하고자 하는 것이 이 글의 목표다. 설문대할망의 능력이 무엇인지 알기 위해 여성신화가 지닌 특성을 살피면서, 특히 일본과 중국 소수민족의 신화와 비교를 통해 논지를 전개해 나가고자 한다.

설문대할망 설화[3]는 우선 거녀巨女의 이미지를 지닌 여성신의 에피소드로 구성되어 있다.[4] 잘 알려진 것으로는 우선 설문대할망이 앞치마에 흙을 퍼담아 나르다가 구멍

• • •

2　송정화, 『중국여신연구』, 민음사, 2007, 66쪽.
3　이 글에서 '설문대할망 설화'라는 용어를 포편적으로 사용하고자 한다. 설문대할망 이야기는 신화적 특성을 충분히 구비하고 있지만, 지금 남겨진 것들은 지명 유래와 연관된 전설이 대부분이다. 그래서 신화, 전설, 민담을 아우르는 설화란 용어를 쓴다. 시간이 흐르면서 신화가 전설로 이행해 간 단면을 느낄 수 있다. 그러나 비교 대상은 신화들이다. 왜냐하면 이 이야기 속에는 창세의 모티프가 있어 주변 신화와의 대비를 통해야 비로소 그 면모가 명확해질 것이기 때문이다.
4　설문대는 선문대, 설명두, 세명뒤할망, 誐麻姑, 沙曼頭姑라고도 한다. 巨女신화의 특징에 대해서는 권태효, 『거인설화의 전승양상과 변이유형 연구』, 경기대 박사학위논문, 1998(『한국의 거인설화』, 역락, 2002)에 자세하다.

이 뚫어진 곳에서 흙이 새어나와 그것들이 360여 개의 오름이 되었고, 마지막 흙을 날라다 부은 곳이 한라산이 되었다는 이야기다. 다음 설문대할망은 오백명의 아들을 낳았는데, 그들을 먹이기 위해 죽을 쑤다가 죽에 빠져 죽었고, 어머니의 고기를 먹은 아들들은 모두 죽어 한라산 영실의 오백장군 바위가 되었다는 창조성과 다산성을 지닌 이야기다. 그리고 거구인 할망이 배가 고파 음부로 사슴 열 마리와 멧돼지 일곱 마리를 잡아 포식하였다거나, 할망이 음부로 고기를 잡아먹었다는 대식성과 다산성을 드러내는 이야기이다. 설문대할망은 물장오리의 물이 얼마나 깊은지 알아보려고 들어 갔다가 결국 그 물에 빠져 죽었다고 하는데, 거대한 여성신의 죽음은 힘에 의해 지배되는 남성신 중심의 시대가 도래하면서 빚어진 패배라고 해석된다. 여성 중심의 사회가 남성 중심의 사회로 변화된 역사적 변천과정을 읽을 수 있다. 이와 유사한 설화가 백두산에 전해지고 있고, 마고할미가 물러난 뒤 단군이 세계를 지배하게 된다고 했다. 여성 중심에서 남성 중심사회로 넘어가는 과정을 보여주고 있고, 단군에 관한 기록신화의 이면을 엿볼 수 있다. 마고할미 설화는 바로 설문대할망 설화의 변이과정을 추적하게 해 주는 좋은 단서가 된다.[5] 영웅서사시에서는 여성영웅서사시가 먼저 나타나고 남성영웅서사시가 뒤를 이었다.[6]

제주의 지형을 형성한 거대한 여신 설문대할망은 죽음으로 끝나고 이에 관한 이야기는 전설로만 전한다. 신화적 상상력은 대부분 제거되었고, 신의 내력을 풀어내는 방대한 제주 서사무가 속에 설문대할망에 대한 이야기는 없다.[7] 대지신으로서의 여성,

• • •

5 마고할미 설화는 다음과 같다. 단군이 거느리는 박달족이 마고할미가 족장으로 있는 인근 마고성의 마고족을 공격했다. 전투에 진 마고할미는 달아나서 박달족과 단군족장의 동태를 살피는데, 알고 보니 자기 부족에게 너무도 잘해주는 것이 아닌가. 그래서 마고할미는 단군에게 심복하게 되었고, 단군은 마고할미의 신하인 아홉 장수를 귀한 손님으로 맞이해 극진히 대접했다. 그 아홉 손님을 맞아 대접한 곳을 구빈(九賓) 마을이라 하고 마고할미가 단군에 복속하기 위해 고성으로 되돌아오며 넘은 고개를 왕림(枉臨)고개라 한다는 것이다『중앙일보』, 1997.7.4).

6 이는 고대국가 형성기에 천신을 자처한 남성 정복자의 등장을 의미한다. 애초 여성영웅과 남성영웅은 대등하였으나, "남성영웅과 여성영웅 사이에서 태어난 자식이 주역으로 등장하면서 대립이 해소되었는데, 그 자식은 딸이 아니고 아들이다. 그렇게 해서 여성영웅과 남성영웅이 병립하던 시대는 가고 남성영웅 독주의 시대가 시작되었다." (조동일, 『동아시아 구비서사시의 양상과 변천』, 문학과지성사, 1997, 65쪽)

7 앞의 마고할미 전설에서 알 수 있듯이 한반도 전역에서 여성신화가 물러나고 남성신화가 등장한다. 고대국가 건설기 즈음까지 남아 있던 유화나 선도성모에 관한 이야기는 농경과 관련된 대지신으로서의 주체적 성격을 지니고

그리고 땅과 관련된 설문대할망의 기억은 매우 중요하다. 우리는 '땅, 물, 달, 농경, 여성' 등에 관련된 상징체계의 의미를 중시해야 한다.[8] 지금 남겨진 설문대할망 설화 속에 내장된 여성 신화의 이미지를 찾아내 그 상징성을 해명하고, 아울러 주변 신화와 대비를 통해서 제주 설문대할망의 위상을 재조명하게 된다면 애초에 지녔던 창세신의 의미를 규명할 수 있을 것이고, 그것이 시간의 흐름에 따라 어떻게 변모해 왔는가를 계기적으로 해결할 것으로 기대한다.

2. 국토형성과
   창조여신

설문대할망 설화는 왜 창조신화의 반열에서 논의되고 있는 것일까. 우리는 정작 '전설'의 차원에서 접근하고 있으며, 전승의 근원적 의미는 별반 관심이 없는 편이다. 오랜 전승의 과정에서 변이되는 요소에 대한 비판적 접근도 미흡하고, 일부 변모현상에 대해서는 조작설까지 보태져 있다. 그 원형적 의미는 창조신화일까. 그것을 규명해내면 전승과정의 변이현상을 적절하게 파악할 수 있을 것이고, 그 과정에서 신화의 전설화에 담긴 맥락도 조금씩 해명될 수 있으리라 본다.

그래서 우선 현재 전승되고 있는 파편화된 설화의 원형적 의미를 파악하고자 한다. 그 다음 그 원형적인 신화소가 어떤 과정을 거치며 그 신성성을 잃게 되었는지 무엇을 남기고 무엇이 변한 것인지 밝혀 보고자 한다.

우리의 경우 설문대할망 설화가 창조신화였을 것이라는 추정을 '지형형성'에서 찾고 있다. 한라산과 오름을 만들었다거나 우도를 분리시켰다는 내용을 두고 지형형성 설화라 했고, 이것은 천지창조 신화의 파편화라고 추정한다.

• • •

있다가 소거당하고 만 듯하다. 그러나 한국의 건국신화 속에는 태초의 여신들이 고대국가 건국주의 어머니로서, 신모(神母) 혹은 곡모(穀母)라 불리며 남아 있는데, 제주에는 그런 흔적조차 남아 있지 않은 것이 의아하다. 서사무가 본풀이 속에서 설문대할망의 상징성을 찾아내는 것이 앞으로의 과제라 하겠다.

8   허남춘, 『제주도 본풀이와 주변 신화』, 제주대 탐라문화연구소, 2011, 147~149쪽 참조.

일본 연구자들에게도 이것은 보편적으로 받아들여진다. 오바야시大林太良가 대표 편자로 만든 『세계신화사전』에서 조선반도 신화를 소개하면서 '천지창조신화' 항목을 제일 앞에 두고 있는데, 거기에는 '천지분리 신화, 복수의 해와 달, 국토생성' 세 가지 분류를 두었다. 천지분리 신화에는 제주도 일반신본풀이 초감제와 함경도의 창세가, 복수의 해와 달에는 두 개의 해를 영웅이 해결하는 셍인굿과 도솔가, 국토생성에는 거인과 떠오는 섬 두 가지를 소개하고 있다. '국토생성' 모티프는 일본신화의 '국생신화國生神話'와 같은 반열에서 보았던 것 같다. '국토생성설화'에는 첫째, 거인의 배설물과 편력에 의해 산천이 만들어졌다는 이야기로 일본의 '다이다라봇치だいだらぼっち'와 흡사한 것이라 했다. 둘째, 떠오는 섬 전설인데 표류·이동하는 섬이 빨래하는 여자의 행동에 의해 멈췄다는 유형으로 일본의 '국토 끌기國曳き神話'와 유사하다고 했다.[9] 첫째의 유형이 바로 설문대할망 설화와 같은 거녀 설화이고, 둘째 유형은 비양도 전설과 같은 '움직이고 멈추는 섬' 설화다.

한편 여신신앙을 연구한 노무라 신이치는 초창기 여신의 계보를 설명하면서 그 첫머리에 '천지를 창조한 여신天地お創る女神'을 두었는데, 여기서 설문대할망을 포함하여 마고할미와 개양할미를 소개하고 있다. 설문대할망은 한라산을 베고 눕는 거대한 여신으로서 제주도의 오름을 만든 여신이라고 요약하고 있다.[10] 마고할미는 바윗돌로 산성을 쌓거나 다리를 놓는 행위를 하고, 높은 산정 바위에서 소변을 보아 일어난 일이 부기되어 있다. 개양할미는 나막신을 신고 서해를 건너를 건너면서 수심을 재고, 그것을 어부들에게 알려주어 풍랑을 방지하게 해 준다는 수호신격이다. 개양할미에는 창조여신의 모습이 잘 나타나지 않는다.

그렇다면 설문대할망 설화에서 한라산을 베고 눕는 거녀라는 모티프와, 한라산과 오름을 만들었다는 모티프가 국토생성의 창조신이라는 규정에 흡족한 증거라 할 수 있을까. 한라산과 오름을 만들고 우도를 갈라놓았다는 것은 지형형성 설화의 반열에

• • •

9   大林太良 外, 『世界神話事典』, 角川書店, 1994, 352~353面.
10   野村伸一 編, 『東アジアの女神信仰と女性生活』, 慶應義塾大學出版會, 2004, 7~9面.

든다고 하겠으나, 국토생성이라고 하기에는 조금 미흡하게 느껴진다.

창조의 신은 하늘과 땅을 만드는 데 큰 역할을 했거나 하늘과 땅의 분리에 크게 관여했고, 거대한 자신의 몸에서 자연 만물이 생성한다는 화생化生 모티프를 지니고 있게 마련이다. 이런 이야기들은 당연히 천지창조 신화 혹은 창세신화라고 하여 우리가 익숙히 아는 것들이다. 혹은 파탄 난 세상을 수습하여 하늘과 땅을 온전하게 만들었다는 신화도 이에 속한다. 태초에 우주를 연 창세 여신은 아니지만, 혼란을 수습하고 세상을 복원하였던 점에서 창세신화의 반열에서 논할 만하다.

> 아득한 옛날, 사극이 망가지고 구주의 땅이 갈라졌다. 하늘이 무너져 대지를 완벽하게 덮을 수 없었고 땅도 망가져 모든 사물을 다 제대로 실을 수 없었다. 불길이 타올라 사그라지지 않고 물은 차올라 쉼이 없었다. 동물들이 착한 백성들을 잡아먹었고 무서운 새들이 노약자를 채 갔다. 이에 여와는 오색 돌을 녹여 푸른 하늘을 보수했고, 거북의 다리를 잘라 사극을 메웠으며 ······ 네모난 땅을 등에 지고 둥근 하늘을 품에 안았다.[11]

여와는 오색 돌을 녹여 하늘을 보수하는 여와보천女媧補天을 행하는데, 이런 창세의 이야기가 중국 남부의 소수민족 신화에 많다고 소개한 김선자 교수는 "중국 남부지역에 전승되는 신화 속의 창세여신들은 모두가 바느질을 해서 서로 다른 하늘과 땅의 크기를 맞추고 있다."[12]고 했다. 그렇다면 그 바느질 모티프는 어떤 것인가.

> (무리우쟈가) 하늘을 다 만들고 보니 땅이 하늘보다 넓었다. 그래서 하늘이 땅을 덮지 못하자 땅의 가장자리를 바느질하여 실을 잡아당겨 땅을 줄였고, 마침내 하늘이 땅을 다 덮을 수 있게 되었다. 그러나 이 때문에 땅은 평평하지 못했다. 그때 튀어나온 곳이 산이 되었고, 움푹 들어간

● ● ●

11 往古之時, 四極廢, 九州裂, 天不兼覆 地不周載 火爁炎而不滅 水浩洋而不息. 猛獸食顓民 鷙鳥攫老弱. 於是女媧練 五色石以補蒼天, 斷鼇足以立四極, 殺黑龍以濟冀州 積蘆灰以止淫水 蒼天補 四極正 淫水涸 冀州平, 狡蟲死 顓民 生 背方州 抱圓天(『淮南子』, 覽冥訓)

12 김선자, 「중국의 여신과 여신신앙」, 『동아시아 여성신화와 여성 정체성』, 이화여대출판부, 2010, 146쪽.

곳이 강과 바다가 되었다.

　　미뤄터가 하늘을 만들었는데 그것이 땅보다 작아 땅을 다 덮을 수가 없었다. 그래서 실과 바늘을 가져다가 하늘과 땅의 가장자리를 꿰맨 뒤 실을 잡아당겼더니 하늘은 솥뚜껑처럼 되었고, 땅은 주름치마처럼 되었다. 땅에 주름이 잡히는 바람에 산과 골짜기가 생기기는 했지만 하늘과 땅의 크기는 똑같아졌다.[13]

　　장족의 무리우쟈나 야오족의 미뤄터는 같은 창조의 여신이다. 바느질로 하늘과 땅의 크기를 맞추었는데, 그 결과 산과 계곡이 생겨났다고 한다. 설문대할망이 손으로 긁은 곳은 계곡이 되고 퍼담은 곳은 산이 되었다는 모티프와 유사하다. 그런데 바느질 이야기는 별도로 전한다. 그것이 '성산일출봉 등경돌 이야기'다. 일출봉을 오르는 중턱에 있는 등경돌 위에 각시불을 얹어놓고 거기서 바느질을 했다고 한다. 할망의 바느질은 단순하게 의복을 손질하는 의미만이 아니라, 하늘과 땅의 가장자리를 꿰매는 창조의 여신으로서의 역할이 감지된다. 바느질과 염색과 직조술은 바로 여신의 영역이다.[14]

　　땅 위에는 당연히 산과 계곡이 필요한데, 그것을 만드는 방법의 하나는 흙을 운반하거나 땅을 헤집는 것이었을 듯하다. 국조신國祖神이 인간세상을 만드는 아이누의 신화에서도 매우 유사하다. "상천신上天神들이 상천上天에 모여서 '내려가서 인간국토를 만들어라' 라고 해서 국조신이 당느릅나무 괭이와 우목叉木(끝을 뾰족하게 하여 땅을 파는 도구)을 만들어서 내려왔다. 강이 흐를 만한 곳을 손가락으로 긁고 손톱으로 파서 만들고, 계곡 등도 손톱으로 긁고 손으로 파내어 만들었다"[15]

. . .

13　김선자, 『중국소수민족 신화기행』, 안티쿠스, 2009, 387쪽, 432쪽.
14　『삼국유사』를 보면 선도성모가 조복을 직접 짓고 있다. 선도성모는 혁거세의 어머니 신격으로 부기된다. 가야의 허황옥은 비단류를 가지고 도래한다. 염색은 특권층의 권리였다. 일본 와카히루메노미코토란 여신은 아마테라스의 신성한 하타도노(機殿)에서 신에게 바치는 옷을 짜는 직능을 갖는다. 애초에는 설문대할망이 바느질로 하늘과 땅을 이어놓았고, 그런 과정에서 산과 계곡이 생겼다는 전승이 있었을 텐데, 바느질만 남고 나머지 행위는 잊혀졌다. 그리고 흙을 운반하는 직접적인 행위가 논리적으로 부기된 것이라 추정된다.
15　更科源藏, 이경애 역, 『아이누신화』, 역락, 2000, 12쪽.

그 외에 다양한 방법이 상상력으로 동원되었을 것이다. 우리가 사는 세상에 높은 산과 낮은 계곡은 어떻게 생겼을까 하는 의문에 직면했을 때, 거인 창조신이 흙을 운반하였다거나 흙을 헤집어 그렇게 만들었을 것이라는 추정이 손쉬웠을 것이고, 창조 여신의 주특기인 바느질로 그렇게 만들었을 것이라는 추정이 다음으로 가능하였을 것이다. 아이누에게 있어서도 땅을 만든 신은 초목의 일에서 나무를 벗겨 옷을 만드는 일을 가르쳤다고 한다.[16] 여기서 땅을 만든 신은 어떤 신인지 명확하지 않지만 대지모신일 것이고, 옷을 만들었다는 것은 직조술과 바느질을 포함하는 행위일 것이다. 그런데 그것이 단순한 바느질이 아니라 땅을 만드는 행위와 연관되었을 가능성이 짙다.

중국 광시 장족에게 무리우쟈는 인간을 창조하고 그 운명을 주재하는 신격으로 알려져 있다. 하늘과 땅이 갈라지고 황량한 대지에 잡초뿐이었는데, 그 땅에 꽃이 피고 꽃 속에서 여신 무리우쟈가 탄생하였다. 여신은 꽃을 기르며 살았는데 그 꽃이 인간 세상의 영혼이 되었다. 천상의 꽃밭에서 붉은 꽃을 보내면 여아나 태어나고 하얀 꽃을 보내면 남아가 탄생한다. 여신이 꽃밭에 물을 주고 잘 돌봐주면 인간세상의 아이들이 건강하고, 물이 부족하고 꽃에 벌레가 생기면 아이들이 병에 걸린다. 인간이 죽으면 다시 꽃이 되어 천상의 꽃밭으로 되돌아간다고 한다.[17]

창조의 여신 무리우쟈는 꽃 할망花婆이라 불린다고 한다. 제주도 〈삼승할망본풀이〉의 서천꽃밭과 이를 주재하는 할망과 너무 유사하다. 아이를 점지하는 방식도 같고, 꽃밭을 생명의 근원으로 혹은 영혼이 돌아가는 곳으로 사유하는 점도 같다. 삼승할망이 하얀 꽃을 보내면 남아, 붉은 꽃을 보내면 여아가 태어난다는 점도 같고, 아이가 15세가 안 되어 죽으면 다시 꽃밭으로 돌아가게 된다는 점이 매우 유사하다.

설문대할망 설화에는 인간을 창조하고 운명을 주재하는 이야기가 없다. 그런 기능은 제주도 일반신본풀이에서 찾을 수 있다. 애초 창세신에게 그런 능력이 부가되어 있었는데 시간을 내려오면서 그 기능들이 여러 신격으로 나뉘어 갔던 것으로 보인다.

• • •

16 위의 책, 8쪽.
17 김선자, 앞의 책, 2009, 386~389쪽.

그래서 탄생을 주재하는 능력은 삼승할망이, 운명을 주재하는 능력은 가문장아기가, 풍요를 주재하는 능력은 자청비가 나누어 관장하는 신화적 틀을 갖게 되었다. 제주에 다양한 여신들이 두루두루 있게 된 연유다. 그 기저에는 인간사고의 변모가 깔려 있다. 산처럼 큰 신이 어떻게 존재할 수 있겠는가 하는 의구심은 점점 거대한 몸집의 설문대할망에 대한 불신으로 이어졌고, 신들은 인간의 몸집과 비슷한 크기의 존재로 조정되었으며, 창세신의 다양한 능력은 여러 여성신에게 나뉘어졌고, 그 다음 여성의 강한 능력에 대치하여 남성의 강한 능력이 자리를 잡게 된 것으로 보인다. 그래서 창세의 여신은 전설 속의 인물로 바뀌게 된다.

3. 거녀巨女

　　　　　　　　　　설문대할망 설화는 우선 거녀巨女의 이미지를 지닌 여성신의 에피소드로 구성되어 있다. 설문대는 선문대, 설명두, 세명뒤할망, 선마고詵麻姑, 사만두고沙曼頭姑라고도 한다. 설문대할망은 다음의 특징을 가진 것으로 요약될 수 있다. 앞에서 잠시 언급하였듯이 설문대할망의 특징은 대의大衣, 대식大食, 대근大根, 배설排泄, 거구巨軀 등으로 요약된다.[18] 이런 거인의 특성은 '다이다라봇치'라는 일본의 거인설화에도 그대로 나타나 비교의 대상이 된다. 이 설화는 일찍이 야나기타와 같은 학자가 채록[19]하고 지속적인 관심을 기울였다. 다이다라봇치는 다이타로오大太郎와 호오시法師의 합성어에서 왔는데, 이의 축약형이 '다이다라봇치'라고 여기는 것이 일반적이다.

　일본의 거인(다이다라봇치[20])도 산과 호수를 만들었다는 이야기가 많지만, 여타의 흥미

• • •

18　巨女의 특성 * 大衣 - 옷감이 신에 대한 제물, 명주 100동에서 1동 부족 모티프 * 大食 - 소천국, 남국성(또는 궤네 깃도)의 엄청난 식성 * 大根 - 배가 고파 여근으로 물고기 잡기 * 배설 - 수수범벅을 먹고 大便을 보니 굿망상오름, 오줌발과 우도 * 거구 - 한 발은 가파도, 한 발은 성산 일출봉에 걸치고 빨래를 함(권태효, 『거인설화의 전승양상과 변이유형 연구』, 경기대학교 박사학위논문, 1997).
19　柳田国男, 『ダイダラ坊の足跡』, 中央公論社, 1927.

로운 모티프를 다양하게 보여 주고 있다. 원래 이 거인은 나라를 만드는 신이었을 가능성이 있다고 말한다. 일본의 창세기에 활약했다는 거대신巨大神인 이자나기와 이자나미는 일본열도를 구성하는 섬을 탄생시켰다고 전해진다. 이자나기의 눈에서 태어난 아마테라스와 쯔끼유미, 코에서 태어난 스사노오는 거인신巨人神으로 그 다음 세대를 형성한다. 거인신은 거대신보다는 확실히 작지만, 낮은 산 정도의 키를 갖는다. 산정에 걸터앉아 조개를 줍는 다이다라봇치는 거인신과 동급의 거인巨人이다. 거인 다음에는 사람 크기와 같은等身大 신이 등장하게 되는데, 〈송당본풀이〉의 니니기노미코토의 경우가 이에 해당한다.[21]

거대신(巨大神) – 거인신(巨人神) – 거인(巨人) – 사람 크기와 같은(等身大) 영웅

중국의 반고盤古와 비슷한 창세신이 활약하다가 인간세계의 질서를 바로잡는 신이 등장하고, 이어서 산과 호수와 같은 지형을 형성하는 거인전설이 이어지고, 다음에는 인간의 모습과 유사한 신이 등장하여 인간세계를 다스리게 된다는 계기적 설명이다. 인간의 삶이 변화함에 따라, 그리고 역사의 진전과 더불어 신격의 모습도 서서히 변모하는 양상을 그대로 설명하는 예라 하겠다.

제주도 일반신본풀이와 당신본풀이를 통해 본다면 〈초감제〉의 창세기가 있고 이어서 천지왕과 대별왕·소별왕이 등장하는데 이들은 인간세계의 질서를 바로 잡는 신격이다. 그 다음으로 운명과 생사의 신이 이어지고, 집과 마을을 관장하는 신이 등장한다. 다음 세대를 잇는 부류는 사람 크기와 같은等身大의 신인데, 〈송당본풀이〉의 소로소천국과 궤네깃도와 같은 장수형 신이라 하겠다. 소와 돼지를 온마리로 먹고 엄청

...

20 다이다라봇치는 다이다라보오, 데이다라봇치, 다이란보오, 데이란보오, 다이라보오, 다다보오 등으로 불린다. 이에 대한 명칭은 여러 지역과 문헌에 따라 다르다. '다이다라보오'에 대해서는 다음 참조. 村上健司 編著, 『日本妖怪大事典』, 角川書店, 2005, 195~196面. 이것들은 東日本에 보편적인 것이고 西日本에서는 弥三郎, みそ五郎, 大人 등으로 불리고, '一目連'(외 눈 거인)이기도 하고 제철(製鐵)과 연관되기도 한다. 우리가 흔히 알고 있는 도깨비와도 비슷한 형상이라 하겠다.

21 武光誠, 『日本人なら知っておきたい〈もののけ〉と神道』, 河出書房新社, 2011, 25~26面.

난 힘을 발휘하는 영웅이 등장한다. 제주에 있어 설문대할망은 어떤 반열의 신이었을까. 제주의 국토를 형성한다는 점에서 창세신의 의미도 있는 듯하고, 지형을 형성하는 거인신 혹은 거인의 의미도 내포된 듯하다. 이런 설문대할망의 위상을 일본 거인 신화와 비교를 통해 가늠해 보고자 한다.

> 설화 1-1) 잘 알려진 것으로는 우선 설문대할망이 앞치마에 흙을 퍼담아 나르다가 구멍이 뚫어진 곳에서 흙이 새어나와 그것들이 360여 개의 오름이 되었고, 마지막 흙을 날라다 부은 곳이 한라산이 되었다.
>
> 　　　 1-2) 한라산 꼭대기가 하늘에 닿아 은하수를 만질 듯 높이 솟아올라 봉우리를 꺾어 던졌더니 그것이 떨어져 '산방산'이 되었다거나, 빨래를 하려고 한라산 꼭대기에 걸터앉을 때 산꼭대기가 엉덩이를 찔러 화가 난 설문대할망이 꼭대기를 던져 버렸다. 이게 산방산이 되었다.
>
> 일본 1-1) 淺間山은 자신보다 큰 여동생 후지산을 질투해 흙을 나누어달라고 했다. 후지산이 양보해서 거인(다이다라봇치)가 자기 앞에 쌓인 흙을 운반해 주었다. 그러나 淺間山은 흙이 부족하다고 화를 내고 저(후지산)을 두드렸다. 그때 밖으로 떨어진 흙이 前掛山이 되었다. 화가 난 淺間山은 마침내 분화되고 말았다.
>
> 　　　 1-2) 시즈오카시 다이라보 산정에는 길이 150미터의 움푹 파인 곳이 있는데, 다이다라봇치가 왼발을 두었던 자취라 한다. 비와코(琵琶湖)에서 후지산에 흙을 운반하는 도중에 남긴 것이라 한다.[22]

다이다라봇치가 후지산을 만들기 위해 신주申州의 흙을 가져다 쌓았기 때문에 신주가 분지가 되었다는 설화도 위와 비슷한 유형이다. 특히 후지산 주변의 천간산淺間山과 비와코와 연관된 설화가 많다. 다이다라봇치가 물이 용출하는 연못을 만들었고,

---

22　フリー百科事典『ウィキペディア(Wikipedia)』, タイタラボッチ條. 宮田登, 「諸国の富士と巨人伝説」, 『静岡県史』 資料編 24, 斉藤滋与史他編, 静岡県, 1993, 957面.

다리를 걸쳐놓고 쓰쿠바산에 허리를 걸고 긴 담뱃대에 천간산의 불을 붙이면서 잠깐 쉬기도 하였다고 한다. 위의 설화에서 화산이 분화된 사정이 있고 여기서는 그 불에 담뱃불을 붙인 사연이 있어 두 이야기가 계기적이다. 또한 다이다라봇치가 비와코로부터 흙을 너무 파내서 호수가 되었는데, 후지산의 흙을 나르는 도중에 흙덩어리가 떨어져 작은 산들이 만들어졌다고 한다. 이런 이야기는 다이다라봇치 설화의 전형적인 것들이라 하겠다.[23] 설문대할망 설화 중에 가장 대표적인 이야기가 바로 한라산과 오름 만드는 과정의 이 모티프라 하겠는데, 일본 거인설화에서도 역시 일본의 대표적인 산인 후지산 형성과 직접적으로 관련되어 있어 주목을 요한다. 한라산은 후에도 삼신산의 하나로 꼽히면서 신성시하고 있는데, 일본의 후지산 역시 오랜 역사 과정에서 신성시하는 산이다. 그리고 두 산은 지금까지 신성성을 지닌다. 설문대할망과 다이다라봇치는 국토의 가장 중요한 산을 만든 상징적인 신이었는데, 시간이 흐르면서 그 신성성이 약화되어 갔던 것으로 보인다. 그래서 신이 화가 나서 던져놓은 것이 산방산과 전괘산前掛山이 되었다고 하는데, 인격화되고 화를 내는 모습 속에 세속화한 신의 흔적이 엿보인다.

> 설화 2) 설문대할망의 몸이 워낙 커서 한라산을 베고 누우면 발이 제주 북쪽의 관탈섬에 가
> 닿았다. 관탈섬은 제주 해안에서 21킬로미터 지점에 있다.
>
> 일본 2) 거인이 있었는데 늘 허리를 굽히고 걸었다. 남해에서 북해에 이르도록 그랬다. 동쪽에
> 서 순행하던 때에 이 땅에 도착했는데 다른 곳은 (하늘이) 낮아서 굽히고 걸었는데,
> 이 땅은 쭉 펴고 걸을 수 있을 만큼 높았다. 그래서 그곳을 託賀(=高)郡이라 했다.[24]

신이 거구임을 보여주는 설화다. 신이 거구여서 하늘에 키가 닿았는데 그것을 밀어

• • •

23 安部晃司 他,『日本の謎と不思議大全』東日本編, 人文社, 2006, 122~123面.
24 託賀略記 託賀郡 右 此當為上 所以名 託賀者 昔 在大人 常勾行也 自南海到北海 自東巡行之時 到來此上云 他土
   卑者 常勾伏而行之 此土高者 申而行之 高哉 故曰 託賀郡 託賀 此云 高也 申 伸也 其踱跡處 數數成沼(播磨國風
   土記, 託賀郡).

올렸다는 이야기가 주변 신화에 남아 있다. 오키나와에 살았다는 거인 아만추가 바로 그 신이다. '천인天人'이란 의미다. 그는 태고 적 하늘이 낮아 인간은 개구리처럼 엎드려 살았는데, 아만추가 인간을 불쌍히 여겨 양손과 양발의 힘을 다해 하늘을 들어 올렸다고 한다. 또 어느 때 태양과 달을 장대에 매달아 놀다가 봉이 부러져, 그때부터 태양과 달이 멀리 떨어지게 되었다고 한다.[25] 『오키나와민화집沖繩民話集』에는 천지 사이가 좁았을 때 아만츄메가 하늘을 들어 올렸다고 되어 있다. 창세신화의 흔적들이다. 이 거인 아만추 이야기는 아마미쿄あまみきよ 이야기와 뒤섞이게 된다. 아마미쿠가 내려와 보니 영처로 보여 하늘로부터 토석초목土石草木을 받아 그것으로 섬을 여럿 만들었다. 아마미쿠는 하늘에 올라가 사람 종자를 받아 갔다.[26] 거인 아만추 이야기가 변질되긴 했지만 국토 창조의 맥을 잇고 있으며 인간 창조의 내용도 담고 있다. 허리를 굽히고 걸었다는 거인의 모티프 속에는 하늘을 밀어 올려 세상을 만들었다는 창세신의 이야기가 깃들어 있다. 한라산 꼭대기에서부터 관탈섬에 이르는 40킬로미터 정도의 큰 키를 가졌다는 것은 국토형성의 신이면서 동시에 창세신적 모티프를 체내에 감추고 있는 이야기라 하겠다.

> 설화 3) 거구인 할머니가 배가 고파 하르방으로 하여금 짐승몰이를 시키고 자신은 음부를 벌리고 있으니, 그 속으로 사슴 열 마리와 멧돼지 일곱 마리가 들어가 그것으로 포식하였다거나, 하르방이 우도와 성산 사이에서 고기를 몰고 할망은 음부로 고기를 잡아 먹었다고 한다.
>
> 일본 3) 거인이 바다에서 조개를 잡아먹고 버린 것이 큰 패총이 되었다. 몸 길이가 40보 정도였고, 폭은 20보 정도였으며, 소변을 보아 뚫린 구멍이 20보 정도였다.[27]

• • •

25 谷川健一, 『日本の神タ』, 岩波書店, 1999, 87面.
26 伊波普猷, 外間守善 校訂, 『古琉球』, 岩波文庫, 2000, 220~222面.
27 平津驛家西一二里 有岡 名曰 大櫛 上古有人 體極長大 身居丘壟之上 手摭海濱之蜃 大蛤也 其所食貝 積聚成岡 時人 取大朽之義 今謂大櫛之岡 其踐跡 長卅余步 廣廿余步 尿穴徑可廿余步計(常陸國風土記, 香島郡/那賀郡). 조개껍데기가 쌓인 언덕은 大串貝塚으로 현재 남아 있다. 水戶市의 사적공원으로 지정되어 있고, 그래서 거기에 거대한 다이다랏치 상을 만들어 세워 놓았다(武光誠, 前揭書, 2011, 24面).

거구여서 많은 것을 먹는 대식가大食家라는 점에서 두 설화는 유사하다. 설문대할망이 음부로 짐승을 잡았다는 이야기에는 좀더 근원적인 생명성이 감추어져 있다. 중국 소수민족의 창조 여신인 무리우쟈가 두 발로 각각 산을 하나씩 딛고 서서 소변을 보았는데, 소변이 땅을 적시자 그 흙으로 인간을 빚었고, 진흙을 뿌려 새와 동물을 만들었다. 비가 내리면 피할 곳이 없던 새와 동물, 사람들은 모두 무라우쟈의 음부로 들어가 비를 피했다고 한다.[28] 이는 설문대할망과 너무나 유사하다. 설문대할망이 음부로 멧돼지와 사슴을 사냥하고, 우도와 성산 사이에서 음부로 물고기를 잡는 이야기도 있고, 음부로 동물이 피신하는 이야기도 있다. 이런 모티프는 단순하게 대식大食의 거인을 의미하는 것이 아니라 이처럼 창조의 여신이 지니는 생명의 힘을 의미한다고 하겠다.

일본 국토를 낳은 대지모신 이자나미는 제주의 지형을 만든 설문대할망과 대비할 수 있고 그래서 할망을 대지모신이라 상정할 수 있다. 이자나미는 화신火神을 낳다가 죽었고, 그녀의 음부는 암闇(くら)라는 산신이 된다. 한국의 마고신이 대부분 산신으로 좌정하는 것과 유사하다. 고대인은 여성의 음부를 중히 여겼다. 대화大和 삼산三山 중에 무방산畝傍山(うねび)산에는 '음부의 신ほと神'이 있다고 하는데, 성산聖山은 대체로 여산女山이다. 태양이 지중地中・해중海中의 동굴에서 나와 동굴로 돌아간다고 고대인이 사고한 것을 보면 성산聖山의 음陰은 위대한 동굴로서 여겨지는 것인지도 모르겠다.[29] 대화 삼산의 으뜸인 향구산香具山도 태양이 들어간 곳, 태양신을 제사했던 곳冬至祭으로 동굴 모티프가 개입되어 있고, 여성성과 관련된다.[30] 특히 아메노우즈메노미코토天鈿女命가 아마테라스가 은거한 동굴 앞에서 음부를 드러내고 춤추는 장면과 연관시킨다면, 여신은 태양신의 에너지 재생을 돕는 여성성의 상징이라 인정할 만하다. 고대인에게 음부는 신성한 단어였다.

• • •

28 김선자, 앞의 책, 2009, 388쪽.

29 中西進, 『日本神話の世界』(著作集 3卷), 四季社 , 2007, 32~35面.

30 대부분의 민속학자들은 아마테라스 女神은 원래 태양신을 모시던 무녀(히루메, 日の女)가 신격화되었다고 추정한다(박규태, 「일본의 여신과 여성신앙」, 『동아시아 여성신화와 여성 정체성』, 이화여자대학교출판부, 2010, 210쪽). 그래야 동굴의 의미와 아마테라스의 여성성이 잘 조응될 수 있다.

설화 4-1) 수수범벅을 먹고 大便을 보니 성산 근처의 굿상망오름이 되고, 오줌발로 성산과 우도
　　　　를 갈라놓았다.

　　　 4-2) 한라산에서 오줌을 누려고 앉았을 때 포수에게 쫓기던 사슴이 할머니의 큰 성기를
　　　　굴로 착각하고 들어오는 바람에 간지러워 소변을 보니 그것으로 인해 냇물(장강수)
　　　　이 생겼다

일본 4) 소변을 보려고 飯野山(香川縣)에 발을 올렸을 때 산정 부근에 족적이 찍혔다. 그리고
　　　　그 소변으로 생긴 것이 大束川이라 한다.

　　엄청난 배설을 한다는 것은 설문대할망과 다이다라봇치가 거구였다는 것의 다른 표
현이다. 한국과 일본 모두 거인이 소변을 보아 냇물이 생겨난 이야기를 공유하고 있
다. 할망의 오줌발로 우도가 갈라져 나갔다는 이야기 속에는 설문대할망에 의해 섬이
생겨났다는, 국토생성의 의미도 담겨 있다. 그리고 위의 설화 3)에서 보았듯이 음부와
오줌발 모티프에는 창조 여신의 생명력이 내장되어 있다. 육지에서 모내기를 할 때
아침 일찍, 그 마을에서 아들을 가장 많이 낳은 여성이 논에 오줌을 누어준다. 여성의
생생력이 논에 전이되길 바라며 한 해의 풍요를 기원하는 의식이었다. 여성의 오줌은
이후에도 생명력의 상징이 되었다. 할망이 한라산을 만들기 위해 흙을 퍼 나르다가
구멍 난 앞치마에서 샌 흙이 오름이 되었다고 하는데, 여기서는 그녀의 배설물이 오
름이 되었다고 한다. 거대한 배설이 국토형성으로 이어지고 있다. 우도와 굿망상오름
이야기는 단순한 지명 전설이기 이전에 국토생성의 신화가 화석화한 흔적으로 보인
다. 『출운국풍토기出雲國風土記』에는 다이다라봇치가 소국을 모아 이즈모국出雲國을 형
성했다는 국토 당기기國引き 신화가 등장한다. 이는 지형형성 설화가 국조설화國造說話
로 변형된 것이다. 거인의 이야기는 국토형성에서 지형 혹은 지명 형성으로 바뀌고,
이어 국조설화로까지 변형되는 과정을 읽을 수 있다.

　　설화 5) 한라산에 걸터앉아 한쪽 발을 차귀도에 놓고 다른 한쪽 발은 우도에 짚고 성산일출봉
　　　　을 빨래판으로 삼아 서답을 빨았다.

일본 5-1) 榛名山에 걸터앉아 利根川에서 정강이를 씻었다.

　　 5-2) 羽黑山에 걸터앉아 鬼怒川에서 발을 씻었다.[31]

　일본의 다이다라봇치는 큰 산에 기대어 혹은 걸터앉아 쉬었다거나 냇물에 발을 담 갔다는 거인의 모습만 비친다. 설문대할망이 용연에 발을 담그면 발목까지 물이 찼다 는 이야기도 거인의 모습을 보여주는 예다. 그런데 설문대할망 설화에는 거대한 몸집 뿐만 아니라 빨래하는 이야기가 전한다. 할머니 여성신의 모습이다. 그러나 일본의 다이다라봇치는 여성신인지 남성신인지 불명하다. 소변을 보아 그 오줌발로 냇물이 생겨났다는 모티프는 생명을 산출하는 능력이 느껴지고 여성성인 듯한 느낌도 있다. 하지만 그 이상의 추정은 불가능하다. 다이다라봇치가 조개를 까먹고 버린 대곳패총 이 소재한 미토시水戶市에 거대한 석상이 있는데 그 형상은 남자다. 일본인의 상상 속 에 다이다라봇치는 힘센 남성으로 남아 있는가 보다. 그러나 제주의 거인 설문대할망 은 그 여성성을 온전히 갖추고 있다. 그래서 한국과 일본의 두 거인 이야기의 모티프 는 매우 유사하지만, 그 함의는 사뭇 다른 점도 있다고 하겠다. 일본의 다이다라봇치 에게는 위대한 할머니 설화가 풍화되어버린 탓이다.

　　설화 6) 제주와 육지 사이에 다리가 없어 불편해 하자 설문대할망이 속옷을 지어주면 다리를
　　　　　놓아주겠다고 했는데, 명주 100동에서 한 동이 모자라 속옷을 만들어 바칠 수 없게
　　　　　되자 다리를 놓다 그만두었다. 조천 앞에 있는 엉장메코지가 그것이다.

　　일본 6) 秋田縣의 橫手 분지에 큰 호수가 있었는데 사람들이 그것을 메워 농지로 만들고자 했
　　　　　다. 이 공사에 나이나라봇지가 잠여하여 큰 손으로 물을 퍼내고 흙을 운반하며 사람들
　　　　　을 도왔으며 공사가 잘 이루어졌다. 거인은 太平山 三吉神社의 化身이라고 생각했다.[32]

* * *

31　安部晃司 他, 前揭書, 2006, 122面.
32　武光誠, 前揭書, 2011, 27쪽.

두 설화는 모두 국토형성과는 무관한 이야기다. 신과 인간의 교감에 관한 이야기이고, 신이 인간을 위해 토목공사를 하는 내용이다. 지형형성과 관련이 있고, 한쪽은 실패한 흔적이고 다른 한쪽은 성공한 이야기다. 일본의 거인은 신사에서 제사를 받게 되었는데, 제주의 설문대할망은 신성성을 상실하게 되었다. 표선의 당캐할망당에서 신으로 모셔지는데, 바닷가에 나무를 깔고 모래를 덮어 해변을 만든 공을 인정해서 마을사람들의 숭배 대상이 되었다고 한다.[33] 나중에 덧보태진 이야기인지, 원래 있던 이야기인지 불명하다. 제주의 위대한 할머니 이야기도 시간이 가면서 풍화되어, 인간의 소망을 들어줄 수 없는 전설의 주인공이 되고, 거대한 몸으로 무엇이든 해내던 여신에서 거대한 몸집을 지녔지만 패배하는 왜소한 능력의 소유자로 전락한다. 육지와 격절되어 있는 제주의 모습 속에 절망적인 설문대할망의 모습이 겹쳐진다. 여신의 종말은 죽음이다. 다음 설화가 그런 종말을 보여 준다.

> 설화 7) 설문대할망은 오백명의 아들을 낳았는데, 그들을 먹이기 위해 죽을 쑤다가 죽에 빠져 죽었고, 어머니의 고기를 먹은 아들들은 모두 죽어 한라산 영실의 오백장군 바위가 되었다고 한다.
>
> 설화 8) 설문대할망은 물장오리의 물이 얼마나 깊은지 알아보려고 들어갔다가 결국 그 물에 빠져 죽었다고 한다.

거대한 여성신의 죽음은 힘에 의해 지배되는 남성신 중심의 시대가 도래하면서 빚어진 패배라고 해석된다. 여성 중심의 사회가 남성 중심의 사회로 변화된 역사적 변천과정을 읽을 수 있다. 일본 거인(다이다라봇치) 설화에서 죽는 이야기를 아직 찾지 못

• • •

33 임석재 편, 『한국구전설화』 전라남도편, 제주도편, 평민사, 1992, 203~204쪽. 표선리 당캐할망당 당신화에서는 '세명주'라 하기도 하고 '설맹디'라 하기도 하는데, "표선리 한모살도 설맹디할망이 날라다 쌓은" 것이라 했다(표선리 원로회, 『표선리향토지』, 1996, 154~155쪽). 이 당의 본풀이는 "한라산의 거녀신 '설문대할망' 신화와 유사하다. 다만 여신의 이름 '설문대'가 '세명주'로 바뀐 것 이외에는 신화 내용이 대동소이하다."고 했다(문무병, 『제주도 본향당 신앙과 본풀이』, 민속원, 2008, 325쪽). 2009년 제주신당조사에서는 이 당을 '표선리 당캐 세명주할망당'이라 했다(제주전통문화연구소 편, 『제주신당조사 – 서귀포시권』, 도서출판 각, 2009, 188쪽).

했다. 신이 죽어 식물 및 곡물의 기원이 되었다는 시체화생신화의 대표적인 것으로 우케모치노카미保食神, 오오케츠히메노카미大宜都比賣神, 와쿠무스비노카미稚産靈神가 있다. 『고사기古事記』에 의하면 스사노오에 의해 죽은 오오케츠히메노카미 시체의 머리에서 누에, 양 눈에서 볍씨, 양 귀에서 조, 코에서 팥, 음부에서 보리, 엉덩이(항문)에서 콩이 생겼다고 한다. 『일본서기日本書紀』에 의하면 죽은 우케모치노카미 시체의 정수리에서 우마가, 이마에서 조, 눈썹에서 누에, 눈에서 피稗, 배에서 벼, 음부에서 보리와 콩과 팥이 생겼다고 한다. 와쿠무스비의 머리 위에서는 누에와 뽕나무가 생겼고, 배꼽에서 오곡이 생겼다고 한다.

앞에 든 여와의 이야기도 이에 견줄 만하다. "열명의 신이 있는데 이름을 여와지장이라 한다. 여와는 이렇게 신으로 변한다."[34]에서 화위化爲를 근거로 보면, 반고가 죽어서 그의 몸이 해와 달과 산, 강, 바다, 초목이 되었다는 화생化生을 떠올리게 한다. 여와가 열 명의 신으로 변한 것은 고대인들의 시체화생의 관념을 반영한 것이다.[35] 서양신화에서도 유사하다. 바빌로니아 서사시 〈에누마 엘리쉬Enuma Elish〉에서 바다의 여신 티아마트Tiamat를 죽이자 티아마트의 시체 조각들이 하늘과 땅과 우주가 되고, 살과 피가 섞인 진흙이 된다. 북유럽의 거인 이미르가 살해되자 그의 육체는 육지로, 혈액은 바다로, 뼈는 산으로, 머리카락은 나무로, 두개골은 하늘로, 뇌수는 우박과 눈이 충만한 구름이 된다.

이런 죽음과 함께 나타나는 시체화생은 설문대할망 설화와 그 지향점이 다르다. 할망의 죽음은 자식에 대한 희생이거나, 여성신의 몰락과 관련된 의미를 띤다. 그런 측면에서 설문대할망의 죽음은 티아마트의 죽음과 일부분 상통한다. 마르두크Marduk가 티아마트를 살해하고 제우스가 대지의 여신 티폰을 살해하는 형태는 남신의 등장과 관련된다. 설문대할망의 죽음은 남신에 의한 직접적인 살해는 아니지만 여신의 퇴진과 몰락이라는 의미를 지닌다. 여와가 죽어서 열 명의 자식을 위한다는 측면도 여신

• • •

34 有神十人 名曰女媧之腸 化爲神(『山海經』, 大荒西經).
35 송정화, 『중국여신연구』, 민음사, 2007, 146쪽.

의 퇴진과 연결된다.

　거인 신격이 호수의 깊이를 재는 모티프는 다른 곳에서도 찾을 수 있다. "국조신이 朕笏湖를 만들었을 때, 호수의 깊이가 어느 정도인지 들어가 보았다. 바다에 들어가도 무릎이 젖지 않던 거대한 국조신이 푹푹 빠져서 다리 사이 중요한 물건까지도 젖어버렸다. 화가 난 신은 호수에 풀어져 있던 물고기를 모두 잡아서 바다에 던져버렸다."[36] 설문대할망은 자신의 큰 키를 자랑하기 위해 깊은 물마다 들어서서 자기의 키와 비교해 보았다. 제주시 용담동에 있는 용연龍淵이 깊다는 말을 듣고 들어서 보니 물이 발등에 닿았고, 서귀포시 서홍동에 있는 홍리물이 깊다 해서 들어서 보니 무릎까지 닿았다. 바다의 깊은 물도 무릎에 오지 않았는데 물장오리의 물은 깊이를 알 수 없었다는 점에서 유사하다. 일본의 거인巨人 다이다라봇치 설화를 염두에 두고 본다면, 산정에 있는 발자국이나 호수는 거인의 흔적이다. 그렇다면 물장오리도 거인이 발로 밟아 만든 깊은 호수라는 증거물이었을 것이다. 그러던 것이 어느 사이 죽음의 장소로 바뀌게 된다. 그런 변모의 이야기가 여신의 몰락과 패배를 보여주는 역사적 퇴적물이 아닐까.

4. 여성신의
변모

　　　　　　1만 년 전 중석기·신석기 초기에서 5,000~6,000년 전의 신석기 중기까지가 모계씨족공동체의 번영기에 해당한다. 5,000~4,000년 전에 이르면 모계공동체는 점차 소멸·해체되고 부계씨족공동체가 탄생하게 된다. 앞 시대가 여성영웅시대였다면 뒷시대는 남성 영웅시대라 하겠다. 고대 남성영웅은 괴물과 싸운다든지 지하세계를 방문한다든지 여신과 사랑을 나눈다든지 하는 영웅이나 샤먼의 전

• • •

36　更科原藏, 이경애 역, 앞의 책, 2000, 14쪽.

112　제1부 설문대할망 이야기

형적인 업적에 관한 이야기다. 우리나라의 경우 이웃나라와의 투쟁에서 승리하는 건국신화가 주류를 이루고 있다. 제주도를 제외한 한반도에서 여성영웅의 이야기는 미미한 편이다. 고대국가가 건설되면서 그 이전의 여성영웅과 관련된 전승은 파괴되는 것이 일반이었고, 남성영웅의 이야기에 여성영웅의 이야기가 편입되어 신화 주인공의 어머니 신격으로 목숨을 부지하는 경우도 있었을 것 같다. 주몽의 어머니 유화나, 수로의 어머니 정견모주나, 혁거세의 어머니 선도성모가 그 대표적 신격이다. 제주 당본풀이에서는 여성영웅이 남성영웅에 부속된다거나 주인공의 어머니 신격으로 남는 것은 흔치 않다. 여성신이 남성신과 대결하여 당당히 이기고 좌정하는 당본풀이가 많다. 육지의 남성영웅 위주의 건국신화와는 지형도가 다르다. 일반신본풀이에서도 역동적인 여성영웅을 만나게 된다. 자기 복에 먹고 산다고 선언하다가 집에서 쫓겨났지만 자신의 의지와 능력으로 운명을 개척한 '가문장아기'(삼공본풀이)라거나, 자신이 사랑한 남자를 찾기 위해 온갖 어려움을 이겨내고 하늘나라의 시련과 시험을 통과하여 당당히 농업신이 되어 지상세계로 내려오는 '자청비'(세경본풀이)는 여성영웅의 면모를 강하게 지닌다. 그렇게 남성신에 지배되기 이전의 고대적 요소를 많이 간직하고 있는 것이 사실이다.

　그러나 중세 이념의 지배 하에서는 서서히 변모한다. 여성신은 남성신에 대한 희생적 행동을 통해 그 존재가치가 부각된다. 사라도령과 함께 꽃감관을 살러 떠나다가 출산이 임박하자 남편만을 떠나보내고 자신은 자현장자의 집에 의탁하여 온갖 시련을 견뎌내는 '원강암이'(이공본풀이)는 주체적인 여성영웅이기보다는 남성신에 부속된 인물이다. 이처럼 여성영웅시대가 남성영웅시대로 이행해 간다.[37] 초공본풀이의 주인공이 누구인가는 논란에 휩싸여 있는데, 어머니 자지명왕아기씨라고도 하고 아들 삼형제라고도 한다. 육지의 당금애기를 염두에 두고 비교한다면 어머니가 주인공이라 할 수 있고, 삼산에 좌정한 삼불제석을 염두에 두고 비교한다면 젯부기 삼형제라 할 수 있

37 허남춘, 「제주도 본풀이의 원시 고대 중세적 특성과 변모」, 『탐라문화』 38호, 제주대학교 탐라문화연구소, 2011.

다. 아마 어머니 여성신에서 서서히 남성신으로 그 주도적 지위가 이행해 간 것이라 보면 좋다.

설문대할망의 성격 변화도 바로 이런 남성 중심 이데올로기가 가미된 때문이다. 거 대한 몸으로 국토를 형성시켰고, 당당한 음부로 엄청난 생식력을 보인 할망이 어느 날 초라하게 죽게 된다. 아이들을 위해 자애롭고 희생적인 어머니로서의 역할이 강조 된 것이다. 김선자 교수는 중국의 여와 신화를 예로 들어 여성성의 쇠퇴와 교체를 설 명하고 있다. 여와는 잘 알다시피 천지와 인류 창조의 여신인데, 그 강하고 두렵고 무 서운 힘이 해체되고 남신 복희의 아내로 자리매김하면서 부속적·종속적 존재가 되 었다. 여성신의 위대함에서 한 남자의 아내로서 아이를 낳아 기르는 역할로 변모된 것이다.[38] 설문대할망도 비극적 희생을 감수하는 생육신生育神으로서의 성격으로 변모 한다. 중세 질서는 이렇게 여성에게 희생을 강요했고, 고대로부터 전해 오는 신화 속 여신들도 중세적 남성 중심 질서에 편입되고 말았다.

복희와 여와가 교미하고 있는 모습이 있는데, 상반신은 사람의 형태이고 하반신은 뱀의 형상을 하고 있다. 중국 사천성 중경重慶 사평패沙坪壩에서 발견된 석각의 모습에 서 복희와 교미함으로써 사람을 생산할 수 있는 배우자로 전락한 여와의 모습을 볼 수 있다[39]고 한다. 그러나 반인반수의 모습에서 아직도 원시적인 여와의 모습을 보게 된다. 그 후 여와는 남신 복희와 대등한 정도였다가 서서히 부속적인 인물로 변한다. 중국 신화에서 그런 굴절을 다른 곳에서도 찾을 수 있다. 애초 서왕모는 호랑이 이빨 에 표범 꼬리를 한 무시무시한 모습이었다. 반인반수의 서왕모도 시대를 내려가면서 남신 주목왕周穆王의 배우자로 변모하고, 사랑에 빠지고 주목왕을 그리워하는 감성의 화신으로, 부드러운 배우자로 묘사되고 있다.

• • •

38 김선자, 앞의 논문, 2010, 161~162쪽. 그는 허난성 일대에서 채집된 내용을 소개하는데, "신발도 신지 않았네. 갈 대옷 하나 겨우 걸치고 얼굴은 눈물에 젖었네. 온 마음을 다해 세상을 고치네"에서 보듯이 인류를 위해 희생을 감내하면서 보천을 하다가 너무 힘들어 죽게 되는 여와를 볼 수 있다. 독립적인 권위의 상징인 여와가 "비극적인 희생 스토리의 주인공"(178쪽)으로 등장한다.
39 李福淸, 人類始祖伏犧女媧的肖像描繪, 馬昌義 編, 『中國神話古事論集』, 中國民間文藝出版社, 1988, 28쪽.

인간과 동물이 교감하는 세계에서 여와와 서왕모는 본 모습을 지니고 있었다. 그 세계는 인간과 동물이 교감하고, 동물이 인간으로 변할 수도 있던 시대의 반영이다. 인간과 자연이 교감하던 신명神明의 시대는 가고, 인간과 동물이 엄격히 구분되는 남성 중심의 문명의 시대가 오게 된다. 이제 여성신은 배우자 신으로, 모성을 지닌 어머니 신으로 변모한다. 시대적 흐름과 더불어 신화는 변모를 거듭한다.

동아시아에서 최초의 위대한 여신들은 우주로부터 처음으로 인간세계를 창조한 후, 서서히 남성신에 밀려 산신으로 인식되고 식물과 동물과 정령을 주재하는 신격으로 남게 된다.[40] 육지의 거대 여신들도 마고麻姑라는 이름을 얻은 후 산신으로 좌정하는 경우가 많았다. 한참 시간이 지나서는 부정적 이미지가 덧씌워져서 마귀가 되는 경우도 있었으니, 창조신으로서의 이미지는 퇴색되어 가는 쪽으로 변모를 겪었다.

중국의 발魃은 황제의 딸인데 치우가 쳐들어와 폭풍우로 공격하자 발을 내려보내 비를 그치게 하고 치우를 죽였다. 그런 발은 지상에 남아 비가 오지 않게 만드는 한발旱魃의 신이 되었고 사람들의 기피 대상이 되었다. 신성神性 여신이 악귀처럼 여겨지는 이 변형도 역시 "사회가 가부장제로 진입함에 따른 변화였으며, 이제 신화의 중심은 어머니 신이 아닌 아버지 신으로 옮겨가게 되었다."[41] 중국 신화에서도 여성영웅시대에서 남성영웅시대로의 전환이 명확히 드러나고 있다.

거대한 몸집과 거대한 식성과 힘을 상징하는 설문대할망의 이미지는 이제 다른 남성신들이 계승하게 된다. 사슴 10마리와 멧돼지 7마리를 먹거나, 물고기를 몰아 음부에 들어간 엄청난 물고기를 포식하였다는 설문대할망의 대식성大食性은 소로소천국과 궤네깃도로 이어진다. 점심으로 소 두 마리를 잡아먹는 소천국과, 매 끼니 온 마리로 소나 돼지 한 마리씩 먹는 궤네깃도의 식성은 바로 영웅성의 근거인데 그 힘의 주체가 여신에서 남신으로 바뀌었다. 여신은 산속으로 내몰렸다가 결국 물에 빠져 죽고 만다.

---

40 野村伸一 編, 『東アジアの女神信仰と女性生活』, 慶應義塾大學出版會, 2004, 9面.
41 송정화, 『중국여신연구』, 민음사, 2007, 212~214쪽.

여신 중심의 사회가 끝나고 남신 중심의 사회가 온 것이다. 씨족이 공동체로 참여하는 농경 위주의 모계중심사회에서, 약탈과 전쟁을 통해 거대한 부족국가가 탄생하고 고대국가가 형성되는 시기의 부계중심사회로 이행해 간 것이다. 고대국가 시기 여신은 남신의 부속적이고 종속적인 위치로 내려앉아, 남신의 '아내' 역할 혹은 영웅 주인공의 '어머니' 역할을 담당하게 된다. 그리고 중세 유교이념이 지나간 자리에서는 자애롭고 희생적인 어머니로서의 역할이 부여되었을 것이다. 그래서 설문대할망 여신도 자식들을 위한 비극적 희생으로 종지부를 찍는 것이 아닐까 생각한다.

오백 아들을 위해 죽을 쑤다가 죽솥에 빠져 죽었다는 이야기에 대해 논란이 있었다. 왜냐하면 자료에 조작된 증거가 있었기 때문이다. 그런 정황을 자세히 논급한 논문을 보면, 500 아들을 위해 죽을 쑤다가 죽솥에 빠져죽은 어떤 어머니의 이야기가 갑자기 설문대할망으로 바뀌었다는 논증이다.[42] 한라산을 만들었다는 거녀 설화와 오백 아들이 바위가 되었다는 화석 설화가 인위적으로 결합되었다는 이런 반론은 몇 년째 팽배해 왔다. 사실 우리는 설화를 비롯한 자료의 조작이라는 측면을 심각히 고민할 때가 왔다. 월출산 아래 도선국사와 관련된 설화가 갑자기 왕인박사의 설화로 바뀌고 증거물도 모두 왕인의 것으로 바뀌어, '도선의 수행굴'이 '왕인의 수행굴'이 되었다. 일본에 유교경전 등 문물을 전해 주었다는 근거를 내세워, 민족적 자존심을 불러일으킬 수 있다는 이유 때문에 국가적으로 조작에 나선 바 있다. 더구나 일본인 관광객을 유치하는 데에는 왕인 이야기가 더 유용하다고 생각하였던 듯하다. 이런 근대적 기억의 조작을 염두에 둔다면 설문대할망 이야기의 급속한 변모를 조심스럽게 바라보아야 한다.

이를 두고, 한라산을 만들었다고 하는 '설문대할망'과 한라산 영실 기암을 연결하는 이야기가 스토리텔링을 통해 확산되었다고 보는 견해가 있었다. "오백장군 설화와 설

---

42 현승환, 「설문대할망 설화 재고」, 『영주어문』 24집, 영주어문학회, 2012, 100~101쪽. 1958년 안덕면 화순리에서 진성기 선생에 의해 채록된 자료인데, 1964년 출판된 『남국의 설화』(박문출판사)에 갑자기 설문대할망이 오백 아들의 어머니로 등장하고 이런 관행이 다음 『남국의 전설』(개정판, 일지사, 1968), 『남국의 전설』(증보판, 학문사, 1978)에 계속되어 착시현상을 일으켰다고 한다.

문대할망 설화가 뒤섞이게 되는 단초를 제공한 왜곡된 자료가 아니냐는 비판"도 있으나, "중요한 것은 이 자료의 왜곡 여부가 아니라 왜곡 여부와 상관없이 이러한 내용이 이후도 스토리텔링에 반복적으로 나타나서 수용되고 있는 사실"[43]이라고 했다. 지속적인 스토리텔링이 나오는 현상 그 자체를 주시하는 태도다. 이런 현상에 대해 '거녀 - 거대 바위'의 결합양상을 주목하고, 두 가지 전설 사이에 모종의 강력한 친화력이 개제하는 것[44]은 아닌지 검토해 볼 일이라고 했다. 그러면서 경전의 '다시 쓰기'의 생생한 사례를 들고 "전설의 '다시 쓰기' - 융합·변경 - 는 그 전설이 현재도 살아 숨쉬게 하는 활명수가 될 수 있다."[45]고 했다.

거녀 설화와 화석 설화가 지속적으로 결합되어 나타나고, 둘 사이의 친화력에 의해 스토리텔링 혹은 다시 쓰기가 이루어진다는 점을 제시하면서, 위작과 재창조의 경계에서 긍정적 결론을 내린 바에 일부분 동의한다. 이 논문도 창조여신의 몰락이 죽음으로 내몰리는 상황에까지 이르고, 거대한 힘을 보여주는 신격에서 자애롭고 부드러운 여신으로 변모하는 현상에 주목하면서 설화의 변이과정을 추적해 온 바, 설문대할망의 비극적이고 희생적인 죽음은 어쩌면 남성영웅시대 이후에는 여성신화의 전형성에 가깝다는 생각을 하게 된다.

설화는 시대적 상황에서 지속적으로 변모하는데 그것이 자연스런 변모인지, 아니면 인위적인 조작이 가해졌는지는 분명히 가늠하여야 할 부분이다. 역으로 설화를 고정된 텍스트로 보아 그 자체가 지닌 역동성을 불신하는 것도 경계할 일이다. 설문대할망 설화는 창세신화였다가 오랜 시간 동안 잊혀지고 그것은 전설로 파편화되어 전하고 있다. 그것이 왜 다시 우리 시대에 화두가 되고, 전설의 비극적 주인공에 신성성을 덧입히려 하는지에 대해, 우리 시대의 문화현상과 함께 비교 고찰의 대상으로 삼는 것이 필요하다. 전통의 지속과 계승이란 화제가 주어진 이때, 계승을 위해서 우리가

• • •

43 정진희, 「제주도 구비설화 〈설문대할망〉과 현대 스토리텔링」, 『국문학연구』 제19호, 국문학회, 2009, 250~251쪽.
44 송상일, 「자라나는 전설 〈설문대할망의 경우〉」, 『설문대할망제 사진기록 자료집』, 제주돌문화공원, 2012, 147쪽.
45 위의 글, 150쪽.

할 일을 새삼 떠올리게 하는 문제라 하겠다.

5. 결

　　　　　　제주를 제외한 우리나라 전역에 걸쳐 전승된 주도적인 신화는 건국신화였다. 창세신화나 인류창조신화, 운명 신화, 풍요기원 신화 등 다양한 신화가 사라지고, 혹은 전설·민담화하여 그 신성성을 잃은 채 전승되었다. 함경도와 일부 지역의 무가에 그런 흔적이 나타나지만 제주만큼 풍부하지는 않다. 제주에는 창세신화가 초감제와 천지왕본풀이에서 거듭 불려진다. 창세의 흔적을 지니고 있는 설문대할망 설화도 이와 함께 주목받기 시작했다. 제주도의 국토를 형성한 이야기로 거구의 여신이 엄청나게 많은 음식을 먹으며, 엄청난 양을 배설하고, 큰 옷을 지어달라고 하면서 제주도민의 염원을 들어주어 육지로 이어지는 다리를 놓아주려고 하였다. 실패 여부를 떠나 한라산을 베고 누우면 다리가 관탈섬에 닿은 거구의 몸집은 위대한 신의 능력을 보여주는 바였다.

　원시와 고대의 신화가 고대 남성 중심의 신화체계로 재편된 우리나라 대부분의 신화에는 여성신화가 빈약한 편이다. 무가로 바리데기공주 정도가 널리 전승될 따름이다. 그런데 만 년 전부터 오천 년 전까지 모계중심사회가 전개될 당시의 신화체계를 지니고 있는 제주도에는 여성신화가 풍부하다. 원시 고대적 사유체계가 온전히 보존되어 있다. 무조신을 키워 낸 자지명왕아기씨(초공본풀이), 아이의 탄생을 주재하는 삼승할망(삼승할망본풀이), 운명 주재의 가문장아기(삼공본풀이), 풍요 주재의 자청비(세경본풀이) 등은 능동적이고 활력 있는 여성영웅신화의 주인공이다. 그 여주인공이 있게 한 근저에는 거대하고 강력한 여신 설문대할망이 있었다.

　설문대할망은 거대한 몸으로 국토를 형성하는 역할을 담당하여, 거대한 몸으로 하늘을 들어올려 지금의 하늘과 땅의 높이를 마련한 창세신과 대비된다. 단순하게 지형을 형성하였다고도 할 수 있지만, 신화체계를 본다면 천지분리와 국토생성은 모두 창세신화의 반열에 든다고 하겠다. 지형전설처럼 보이는 설화에도 섬과 오름의 창조 모티프가 담겨 있어 원래 설문대할망 설화가 지니고 있었던 창세신화적 면모를 발견할 수 있었다.

그래서 본 논문은 중국과 일본의 창세신화와 비교하여 설문대할망 설화가 지닌 창세신화적 면모를 찾았다. 중국 여와와 무리우자 여신과 대비를 통해 설문대할망이 하늘과 땅을 바느질하여 창조한 여신과 동격임을 밝혔다. 거인의 배설물과 편력에 의해 지형이 만들어졌다는 이야기는 일본의 '다이다라봇치와 흡사하다. 그래서 일본의 다이다라봇치라는 거인설화와 대비를 통해 거인 모티프에 담긴 창세신적 특성을 규명하였다.

그러나 이런 창세신이 역사적 시간의 추이에 따라 변모하는 과정도 살폈다. 첫째, 여성 중심 사회가 남성 중심 사회로 바뀌면서, 여성영웅은 사라지거나 죽고 남성영웅이 등장하는 현상을 찾았다. 둘째, 여성 창세신이 남성 배우자를 만나고 남성신의 배우자로서의 위치를 갖게 되고 이어서 아이를 낳는 여성신의 면모가 드러난다. 독립적인 여성신에서 아내의 역할과 어머니의 역할이 강조되는 쪽으로 변모하였다. 셋째, 거대신巨大神이 거인신으로 바뀌고 거인으로 바뀐 후 인간 크기와 비슷한 신으로 점점 왜소해가는 현상을 볼 수 있었다. 넷째 야생적이고 반인반수伴人半獸의 신이 점차 부드럽고 자애로운 여성으로 변모하는 현상을 볼 수 있었다.

무한경쟁과 탐욕과 전쟁으로 얼룩진 현대에 신화를 돌아보는 것은 어떤 의미인가. 신화는 잃어버린 낙원으로 돌아가는 방법을 제시해 준다. 물질로 더럽혀진 우리를 순결한 정신의 세계로 이행하게 해 줄 것이다. 인간과 자연과 만물이 공존하는 세상을 일깨워주어 맑은 영혼을 갖게 할 것이다. 특히 여성신화를 보게 되면 바느질하듯 한 땀한땀 정성스럽게 만들어 낸 인간세계를 소중히 다루어야 함을 알게 될 것이다. 힘으로 다투는 남성의 세세에서 벗어나 평화와 공존의 여성성을 회복해야 하는, 문명적 전환시기임을 깨닫게 될 것이다.

06.
할망, 그리고 성모·노고·할미

-
-
-
-

1. 서

　　　　　　　　우리는 오래 전부터 산에 산신이 있다고 생각했다. 특히 오래된 이야기일수록 여산신에 대한 이야기가 많다. 한라산에도 백록을 타고 다니던 산신이 있다고 했고, 선마고詵麻姑라는 여신이 있다고 하는데 설문대할망으로 추정된다. 지리산에는 성모聖母가 천왕봉 성모사에 좌정하여 있고, 노고단이라는 제단도 있는데 노고老姑는 할머니신이다. 그런데 그 신 관념이 매우 복잡하다. '성모천왕聖母天王' '노고' '마고麻姑' '고모姑母' 노구당의 '노구老嫗' 대천왕사大天王祠의 '천왕' '노고할미' 등 실로 다양하다. 산신의 이름도 있고 '천왕'이란 존칭도 있다.

　이 중 '성모'는 산신의 이름인지 존칭인지 애매하고, 성모는 어떤 의미를 지니는지, 언제부터 성모란 이름이 전해지는지 정리되지 않았다. 더구나 지리산 성모가 고려 태조 위숙왕후라는 설까지 유포되고 있으니 실로 복잡하다. 이에 더해 석가의 어머니인 마야부인이라는 비정은 우리를 더욱 혼란스럽게 한다. 신라의 선도성모처럼 중국 도교의 영향을 받은 신이라는 연구 성과도 있다. 지리산신은 어떤 모습일까. 그 의미를 한라산신을 견주면서 풀어나가고자 한다.

구름 속의 한라산

　제주도는 고대국가로 오래 남아 있고 중세를 받아들이는데 더뎠기 때문에 망했다.[1]
그 대신 제주신화에는 원시적·고대적 사유의 원천이 많이 남아 있다. 제주도는 특히
여성신화가 풍부한 곳이다. 그 상위에 설문대할망이 있다. 할망은 할미의 제주어다.
할미는 단순한 인간 할머니는 아니고 신격이다.[2] 설문대할망은 우주가 형성된 후 제
주도의 지형을 만든 창조신이다.[3] 몸이 거구여서 바다를 걸어도 무릎까지밖에 차지

* * *

1　탐라국은 작은 나라이지만 필요한 과정을 제대로 밟아 이루어진 증거를 분명히 남겼다. 탐라국이 망한 것을 원통
　하게 여긴 제주도민은 고대문학의 보고를 자랑스럽게 지켜왔다. 조동일, 『한국문학통사』 1(개정4판, 지식산업사,
　2005), 92쪽.
2　장주근은 "'할미' 곧 '할머니'의 근본 뜻은 크다는 뜻을 가진 '한'과 생명의 근원인 '어머니'의 합성어로, 그것은 대
　모신(The Great Mother)으로서의 근원적인 생산력을 신화적 상징성으로 대변해주는 말이라 할 수 있다."(『한국의
　신화』, 성문각, 1962, 242쪽)
3　이 지형창조 이야기는 제주와 한국에 국한되는 것이 아니고 동아시아를 비롯해 세계 보편적인 것이다. 동아시아

않았고, 한라산을 베고 누우면 다리가 관탈섬까지 닿았다고 하는데, 관탈섬은 제주 해안으로부터 21킬로미터 떨어진 곳에 있는 섬이다. 거녀巨女는 어느 날 물장오리에 빠져 죽고 만다. 그리고 설문대는 전설의 주인공으로 전락하고 만다. 여신은 현실에서 몸을 숨겨 산신이 되기도 하고 수신이 되기도 한다. 위대한 영웅 남신의 어머니 신으로 좌정한 예도 있다. 여신의 시대가 가고 남신의 시대가 도래하였다는 역사의 흔적이 그렇게 남아 있다.

우리의 여정은 지리산 성모사에서 출발하여 노고단을 들러 노고할미를 뵙고, 한라산 할망에 이르고자 한다. 그 도중에 '천왕' 혹은 '대왕'이라 칭한 신들의 정체도 함께 살피고자 한다. 그리고 여산신의 계보를 시간순으로 재구하고자 한다.[4] 할머니는 왜 마고가 되었고, 급기야 마귀가 되어 세상을 등졌는지 살필 것이다.

2. 지리산 성모聖母

聖母祠 : 智異山 天王峰 정상에 있다. 聖母像이 있는 이마에 칼 흔적이 있다. 속설에는 "왜구가 우리 태조에게 격파당해서 궁하게 되자 천왕이 돕지 않은 탓이라 하며 분함을 이기지 못하여 칼로 찍고 갔다."고 한다.
『동국여지승람』 31, 경상도 진주목, 祠廟

聖母祠 : 두 군데에 있다. 하나는 智異山 天王峰 정상에 있고 다른 하나는 함양군의 남쪽 嚴川里에 있다. 고려 이승휴 『제왕운기』에 "성모는 태조의 어머니 威肅王后라 한다."라고 하였다.
『동국여지승람』 31, 경상도 咸陽郡 祠廟[5]

• • •

거인 여신에 대한 필자의 선행 연구가 있어 중복하지 않으려고 여기서는 언급을 피했다. 허남춘, 「설문대할망과 여성신화」, 『탐라문화』 42호, 제주대 탐라문화연구소, 2013.

4 신화와 역사는 기본적으로 허구와 사실로 나뉜다. 그러나 '신화의 역사'는 충분히 분석할 수 있고 변모과정을 반드시 연구해야 한다. 가장 큰 지침이 되는 것이 다음의 책이다. 카렌 암스트롱, 이다희 역, 『신화의 역사』, 문학동네, 2005. 조동일의 『동아시아 구비서사시의 양상과 변천』(문학과지성사, 1999)에서 원시서사시, 고대서사시, 중세서사시로 나누어 신화를 고찰하고 있다.

내가 일찍이 이승휴의 제왕운기를 읽어보니 성모가 선사에게 명했다는 말에 분주를 달아 "지금의 지리산 천왕은 바로 고려 태조의 어머니 위숙왕후를 이르는 것"이라고 썼다. 고려 사람이 선도성모의 이야기를 익히 들었기에 그 임금의 계통을 신성화하기 위하여 이 이야기를 만들어냈던 것인데, 이승휴가 믿고서 운기에 적어 놓았으나 이도 또한 증빙할 수 없거늘, 하물며 승려들의 허무맹랑한 말에 있어서랴. 또 기왕 마야부인이라 하면서 국사(國師)로서 더러운 욕을 먹고 있으니, 그 불경이 이보다 심할 수가 있겠는가. 이 일은 변론하지 않을 수 없는 일이다.[6]

성모를 제사지내는 성모사가 지리산 천왕봉에 있고, 그 근거가 진주와 함양의 기록에 모두 나타난다. 성모사가 산꼭대기에도 있고 함양군의 엄천리에도 있다고 한다. 지리산의 품이 컸기 때문에 여러 군데에서 성모천왕을 제사드렸던 것으로 보인다. 그래서 진주 서쪽에는 대천왕사大天王祠가 있었고, 남원 쪽에는 지리산신사가 있었다.[7] 성모사는 지리산 산신인 성모를 제사지내는 곳이었고, 지리산신사 역시 지리산 산신을 제사지내는 곳이되 국행제를 거행하던 남악사였던 것으로 보인다. 지리산은 신라 이래 중악中岳이었고 고려 대에도 중악 제사가 이어진 것으로 보인다. 한 쪽은 민간이 치제하였고 다른 한 쪽은 국가가 치제하였던 차이가 드러난다.

그런데 이 성모를 두고 고려 태조의 어머니 위숙왕후라고 했다. 그 근거는 이승휴의 『제왕운기』다. 그런데 『제왕운기』에 성모를 '지리산 천왕'이라고 한 것은 맞는데 성모가 고려 태조의 어머니인 위숙왕후라고 하지 않았다. 『동국여지승람』은 어떤 연유로 이런 근거 없는 말을 했을까. 『동문선』의 기록은 김종직의 『점필재집佔畢齋集』 문집2, '유두류록' 내용과 같은데, 김종직은 왜 근거 없는 말을 했을까. 『제왕운기』에는 "(작제건과 용녀가) 돌아와 송악에서 살았는데[지금의 광명사다] 여기에서 성지聖智를 낳았다. 성모聖母[지리산 천왕이다]가 도선에게 명하여, 이를 가리켜 명당이라 말하고 이곳이 제禘(검은

• • •

5   「聖母祠有二 一在智異山天王峰頂 一在郡南嚴川里 高麗李承休帝王韻紀 太祖之母威肅王后也」(『東國輿地勝覽』 咸陽郡 祠廟).

6   『續東文選』 21卷 錄, 頭流記行錄.

7   智異山神祀 : 부의 남쪽 64리 되는 小兒里에 있다(『東國輿地勝覽』 39, 全羅道 南原都護部 祠廟).

기장)를 심을 땅이라고 하니, 이 때문에 왕씨王氏라고 하였다."[8]고 했을 뿐이다.

'於焉誕聖智 聖母[智異山天王也]'를 두고 여기에 '리異'란 글자 한 자를 끼워넣어 '於焉誕聖智聖母[智異山天王也]'라는 문맥으로 보아, "어언간에 지리성모가 성자(왕건)을 낳고"[9]라고 해석한 예에서 볼 수 있듯이 이것은 엄연한 오독이다. 김종직은 오독하지 않았다. 천왕봉 위에 성모의 석상이 있다고 말하고, 성모가 석가의 어머니 마야부인이라는 승려의 말을 듣고 이내 부정한다. 이어 성모가 고려 태조의 어머니라는 말에 대해서도 부정한다. 다만 왜 이승휴는 그런 말을 하지 않았는데 "이승휴의 제왕운기를 읽어보니 성모가 선사에게 명했다는 말에 분주를 달아 지금의 지리산 천왕은 바로 고려 태조의 어머니 위숙왕후를 이르는 것이라고 썼다."고 했을까.

문제는 그 다음이다. 그의 제자인 김일손이 김종직의 권위를 빌어서 다시 성모를 위숙왕후라고 하고 있다. "점필재 김공은 우리나라의 박학다식한 선비다. 이승휴의 『제왕운기』를 고증하여 이 산신을 고려 왕조의 위숙왕후라고 하였으니 믿을 만하다. 위숙왕후는 열조烈祖(왕건)를 이끌어 삼한을 통일하여 백성을 분쟁의 고통에서 벗어나게 하였다. 그러니 큰 산에 사당을 세워 모시고 백성들이 제사를 올리는 것은 순리다."[10]라 했으니 김종직의 글을 오독한 대표적인 예라 하겠다.

이승휴가 '성모가 지리산 천왕'이라고 한 표현을 두고, 김종직이 성모가 국모國母를 높여서 일컫던 말이라 이해하고, 고려의 국모 위숙왕후가 지리산 천왕이었다고 본 것으로 풀이한 것이라는 추정[11]에 어느 정도 동감한다. 그러나 성모를 국모로 오인할 수는 있었을 것이다. 혹은 민간에서 전하는 위숙왕후설을 익히 들어 알고 있었을 수도 있다. 그래서 김아네스 교수는 "위숙왕후를 지리산 성모로 섬겼을 가능성이 없는 것은 아니다. 역사적 인물을 산신으로 받든 예가 있기 때문이다. 태조는 고려를 건국한

• • •

8 還來松嶽居[今廣明寺] 於焉誕聖智 聖母[智異山天王也] 命詵師 指此明堂謂 斯爲種穄田 因以爲王氏(『帝王韻紀』 下, 本朝君王世系年代).
9 조용호, 「智異山 山神祭에 관한 연구」, 『동양예학』 4집, 172쪽.
10 『續東文選』 21, 金馹孫, '續頭流錄'
11 김아네스, 「고려시대 산신 숭배와 지리산」, 『역사학연구』 33집, 호남사학회, 2008, 32쪽.

이듬해(919년) 어머니를 위숙왕후로 추시追諡하였다. 나라를 세웠을 때 태조의 어머니는 이미 죽었다고 여겨진다. 그 출신이나 생애에 관하여 거의 알려진 것이 없다. 『고려사』의 고려세계를 보면 왕륭(왕건의 아버지)이 꿈에서 본 여인을 만나서 혼인하였다. 어디에서 왔는지 몰라서 세상에서 몽부인夢夫人이라고 불렀다고 한다. 위숙왕후와 지리산을 연결하는 어떠한 언급도 없다. 국가 차원에서 위숙왕후를 신격화하였다고 보기 어렵다. 하지만 민간에서는 성모천왕을 위숙왕후로 여겼을 수 있다."[12]라 했다.

고려 왕실이 지리산과 연결된 것은 "성모聖母[지리산 천왕]이대가 도선에게 명하여, 이(송악)를 가리켜 명당이라 말하고"에서 보듯이 '도선국사' 때문이다. 도선국사는 전라도 영암 출신으로 풍수에 능한 승려였다. 그래서 송악에 도읍을 정하여 창업하도록 도왔는데 그 배후에 지리산 성모가 있다는 『제왕운기』의 기록을 통해 이런 연관성이 이미 고려시대에 유포되어 있었다. 그후 이 연관성에 불교가 끼어든다.

옛적에 개국조사 도선에게 지리산 주인 성모천왕이 은밀히 부탁하여 말하기를 "만약 삼암사를 창건하게 되면 삼한이 합하여 하나의 나라가 될 것이고 전쟁은 자연스럽게 종식이 될 것이다."라 했고, 도선은 이에 세 암자를 창건하였으니, 곧 지금의 선암·운암과 이 절이 그것이다.[13]

지리산 산신이었던 성모천왕은 불교의 수호자로 바뀌어 있고, 도선의 사찰 창건에 깊숙히 개입하는 존재로 나타난다. 400년 뒤 박전지朴全之가 중창기를 쓰면서 도선국사의 덕분으로 태조가 태어나고 삼국이 통일되었다고 한 것을 보면 지리산 성모와 고려 왕실의 연관성은 고려시대를 관통하면서 잊히지 않았다. 지리산이 백제 땅에 놓여 있었고 그 후 통일신라의 땅에 있었는데 고려 개국을 도왔다는 것은 무슨 의미인가. 그리고 거기에 위숙왕후가 개입된 것은 무슨 의미인가. 후백제 지역 사람들이 등용되

• • •

12 위의 논문, 33쪽.
13 「昔開國祖師道詵 因智異山主聖母天王密囑曰 若創立三嚴寺 則三韓合一國 戰伐自然息矣 於是創三嚴寺 卽今仙巖 雲巖與此寺是也」(『東文選』 第68卷 靈鳳山龍岩寺重創記).

기 시작한 것은 광종 대인데, 남원의 토성들은 광종의 아버지이며 고려의 창시자인 왕건의 어머니를 지리산 성모라 선전하여 중앙으로의 진출을 꾀한 것[14]이라 한 것은 사리에 적합하지 않다. 그러나 전라도 지역민의 고려에 대한 기여도와 친화감은 경청할 만한데, 사실 전라도 민심은 지리산과 고려왕실과의 연관성에 깊게 작용한다. 우선 전라도 나주는 왕건의 지지세력이었다. 그 중 나주계 호족인 장화왕후 오씨의 아들인 2대 혜종을 주목해야 한다. 어쩌다가 정을 통하게 된 처녀가 왕건은 임신을 바라지 않아 이부자리에 사정하자 정액을 핥아 먹고 다음 임금이 될 혜종을 잉태하게 되었다고 한 사건[15]이 야사로 전해지는데, 이 처녀가 나주 오씨. 이부자리가 아니라 돗자리라는 이야기도 전해져 이 때문에 혜종은 '돗자리 대왕'이란 별칭도 있었다고 한다. 도선국사가 전라도 나주에 가까운 영암 출신이고 2대 왕을 배출한 장화왕후가 나주 출신인 점 등이 고려왕실의 개국을 도운 사실로 인정되고, 왕건의 왕후가 왕건의 어머니인 위숙왕후로 바뀌어 전해질 수 있는 개연성이 충분하다.

산신을 성모라 하고 거기에 시조모가 개입되는 일은 여신의 시대에서 남신의 시대로 넘어오는 과정에서 이루어졌을 것이다. 김종직이 "고려 사람이 선도성모의 이야기를 익히 들었기에 그 임금의 계통을 신성화하기 위하여 이 이야기를 만들어냈던 것"이라 추정하였듯이 위숙왕후의 개입도 고려시대에 민간에서뿐만 아니라 지배계층에서 이루어졌을 것으로 본다. 그래서 우선 선도성모와 같은 부류의 성모를 들어 본다.

因하여 그를 赫居世王(혁거세왕)이라 이름하였다(아마 鄕言일 것이다. 혹은 弗矩內王이라고도 하니 밝게 세상을 다스린다는 뜻이다). 說者는 이르되 이는 西述聖母의 탄생한 바이니 중국 사람들이 仙桃聖母를 찬양하여 '현인을 낳아 나라를 시작하였다'란 말이 있는 것도 이 까닭이라 하였다.[16]

• • •

14 김갑동, 「고려시대의 남원과 지리산 성모천왕」, 『역사민속학』 16호, 역사민속학회, 2003, 245쪽.
15 조동일, 『한국문학통사』 1(개정4판), 지식산업사, 2005, 293쪽.
16 因名赫居世王(盖鄕言也. 或作弗矩內王, 言光明理世也. 說者云, 是西述聖母之所誕也. 故中華人讚仙桃聖母, 有娠賢肇邦之語, 是也(『三國遺事』, 新羅始祖 赫居世王).

꿈에 한 선녀가 어여쁜 모양과 주옥으로 수식하고 와서 위로하여 가로되, 나는 仙桃山 神母다. 네가 佛殿을 수리하려 하는 것을 기뻐하여 금 10근을 시주하여 돕고자 한다. …

神母는 본시 中國帝室의 딸로 이름을 娑蘇(사소)라 하여 일찍이 신선의 술법을 배워 海東에 와서 머물며 오랫동안 돌아가지 아니하였다. 父皇이 편지를 발에 매어 부쳐 가로되 소리개가 머무는 곳에 집을 지으라 하였다. 사소가 편지를 보고 소리개를 놓으니 이 산에 날아와 멈추므로 드디어 와 머물며 地仙이 되었다. 그래서 산명을 西鳶山이라고 하였다. 神母가 오랫동안 이 산에 웅거하여 나라를 鎭護하여 靈異가 매우 많았다.[17]

신라 시조 박혁거세를 낳은 어머니를 서술성모 혹은 선도성모라고 칭하고 있다. 중국에서의 성모가 '천자의 어머니 혹은 성인의 어머니'로 사유되는 데에서 유래하여 후대에 붙여진 이름인 듯하다.[18] 그러나 우리나라의 경우 성모는 산과 깊은 연관성을 맺고 있다. 선도산의 성모를 서술성모라고 하는 것은 '소리개가 날아가 정지한 곳에 사소가 머물렀다'고 하는 사연 때문에 이 산의 이름이 서연산西鳶山 혹은 서술산이라 하였다. '연鳶'과 '술'은 모두 '수리'로 '산, 산신, 고高' 등을 의미한다.[19] 성모는 신모神母라고도 칭해지며 지선地仙(神仙)이라고도 했다.

이 신의 이름을 통해 윤색과 변모를 거듭하였음을 알 수 있다. 그리고 당시 중국이라는 중세 중심부의 권위를 등에 업고 그 신성성을 더하려는 의도를 간파할 수 있다. 조동일 교수는 고려 건국신화 속에 등장하는 중국 숙종과 진의의 결연에 대해 "동아시아 및 동남아시아 여러 곳에서, 문명권 중심부의 귀인이 건너와 현지의 여성과 관계해서 낳은 아들이 나라를 세웠다고 한다. 그것은 고대에서 흔히 볼 수 있던 시조하강건국신화와는 다른 새로운 형태의 시조도래건국신화이며, 중세로 들어서시 역사가

• • •

17 夢一女仙飆儀婥約, 珠翠飾鬢, 來慰曰, 我是仙桃山神母也. 喜汝欲修佛殿, 願施金十斤以助之. … 神母本中國帝室之女, 名娑蘇. 早得神仙之術, 歸止海東, 久而不還, 父皇寄書繫足云, 隨鳶所止爲家. 蘇得書放鳶, 飛到此山而止, 遂來宅爲地仙, 故名西鳶山. 神母久據玆山, 鎭祐邦國, 靈異甚多(『三國遺事』, 仙桃聖母隨喜佛事).
18 최진원, 『한국신화고석』, 성균관대학교 대동문화연구원, 1994, 27쪽.
19 이병도, 『譯註 三國遺事』, 광조출판사, 1984, 431쪽.

달라지게 된 내력을 설명한다."[20]고 했다. 남성신이 와서 현지의 여성을 만난 것은 아니지만, 중국에서 건너와 시조를 낳은 것은 위의 변화와 부합된다. 박혁거세는 당연히 고대 영웅이고 건국신화의 주인공이다. 그런데 중국제실을 표방[21]하는 것은 고대 건국신화 속에 중세성을 덧보탠 흔적이라 하겠다. 지리산신이 고려 태조의 어머니라는 설정은 고대신화적 사유체계의 요소를 다분히 담고 있다.

남해거서간 … 왕비는 운제부인[雲梯]라고도 한다. 지금 영일현 서쪽 운제산 성모대인데 가물 때 빌면 효험이 있다.[22]

伽倻山神 正見母主[23]

지리산 성모나 선도성모처럼 산을 거처로 삼는 여신들이 보이는데 신라 제2대 남해왕의 왕비 혹은 가야 초대 김수로왕의 어머니 신이다. 성모로도 불리고 모주母主로도 불린다. 애초 여산신으로서의 독립적 면모를 보이던 여신들은 시조의 어머니신으로 물러서고, 이어 성모나 신모, 모주가 되어 신성성을 강화해 나간다. 그래서 나경수 교수는 "지리산성모를 왕건의 어머니인 위숙왕후라거나 또는 석가의 어머니인 마야부인이라 하는 것을 모두 고려조에 만들어진 허무맹랑한 말로 단정하고 있다. 확대해보자면 가야산의 여신 정견모주正見母主가 김수로왕의 어머니라는 것도 신화 해체의 사례에 속할 것이며, 성거산의 여신이 호경虎景(일명 聖骨將軍)과 혼인하여 왕건가의 시조가 되었다는 것도 역시 성모신앙의 차용으로서 이들은 모두 정치공학적 판타지에 속할 것이다."[24]라고 하여 건국신화의 남성영웅에게 부회하는 것과 성모로 칭하는 것이 모두 정

• • •

20 조동일, 앞의 책, 2005, 292쪽.
21 이 문맥에서는 중국 제실과 부처 등이 등장하는데, "중세의 가치관에서 중요한 자리를 차지하는 중국 황제, 신선술, 부처가 함께 등장해 고대신화를 파괴했다."(위의 책, 206쪽)
22 南解居西干 … 妃雲帝夫人[一作雲梯], 今迎日縣西有雲梯山聖母] 祈旱有應(『三國遺事』, 南解王).
23 『新增東國輿地勝覽』, 高麗 沿革.

치적 변모라고 단언하고 있다.

산과 산신과 산 제사를 중시했던 것이 신라와 대부분의 고대국가의 전통이다. 신라의 대·중·소사에 모두 '三山 五嶽 名山大川'을 두어 중국의 국가의례와 판이하게 달랐다. 그런데 신라가 가장 중히 여기는 삼산의 신들은 여성신이었다. 『삼국유사』 '김유신조'에서 김유신이 고구려의 첩자에게 속아 위험에 빠진 때에, 나림·혈례·골화의 호국신이 여성으로 변장하여 나타나 그를 구해준다.

宋使 王襄이 我朝에 와서 東神聖母를 제사지낼 때에 그 제문에 "賢人(현인)을 낳아 나라를 시작하였다"는 구절이 있다.[25]

王黼가 말하기를, "이것은 귀국의 神이니 公들이 아느냐" 하고, 드디어 말하기를, "옛적에 (어느) 帝室의 여인이 있어 남편 없이 아이를 배어 남에게 의심을 받게 되자 곧 바다에 떠서 진한에 이르러 아들을 낳았는데 그 아이는 해동의 첫 주인이 되고 帝女는 地仙이 되어 길이 선도산에 있었다 하는데 이것이 그 像이다."고 하였다. 또 대송국신사 王襄의 東神聖母를 제사지낼 때 그 제문에 "현인을 낳아 나라를 시작하였다"는 구절이 있는 것을 보았는데 여기 東神이 곧 선도산의 신성임은 알 수 있다.[26]

東神聖母의 당이 있는데 ⋯ 혹은 부여의 처이자 하백의 딸인 유화다.[27]

동신성모東神聖母의 전승이 송나라의 사신에게까지 널리 알려졌다는 사실과, 그들이

•••

24 나경수, 「지리산의 신성화 양상과 신성 표상」, 『한국민속학』 58, 한국민속학회, 2013, 165쪽.
25 大宋國使王襄到我朝, 祭東神聖母女, 文有娠賢肇邦之句(『三國遺事』, 仙桃聖母隨喜佛事).
26 館伴學士王黼曰, 此貴國之神, 公等知之乎, 遂言曰, 古有帝室之女, 不夫而孕, 爲人所疑, 乃泛海抵辰韓生子, 爲海東始主, 帝女爲地仙, 長在仙桃山, 此其像也, 臣又見大宋國信使王襄祭東神聖母文有娠賢肇邦之句, 乃知東神則仙桃山神聖者也(『三國史記』, 敬順王).
27 東神聖母之堂 ⋯ 或云 乃夫餘妻河神女也(『高麗圖經』, 祠宇).

오히려 고려 사람을 깨우쳐 신상의 주인공이 신모임을 알려주고 있는 사실은 무엇을 말하는가. 성모가 제실帝室 즉 중국과 연관된다는 사실을 강조하려는 의도에서 박혁거세와 어머니 선도성모의 기사에 덧보태진 것 같다. 이 기록은『삼국사기』와『삼국유사』에 함께 드러나는 중요한 기사였던 것으로 보인다. 그런데 이 동신성모東神聖母가 고구려 건국신화의 주인공 어머니인 유화라고 비정되기도 한다. 이에 대해 주몽과 유화가 숭앙되었던 고려의 시대 상황 아래에서 신라의 동신성모가 하백녀 유화로 개작된 것은 아닐까 추정[28]한다. 신화 상징성이 시대를 흐르며 계속 변모해가는 현상으로 볼 수 있을 것이다. 산신 숭배는 성모신앙으로 바뀌어 고려시대를 관통하고 있었고, 중국의 사신 서긍에게도 관심의 대상이었다니 성모신앙의 중요성을 가늠할 수 있겠다.

3. 천왕天王과 대왕大王

祀典을 개정하여 예조에서 아뢰었다. …"洪武禮制에서는 岳鎭海瀆을 제사하는데 모두 某岳·某海의 神이라 일컬었고 아직 封爵한 號는 없었습니다. 前朝에 경내 산천에 대하여 각기 封爵을 가하고 혹은 妻妾·子女·甥姪의 像을 설치하여 모두 제사에 참여했으니 진실로 未便하였습니다. 우리 太祖가 즉위하자 本曹에서 건의하기를 '각 고을 성황신의 작호를 혁거하고 단지 某州의 성황지신이라 부르게 하소서' 하여 즉시 兪允을 받아 이미 뚜렷한 법령이 되었습니다. 그러나 有司에서 지금까지 그대로 따라 이를 행하지 않아 爵號와 像이 아직도 그전대로 이어서 淫祀를 행합니다. …'某州의 城隍之神'이라 부르게 하고 神主 1位만 남겨두되 …

『태종실록』 25, 태종 13년 6월 乙卯

조선조에 들어와 국행제사를 정비한 흔적이 보인다. 신상을 없애고 작호를 없애는

●●●
28 최진원, 앞의 책, 1994, 32쪽.

것이 중요한 내용이었다. 전조前朝 즉 고려시대에는 봉작이 심하여 예에 어긋났는데 이를 바로잡고자 노력했는데 폐단이 고쳐지지 않고 음사가 계속되고 있다고 여겨 다시 법령을 내린 것이다. 태종 때에 다시 봉작을 없애 '성황지신城隍之神'이라 부르게 하고, 신상을 없애는 대신 신주神主 1위位만 남겨 두도록 명하였다. 그러나 이런 시행령이 실효를 거두지는 못 했던 것으로 보인다. 김종직의 『점필재집』이나 유몽인의 『어우집』 등에서도 지리산신의 신상이 훼철되지 않고 남아 있는 실상을 확인할 수 있다.[29] 성모천왕, 지리산천왕智異山天王, 대천왕사大天王祠 등의 '천왕'이란 용어도 쉽게 사라지지 않았다. 천왕天王과 더불어 대왕大王이란 용어도 널리 남아 있다.

智異山大王前願文　　　　　　　　　　　　　　　　　　　　　『東國李相國集』 38

南山爲木覓大王　　　　　　　　　　　　　　　　　　　　　　『태조실록』 8, 태조 4년 12월

54대 景明王이 매 사냥을 좋아하여 일찍이 이 산에 올라 매를 놓아 잃어버리고 神母에게 기도하여 가로되 만일 매를 다시 얻으면 봉작하리라 하였더니, 갑자기 매가 날아와서 机 위에 앉았으므로 '大王'으로 봉작하였다.[30]

『삼국유사』의 내용을 보면 '대왕'이 봉작이라는 것을 확인할 수 있다. 경명왕이 매를 잃어버리자 선도산 성모에게 매를 찾아주면 봉작할 것을 약속하고, 그 바라던 바라 이루어지자 약속한 대로 봉작을 했고, 그 명칭은 '대왕'이었다. 이규보의 글에도 지리산을 대왕大王이라 칭하고 있듯이 지리산 산신은 '대왕'의 작호를 받았다. 이규보

• • •

29 성모는 석상인데 눈과 눈썹, 그리고 머리 부분에 모두 색칠해 놓았다(『점필재집』). 성모사에는 석상이 있는데 흰옷을 입은 여인상이고, 영호남 사람들이 복을 빌기 위해 찾는 음사였다(어우집). 조선조 학자들의 지리산 유람기에 대한 자세한 내력은 강정화 외 편, 『지리산 유산기 선집』(경상대 경남문화연구원, 2008) 또는 최석기 외 역, 『용이 머리를 숙인 듯 꼬리를 치켜든 듯』(보고사, 2008) 참조.
30 第五十四景明王好使鷹, 嘗登此放鷹而失之, 禱於神母曰, 若得鷹, 當封爵. 俄而鷹飛來止机上, 因封爵大王焉(『三國遺事』, 仙桃聖母隨喜佛事).

는 군사가 병이 나자 지리산신에게 기도하여 치병의 효험을 보았다고 한다. 우리가 잘 아는 서울 남산이 목멱산인데, 이 또한 '대왕大王'으로 봉작된 것을 볼 수 있다. 남산은 확인할 수 없지만 선도산과 지리산의 대왕은 여신에 대한 봉작이다.

시간이 흘러 남신에게 대왕이란 봉작이 이루어진다. "탈해 이사금 : 뼈로 소상을 만들어 동악(토함산)에 안치하였다 지금 동악대왕이다."[31]라는 기록에서 알 수 있듯이 탈해가 죽은 뒤 토함산 산신으로 모시면서 '대왕大王'이라 칭하고 있다. 그러나 천왕과 대왕의 원류는 여성신인데, 그 흔적이 속리산 법주사의 '대자재천왕大自在天王굿'에 남아 있다. 대자재천왕大自在天王을 맞아 제사를 지낼 때에 그 여흥으로 행하는 희극이 있는데, 신을 맞아들인 후 군수가 이방에게 명하여 '대부인大夫人께 봉납할 큰 것'을 들이라고 한다. 이방은 작은 것(고추 크기)부터 중간 것(가지 크기나 호박 크기)을 들이지만 퇴자를 맞고, 최후로 큰 것(물방앗고 크기)을 들여 허락을 받고 대부인大夫人께 드리는 놀이를 행한다. 이런 생식기 놀이를 두고 김영수는 일찍이 '여권시대女權時代로 부터 발단하여 오는 풍속'[32]이라 하였다. 그래서 그 신상도 부인상으로 만들었고 그 신명도 애초에는 '할머니'니 '각시'였을 것이라고 하였다. 그리고 김영수는 천왕天王과 함께 산왕山王을 살피면서 "산신의 정체는 결국 말하자면 '재천在天에 천왕天王'이요, '하산下山에 산왕山王'이라 할 수 있을 것"[33]이라 했다. 김영수는 대왕을 말하지 않았는데, 산왕은 대왕으로 대치될 수 있을 것이다. 후에 산왕을 모시는 '산왕당'은 중국의 성황당과 뒤섞여 그 본래의 모습을 잃게 된다.

토지를 관장하던 지모신격은 천상에서 하강한 천신계에 의해 서서히 밀려나게 된다. 애초의 지모신은 천신계와 혼인을 통해 결탁하고 그 아들 세대가 지배권을 갖게 된다. 고대국가의 탄생 즈음의 사정이다. 그리고 지모신은 건국신화의 어머니로 좌정하게 된다. 이때 지모신도 天의 권위로 치장되어 '천왕天王'이란 봉작을 받게 되는 것

- - -

31 脫解尼師今 : 塑骨安東岳 今東岳大王(『三國遺事』, 王曆, 脫解).
32 김영수, 「지리산 성모사에 就하야」, 『한국민속연구논문선』 1, 일조각, 1982, 342쪽(『진단학보』 11집, 진단학회, 1939, 168쪽).
33 김영수, 위의 논문, 318쪽.

으로 보인다. 하늘에서 하강하여 지상에 처음 닿는 곳이 높은 산이었기에 천왕과 산은 깊은 관련성을 지닌다.[34] 천왕과 대왕이란 호칭은 산신을 지극하게 모신다는 숭앙의 표현이 담긴 의미이기도 하다.

4. 노고와 마고

지리산 산신을 모신 곳이 지리산 노고단이다. 노고단은 지리산 천왕봉의 산신인 노고할미 혹은 마고할미의 집이다. 마고할미는 반야봉의 반야와 부부신이 되어 딸 여덟을 낳아 팔도에 무당으로 보냈다는 무당들의 시조모이기도 하다.[35] 그런데 지리산 천왕봉의 성모천왕이 반야가 아닌 다른 배필을 맞은 내력도 전해지고 있다.

세상에 전하는 말로는 지리산의 옛 엄천사에 법우화상이라는 사람이 있었는데, 홀연히 산간에 비가 내리지 않았는데 이상스럽게도 물이 불어 그 근원을 알고자 천왕봉 꼭대기에 올랐다. 키가 크고 힘이 센 여인을 보았다. 그 여인은 스스로 성모천왕이라 말하고, 인간 세상에 귀양 내려와 군(君)과 인연을 맺고자 물의 술법을 적용했다 하면서 스스로를 중매했다. 드디어 부부가 되어 집을 짓고 사는데 딸 여덟을 낳았으며 자손이 번식했다. 모두 무술을 가르쳤는데 금방울과 부채를 쥐고 춤을 추고 아미타불을 창하고 법우화상을 부르고 방방곡곡을 다니면서 무업을 했다. 이 때문에 세상의 큰 무당은 반드시 지리산에 가서 성모천왕에게 기도해서 접신한다고 한다.[36]

• • •

34 지리산의 천신숭배 신앙에 대해 "하늘과 인간세계를 매개시켜주는 것이 山이라는 것에서 비롯한 신앙"이라고 했다(김갑동, 「고려시대와 산악신앙」, 『진산 한두기 박사 회갑기념 한국종교사상의 재조명』 상, 원광대출판부, 1993, 42~47쪽).

35 조현설, 『마고할미 신화연구』, 민속원, 2013, 81쪽.

36 이능화, 이재곤 옮김, 『조선무속고』, 동문선, 1995, 173~174쪽. 「世傳 智異山古嚴川寺 有法佑和尚者 有道行一日 閑居 忽見山間 不雨而漲 尋其來源 至天王峰頂 見一長身大力之女 自言聖母天王 謫降人間 與君有緣 適用水術以 自媒耳 送爲夫婦 構室居之 生下八女 子孫蕃衍」(李能和, 『朝鮮巫俗考』 第15章 法祐和尚條).

성모사가 지리산 천왕봉 이외에 함양군 엄천리에도 있다는 것을 앞에서 살핀 바 있다. 이 엄천리에 엄천사가 있는데 법우화상이 성모천왕과 연분을 맺었다고 한다. 산 꼭대기에 있던 성모천왕이 마을 쪽으로 내려와 좌정한 것은 아닐까. 성모천왕은 딸 여덟을 낳아 방방곡곡에 보냈다고 하니, 이 또한 조선 팔도에 무당을 보내 무업이 시작되게 만든 무조신의 내력이라 하겠다. 유교가 불교가 들어오기 이전의 산신은 무업의 중심에 놓여 있었을 것이다.

마고[37]할미 계열의 이야기에 비슷한 전승이 보인다. 개양할미가 딸 여덟을 낳아 일곱 딸은 변산반도 앞 칠산바다의 일곱 요처에 해신으로 보내고 막내딸과 함께 수성당에 좌정하고 있다는 8년 모티프는 지리산 마고할미의 여덟 딸이 전국 8도 무당으로 보내진다는 전설의 변형으로 보인다.[38] 용왕의 딸 수성할미가 당 할아버지와의 사이에서 여덟 딸을 낳아 조선 8도에 배치했다는 전승[39]도 지리산 마고할미의 변형이라 생각된다.

지리산산신숭배와 관련한 신당을 조사 정리한 글을 보면, 상당上堂은 성모사, 천왕당, 성모묘, 성모당, 천왕의 사우祠宇 등으로 호칭되고, 하당下堂은 백무당百巫堂, 백모당, 백무白武, 백모白母, 백문白門 등으로 불린다. 그리고 남원 쪽 고모당姑母堂은 노구당老嫗堂으로 불리는 남악사南嶽祠가 국행제로 거행된 지리산신사라고 했다.[40] 김아네스 교수는 백무당百巫堂이 무당의 근거지였다는 뜻에서 그렇게 불렸을 것이라 했고, 성모, 천왕, 노구, 고모 등이 같은 신격인지 알기 어렵다[41]고 했는데 그 모든 명칭이 같은 이름이고 출발은 '할미'다. 마고할미가 치마로 돌을 쌓았다는 고모산성도 마고의 다른 이

...

37 마고를 비롯한 여성거인설화의 명칭과 분포에 대한 내용을 보면, 마고할미, 설문대할망, 개양할미, 안가닥할미, 서구할미, 여장사, 여장수 등이 있다. 개양할미는 서해안, 설문대할망은 제주도에만 분포하고, 서구는 강원도, 안가닥은 경상도에 주로 분포한다. 나머지 보편적인 분포를 보이는 것이 마고 혹은 노고다(권태효, 「여성거인설화의 자료 존재양상과 성격」, 『탐라문화』 37호, 제주대 탐라문화연구소, 2010, 227~232쪽).

38 조현설, 앞의 책, 2013, 111쪽.

39 위의 책, 111쪽.

40 김아네스, 「조선시대 산신 숭배와 지리산의 神祠」, 『역사학연구』 제39집, 호남사학회, 2010, 94~95쪽.

41 위의 논문, 94쪽 주) 17; 96쪽 주) 25.

름일 뿐이다. 노고와 노고는 '할머니'의 한역이다. 노고단이란 지명도 할미당에서 유래한 것이고, "통일신라시대까지 지리산 최고봉 천왕봉 기슭에 '할미'에게 산제를 드렸던 할미당이 있었는데, 고려시대에 이곳으로 옮겨져 지명이 한자어인 노고단이 된 것이다."라는 정의는 경청할 만하다.[42] 노고단이 지리산 산신 할머니를 제사 지내던 신단이므로 '할미단'이라 했던 것이라고 하고 "지금도 지리산 밑의 보통 주민들이 다 '상봉당上峰堂할머니'라 부르는 사람이 있"[43]다고 하면서 1930년대 실상을 소개한 김영수의 글은 매우 긴요하다. 다만 이것을 한자로 쓰자면 성모단聖母壇이라든지 신모단神母壇이라든지 하는 존칭사로 써야 옳은 일인데 노고단老姑壇이라는 천대사로 썼으니 이것이 잘못된 것이라는 지적은 어색하다. 성모와 신모라는 호칭은 불교나 도교가 본격적으로 받아들여지던 중세화의 시기에 이루어졌다면, 할미를 '노고老姑'라 한문 번역했던 것은 한문과 중세문화가 들어오던 초창기의 사정이었을 것이다.

비슷한 시기부터 노고 이외에 마고라 불리기도 했다. 이 마고라는 명칭을 중국 도교의 마고계 산신의 영향으로 노고단의 노고신이 형성되었다고 한 연구가 여럿 있다. 그 중 송화섭 교수가 중국 마고신앙에 정통한데, "마고는 중국에서 전래한 산신이다. 중국에도 마고산이 있고, 산 정상에는 마고단이 있다. 중국의 마고단은 지리산의 노고단과 큰 차이가 없을 것"이라 하면서 마고할미는 삼국시대에 산신으로 존재하였는데 "불교 수용 후 노고산신이 성모천왕으로 승격"되었을 것으로 보았다.[44] 그는 '마고'라는 이름은 중국에서 유입된 것임을 잘 밝혔고 도교와 불교의 영향을 적절하게 설명했는데, 중국의 도교에서 지칭하는 마고와 우리의 마고할미와의 차이점은 간과한 것으로 본다. 마고는 도교의 여선女仙 혹은 여신이고, 젊고 아리따운 여인의 모습을 지니

---

42 『한국민족문화대백과사전』 5, 한국정신문화연구원, 1991, 621쪽. '노고단'조; 김아네스, 「고려시대 산신 숭배와 지리산」에서도 연구사를 정리하면서, 신사의 위치가 처음에는 천왕봉이었다가 다음 시기(고려)에 노고단으로, 조선조에는 산 아래 南嶽祠로 옮겼던 내력을 소개하고 있다(24쪽).

43 김영수, 앞의 논문, 1982, 314쪽. "우리말에 보통 연로한 부인들을 다 '할머니'라고 부르기도 하고, 자기 아버지의 '어머니'를 '할머니'라 부름은 물론이요, 또한 존엄하고 신령스러운 신에 대하여서도 역시 '할머니'라고 부르기도 한다."라 간명하게 정리하였다. 할머니는 신령스런 신을 부르는 명칭이기도 하다.

44 송화섭, 「지리산의 노고단과 성모천왕」, 『도교문화연구』 27, 한국도교문화학회, 2007, 271~272쪽.

고 있으며, 세 번 상전벽해를 보았을 정도로 오래 산 장수의 상징이다. 요컨대 거인 여신이나 여산신, 할미라는 말에서 환기되는 나이 든 여인의 이미지를 지닌 우리의 마고할미와는 전혀 다른 모습을 지니고 있는 셈이다.[45] 아리따운 선녀 같은 마고와 거구에 한라산을 만들고 성을 쌓는 설문대할망과는 전혀 다른 이미지라 하겠다. 그 후 할미로 통칭되는 한반도의 여산신이 마고와 동일시되어 마고할미로 불리는 것은 자연스러운 문화통합의 결과[46]라 하겠다.

마고와 노고는 지금까지 지명전설과 함께 널리 전승되어 오고 있다. 그렇다면 할미의 전승이 여러 단계를 거친 후에 다다른 호칭이 마고와 노고일 수도 있다. 성모聖母와 신모神母의 신성성마저 탈락하게 되자 마고와 노고할미로 변화했을 가능성도 있다. 사실 마고와 노고도 존귀한 신격인 '할미'였는데, 그 원래 의미가 풍화되고 서서히 '마귀할미' 이야기[47]와 뒤섞이면서 본래 의미가 훼손된 것으로 볼 수 있겠다.

5. 할미와
할망

　　　　　　　육지의 마고할미 혹은 노고할미 이야기는 여러 갈래로 나타난다. 그것들은 거석운반형, 산이동형, 산악좌정형, 지형창조형, 해양수호형, 거인배설형 등 다양하다.[48] 마고할미가 '산신'으로 좌정하는 이야기는 마고할미계 신화의 일부에 해당한다고 하겠다. 그렇다면 산신 이전의 여성신은 세상을 창조한 창세신으

* * *

45　조현설, 앞의 책, 2013, 18~19쪽.
46　위의 책, 20쪽.
47　삼척 서구할미 전설의 경우, 여우가 변신한 서구할미가 길흉화복을 알아 맞추는 신통력을 지녔는데 사람들의 운수를 보아주며 현혹하다가 의혹심이 강한 사람에 의해 죽임을 당하고, 할미는 죽으며 바위를 쥐어뜯었는데 그 자국이 남아 있다고 한다(두창구, 『동해시 지역의 설화』, 국학자료원, 2001, 119쪽). 죽도 마귀할멈의 경우, 옥황상제의 둥근 돌을 훔쳐 지상에 내려와 인적이 뜸한 죽도에 들어간 후 거기서 바위를 갈아 절구를 만들려 하다가 파도 때문에 완성하지 못하고 중단한 흔적이 남아 있다고 한다(『한국구비문학대계』 2-5, 39~41쪽).
48　송화섭, 「한국의 마고할미 고찰」, 『역사민속학』 27호, 역사민속학회, 2008, 127~170쪽.

로서의 모습을 연상할 수 있다. 산신으로 국가를 보호하고 비바람을 조절하고 전쟁을 승리로 이끄는 능력도 있지만, 수신 혹은 해신으로 생산의 풍요와 뱃길의 안전을 보장해주는 기능도 있다. 조선 전기 마고는 한라산의 산신·해신으로 항해자들의 안전 항해를 관장하는 항해보호신의 역할을 수행하였다[49]는 송화섭 교수의 최근 견해 또한 산신과 해신의 복합성을 논하고 있다. 그리고 대표적인 것이 거인이어서 많이 먹고 많이 배설하고 거석을 운반하는 능력을 보이는 점이다. 특이한 것은 거인이 지형을 창조했다는 설문대할망의 이야기다. 그러나 설문대할망 전승이 독자적으로 제주에만 남아 있는 것은 아니다. 설문대할망을 마고라고 한 흔적도 미미하게 보인다.[50]

흙을 퍼다 날라 한라산을 만들고, 나막신에서 떨어진 흙이 360여 개의 오름이 되었다는 선설,[51] 제주도의 오름들은 할머니가 치맛자락에다 흙을 담아 나를 때, 치마의 터진 구멍으로 흙이 조금씩 새어 흘러서 된 것이라는 전설,[52] 치마폭에다 흙을 담아다 쏟아 부은 것이 한라산이 되었고, 동시에 치마폭의 뚫어진 구멍들에서 쏟아진 흙들이 도내에 무수히 산재해 있는 작은 산들이 되었다는 이야기[53]가 전하고 있다. 지금은 전설로 남아 있지만 그 내부에는 창세신화 중 지형형성신화의 속성을 보인다.

지리산에도 산악 좌정형 거인설화가 전하고 있다. 지리산 마야고(혹은 마고)의 키는 36척이었고 다리가 15척이었다고 한다. 반야라는 남신을 위해 나무에서 실을 뽑아 옷을 만들었는데, 반야가 구름으로 화해 지나쳐버리자 옷을 찢어 나뭇가지에 걸고, 마고는 천왕봉에 좌정하여 성모신이 되었다고 한다.[54] 지리산 성모도 애초에는 키가 36척이나 되는 거구였던 점을 유추해보면 성모 설화의 근원에 지형형성 신화적 흔적이 있

· · ·

49 송화섭, 「한국과 중국의 할매해신 연구」, 『도서문화』 제41집, 목포대학교 도서문화연구원, 2013, 174쪽.
50 "옛날 마고(麻姑) 할망이라는 키가 큰 할머니가 있었다. 어찌나 키가 컸던지 한쪽 발은 한라산을 딛고, 한쪽 발은 표선면 표선리 바닷가의 한모살(모래톱)을 디디었다 한다. … 마고할망은 일면 '설명지할망'이라고도 한다." 현용준, 『제주도 전설』, 서문당, 1996, 26쪽.
51 진성기, 『남국의 전설』, 일지사, 1968, 105~106쪽.
52 현용준, 앞의 책, 1996, 22쪽.
53 장주근, 『한국의 신화』, 성문각, 1962, 6~7쪽.
54 한상수, 『한국인의 신화』, 문음사, 1986, 228~231쪽.

었음을 알 수 있다. 그리고 선도성모처럼 남편의 조복을 짓는 여성신의 면모가 뚜렷하다. 그러나 풍화된 분량이 많아 본래의 모습을 재구하기는 쉽지 않다.

거인설화에는 두 단계의 창조 작업이 드러나는데, 1단계 창조 작업은 천지분리, 천체현상 조정, 자연현상의 유래 등이고, 2단계 창조 작업은 이 세상의 땅 덩어리를 생성시키고 산천을 형성시키거나 어느 특정 지역의 지형을 형성시키는 작업이다. 1단계 창조를 담당하는 신은 미륵이나 천지왕, 대별왕과 소별왕 등 남성신인데, "제의체계에 발생한 여신의 위계 변동과 무관하지 않다."[55] 그런 현상은 건국신화에서도 확인할 수 있는데, 유화는 시조모로 주변화하고 '남성 중심의 재편'이 이루어지는 것과 마찬가지다. 여신은 제의의 중심에서 소외되는 현상도 이런 변화와 동궤이며, "그 과정에서 창조 여신은 창조능력의 자취를 간직한 채 산신화되거나 특정 지형물에 고착화된다."[56]

지형창조형 설화는 산악좌정형 설화와 자주 결합한다는 것이 송화섭 교수의 지적인데[57] 온당한 해석이다. 설문대할망과 그녀가 낳은 오백장군의 관계는 '한라산과 오백장군봉'의 관계로 이어지는데 그 결과 설문대할망이 죽어 사라진 것이 아니라 한라산신이 되었을 것[58]으로 보아야 한다는 견해에 동감한다. 오백장군의 막내동생이 차귀도의 바위가 되었는데 한라산신이 보낸 매 한 마리가 차귀도에서 고종달의 배를 침몰시켰다. 고종달은 제주의 혈을 지르고 인물이 나는 것을 방해한 후 달아나던 중이었다. 한라산 산신은 설문대할망이니 장수가 태어날 제주의 지맥을 끊은 외부의 힘을 설문대할망이 징치한 것[59]이라고 보았다.

설문대할망은 500장군의 죽을 끓이다가 죽솥에 빠져 죽었다고 하고, 물장오리의 물이 얼마나 깊은지 들어갔다가 빠져 죽었다고 한다.[60] 할머니의 죽음은 여성시대의 종

- - -

55 권태효, 『한국의 거인 설화』, 역락, 2002, 40쪽.
56 조현설, 「마고할미·개양할미·설문대할망」, 『민족문학사연구』 41권, 민족문학사연구소, 2009, 148쪽.
57 송화섭, 앞의 논문, 2008, 151쪽.
58 조현설, 앞의 논문, 2009, 158쪽.
59 조현설, 앞의 책, 2013, 75쪽.
60 선문대할망이 키 자랑을 하기 위해서 제주8경의 하나인 용연에 들어갔으나 물이 겨우 발등에 묻힐 정도였으며 한라산에 있는 물장오리에 들어갔던 바 얼마나 깊던지 그처럼 키 큰 선문대할망도 빠져죽고 말았다고 한다(임동권,

말을 고하는 것 같다. 설문대할망이 죽고 아들들은 거석이 되었다. 이것은 창조의 마무리이고 설문대할망의 죽음은 '창조이후의 영속성'을 이어나가면서 "설문대할망이 영실기암의 산좌山座를 차지하고 앉은 새로운 여신으로 생명력을 지속"[61]된다는 박종성 교수의 견해도 산신으로서의 할망의 지위를 잘 설명하고 있는 바이다. 설문대할망이 산신으로 신앙되었던 흔적을 장한철의 표해록에서도 확인할 수 있다.

> 우리 표류하던 일행은 문득 한라산을 가까이 눈앞에 보고는 기쁨이 지나쳐 저도 모르게 목을 놓아 호곡한다. "슬프다. 부모님이 저 산봉우리에 올라가 보셨겠지. 처자들이 저 산에 올라가 기다렸겠지." 혹은 일어나 한라산을 보고 절하며 축원한다. "白鹿仙子님, 살려주소, 살려주소, 詵麻仙婆님, 살려주소, 살려주소." 대제 탐라 사람에게는 세간에 전하기를 仙翁이 흰 사슴을 타고 한라산 위에서 놀았다 하고, 또한 아득한 옛날에 詵麻姑가 걸어서 서해를 건너와서 한라산에서 놀았다는 전설이 있다. 그러므로 이제 선마선파와 백록선자에게 살려 달라고 빌어도 아무 소용이 없을 것은 당연하다. 나 역시 한라산을 바라보게 되니 슬픔과 기쁨이 가슴에 가득 차서 어쩔 줄을 모르겠다.
>
> 『漂海錄』, 1771년 1월 5일

제주에서 육지로 올라가다가 표류하여 제주 근처를 지나가게 된 제주민들은 한라산을 바라보며 살려주기를 기원한다. 그 기원 대상이 한라산신인 선마선파 혹은 선마고다. 할망을 마고라고 하니 그 기원 대상이 설문대할망일 가능성이 크다. '선파'도 할미를 뜻하되 도교적 색채를 띤다. '선마'와 '설문'의 첫 자음끼리 같다. '설문대'는 '선문대'라 하기도 한다. '선문'과 '선마'를 연관지어 보면 '선마선파'가 한라산신인 설문대할망일 것으로 볼 수 있겠다.

<hr />

「한라산에 얽힌 전설과 신앙」, 『제주도』 44, 제주도청, 1970, 101쪽).
61 박종성, 「비교신화의 관점에서 본 설문대할망」, 『구비문학연구』 31집, 한국구비문학회, 2010, 254~256쪽. 그는 설문대할망의 죽음 후 그 권위가 남신(하르방 혹은 아들)에게 넘어갔다는 근거가 없다고 설명하고 있다.

오랜 옛날에 설문대할망이라고 부르는 한 신녀가 있었다. 키는 커서 하늘과 견주었으며, 손으로는 한라산 꼭대기를 짚고, 발로는 넓은 바다를 디뎌 물장구를 쳤다. 항상 스스로 말하기를 "이 고장 사람들이 나에게 옷 한 벌 지어주면, 내가 반드시 대륙에다 다리를 놓아 걸어서 왕래하게 하여 주겠다."고 하였다. 그러나 온 섬사람의 힘으로도 끝내 그의 옷을 만들지 못하여 다리는 결국 만들어지지 못하였다. 제주목州의 동쪽 신촌에 거인의 발자국이 바윗돌 위에 찍혀 있는데, 오늘날에는 '설문대할망曼姑의 발자국'으로 부른다고 한다.[62]

19세기 중반의 『탐라지초본耽羅誌草本』에는 '사만두고'라 했고, 20세기 중반 담수계에서 만든 『역주譯註 증보탐라지增補耽羅誌』에서는 '설만두고'라 했다. 1932년의 『제주도실기濟州島實記』에서도 '설만두고'라 하고 있다.[63] 담수계의 호칭은 『제주도실기濟州島實記』에 근거를 두고 있다고 보인다. 20세기에 들어서서 '설만두할망'란 호칭이 보편화된 정황의 반영일 수도 있다. 최근의 구비전승과 매우 유사한 설화가 전해지고 할망의 호칭도 유사하다. 구비전승에서는 '선문대' '설문대' '설명두' '세명뒤' '세명주' 등이 전해지고 있다. 송당의 한 제보자는 어릴 때부터 '세멩주할망'이라고 불렸지 '설문대할망'이라 하지 않았다고 구술하기도 했다.[64] 표선의 '당케포구'의 당신은 '설맹디할망'이다. '사만두고'에서 '설문대'까지의 변모가 읽혀진다. 그리고 그 신격은 한라산신에서 당신으로 이어지고 있다. 제주는 18세기 초 이형상 목사(1702~1703)의 당 오백

• • •

62 『譯註 增補耽羅誌』, 제주문화원, 2005, 511쪽. 여기서 설문대할망이라고 번역한 것의 원문은 '雪曼頭姑'다. 이 원문은 李源祚의 『耽羅誌草本』의 내용과 같은데, 다만 설문대할망에 해당하는 명칭이 '沙曼頭姑'로 다르다. 1843년경 작성된 『耽羅誌草本』에는 '사만두고'라 했던 것을 1954년 담수계에서 만든 『譯註 增補耽羅誌』에서는 '설만두고'로 바꾸어놓았다. 『耽羅誌草本』(濟州大學校 耽羅文化研究所, 1989)의 원문은 다음과 같다. '上古有一神女 號曰沙曼頭姑 身長幾與天齊 手倚漢拏山 足躍滄海而弄波 常自言曰 此土人製我一衣 則我必連橋於大陸 使徒步往來云 以一島之力 終不能製其衣 橋果不成 州東新村 有巨人跡 印在巖石上 只今稱曼姑足跡云'

63 雪漫頭姑 傳說 "옛적에 한 神女 잇스니 俗稱 설만두할망(本島方言)이라 하고 일홈은 姿麻姑婆라 하니, 그 身長이 거의 하날에 다을 듯하다 한대, 손으로 漢拏山을 집고 발로 滄海의 물결을 히롱하며, 土壤을 옴겨 峰을 만드니 그 爲人이 長大함은 可想이라." (金斗奉, 『濟州島實記』, 제주도실적연구사, 1932, 33쪽) 김두봉의 기록은 이원조의 탐라지초본과 그 내용이 거의 유사하되, 흙을 옮겨 한라산을 만든 이야기가 덧보태졌다. 그리고 '사만두고'가 '사마고파'로 바뀌었다. '마고 할미' 이야기가 습합된 흔적이 엿보인다.

64 김순자, 「'선문대할망'과 그 別稱」, 『탐라문화』 37집, 제주대 탐라문화연구소, 2010, 297쪽.

절 오백의 파괴가 있은 후에도 전통적 신앙체계는 다시 복원되었다고 한다. 1만 8천 신이 산다는 제주에는 일반신, 당신, 조상신 등 수많은 신들이 다양한 권능을 갖고 신앙민의 숭앙 대상이 되는데, 표류된 제주사람들이 유독 한라산신을 외친 것은 설문대할망과 한라산신 신앙의 완강한 지속을 의미한다.

지형을 창조하기도 하고 산과 거석을 운반한 거인신의 모습을 했던 여신인 할망 혹은 할미는 그 창세적 기능을 서서히 잃고 산신과 해신(수신)[65]으로 바뀌어 간다. 설문대할망, 노고할미, 갱구할미, 안가닥할미 등으로 불리는 마고할미의 창조여신으로서의 능력이 훼손당하고 미륵과 석가(한반도), 천지왕·대별왕과 소별왕(제주) 등 남신 계열로 바뀌게 된다.[66] 할미는 역사의 저편으로 사라지게 되고 남신 중심의 고대영웅이 탄생한다. 그런 흔적을 역력히 보여주는 마고할미 설화는 다음과 같다.

> 단군이 거느리는 박달족이 마고할미가 족장으로 있는 인근 마고성의 마고족을 공격했다. 전투에 진 마고할미는 달아나서 박달족과 단군족장의 동태를 살피는데, 알고 보니 자기 부족에게 너무도 잘해주는 것이 아닌가. 그래서 마고할미는 단군에게 심복하게 되었고, 단군은 마고할미의 신하인 아홉 장수를 귀한 손님으로 맞이해 극진히 대접했다. 그 아홉 손님을 맞아 대접한 곳을 구빈(九賓) 마을이라 하고 마고할미가 단군에 복속하기 위해 고성으로 되돌아오며 넘은 고개를 왕림(枉臨)고개라 한다는 것이다.[67]

마고할미는 세상을 다스리다가 단군에게 나라를 넘겨준다. 나라를 잘 다스리고 백성을 잘 대해주고 있어 권력을 이양했다고 했지만, 실상은 다를 것이다. 땅을 터전으

• • •

65 한라산의 산신·해신으로 항해자들의 안전항해를 관장하는 항해보호신의 역할을 수행하였다. 송화섭, 「한국과 중국의 할미해신 비교연구」, 『도서문화』 41집, 목포대학교 도서문화연구원, 2013, 174쪽. 이 장에서는 해신의 성격을 전제하고 산신으로서의 성격을 규명하는 데 치중한다.

66 조현설, 「동아시아 신화에 나타난 여신 창조 원리의 지속과 그 의미」, 『구비문학연구』 31집, 한국구비문학회, 2010, 288~291쪽.

67 『중앙일보』, 1997.7.4(최창조, 『북한문화유적답사기』, 중앙엠앤비, 1998에 재수록).

로 삼아 땅을 나누던 여성영웅은, 땅을 빼앗고 힘을 위주로 하여 거대 국가를 세우려던 남성영웅에게 패하고 만다. 여성영웅은 역사의 저편으로 사라져야 한다. 그들은 흔적 없이 사라지지 않았다. 건국영웅의 어머니 신으로 남고 산신으로 좌정하여 성모 혹은 마고라는 이름으로 살아간다. 창세신이자 대지모신이었던 할미는 마고와 성모가 되어 다음 세상을 이어간다.

6. 결

우리는 한 동안 큰 충격에 빠져 있었다. 그 상처는 현재 진행형이다. 2014년 세월호의 참사에 누구나 무기력해졌다. 조문의 분위기 속에서 앞으로만 치닫던 현대문명을 직시하면서 우리는 지나온 과거를 되돌아보게 되었다. 지식인이 이 민족적 참사에 대해 무엇을 해야 하는가. 무엇을 할 수 있는가. 지리산과 한라산을 이야기한들 무슨 소용이 있을까.

우선 우리 시대를 반성한다. 우리는 무언가 위대한 문명을 만들 줄은 알지만 문제가 생겼을 때 그것을 해결하는 능력은 갖고 있지 못하다. 후쿠시마 핵발전소를 만든 것은 위대한 현대과학문명의 개가임에 분명하다. 전기로 돌아가는 현대문명 세상을 위해 우리는 끊임없이 전기를 생산해야 하고 목숨까지 건다. 엄청난 재난이 닥쳤는데도 우리의 현대문명은 반성할 줄 모른다. 그 엄청나게 큰 배를 건조하여 띄울 줄은 알지만 그것에 문제가 생겨나면 그것을 바로잡을 수 없는 것이 우리의 한계다. 큰 재난이 예고되는 데도 우리의 현대문명은 속도를 늦추지 않는다.

다가올 재난과 대학살은 우리의 상상을 뛰어넘는 수준일 것이다. 이제 새로운 패러다임을 준비해야 한다. 경쟁의 시대를 끝내고 공존의 시대와 공감의 시대를 열어야 한다. 어떻게 끝낼 수 있는가. 미래로만 향해 치닫는 우리의 속도전을 멈추고 과거를 돌아보아야 옳다. 무엇을 찾을 것인가. 중세가 지녔던 겸손과 남을 대하는 정중함을 회복해야 한다. 고대가 지녔던 끊임없는 고난에 대응하고 이겨나가는 투지를 배워야 한다. 원시시대가 지녔던 인간과 만물의 공존의식을 배워야 한다. 인간과 동물과 나무와 풀이 대등했던 시절의 신화를 우리 시대의 삶 속에 회복해야 한다. 그래야 지구 파괴의 절망에서 벗어날 수 있다. 힘으로 세상을 차지했던 남성중심의 생각을 내려놓고 땅을 터전으로 삼아 함께 나누고 먹이던 여성성을 회복해야 한다.

그런 이유로 여성신화를 살펴보았다. 할미가 세상을 만들고 사람들이 살 수 있는 땅을 마련하고 풍요와 안전을 보장해주며 자식들을 키워나갔던 따뜻한 인간애를 만날 수 있었다. 신성한 어머니 '성모聖母'에서 거슬러 올라가면 '할미'를 만나게 된다. 설문대할망과 삼승할망과 조왕할망을 만날 수 있는 제주도 신화는 숱한 여성신화의 보고다. 제주는 여성신화에 눈떠야 한다. 인간과 자연을 대등하게 여기고 살폈던 할머니의 마음을 다시 되새겨야 평화와 공존이 가능해질 것이다.

그 할망의 정체를 살피면서 설문대할망과 지리산의 할미와 견주어보았다. 언제부터 설문대할망이 산신으로 사유되었는지는 불분명하지만, 애초에는 서해안 개양할미처럼 바다를 건너온 해신으로서의 상징이 앞서는 것으로 보인다. 그러다가 땅을 만들고 한라산을 만든 후, 오백장군의 어머니로서 한라산 영실 꼭대기에 좌정한 것으로 그 의미가 확대되었다. 지리산을 비롯한 육지에서는 창조적인 역할을 하던 여신들이 남성신에 밀려 서서히 산신으로 기능하게 된다. 그때 할미라는 존칭은 쇠퇴하고 한자어인 마고 혹은 노고로 대체된다. 할미를 '노고老姑'라 한문 번역했던 것은 한문과 중세문화가 들어오던 초창기의 사정이었을 것이다. 성모와 신모라는 호칭은 본래 고대국가 건설기에 건국시조의 어머니에게 부여된 것이었다. 그 후 중세 질서 속에서도 여성신들은 오랫동안 그 본래적 의미와 건국주의 어머니라는 의미가 중첩되어 남아 있게 되었다.

이와 달리 볼 여지도 있다. 성모聖母와 신모神母의 신성성마저 탈락하게 되자 마고와 노고할미로 변화했을 가능성도 있다. 사실 마고와 노고도 존귀한 신격인 '할미'였는데, 그 원래 의미가 풍화되고 서서히 '마귀할미' 이야기로 변질되는 통로를 가정할 수 있을 것이다. 중세 긴 시간 동안 성모와 마고·노고가 함께 호칭되는 사정 때문에 그 선후를 가리는 것은 무척 어렵다. 다만 그 출발점이 신성한 '할미'에서 출발하여 풍화되는 긴 과정 동안 여성신으로서의 면모를 유지하되, 창조신이 산신으로 변화되었고, 그 산신은 성을 쌓거나 돌을 나르는 거인으로서의 면모를 잇고 있는 점을 고찰할 수 있었다.

제2부

제주도
신화

―

제7장 왜 제주신화인가
제8장 제주도 신화 본풀이 개요
제9장 일반신본풀이
제10장 뱀신 ‒ 칠성본풀이
제11장 사냥의 신 ‒ 서귀본향당본풀이
제12장 바다의 신 ‒ 제주 해양신화

07.

왜 제주신화인가

- ·
- ·
- ·

1. 근대문명의
파탄과 돌파구

짧은 인간 문명사 속에서 두 번의 빛나는 정신혁명이 있었다. 하나는 종교의 탄생이었고 그 다음이 근대 과학문명의 탄생이었다. 합리주의를 표방한 과학정신은 직관적인 신화의 사유방식을 무시했다. 종교적 초월성도 뛰어넘었다. 과학적 발견 덕분에 사람들은 자연을 마음대로 조작하고 운명을 개선할 수 있었다. 생명 연장의 의학 기술, 무한 소통의 디지털 기술, 하늘을 넘어 우주로 향하는 운송 기술 등등. 인류가 날마다 깨어나면서 놀라는 진보의 기술이 기세등등하다. 그런데 그 기술이 인류를 대량살육하고 집단학살을 자행하기 시작하였다. 엄청난 전쟁이 있었고 핵무기는 더 큰 살육을 예비하고 있다.

물질적으로는 대단한데 정신적으로는 그렇지 못하다. 현대인의 삶은 소외, 권태, 허무주의, 이기주의에 빠져 있다. 파스칼은 이미 오래 전에 '어둠 속에 홀로된 인간'이라 예견하였다. 과학기술이 모든 삶을 행복하게 해 줄 수 있다는 '테크노피아'의 미신에 사로잡혀 있다. 신화와 종교가 미신이 아니라 바로 과학이 미신이다. 우리는 유토피아로 향하지 않고 파멸로 향해 가고 있다. 종교가 1차 형이상학 혁명이라면 과학은 2차 형이상학 혁명이라 했는데 그게 아니었다. 과학기술을 앞세운 실용주의는 형이하학이 되어 버렸다. 지구 환경도 철저히 파괴해 버렸다. 우리의 정신을 날로 황폐화시켜 버렸다.

현대문명은 무의식을 다룰 방법을 잃어버렸다. 그래서 미처 날뛴다. 지금도 광기狂氣 속에 있고 더 큰 광기가 파멸을 예고하고 있다. '이성'을 그토록 외치지만 무섭고 파괴적인 비이성 역시 현대 삶의 일부분이다. 그래서 우리에게 무의식을 다룰 방법을 내장하고 있는 신화가 필요하다. 정신적 마비와 무력감에서 벗어날 수 있는 방법이 필요하다. 신화는 인간에게 자신의 인간다움을 일깨우고 숭고함을 회복시킬 수 있다. 신화는 인간이 신을 닮으려하는 과정에서 신성神聖을 일깨운다. 그리고 막혀버린 세상과 다른 세상에 대해 알려 준다. 신화 속 영웅의 투지가 우리의 약해진 내면에 용기를 북돋는다. 보이는 세상만이 아니라, 보이지 않는 세상에 대해 이야기한다. "만약 우리의 눈에 보이는 세상이 전부가 아니라면?"이라고 질문을 던진다. 죽음과 허무에 대비할 시간적 여유를 준다. 과학이 주도한 근대문명을 극복할 3차 형이상학의 혁명은 기계적 이성을 초월하는 상상력에서 비롯될 것이다. 신화는 바로 상상력의 원천이 되어 줄 것이다.

최근 태평양 불의 고리가 요동치고 있다. 문명을 일구고 사는 인간을 위협하고 있다. 자연의 거대한 재앙은 어찌 할 수 없지만 인간이 만든 재앙은 극복해야 할 것 아닌가. 인간의 재앙 중에 가장 비극적인 것이 전쟁과 기아다. 서구 제국주의 세력이 20세기에 그토록 두들겨 패고 그래도 성이 차지 않은지 21세기에도 중동 지역에는 전쟁과 혼돈과 탈출극이 이어지고 있다. 시리아의 혼란 뒤에는 유럽이 있고 독재자의 권력욕이 있다. 그 내부에 민족 간의 다툼, 종교 간의 다툼이 있다. 근대 민족주의는 아주 많은 파탄을 만들어냈다. 문명권의 갈등을 조작해 냈다. 그리고 같은 문명권 안에서도 시이파와 수니파가 싸우도록 부추기기도 했다. 근대 민족주의는 과학문명의 도움을 받아 이렇게 파탄의 극단으로 치닫는다.

2. 우리에게
신화란

　　　　　우리에게 신화란 무엇인가. 우리에게 신화가 필요하다면 어떤 것이어야 하는가. 우리에게 필요한 신화는 모든 인간이 민족이나 국가나 이념을 뛰어넘어 서로에게 동질감을 느낄 수 있게 도와주는 신화이다. 우리에게 필요한 신화는 생산적이지도 능률적이지도 않지만 연민과 사랑의 중요성을 깨우쳐주는 신화다. 물질적 부족함을 넘어서게 하고, 이기주의를 극복하게 하고 정신의 초월적 가치를 경험하게 해주는 신화가 필요하다. 우리가 다시금 대지를 신성한 것으로 받들고, 단순한 '자원'으로 이용하지 않게 해주는 신화가 요구된다.

　대지와 자연을 자원으로 바라보고 이용하는 데 골몰했던 문명을 반성하여야 지구를 살릴 수 있다. 인간과 자연을 대등하게 바라보는 연장선상에서 인간과 인간을 대등하게 바라보고, 인간 정신을 중시하고 그 정신의 내부를 관통하는 '연민'의 중요성을 일깨워야 새로운 시대로 진입할 수 있다. 지구를 살리기 위해서는 과학기술을 능사로 여기지만 말고 그에 상응하는 정신의 혁명이 필요한데, 그 해답이 신화에 있다. 물질적이고 현세적 가치를 넘는 초월적 가치를 경험하기 위해 우리는 신화를 주목해야 한다.

　우리의 정신 내부에 담긴 '사랑과 연민'을 회복해야 하는데, 제주도의 설문대할망 이야기는 그런 '연민'을 환기시킨다. 의도하였든 실수였던 간에 자식들을 위해 애쓰다 죽솥에 빠져 죽은 어머니는 지극한 사랑의 상징이다. 권력가와 재벌에 만연한 증여와 교환의 범람을 실감하는 현실에서 '순수증여'의 의미는 남다르다. 물질성을 초월하고, 아무런 보답도 바라지 않는 것, 눈에 보이지 않는 힘에 의해 이루어지는 것이 순수증여의 실상이다. 연민이 자기 위주라면, 공감은 다른 사람의 입장이 되어 생각하는 감정이입의 단계를 거친 단계다. 인간이 물질적이고 이기적이고 실제적인 존재이지만, 공감을 넓히려는 본성을 찾아내 타자는 물론이고 심지어는 동물에 이르기까지 공감을 확대하여 지속가능한 균형을 회복해야 한다.

　연민과 사랑과 공감의 차원을 논하면서 다다르게 되는 시간과 공간은 신석기시대에 농경과 함께 등장하기 시작한 대지모신의 품안이다. 농사를 짓고 공동으로 분배하던 원시공산사회의 평화는 고대국가의 출현으로 마감된다. 강력한 남성 정복자가 땅을 넓히고, 지배한 곳의 백성을 노예로 삼으면서 거대한 땅을 건설하고, 잉여농산물과 가축을 길들여 얻은 잉여가치를 바탕으로 고대제국의 영역을 더욱 확대해 갔다. 그 이후 힘을 바탕으로 한 쟁투를 일삼고 자연의 자원을 끌어다 쓰며 파괴가 극에 달하는 데까지 이르렀다.

우리는 이성 중심, 사유 중심, 또는 전두엽 중심적인 문명에서 벗어나야 한다. 현대 문명의 냉혹함은 파충류적인 본능과 전두엽의 기계적인 지성이 섞인 결과다. 지성이 연민과 공감을 상실한 채 파충류적 생존본능과 결탁한 것이 괴물 같은 현대문명이다. 이제 다시 힘 중심의 쟁투를 반성하고 공존의 문명을 만들어 나가야 한다.

과거 어느 시대건 미래를 밝혀줄 빛이 있다. 고대신화가 지닌 고난을 극복하는 투지는 취업과 결혼과 아이 낳기까지 포기하는 21세기 젊은이에게 '자각의 근거'가 되어 줄 수 있다. 원시 신화는 '사람과 다른 생명체, 인간과 자연의 바람직한 관계'를 일깨운다. 자연을 얼마든지 정복해서 이용할 수 있다는 생각을 버리고, 우주 안의 모든 것이 서로 대등한 관계에서 화합을 이룩해야 한다. 자연을 함부로 파헤치고, 쓰는 것을 아끼지 않고 함부로 버리며, 자연을 소유하여 인간에 유익한 것을 무한정 얻으려 했던 무모함을 반성해야 새로운 미래가 열릴 것이고, 그 해답을 오래된 신화의 정신에서 느낄 수 있다. 그래서 우리에게 신화가 필요하다.

3. 제주신화 속에 담긴
'공생, 공존'

탈근대의 방향은 잃어버린 연민과 공감을 회복하여 공존과 공생을 도모하는 쪽으로 나아가는 길이다. 조금 덜 쓰고 덜 파괴하는 연습을 하고, 물질적 풍요를 덜 추구하면서 생기는 허전함을 메울 수 있는 것은 바로 이타성과 호혜성에 입각한 경제다. 남을 생각하고 나를 버리는 것이 아니다. 우리가 잘 돼야 내가 잘된다는 공동체성을 회복해야 한다. 그 중심에 공감과 공존의 사유가 필요하다.

제주신화에는 그런 원천이 살아 숨쉰다.

〈할망본풀이〉에서 앞선 동해용왕따님아기는 명진국따님아기에 밀려 삼승할망 자리를 내준다. 꽃 피우기 경쟁을 하면서 대결을 벌이지만 명진국따님아기의 승리로 끝난다. 분노와 갈등이 벌어질 것 같지만 그렇지 않다. 신구 갈등이 평정되었다. 각각의 기능을 차지하면서 화해하였다. 명진국따님아기는 아이의 잉태와 출산을 관장하고, 동해용왕따님아기는 멜빵과 구덕과 업저지를 관장하는 신으로 분거한 것이다. 대부분의 갈등과 쟁투는 피비린내로 끝나는데 제주의 신화는 이처럼 화해로 끝난다. 명진국따님아기는 아기들에게 흉험을 주며 살겠다는 동해용왕따님아기의 위협을 잘 무마하였고, 동해용왕따님아기 또한 함께 잘 지내자는 권유를 흔쾌히 받아들인 결과다. 싸움과 갈등과 반목으로 일관하는 우리네 삶을 돌아보게 만드는 대목이다. 신화 속에 **상생과 화해**의 길이 있다. 우리가 가야 할 길을 알려준다.

제주신화는 **선악**을 뛰어넘어, **순환**의 질서를 환기시킨다. 〈문전본풀이〉에서 노일제대귀일의 딸은 악인의 전형처럼 보인다. 그래서 징치의 대상이 된다. 그러나 악을 증오하고 짓밟고 삶에서 퇴출시키려고 몸부림치지는 않는다. 선한 것은 칭찬되지만 악한 것을 철저히 배제의 대상으로 삼지 않고 삶의 한 부분이 되도록 허용한다. 삶 속에 선과 악은 공존할 수밖에 없다는 지혜일지도 모른다. 그래서 노일제대귀일의 딸은 측간신이 된다. 그리고 측간의 똥은 다시 사람을 살리는 퇴비가 되어 입으로 돌아온다. 똥에서 입으로의 순환이다. 그리고 그녀의 몸은 해체되어 온갖 해산물이 된다. 머리카락은 미역이 되고, 손톱은 굼벗이 되고, 음부는 전복이 되는 식으로 시체화생屍體化生의 모티프를 담고 있다. 주검이 창조의 실마리가 된다. 그래서 죽음이 끝이 아니고 시작이 되는 순환적 질서가 제시된다. 자연계의 순환적 질서 속에서 고대 사유가 묻어난다.

제주신화는 **처첩의 갈등**을 뛰어넘어, 화합으로 귀결된다. 〈일렛당본풀이〉에서 육식 금기를 어긴 처가 버려지고 첩을 얻게 되는데, 첩은 처를 구하기 위해 애쓰고 별거한 사이에 낳은 일곱 아이를 데리고 본가로 돌아온다. 육지의 설화에서는 처첩의 갈등이 해결될 기미가 없는데, 제주에서는 가족의 화해가 첩으로부터 비롯되고 있으니, 그것은 가족에 대한 이야기일 뿐 아니라 제주문화 전반에 대한 담론이기도 하다. 가족은 화사의 최소단위이기 때문이다. 시비와 분쟁의 불씨일 수 있는 첩이 오히려 화해의 실마리가 된다는 것은 제주문화사에 대한 거시적 제안이기도 하다. 민족 간 혹은 이웃 간 분쟁의 불씨를 살피면 거기서 화해의 실마리를 찾을 수 있게 해 주는 지혜가 제주신화 속에 내장되어 있다.

　제주신화는 **호오**好惡**의 감정**을 뛰어넘어, 함께 좌정한다. 〈세경본풀이〉에서 자청비는 정수남의 위협에서 벗어나기 위해 그를 죽였지만 서천꽃밭의 꽃으로 도로 살려 낸다. 정수남 때문에 결국 집에서 쫓겨나는 신세가 되지만, 곡식의 신이 되면서는 죽어가는 정수남을 밥을 먹여 살리고 하세경으로 좌정시킨다. 왜냐하면 농경에서 필수적인 것이 목축이기 때문에 목축과 농경이 화해하는 것이다. 백성의 풍요를 위해서는 사사로운 호오의 감정을 벗어나 화해할 수밖에 없다.

　제주신화에는 가난한 사람들에 대한 **복음**도 있다. 〈세경본풀이〉에서 자청비는 오곡종자를 가지고 인간세상에 내려온다. 적선하시 않는 부잣집을 망하게 하는 저주도 있지만, 당시 대부분의 가난한 농민의 처지를 이해하고, 작게 짓는 농사꾼이 배불리 먹고 살 수 있도록 풍년을 내려준다. 백성들이 가장 큰 고통과 갈등으로 부터 해방되는 순간이다. 가난한 사람들이 부자들과 함께 살아나갈 수 있는 근거를 마련해 준 셈이다. 1%의 부자와 99%의 가난한 사람들로 나뉜 21세기 자본주의의 폐허화된 풍경 속에서 제주신화는 공존의 삶을 일깨운다.

4. 제주에 신화가 잘 전해져 오는
　　이유는 무엇인가.

　　　　　　　　　섬이기 때문이다. 육지로부터 멀리 떨어져 중세문명을 받아들이는 데 더뎠다. 그래서 고대국가인 탐라국이 망한 원인이기도 했지만, 조선 후기까지도 유교의 영향력이 크지 않았고, 불교와의 만남은 타협적으로 이루어진 듯하다. 원래 지니고 있던 무속신앙이 오래도록 지속되었기 때문에 그 안에 있던 신화도 파괴되지 않고 보존될 수 있었다. 일제 치하와 근대화 과정에서 큰 시련을 겪었다. 마을굿이 상당 부분 사라지고 심방의 숫자도 현격히 줄었다. 그래도 신앙민의 지속적인 애정 속에서 굿과 신화가 명맥을 이어나갔다. 의례의 현장에서 지금도 신화 본풀이가 불린다는 것은 기적적이다.

제주는 무언가를 받아들이는 데 더딘 편이다. 그 대신 무언가를 한번 받아들이면 오래 남기고 중요하게 여긴다. 원시적인 신앙이라 할 무속을 오래도록 중요한 삶의 원리로 여기고 살아 왔다. 유교나 불교보다 더 유용한 측면도 있었으니, 당장의 위협과 불안과 공포 속에서 찾을 수 있는 신앙이 바로 무속이다. 제주의 삶은 척박한 현실만큼 위태로움을 안고 살아가는 것이었다. 늘 죽음이 가까이 있었다. 그래서 그들을 도와줄 신도 가까이 있어야 했다. 그들 곁의 산과 바다와 하늘에 신이 있다고 여기고, 생산과 안전과 수명을 보장받을 수 있는 즉각적인 신앙체계였기 때문에 무속이 오래도록 지속될 수 있었다. 그런 가운데 오래 된 신화도 지금까지 잘 전승되고 있다.

고대적인 영웅의 탄생과 건국의 신화도 남아 있지만, 그보다 앞선 원시 신화도 많이 남아 있다. 마을의 당신에 대한 신앙적 신화가 남아 있고 농경보다 앞선 수렵신의 이야기도 많다. 다른 곳에 없는 신화가 제주에 있다는 것을 제주도민은 잘 모른다. 신화에 관한 한 제주가 보물창고다.

5. 제주신화의
운명

제주신화는 굿 속에 살아있는 신화다. 지금도 신화가 심방들에 의해 노래불리고 있다. 제주신화가 그리스 로마 신화보다 가치 있다고 하지만 이제 곧 사라질 것 같다. 근대화 과정에서 1차 죽음이 있었고, 우리의 교육 현장에서 2차 죽음을 겪었다. 이제 마지막 숨을 몰아쉬고 있다. 굿이 사라지면서 신화도 사라지고 있다. 이젠 책 속에서나 만날 수 있을 것 같다. 전통문화로 아끼고 보살펴야 한다. 무언가를 한번 받아들이면 오래 남기고 중요하게 여긴 조상의 정신을 돌아봐야

굿판과 유치원생

한다. 자기 문화를 잘 지키면서 변화하는 정신이 필요하다. 제주에는 그런 훌륭한 정신이 있었는데 그것마저 해체되고 있다. 제주의 아름다운 자연이 파괴되어 서울 3류 변두리가 되어가듯이, 제주의 아름다운 정신도 파괴되어 근대문명 도시의 살벌하고 천박한 변방이 되어간다.

  세계적인 신화의 보고를 지켜야 한다. 굿을 지키고 굿을 이어가는 심방을 중시하고 그 속에 있는 신화를 초등학생 때부터 가르쳐야 한다. 신화와 민속문화를 담은 문화 교과서도 만들어져야 한다. 그 문화의 그릇이라 할 제주어를 잘 보존해 나가야 한다. 이제는 당당히 제주어 뉴스도 하고, 영국의 웨일즈처럼 제주어 방송을 30% 정도 늘려 나가야 한다. 제주신화를 세계적인 공연물이나 축제로 보여줄 문화콘텐츠 사업에도 눈을 돌려야 한다. 제주를 바탕으로 한 창조적 문화의 발신처는 바로 제주신화다.

08.
제주도 신화 본풀이 개요

- ·
- ·
- ·

1. 서

　　　　　　한국 역사 속에서 제주에 대한 거론은 고려 중엽 삼별 초의 난을 계기로 시작된다. 그후 조선조에서도 유배에 관련한 기록, 진상품에 대한 기록이 미미하게 기록되어 있는 실정이고, 제도교육에서 탐라사에 대한 언급이 전혀 없었다. 밑도 끝도 없는 역사 서술이 지금까지 허용되었다. 지방사에 대한 이런 억압과 무시와 묵살은 시정돼야 한다. 중심에 대한 주변부 시선이 비판되는 즈음에 이르러 우리는 제주를 중심에 둔 정체성을 찾아야 한다. 제주에는 고대국가 〈탐라국〉이 있었는데 이에 대한 국가의 관심은 거의 없는 실정이다. 『고려사』와 『일본서기』 등에 '탐라사'에 대한 기록이 제한적으로 남겨 있어 이에 대한 연구가 지극히 미미한 실정이고 탐라국 역사의 복원이 어렵다.

　그렇다고 대안이 없는 것은 아니다. 기록과 구비전승을 대등하게 바라보는 시선이 필요하다. 구비전승을 지속성의 기록으로 보아 그 비기록적 표징들을 역사 고증에 적극 활용되어야 한다. 신화 속에는 역사 이전 시대부터 고대, 중세의 삶과 경험이 지속적으로 나타나고 있다. 신화에서 탐라의 역사와 문화가 복원될 수 있다.

　한국 신화는 건국신화 위주의 빈약한 상황이다. 『삼국유사』 『삼국사기』의 기록을 토대로 단군신화, 고주몽(고구려)신화, 박혁거세(신라)신화, 김수로(가락국)신화가 신화 반열에서 논의될 뿐 창세신화, 인류창조신화, 만물창조신화, 인간 운명을 관장하는 신에 대한 신화가 미미하다고 평가된다. 결국 3국의 건국시기인 BC.1C~AD.1C 고대국가의 출현이나, 단군조선의 건국시기인 BC.10C~BC.7C(BC.23C는 무시됨) 역사를 언급하는 수준이다. 5000년의 오랜 역사에 비추어 민족의 기원과 활약에 대한 정보는 보잘것없는 수준이고, 5000년 역사의 앞 부분에 대한 현실적 접근과 규명이 어려운 상황이다. 그러다 보니 중국의 기록에 의해 우리의 역사와 문화가 침해당하고 종속되기도 한다. 고대국가가 탄생하는 즈음의 기록도 부실하여 늘 중국인 중심으로 서술된 중국 역사서의 위력에 굴복하고 마는 상황이 지속된다. 이를 타개할 방안이 제주의 구비전승 속에 남아 있다.

제주신화 속에 장구한 한민족의 삶과 역사가 담겨 있고, 고대사를 유추할 수 있는 근거 구술들이 가득하다. 창세신화, 운명신화, 만물창조신화도 풍부하고, 공동체문화를 담보한 당신화, 동일 직업집단(혹은 조상 집단)의 조상신화가 있고, 우주와 개인을 잇는 다양한 신화체계가 존재한다. 이를 활용하여 한국 신화의 다양하고 풍부함을 주장할 수 있고, 한국 고대 사유체계에 대한 탐구를 깊이 있게 할 수 있다.

기록신화로서 그리스·로마의 신화가 중심이라면, 구비신화로서는 제주가 세계의 중심이다. 그만큼 제주에는 다양하고 풍부한 신화가 구전되고 있고, 이는 우리나라의 자랑이다. 언어에는 말과 글이 있다. 여직껏 세계 학자들은 기록문화만을 놓고 문화의 우열을 논했고, 기록을 토대로 역사의 실증을 논했다. 그러나 20세기부터 그런 편중된 사고는 청산되었다. 기록보다 오히려 구전이 과거의 삶과 문화를 온전하게 전하는 증거물로 삼게 되었다. 글로 된 것도 중요하지만, 말로 된 것이 더욱 중요한 실증 자료로 부각되었다. 20세기가지는 유럽 중심의 세계관이 세계를 지배했다. 그러나 유럽의 제국주의가 청산되고, 제3세계 즉 아시아와 아프리카의 역사와 문화를 소중하게 여기게 되었고, 제3세계의 구전 자료와 비기록적 표징 속에서 인류의 유산을 찾는 작업이 중시되고 있다. 아시아와 아프리카의 구전자료들이 단편적인 전승을 보여주는데 반해, 제주에는 무당들의 노랫가락 속에 풍부한 신화가 전승되고 있고, 이 신화 속에는 오래된 인류의 기억들이 온전하게 남겨져 있어 우리의 자랑이 된다. 이를 토대로 인류문화의 흔적을 재구할 수 있게 되니, 제주는 신화의 수도首都로 자리매김할 수 있을 것이다.

2. 탐라국
건국신화

『고려사』에 전하는 탐라국 건국신화의 내용은 다음과 같다.

탐라현(耽羅縣)은 전라도 남쪽 바다 가운데 있다. 그 고기(古記)에 이르기를 태고적에 이곳에는 사람도 생물도 없었는데 3명의 신인(神人)이 땅으로부터 솟아 나왔는데[이 현의 주산(主山)인 한라산 북쪽 기슭에 모흥(毛興)이라는 굴이 있는데 이곳이 바로 그 때의 것이라고 한다] 맏이는 양을나(良乙那), 둘째는 고을나(高乙那), 셋째는 부을나(夫乙那)라고 하였다. 이 세 사람은 먼 황무지에 사냥을 하여 그 가죽을 입고 그 고기를 먹고 살았는데 하루는 서 자색 봉니(封泥)로 봉인을 한 나무 상자가 물에 떠 와서 동쪽 바닷가에 와 닿은 것을 보고 곧 가서 열어 보았더니 상자 속에는 돌함과 붉은 띠에 자색 옷을 입은 사자(使者)가 따라 와있었다. 돌함을 여니 그 안에서 푸른 옷을 입은 세 명의 처녀와 각종 망아지와 송아지 및 오곡(五穀) 종자가 나왔다. 그 사자가 말하기를 "나는 일본의 사신인데 우리 나라 왕이 이 세 딸을 낳고 말하기를 '서쪽 바다 가운데 있는 큰 산에 하나님의 아들 3명이 내려 와서 장차 나라를 이룩하고자 하나 배필(配匹)이 없다'고 하면서 나에게 명령하여 이 3명의 딸을 모시고 가게 하여 이곳에 왔습니다. 당신들은 마땅히 이 3명으로 배필을 삼고 나라를 이룩하기를 바랍니다."하고 말을 마치자마자 그 사자는 홀연히 구름을 타고 가 버렸다. 3명은 나이에 따라서 세 처녀에게 장가들고 샘물 맛이 좋고 땅이 건 곳을 택하여 활을 쏘아 땅을 점치고 살았는데 양을나(良乙那)가 사는 곳을 첫째 서울, 고을나(高乙那)가 사는 곳을 둘째 서울, 부을나(夫乙那)가 사는 곳을 셋째 서울이라고 하였으며 이 때 처음으로 오곡을 심어서 농사를 짓고 망아지와 송아지를 길러서 목축을 하여 날이 갈수록 부유해 가고 인구가 늘어 갔다.

『고려사』 지리지

중요한 화소를 정리하면 다음과 같이 요약된다. 태초에 고·양·부 3신인神人이 땅에서 솟아나 사냥을 하면서 지냈는데 바다 멀리서 배가 떠왔다. 벽랑국(혹은 일본국)에서 온 세 공주였는데 맞이하여 각각 배필로 삼고 활을 쏘아 거주지를 정하고, 1도와 2도와 3도에 나누어 살게 되었다. 세 공주는 오곡종자와 송아지와 망아지를 가지고 와서 농사를 짓게 되었고 나라 살림이 나날이 불어나 살기 좋은 땅이 되었다.

세 신인이 땅에서 솟아났다고 하여 '삼성신화'라고도 불린다. 이런 탄생담은 종래의 한국 건국신화와는 사뭇 다르다. 한국의 건국 영웅은 하늘에서 내려오는 것으로 되어 있다. 이는 천상계의 권위를 빌려 지배의 정당성을 확보하려는 사유가 담겨 있다. 실제는 서시베리아에서 동진하여 만주지방에서 다시 남진한 청동기문명과 철기문명의 이주족이 토착족을 지배하고 결합하여 나라를 세운 사정이라 하겠다. 토착족은 만주와 한반도 지역에 거주하는 고아시아족이었는데 이주한 알타이족과 결합하여 우리의 선조인 예맥족을 낳았다. 예맥족이 처음 세운 나라는 청동기문명의 고조선이었고, 이어 한과 부여와 동예와 맥국 등이 있게 되었다. 후에 철기문명을 가진 세력이 남하하면서 고구려와 신라와 가야 등 고대국가가 만들어졌다.

북방의 사정이 이러하다면 남방의 탐라국은 독자적인 문화를 보인다. 탐라국의 건국 영웅은 땅에서 솟아나는데, 이는 대지가 만물을 산출한다는 사유의 반영이다. 식물들처럼 인간도 땅에서 솟아났다고 하는 사유는 전 인류의 원초적 사유였는데 제주에 두드러지게 남아 있다. 다른 나라 신화를 보더라도 제주만큼 땅에서 솟아난 신화가 다양하지는 못 하다. 제주의 당본풀이에 등장하는 신들의 대부분은 땅에서 솟아나고 일부 신들은 바다를 건너오는 것으로 되어 있다. 제주의 토착신들이 땅에서 솟아난 탄생이라면 그 배우자는 대체로 바다를 건너와 정착하는 도래渡來의 유형이다. 바다 저 멀리서 도래하는 신은 인간세계에 필요한 불이나 오곡종자를 가져오고, 철기나 직조나 비단 등 고대문명을 가져와 변화를 야기한다. 그래서 바다 저편은 '상상의 섬' '이상향'으로 사유되기도 한다.

철기문화·직조문화·농경문화는 고대문명과 연관된 것이고, 이것들은 고대국가 형성에 긴요한 것이었음을 알 수 있다. 철기와 비단과 오곡을 가지고 새로운 땅으로

가 그곳에서 새로운 문명을 일구어 낸 이야기가 고대 건국신화의 주류를 이룬다. 탐라국 건국신화도 이런 문명 전래의 역사를 반영하고 있다.

탐라국 건국신화의 삼여신이 오곡종자를 가져왔다는 것도 바로 새로운 문명을 가져 온 사연이고, 사냥을 하면서 먹고 살던 수렵사회가 서서히 농경사회로 진전하는 과정 을 보여주고 있다. 송아지와 망아지의 목축이 시작되었다는 것도 목축이 농경에 필수 적인 노동력을 제공하는 사정임을 말한다. 특히 제주도와 같은 화산회토에서는 곡식 의 파종 뒤에 반드시 땅을 밟아주어야 발아하게 되니까 소나 말의 힘이 중요하였다. 신화는 이렇게 제주의 자연환경과 연관된 문명의 전래과정을 보여주고 있다.

탐라국의 건국신화는 구비전승 되다가 나중에 기록되었다. 건국신화로 기록되기 전 에는 노래로 불리는 건국서사시 형태였을 것이다. 왜냐하면 제주에는 신화를 노래로 부르는 전통이 지금도 지속되고 있고 그 전승자는 무당(심방)이다. 그러니 건국의 이야 기를 노래로 부르는 무속 서사시가 보편적인 사정을 두고 보면, 건국서사시의 형성에 는 제주 당본풀이의 영향이 컸을 것이다. 우선 탐라국 건국신화와 세부적인 일치를 보이는 당본풀이를 비교하여 탐라국 건국서사시의 원형을 재구할 필요가 있다고 한 조동일 교수의 견해에 주목해 볼 만하다. 그는 송당본풀이를 삼성서사시의 원형으로 보고 다음과 같은 유사점을 제시하고 있다.[1]

> 첫째, 송당본풀이의 소로소천국이 땅에서 솟아나듯이 삼성신화의 삼신인도 땅에서 솟아남
> 둘째, 송당본풀이가 '웃송당' '셋송당' '알송당'의 상·중·하당의 세 신당이 공존하듯이, 삼성 신화에서는 고을라·양을라·부을라의 삼신인이 등장함
> 셋째, 송당본풀이의 여신 백주또가 무쇠철갑에 실려 제주에 표착하고 있듯이 삼성신화의 삼여 신도 목함과 석함에 담겨 제주에 표착하고 있음
> 넷째, 송당본풀이의 남신이 사냥을 위주로 하고 여신(백주또)는 남신으로 하여금 농사를 새로

• • •
1 조동일, 『동아시아 구비서사시의 양상과 변천』, 문학과지성사, 1997, 72~89쪽.

이 시작하게 하듯이 삼성신화에서 남신들은 사냥을 주업으로 삼고 있는데 삼여신은
오곡종자를 가져와 농사를 시작하게 만든 점
다섯째, 송당본풀이의 남신(문곡성, 소로소천국의 아들)이 제주도 전체를 지배하는 신격이 되
듯이 삼성신화의 3신인이 탐라국을 건국하여 제주 전체를 지배하는 신격이 되는 점

송당본풀이에서 소로소천국이 사냥을 하여 생업을 꾸려나갔는데, 자녀들이 많아지
자 백주또가 농경을 권하고 있는 것으로 보아 여성신에 의해 농경이 시작된 것으로
해석될 수 있다고 한다. 제주의 고·양·부 3신인은 사냥을 하면서 지내다가, 3여신
과 혼인하여 농경문화를 정착시킨 것으로 볼 수 있다. 그러므로 송당본풀이와 삼성신
화는 함께 남성신의 수렵문화와 여성신의 농경문화를 보여 준다. 두 문화의 결합은

큰 힘을 발휘하게 하였고, 고대국가의 건설에까지 미치게 된다.

억만대병을 내여주시니 싸옴ᄒᆞ레 나간다. 체얌(初)에 들어가서 머릿박 둘 돈은 장쉴 죽이고 두 번채 들어가서 머릿박 싯 돈은 장쉴 죽이고, 싀번채 들어가서 머릿박 닛 돈은 장쉴 죽이니, 다시는 데양(對抗)홀 장수가 엇어 세벤도원수(世變都元帥)를 막으니, 대히(大喜)헤야 "이러ᄒᆞᆫ 장수는 천하에 엇는 장수로다. 땅 흔착 믈 흔착을 베여 주건 땅세(地稅) 국세(國稅) 받아 먹엉 삽서." "그도 마웨다." "천금상(千金賞)에 만호후(萬戶侯)를 보(封)ᄒᆞ라." "그도 마웨다" "그레민 소원을 말ᄒᆞ라" "소장(小將)은 본국(本國)으로 가겠습네다."

관관솔을 베여가지고 전선(戰船) ᄒᆞᆫ 척을 무어 무나무(珊瑚) 양석(糧食)을 ᄒᆞᆫ베 시끄고 백만군ᄉᆞ를 대동허여 조선국(朝鮮國)을 나온다. …… 방광오름 가 방광을 싀번 쳐서 벡만군ᄉᆞ(百萬軍士)를 허터두고, "벡만군ᄉᆞ는 본국으로 돌아가라." 작별(作別)헤야 "한라연산(漢挐靈山)이나 구경가자."[2]

강남천자국에 난리가 나서 궤네깃도가 억만 군사를 받아 난리를 평정한다. 그리고 천자로부터 여러 가지 포상을 제시하지만 거절하고 제주로 돌아온다. 백만 군사를 대동하여 "아방국을 치젠 들어옵네다"란 소식을 들은 아버지는 알손당下松堂에 죽어 좌정한다. 이에 궤네깃도는 제주도를 차지한 후 백만 군사를 돌려보낸다. 버려진 아들이 나중에 군사를 이끌고 고국에 돌아와 아버지 나라를 치려고 했다는 내용은 매우 고대적이고 야생적인 요소를 그대로 간직한 신화다. 묵은 질서는 이렇게 강하고 새로운 질서에 의해 교체된다고 생각하는 문맥 속에서 고대 영웅신화의 전형을 보게 된다.

"어디서 온 맹장님이 되십네까?" "천하해동 조선국 제주도에서 들어온 문곡성이 됩네다." …… 천ᄌᆞ지국은 문곡성을 '제일도원수'라는 직함을 지왔다. 갑옷 갑투길 내어주고, 억만대병 억만군ᄉᆞ

•••
2 현용준, 『제주도무속자료사전』(개정판), 도서출판 각, 2007, 557~559쪽.

를 내여줬다. 천즈지국의 난을 석둘 열흘 백일만이 평정을 시겼다. 천즈지국이 말을 ᄒ되 "천하의 반을 갈라 주느냐?" …… "나를 조선국 제주도로 보내여 주십시요." 천즈국은 황제 혼언씨 수레를 지었다. 황제 혼언씨가 수레를 지고 거기 굴량을 일천석 곳추고 일천벵마 삼천군벵을 거느리고 제주를 입도했다.[3]

앞의 신화와 마찬가지로 문곡성은 억만 군사를 받아 강남천자국에서 난리를 평정하고 일천 병마와 삼천 군병을 거느리고 다시 제주도로 돌아온다. 그 후 문곡성 일행은 일천병마 삼천 군병을 거느리고 한라영산을 올랐다. 한라산에의 좌정은 제주도 전체를 지배한다는 상징적 의미를 지닌다. 이런 위세에 놀란 금백조는 웃손당으로 달아나고 소천국은 알손당 고부니ᄆ루로 달아났다고 신화는 전한다.

송당본풀이의 문곡성 혹은 궤네깃당본풀이의 궤네깃도와 같은 주인공이 천자국에서도 해결할 수 없는 난리를 평정했다는 것은 주인공의 대단한 영웅적 면모다. 이 땅에서뿐만 아니라 천자국(중국)에서 인정하는 활약상이라 하겠다. 그리고 천하의 반을 갈라주겠다는 제안을 거절하고 제주에 돌아온 내력은, 주인공의 해상능력을 보여주는 바이다. 앞에서 살폈듯이 칠머리당의 신도 강남천자국에서 솟아났는데, 백만 대병을 거느리고 제주에 들어온다. 백만 군사와 삼천 군병은 조금 과장된 면도 있겠지만 엄청난 해상 세력을 거느린 영웅에 대한 장식적 표현이다. 그래서 '탐라국 건국서사시'는 재래의 수렵민과 외래의 농경민이 결합되어 생산력을 발전시킨 토대 위에서 안으로 정치적인 통합을 이룩하고 밖으로 주권을 지키는 영웅이 해상활동을 통해 힘을 키워 작지만 당당한 나라를 세운 위업을 나타냈다. 그래서 우리는 탐라국의 위상에 대해 다시 생각해 볼 필요가 있다.

탐라국이 동아시아 국제사회의 일원이 되어, 백제·신라·일본·중국 등과 외교관계를 가지

· · ·
3 진성기, 『제주도 무가 본풀이 사전』, 민속원, 1991, 413쪽.

고 왕래하면서 교역을 했다. 상대방에 비해 모자라지 않는 정치적 역량, 군사력, 항해능력 등을 두루 갖추었기 때문에 그럴 수 있었다.[4]

우리는 과거 탐라사에 대한 한국사의 왜곡되고 편협한 서술태도를 비판하고 본토 위주의 역사관을 불식시켜 나가야 한다. '탐라국'을 고구려·백제·신라·가야 등 고대국가와 대등하게 바라보아야 하고, 탐라사를 자리매김하는 계기를 가져야 한다.

1928년 산지항 축조공사시 발견된 유물은 한식漢式 동경銅鏡 2점, 동경 장식, 오수전 五銖錢 4매, 화천貨泉 11매, 대천大泉 2매, 화포貨布 1매 등이었다. 오수전은 BC 118년부터 주조되어 사용되었던 화폐이며 왕망 때 잠시 사용과 주조가 금지되었다가 후한 이후 다시 주조되어 오랜 기간 사용되었던 화폐이다. 오수전이 사용되던 연대가 기원후 1세기를 크게 벗어나지 않고, 이 오수전이 제주도 산지항, 전남 거문도, 마산 성산 패총, 황해도 운송리 등에서 출토되는 것으로 보아 이들 지역들은 중국과 상당한 왕래와 교역이 있었다. 고대 제주도 역사기술을 한반도의 중심시각에서 벗어나야 하고, 상고 탐라를 동아시아 또는 동지나 해양문화권으로 잡는 것이 타당하다.

고고학적 유물을 통해 탐라국이 일찍부터 고대국가 체제로 발전하여 그 정치적 역량과 군사력을 지니고 있었으며, 해양문화권의 주도적 역할을 담당하였음을 밝히고 있다. 이 고대국가의 형성과정이 신화와 본풀이에 반영되어 있다. 강남천자국을 평정하고 군사를 이끌고 제주로 돌아오는 궤네깃도(문곡성)의 내력은 바로 동아시아 해양문화권의 해상능력을 암시하는 것이라 하겠고, 삼여신이 농경과 목축의 문화를 가지고 들어온 것 역시 고대문명의 전래와 탐라국의 형성과정을 상징하는 문맥이라 하겠다.

신화는 고대사의 중요한 증거이고, 특히 지금까지 말과 노래로 전해지는 '본풀이'는 탐라국의 실체를 더욱 명료하게 할 단서라 하겠다. 본풀이(신화) 속에 탐라국은 1세기에 탄생하였다. 심방들이 영평 8년(AD 65) 고·양·부 3신인이 솟아나 나라를 세웠다

• • •

4 조동일, 「탐라국 건국서사시를 찾아서」, 『제주도연구』 19집, 제주학회, 2001, 102쪽.

고 했다. 우리는 신화를 통해 한반도의 고대국가와 대등한 시기에 탄생한 탐라국의 실체를 만나게 된다.

제주. 고려 중엽부터 불린 이 지명은 제주로서는 타자의 이름이다. 서울에서 저 멀리 바다 건너 있는 땅이란 의미의 제주. 이제는 '탐라'란 고유명사를 회복해야 한다. 고구려, 신라, 백제, 가야와 함께 탐라국도 고대국가였다. 해상활동을 통해 한반도와 중국, 일본과 교류하면서 타문명을 수용하면서도 독자적인 문명을 일구었던 고대국가였다. 삼국시대 이전에 **5국시대**가 있었다. 역사 교과서는 탐라국을 고대국가의 반열에 넣고 온당한 평가를 해야 한다. 삼별초의 잔당이 머물던 지역 혹은 죄인을 유배 보내는 섬이라는 편협한 선입견을 불식시켜야 한다. 고대 건국신화가 남아 있고, 선주민이 이주민에 의해 지배당하지 않고 독자적인 문화를 중세 이후까지 꽃피웠던 나라로 인정해야 한다.

3. 제주도

본풀이

신화는 산문이고 기록된 것인데, 제주의 신화는 노래로 불리는 운문이고 신의 내력을 풀어낸다고 하여 '본풀이'라고 부른다. 무당이 부르는 이야기가 담긴(서사적인) 노래여서 '서사무가 본풀이'라고도 한다. 서사무가의 전승이 한반도 지역과 달리 제주에서 왕성한 이유는 무엇인가. 우리는 우선 제주에 무속이 풍부하게 남아 있다는 조건을 해답으로 들 수 있을 것이다. 그렇다면 육지와 달리 무속이 계속 남아 있게 된 이유는 무엇일까. 고대에서 중세로의 시대적 전환 속에서 정치적 중심부와 정치적 입김이 미치는 지역은 불교·유교란 중세 보편주의 문화의 영향을 입게 된 데 반해, 제주는 섬이라는 지정학적 특성 때문에 그 영향력이 미약하였다고 볼 수 있다. 제주는 부족공동체의 고유성을 강하게 지키며 당신본풀이를 유지할 수 있었고, 중세사회로의 전환 속에서도 고대 자기중심주의의 전통을 오랜 동안 유지할 수 있었다.

1) 일반신본풀이

　제주도의 본풀이 속에는 인간의 오래 된 기억이 담겨 있기도 하다. 〈천지왕본풀이〉
에서 해와 달이 두 개인데 이를 조절하였다는 것은 자연현상의 기억이다. 해가 둘이
어서 인간들이 더워 살 수 없었다는 것은 지구가 경험한 혹서기를 의미하고, 달이 두
개여서 인간들이 추워 살 수 없었다는 것은 혹한기의 기억이라 하겠다. 오래 전 인간
들이 경험한 자연현상을 신화는 인문현상으로 그리고 있는데, 인간들이 지혜로 그 자
연조건을 해결한 과학의 측면이 상징적으로 담겨 있다.

　제주도 본풀이에는 원시와 고대의 보편적 사유가 담겨 있다. 세계 곳곳에 있었지만
사라진 것을 제주는 간직하고 있다. 중세화하면서 잃어버리지 않았고 근대화하면서도
버리지 않았던 귀중한 신화가 제주에 남아 있다. 원시적인 신앙체계나 생업, 고대 여
성영웅의 문화적 업적 등이 생생하게 전하고 있다. 제주도 본풀이 속에 담긴 역사와
민속, 과학과 철학을 탐구함으로써 제주문화가 지닌 특성을 밝히고 더 나아가 그 사
유의 원천을 이해함으로써 민족문화의 원형을 재구할 수도 있다. 특히 국가주의에 의
해 지역의 문화와 정체성이 심각하게 훼손되고 획일화된 현실에서, 지역학의 중요성
과 지역문화의 정체성을 재정립하기 위해서는 제주의 삶과 사유와 지향이 담긴 제주
도 본풀이에 대한 고찰은 더없이 중요하다.

　한국의 신화에는 주로 건국신화만 있지만, 제주신화에는 천지가 만들어진 사연, 제
주도의 지형이 만들어진 사연, 만물이 만들어지고 인간이 공동체를 이루며 살아가게
된 사연, 혈연조상과 직업조상이 모셔지게 된 사연 등 다양한 신화가 남아 있다. 그
중 첫 번째에 해당하는 신화가 바로 창세의 근본을 풀어내는 〈천지왕본풀이〉다. 그
내용과 의미를 먼저 소개한다.

　　태초에 세상은 암흑과 혼돈의 상태였는데, 하늘과 땅이 서서히 떡징처럼 벌어지기 시작하고,
　땅에는 산이 솟고 물이 흐르게 되었다. 하늘에서 청이슬이 내리고 땅에서 흑이슬이 솟아 만물이
　만들어지는데, 먼저 견우성 직녀성 노인성 북두칠성과 같은 별이 생겨났다. 이어서 닭이 울어 세

상이 밝아졌다고 한다.

　아직 천지의 혼돈이 바로잡히지 않은 시절이었는데, 하늘의 천지왕이 지상에 내려와 총맹부인과 결합한 후 며칠이 지나서 증표만 남기고 다시 하늘로 돌아간다. 얼마 후 대별왕과 소별왕이 탄생하고, 이들이 자라나 아버지를 찾자 아버지가 남겨 둔 박씨를 내준다. 대별왕과 소별왕이 박씨를 심자 금세 넝쿨이 하늘나라로 뻗어 올랐고, 형제는 이 줄기를 타고 하늘나라에 가서 아버지를 만나게 된다. 천지왕은 두 형제에게 이승과 저승을 나누어 다스리도록 했다. 수수께끼와 꽃피우기 내기에서 이긴 형 대별왕이 이승을 차지해야 했는데, 동생이 잠자기 내기를 하자고 유혹해 꽃을 바꿔치기하고 트릭으로 이승을 차지하게 된다.

　소별왕이 이승에 와 보니 하늘에는 해도 둘, 달도 둘이 떠서, 낮에는 더워서 죽을 지경이고 밤에는 추워서 죽을 지경이었다. 그리고 사람과 귀신이 뒤섞여 있었고, 초목과 새와 짐승이 말을 하여 혼란스러웠다. 동생은 형에게 부탁하여 해 하나와 달 하나를 없애 지금처럼 해와 달이 하나가 되고 살기가 편해졌다. 그리고 저울을 가져와 백 근이 차는 것은 인간, 백근이 못 되는 것은 귀신으로 갈라놓고, 송피가루를 세상에 뿌려 초목과 새와 짐승이 말을 못하도록 만들어 자연의 질서를 잡게 되었다. 그러나 형과 세상을 속여 이승을 차지했기 때문에 이 인간세상에는 역적과 살인과 도둑과 간음이 판치게 되었다고 한다. 하지만 대별왕이 차지한 저승세계는 맑고 공정한 법이 적용된다고 한다.

　먼저 천지개벽이 나타난다. 하늘과 땅이 갈라지고 산과 물이 생겨났으며, 하늘에서 내린 물과 땅에서 솟은 물이 합수하여 세상만물이 만들어졌다고 한다. 이 물은 생명수이고, 정액이다. 음양의 태초 원리가 작동하고 있고, 그때 천지가 개벽한다. 닭의 울음으로 태초의 어둠과 혼돈이 사라졌다. 우리들의 아침은 닭의 울음소리로 시작되듯이, 태초의 아침도 천황닭의 울음소리로 밝아온다. 만물 중에 별이 제일 먼저 만들어졌다고 하니, 우주의 형성과정에 대한 선조들의 과학 지식이 놀랍다. 그 후 인간이 탄생한 이야기도 있을 법한데, 사라지고 말았다. 다른 이야기에서는 하늘에서 금벌레 은벌레가 떨어져 금벌레는 남자가 되고, 은벌레는 여자가 되어 결합하였다고 한다.

　이어 천지왕과 총맹부인의 결합이 나타난다. 하늘과 땅이 아득하게 멀어졌지만, 하늘에서 내려온 천지왕과 땅의 총맹부인은 결합하여 두 아들을 낳는다. 두 아들은 아버지가 준 박씨를 심어 넝쿨을 타고 하늘나라로 올라가게 되는데, 이 넝쿨은 하늘과 땅을 연결하는 통로역할을 한다. 옛날에는 하늘과 땅의 통로가 있었다. 후에 사악해진 인간 때문에 이 통로는 사라지고 만다. 하늘의 뜻을 모르고 사니 하늘의 재앙이 임박한 것도 모르는 것은 당연하다. 박씨 넝쿨을 타고 하늘로 올라간 이야기는 서양동화 '재크와 콩나무'에서 익히 들어왔다. 우리 것은 모르고 서양 것은 잘 아는 우리의 천박함을 반성해야 한다.

세 번째로 '이승과 저승 차지' 경쟁이 나타난다. 대별왕과 소별왕은 인간세상을 차지하기 위해 내기를 한다. 수수께끼 내기는 지혜를 겨루는 과정이고 지혜 있는 자가 인간세상을 다스려야 함을 일깨운다. 땅과 강을 파헤쳐 나라를 다스리겠다는 이 땅의 대통령과는 엄청 다르다. 꽃피우기 경쟁은 생산력을 가늠하는 과정이다. 옛 사람들은 생산과 풍요가 통치의 근본이라고 알고 있다. 세상의 5%만 잘사는 그런 세상이 아니고, 삼성 같은 재벌그룹만 잘사는 그런 세상도 아니다. 그런데 이 경쟁에서 트릭을 쓴 소별왕이 이겼다. 그래서 세상은 역적과 살인과 도둑과 간음이 판치게 되었다고 한다.

네 번째로 해와 달의 조절이 나타난다. 태초에는 해와 달이 둘 떠 있어서, 낮에는 더워서 죽을 지경이고, 밤에는 추워서 죽은 지경이었다고 한다. 그 더위는 인간이 경험한 혹서기의 기억이고, 추위는 인간이 경험한 혹한기의 경험이다. 지구가 한 때 무진장 더웠던 적이 있었다고 한다. 지금의 우리가 사는 세상이 이산화탄소 배출량의 증가로 점점 더워져 빙하가 녹기 시작하는데, 얼마 후면 겪게 될 그런 세상이 아닐까. 또 지구는 4~5회의 빙하기를 지내왔는데, 현생인류의 시조들은 뇌의 혁명, 지혜를 축적하여 그 추위를 무사히 견뎠다. 신화는 이렇게 지구의 경험을 고스란히 담고 있다. 초목과 새와 짐승이 말을 못하게 되었다는 것은 인간 중심의 사회가 만들어진 상황을 뜻하는 것은 아닐까. 대별왕이 지배하는 세상은 신명神明세상이고, 소별왕이 지배하는 세상은 문명文明세상이라 말할 수 있다. 인간만 중시되는 문명세상에서 자연이 엄청나게 파괴될 수밖에 없고 급기야 지구 멸망의 어두운 그림자를 보게 된다. 인간과 자연과 온생명이 함께 어우러져 사는 신명세상은 저승에서나 가능한 것인가. 쓰는 것을 아끼고 나눌 줄 알면 이승에도 신명세상이 가능할 것이다.

이 〈천지왕본풀이〉처럼 제주도 전역에서 보편적으로 불린 것을 일반신본풀이라고 한다. 12개의 본풀이가 있는데 탄생의 신과 죽음의 신이 등장하고, 우주에서 집에 이르는 신, 풍요와 행운을 관장하는 신의 이야기 등 실로 다양하다. 그런데 제주에는 여성영웅신화가 두드러진다. 여성영웅이 고난을 극복하면서 자신의 운명을 개척해나가는 적극적이고 주체적인 신화의 대표로 '자청비'를 들 수 있다. 〈세경본풀이〉의 주인공인 자청비는 자신에게 닥친 온갖 고난을 물리치고 하늘나라 변란을 막고, 죽은 남편까지 살려낸 후 하늘나라에서 오곡종자를 얻어 인간세계에 내려와 인간들에게 농사를 짓게 해 준 여신이다. 인간세계에 풍요를 가져다 준 여성신에 대한 이야기를 통해 인간 사회의 초기에는 대지를 신성하게 여기며 땅을 어머니와 같은 여성성과 동일시했던 점을 느낄 수 있다. 그리고 운명을 개척해 나가는 여성의 자발성을 깨닫게 된다. 이런 부류의 대표적 신화로 〈삼공본풀이〉를 소개한다.

강이영성 이서불은 윗마을에 살았고, 홍은소천궁에 궁전궁납은 아랫마을에 살던 거지였는데 부부가 되어 함께 구걸과 품팔이로 연명하였다. 얼마 후 태기가 있어 첫째 딸아이를 낳았다. 마을 사람들이 은그릇에 죽을 쑤어 먹인, 이로 인해 '은장아기'라 부르게 되었다. 둘째 딸아이가 태어나자 지난 번처럼 동네 사람들이 놋그릇에 밥을 해 먹이니, 이로 인해 '놋장아기'라 불렀다. 셋째 딸이 태어나 전과 같이 나무 바가지에 밥을 해다 먹이니, 이로 인해 '가믄장아기'라 부르게 되었다.

세 딸이 태어나고 이상하게 운이 틔어 거지 부부는 부자가 되었다. 세월이 흘러 딸들도 열다섯이 넘는 즈음, 부부는 심심하여 딸들을 불러 누구 덕에 먹고 사는지 물었다. 큰 딸과 둘째 딸은 하늘과 땅의 덕, 부모의 덕으로 산다고 대답했는데, 셋째는 하늘과 땅이 덕, 부모의 넉도 있지만 '내 배꼽 아래 음부' 딕으로 먹고 산다고 대답한다. 부모는 화가 나 셋째 딸을 내쫓고, 얼마 후 걱정이 되어 나가보려다 눈이 벽에 부딪혀 둘 다 봉사가 되었다.

한편 집을 나간 가믄장아기는 밤이 되어 한 초가에 기숙하게 되었는데, 마를 캐서 들어온 마퉁이 삼형제를 만나게 된다. 첫째와 둘째는 마를 삶아 대가리와 꼬리를 부모에게 드리지만, 셋째는 살이 많은 잔등을 부모와 가믄장아기에게 주자, 셋째가 쓸 만한 사람임을 깨닫고 그와 연분을 맺게 된다. 가믄장아기와 셋째 마퉁이는 마를 파던 곳에 가서 주위에 널려 있는 금덩이를 발견하고 부자가 되었다.

살림이 좋아지면서 가믄장아기는 부모 생각을 간절히 하게 되는데, 부모가 거지가 되어 방랑하고 있을 것이라 여겨 거지 잔치를 열어, 결국 백 일이 되는 날에 부모를 만나게 된다. 가믄장아기가 자신이 쫓겨났던 딸임을 밝히자 부모는 깜짝 놀라 받아들고 있던 술잔을 떨어트리는 순간 눈이 번쩍 뜨이고, 딸의 배려로 여생을 편안히 살게 되었다고 한다.

그야말로 운명을 개척하는 모습이 발랄하게 드러나 있다. 부모의 덕도 있지만 자신의 덕으로 먹고 산다고 당당하게 말하고, 쫓겨난 후에도 자신에게 필요한 사람을 택하여 귀중한 것을 손에 넣고 자신의 운명을 만들어 나간다. 가믄장아기가 태어난 후부터 집안이 일어서고, 자신을 내쫓는 데 앞장 선 언니들을 지네와 버섯으로 환생시키는 일로부터 그녀의 특별한 능력을 알 수 있다. 그렇지만 고난을 이겨내며 자신의 삶을 개척한 결과가 그녀를 신으로 좌정하게 하여 '운명의 신'이 된 것이다. 운명은 정해진 것이 아니라 자신에게 닥친 일을 헤쳐 나가면서 만들어가는 것임을 일깨워 준다. 진달래를 국화로 바꿀 수는 없지만 가을에 피는 국화를 봄에 피게 할 수는 있듯이, 시절인연을 바꿀 수 있고 인간도 제약된 운명을 바꾸고 뛰어넘을 수 있음을 느끼게 한다. 그 중심에 여성영웅이 있으니 여성의 적극성과 자발성이 제주신화에 두드러짐을 다시 확인할 수 있다.[5]

2) 당신본풀이

지금까지 일반신본풀이에 대해 살펴보았다. 일반신본풀이란 인문현상과 자연현상을 두루 다룬 것으로서 우주의 탄생과 만물의 형성에서부터 인간의 보편적 삶을 다루

•••
5   허남춘, 『제주도 본풀이와 주변 신화』, 제주대학교 탐라문화연구소, 2011.

는 신화이다. 다음으로 당신본풀이를 살피고자 한다. 각 마을마다 마을의 수호신을 모시는 당堂이 있고 수호신격인 당신堂神이 있다. 제주도 한라산 북쪽에는 송당에서 발원한 신의 계보가 우세하여 송당계 신화라 하고, 한라산 남쪽에는 한라산계 신화라고 하여 한라산에서 솟아난 신들의 이야기가 우세하다. 그 외에 예례계와 금악계의 당신본풀이도 있다. 제주의 중심이라 할 제주시 근역에는 대부분 송당에서 가지 갈라간 당이 많기에 여기서는 송당계 신화 중 〈궤네깃도본풀이〉를 소개하고자 한다.

제주도 하송당리에 남신 소천국이가, 여신 백주또는 강남천자국에서 솟아났다. 여신 백주또는 바다를 건너 제주에 와 소천국과 가약을 맺고 아들 5형제를 낳고 여섯째를 잉태하고 있었다. 백주또는 소천국의 권유로 농사를 하고 있었는데, 워낙 대식(大食)하는지라 밥도 아홉 동이, 국도 아홉 동이를 차리는데, 하루는 태산절 중이 점심을 몽땅 먹어치워서, 배고픈 나머지 밭 갈던 소를 먹고도 모자라 곁에 있던 남의 암소도 먹어치우게 된다. 백주또는 이 사실을 알고, 말다툼을 하다 살림을 분산하고, 소천국은 원래 사냥꾼으로 사냥하며 정동칼쳇 딸을 만나 첩으로 삼았다. 한편 백주또는 여섯째 아들을 낳아서 아버지를 찾아 주니, 소천국은 아들의 어리광이 귀찮아서, 무쇠석갑에 담아 동해바다에 버렸다. 무쇠석갑은 용왕국에 들어가 산호나무 가지에 걸렸는데, 그날부터 용왕국에 이상한 풍운조화가 계속되어 사정을 알고자 용왕이 차례로 딸을 보내나 해결을 못하고, 마지막 셋째딸이 석갑을 발견하게 된다. 우여곡절 끝에 셋째딸은 궤네깃도와 혼인하나, 궤네깃도 역시 대식하여 용왕국에서 쫓겨나와 강남천자국으로 가니, 마침 강남천자국은 강성한 남북적이 쳐들어 오는 때라 궤네깃도가 물리치고, 보화와 양식, 백만군사를 대동하여 제주도로 귀환한다. 궤네깃도가 돌아오는데 천지가 진동하게 포성을 울리니, 소천국과 백주또가 놀라, 소천국은 알송당 당신, 백주또는 웃송당 당신이 되었고, 궤네깃도는 김녕의 큰 굴에 좌정하나, 대접하는 자가 없어 조화로써 신성을 알리고 1년에 한번 돼지 한 마리를 먹는 당신이 되었다.

궤네깃도본풀이

앞에서도 잠시 언급하였듯이 이 당신본풀이는 탐라국 건국신화의 형성에 큰 영향을 주었던 신화다. 소천국은 소로소천국이라고도 한다. 소천국은 제주도에서 솟아났고,

궤네깃도 제주대학교 야외박물관

배우자인 백주또는 강남천자국에서 솟아났다. 여신은 바다를 건너온다. 남신은 밥도 아홉 동이 국도 아홉 동이를 먹는 대식가다. 설문대할망의 거구를 연상케 한다. 남신은 여신의 권유로 농사를 짓기로 한다. 그런데 농사에 필수적인 소를 잡아먹고 결국 여신의 농사 의지를 거역하게 되어 여신과 별거에 들어간다. 사냥을 위주로 하는 남신과 농사를 위주로 하는 여신의 결별이고, 육식肉食 문화와 미식米食 문화의 갈등양상을 보인다.

　아버지에게 버릇없이 굴어 쫓겨난 아들은 용왕국에 가고 거기서 아버지와 같은 대식성 때문에 쫓겨난다. 강남천자국은 어머니의 출자처이기도 하다. 바다 저 멀리 '강남'이라는 말에 '천자국'이 덧보태졌는데, 천자국은 중국을 말한다. 바다로 닿는 큰 땅 중국에서 난리를 평정하는 공을 세웠으니 궤네깃도는 엄청난 능력이 있는 존재다. 그런 강력한 신이 제주로 돌아온다. 백만 군사를 이끌고 돌아오니 아버지 소천국이 놀랄 수밖에 없다. 결국 구질서는 물러나고 새 질서가 들어선다. 이처럼 권력 교체는 잔인하게도 보이지만, 기존 질서는 시간의 흐름 속에 물러나야 하고 세상은 늘 새로운 질서가 들어서야 한다고 일러주고 있다. 우리의 구태의연한 질서와 틀을 버리고 변화하여 젊은이들이 잘살 수 있는 세상을 만들어야 한다는 가르침도 여기에 들어 있다. 부모의 말씀을 잘 들어야 하는 시기도 있지만, 스무 살이 넘으면 부모의 말씀에 이끌리지 말고 자기 스스로의 견해를 세워 자기의 길을 가야 한다. 부모가 가라는 길로 가면 망하기 십상이다. 무소의 뿔처럼 혼자서 자기의 인생을 개척해 나가야 한다.

다음은 한라산계라고 일컬어지는 본풀이들을 살펴보고자 한다. 현용준의 『제주도 무속자료사전』에 수록된 〈상창하르방당본풀이〉에 따르면 "할로영주삼신산 상상고고리 섯어께 을축 삼월 열사을날 유시 아옵성제 솟아나니, 아옵성제 각기 각분홀 때, 큰 성님은 정이 수산 울뤠무루하로산, 둘채 물미 제석천왕하로산, 싯차 예촌 고벵석도하로산, 닛차는 동서홍리 고산국하로산, 다섯차는 중문이 동벡자하로산, 으섯차 하열리 동벡자하로산, 일곱차 날뤠 제석천왕하로산, 으들차 통천이 남판돌판고나무상태자하로산, 아옵차 섹달리 제석천왕하로산, 각 무을에 분거뒈엿는디……."라고 하여 모두 9형제라고 하였다. 여기서 성산읍 수산리의 본향당신인 울뤠무루하로산이 한라산계의 9형제 가운데 맏형으로 가장 으뜸으로 여겨진다.

근래 이루어진 강정식의 연구결과에서는 제주의 당신본풀이를 크게 한라산계, 송당계, 예래계, 금악계 등으로 나누어 살펴보고 있는데, 이 가운데 한라산계는 가장 윗세대에 속하는 본풀이라고 한다. 송당계를 기준으로 하면 부모신인 소로소천국이 한라산계와 동급의 한라산신이라고 할 수 있다. 송당계는 소로소천국의 아들신 계보이므로 한라산계보다는 한 세대 아래다. 한라산계 본풀이 가운데 여섯째에 해당하는 서귀포시 예래동의 〈열리본향당본풀이〉를 살펴보면 한라산신이 혼인하여 딸을 7형제를 낳았고 이들이 인근 지역의 일렛당신으로 좌정하였다고 한다. 그런가 하면 서귀포시 호근·서호동의 〈호근본향당본풀이〉와 제주시 한림읍 금악리의 〈금악본향당본풀이〉의 내용을 관련지어 계보를 따져 보면 금악계 역시 호근일뤠계를 고리로 하여 한라산계와 연결되기도 한다. 이러한 연구결과를 참고하면 요컨대 한라산계의 신들이 당신 가운데 중심적 존재일 뿐만 아니라, 한라산계와 관계된 신들의 범위가 매우 넓다는 사실을 알 수 있다.

한라산계에 속한 여러 신 가운데 〈예촌본향당본풀이〉에 드러난 한라산신의 면모와 좌정과정을 살펴보기로 한다. 현용준의 『제주도무속자료사전』에 수록된 본풀이의 내용을 간단히 살펴보면 다음과 같다.

한라산에서 솟아난 백관님과 강남천자국에서 솟아난 도원님, 그리고 칠오름에서 솟아난 도병서라는 세 신은 예촌본향이고, 보목동의 조노기본향은 한라산 서남목 백록담에서 솟아난 ᄇᆞ름못도라고 한다. ᄇᆞ름못도의 부인은 신중부인인데, 하루는 ᄇᆞ름못도가 부인을 데리고 백록담에서 내려오다가 칠오름에 어떤 어른들이 앉아있는 것을 보았다. ᄇᆞ름못도는 부인을 토평 허씨 집에 보낸 뒤 혼자 칠오름에 가서 한라영산백관님, 강남천자도원국님, 칠오름도병서를 만났다.

바둑을 두고 있던 세 신이 자신들을 찾아온 ᄇᆞ름못도와 통성명을 한 결과 나이 순서로는 조노기본향이 위이고 예촌본향이 아래였다. 이에 백관님이 서로 바둑을 두어 이기면 형을 삼고 지면 아우로 삼자고 제안하자 모두 합의하였다. 바둑을 두기 시작하는데 조노기본향이 이길 듯하여 가자 예촌본향 세 신이 서로 후원을 하여 결국 조노기본향을 이겼다. 조노기본향이 바둑을 졌다고 인정하자 예촌본향은 자신은 형이니 위를 차지하겠다고 하였다. 아우가 된 조노기본향은 보목동의 조노기로 내려와 좌정하였다. 한편 조노기본향은 토평리에 있는 부인에게 가서 보니 부인은 돼지고기를 먹어 그만 부정한 몸이 되어 있었다. 조노기본향은 부인이 부정하니 자신과 함께 하지 못한다고 하여 부인에게는 토평 막동골에 좌정하라고 하였다. 그 뒤 조노기본향은 새금상뜨님아기를 소첩으로 삼았다.

〈예촌본향당본풀이〉는 인근 보목본향당, 효돈본향당, 토평본향당과 그 내력을 공유한다. 본풀이에 따르면 보목과 예촌의 당신은 서로 형제관계를 맺었고, 토평의 당신은 보목 조노기한집의 큰부인이다. 보목본향당의 조노기한집은 신효, 하효, 동상효, 서상효, 토평 등 5개 마을 300호를 모두 차지한 신이라고 한다. 따라서 〈예촌본향당본풀이〉는 현재 남원읍 신·하례리와 서귀포시 보목동, 신·상·하효동, 토평동 일대의 당신앙에 널리 영향을 미쳤다고 할 수 있다.

한라산계의 지류에 해당하는 〈서귀본향당본풀이〉의 내용도 흥미로운 점이 많다.

〈서귀본향당본풀이〉는 'ᄇᄅᆷ웃도'와 '지산국'이 좌정한 서귀본향당뿐만 아니라 고산국이 좌정한 서홍본향당에서도 전승되는 본풀이다. 즉 서귀동, 동홍동, 서홍동의 세 지역과 관련 있다. 역시 현용준의 『제주도무속자료사전』에 실린 자료를 바탕으로 정리해 보기로 한다.

ᄇᄅᆷ웃도가 홍토나라 홍토철리 비오나라 비오철리를 다니다가 어떤 집에서 천하미색 고운 딸아기가 있는 것을 발견하고 그 집에 머물며 장가를 들었다. 그런데 나중에 본래 마음에 두었던 고운 아기씨가 아니라 못 생긴 언니인 고산국과 혼인을 한 것을 알게 되었다. 막상 혼인하고자 하였던 고운 아기씨는 처제가 되어 버렸다. 원치 않은 장가를 간 ᄇᄅᆷ웃도는 하루 이틀 살다가 결국 고산국과 살지 못하고 처제와 함께 제주로 도망을 갔다. 고산국도 남편과 동생이 함께 도망간 사실을 알고 화를 내며 뒤를 따라 쫓았다.

바람웃도와 처제가 한라산을 넘어서 살오름에 당도하니 고산국도 이내 따라왔다. 셋이서 군막을 쳐서 있는데 마침 사냥하러 나온 김 씨 영감이 지나가자 불러 세우고는 앞에 보이는 마을이 어느 마을이냐 하고 물었다. 김 씨 영감은 앞에 보이는 지경이 동홍리, 서귀포, 서홍리 지경이라고 대답하였다. 셋은 그에게 길을 인도하라고 하고 그의 집으로 들어섰다. 셋은 그 집에서 하룻밤을 보냈는데 먼지 냄새, 그을음 냄새 등이 나서 인간과 신이 함께 자리할 수 없다고 하면서 가시믈리 웨돌이라는 곳으로 갔다.

남편과 동생에게 배신감을 느낀 고산국은 이들을 용서할 수 없었다. 셋은 결국 화해할 수 없으므로 땅을 갈라 좌정하기로 하였다. 고산국이 돌을 묶어 뽕개질을 하니 홍리 마을 안의 흙담에 떨어졌다. 바람웃도가 뽕개질을 하니 문섬에 떨어졌다. 고산국은 각자가 던진 뽕개가 떨어진 곳으로 가서 좌정하고자 말하였다. 고산국은 자신은 서홍리를 차지하여 갈 것이니, 남편과 동생에게는 우알서귀(서귀 윗마을인 동홍동과 아랫마을인 서귀동)를 차지하여 들어가라고 하였다. 고산국은 남편과 동생의 잘못이 크니 동생에게 성을 지 씨로 바꾸라고 하였고, 또한 땅과 물을 갈라 서로 차지한 마을끼리 왕래할 수 없다고 하였다. 결국 동생은 지산국으로 성을 바꾸었고, 서홍리와 우알서귀는 마을끼리 교류나 통혼조차 할 수 없게 되었다. 고산국은 서홍리에 좌정하고 바람웃도와 지산국은 함께 우알서귀에 좌정하였다.[6]

서귀본향당 ⓒ 국립민속박물관

〈서귀본향당본풀이〉는 당신본풀이 가운데 비교적 풍부한 서사를 간직하고 있는 편이다. 남녀의 애정관계가 주요 내용을 이룰 뿐만 아니라 그 애정관계가 서로 다른 마을을 차지하여 좌정하게 만든 요인이라는 점도 흥미롭다. 또한 〈서귀본향당본풀이〉에는 고형古形의 화소도 일부 드러나 있다는 점에서 의의가 있다. 예를 들어 바람웃도와 동생이 도망가고 그 뒤를 고산국이 추격하여 서로 대결하는 과정에서 천지가 어둡고 암흑으로 둘러싸이자 한라산의 구상나무를 꺾어 절벽에 꽂으니 닭의 형상이 생기고 이어 울음 소리가 나면서 세상이 밝아졌다는 내용이 나타나는 것이다. 천지창조의 화소와 흡사한 요소라고 할 수 있다. 또한 돌을 묶어 뿡개질을 하여 떨어진 곳에 좌정처를 정하는 모습도 원시적 수렵생활을 유추할 수 있는 화소이다.

한편 당의 본풀이가 인근 마을의 사회문화적 배경을 담고 있는 점도 소중하다. 해당 마을의 역사적 경험들이 본풀이에 반영되었기 때문이다. 〈서귀본향당본풀이〉에서 고산국은 바람웃도와 지산국과 갈등하고 대립하는 존재이다. 본풀이에서 신들이 땅과 물을 서로 갈랐기 때문에 이들 신이 각각 좌정한 서홍동과 우알서귀(동홍동과 서귀동) 마을은 서로 교류와 통혼을 하지 않는다고 한다. 당본풀이의 형성이 각 마을이 자리한 자연적 배경, 풍토, 생업과 생활문화 양상 등과 밀접한 관련이 있다는 점이 드러난다.

〈서귀본향당본풀이〉는 신령서사시이고 사냥의 신에 대한 신앙서사시이다. 서귀포

• • •
6 강소전, 「서귀본향당본풀이」, 국립민속박물관 편, 『한국민속문학사전』, 국립민속박물관, 2012.

본향당에서 섬기는 사냥의 신의 내력을 노래한다. 늙은 아내를 버리고 젊은 첩과 함께 한라산에 나타나 성행위를 하고, 그 장면을 목격한 사냥꾼에게 자기를 섬기면 짐승을 많이 잡을 수 있다고 한다. 세계 전체에서 볼 때에도 아주 이른 시기에 이루어진 원시서사시의 드문 자료여서 아주 소중하다.[7]

3) 조상신본풀이

조상신본풀이는 한 집안의 수호신으로 '태운조상'을 뜻한다. 혈족에 의해서 전승이 되지만 집안의 창시자인 조상을 의미하지 않는다. 그런 뜻에서 문헌이나 구전으로 전하는 조상신화와 차이가 있다. 한 집안의 성씨 시조 신화에서는 어떻게 성씨나 가문의 시조가 되었는가 밝히지만, 조상신본풀이에서는 한 집안에서 섬기는 특정한 조상과 관련되는 넋이거나 신의 경우에 해당한다. 조상이기는 해도 조상의 구체적 인물과 원한을 가지고 죽은 인물의 혼신과 관련된다.

조상 가운데 구체적 인물과 관련이 있으므로 조상의 내력에 관련된 가문의 조상 역사에 해당한다. 구비로 전해지는 가문의 조상 역사에 해당한다. 동시에 집안에 섬기는 조상신의 내력을 밝히는 것이므로 신화의 성격도 지니고 있다. 조상이 집안에 모셔지면서 구체적으로 장소와 제일을 차지하고 나아가서 심방에 의해서 받아들여지고 노래로 불려지기 때문에 구비율문의 서사시로 불려지는 것이다.

조상신본풀이에는 일정한 유형이 있다. 어떻게 해서 조상신으로 위함을 받는가의 신좌정 경위에 따라서 일정한 유형이 존재한다. 그것을 정리해서 유형화 하면 다음과 같다.

(가) 남녀 이합 · 애정담 유형 : 광청아기, 구슬할망

(나) 강신 · 원사 유형 : 양씨아미

7　조동일, 『세계 · 지방화 시대의 한국학』 2, 계명대 출판부, 2005, 244쪽.

(다) 부군칠성 유형 : 나주기민창, 안판관·고대정

(라) 영감(도채비) 유형[8]

여기에서는 (나) 유형의 '양씨아미'와 (라) 유형의 '고대정' 본풀이를 소개하고자 한다. 〈양씨아미본풀이〉에서 아미는 제주도의 여신을 지칭하는 일련의 '어미'인데, 〈이공본풀이〉의 '원강아미'와 유사한 용례다. 양씨아미에게 신이 내려 심방(무당)이 되려 하는데 집안의 방해로 양씨아미가 죽게 되는 패배담 위주의 신앙비판서사시인데, 죽은 양씨아미를 위해 굿을 한 자손들이 복을 받게 되었다는 후반부는 신앙서사시적 특성도 갖추고 있다.

1980년 현용준이 채록한 양씨아미는 안사인 심방이 구송한 것으로 남원 예촌리 양씨댁 조상본풀이이다. 양씨아미가 신이 내려 심방이 되려 하자 오라버니가 무의와 무구를 마련하려고 가다 죽고, 양씨아미도 따라 죽는 내용이다. 그런데 양씨아미가 신이 내려 심방이 되려하자 오라버니가 방해하여 죽게 되는 새로운 이야기가 뒤에 채록되었다. 2003년 이중춘 시방이 구연한 조천읍 와산리 양씨댁 〈양씨아미본풀이〉(김헌선 채록)와, 2003년 양창보 심방이 구연한 조천읍 와산리 눈미 〈양씨아미본풀이〉(김헌선 채록)와, 2006년 김윤수 심방이 구연한 눈미 와산 고씨댁 삼당클굿 조상신본풀이 중 '양씨애미'(김헌선 채록) 등 세 편이 앞의 내용과 달리 오라버니가 협조자가 아니라 방해꾼으로 나온다. 지금도 일부 양씨집안의 굿에서 전승되어 내려온다.

예촌리 양씨아미와 와산리 양씨아미를 나누어 소개하고자 한다. 우선 예촌리 본풀이를 소개한다. 양좌수댁 부모는 돌아가시고 양씨열이와 양씨아미가 살았는데 양씨아미가 7세부터 신병이 들어 15세가 되도록 낫지 않은 채 몸이 말라갔다. 15세 어느 날 이웃에서 큰굿을 하는 소리를 듣고 오빠에게 굿 장소에 데려가 달라고 조른다. 오빠는 동생의 청을 들어주어 굿마당에 앉혀 주었는데, 공시상(무구를 얹는 상)의 떡을 먹고

<hr>

• • •

8   김헌선·현용준·강정식, 『제주도 조상신본풀이 연구』, 제주대 탐라문화연구소, 2006, 35~38쪽.

싶다고 하여 오빠가 심방에게 청하여 얻어 먹였다. 그때 심방은 양씨아미가 팔자를 그르칠 운명(무당이 될 팔자)임을 알고 아기씨 가슴을 열어주는 노래를 부르자 아가씨가 굿판에서 춤을 추면 운다.

집으로 돌아온 양씨아미는 심방이 될 뜻을 오빠에게 비치고, 그때부터 남의 운명을 점쳐 알 뿐만 아니라 하늘과 땅의 일을 다 알게 되었다. 인근 예촌양씨댁 독자가 사경을 헤매게 되자 양씨아미가 굿을 하게 되는데 의복과 무구가 없어 남의 것을 빌어 굿을 하게 되고, 오빠는 동생을 위해 의복과 무구를 사러 육지로 배를 빌어 나간다. 굿 중에 점을 치니 오빠의 배가 침몰하고 오빠가 죽었다는 점괘가 나오자 양씨아미도 물에 빠져 자결한다. 그 후 양씨아미의 영혼은 예촌양씨댁과 상단골을 맺어 인정사정을 받고 조상신으로 좌정하게 된다.

세계무형문화유산 칠머리당영등굿 김윤수 심방 ⓒ 강봉수

다음은 와산리 조상본 중 김윤수 구연의 양씨애미를 소개한다.

열 살이 안 된 어릴 적부터 심방 소리와 타령을 잘 했고 친구의 미래를 잘 알아 맞춰 심방될 능력을 보였다. 어머니가 죽은 후 전새남굿을 하던 김씨 심방에게 굿을 배우려 했지만, 양씨애미 오빠의 반대를 두려워 한 김씨 심방은 이를 거절한다. 양씨애미는 물장오리 위에 올라가 굿 흉내를 내고 헤매다가 오빠에게 발견되어 집으로 잡혀와 독방에 갇히는 신세가 된다. 큰오빠는 밥도 물도 주지 않자 둘째와 셋째가 몰래 주어 연명시킨다. 그러던 어느 날 큰오빠가 개장국 삶은 물로 양씨애미를 목욕시키자 죽게 된다. 첫째의 반대를 무릅쓰고 둘째와 셋째는 정성으로 묘를 써주었다.

저승에 간 양씨애미는 '서천꽃밭'에 물을 주지만 꽃이 시들자 꽃감관이 불러 고기냄새가 아직 나고 있으니 인간세상으로 돌아가라고 쫓아버린다. 양씨애미는 고전적 선관님을 만나 팥죽을 얻어먹고 부정을 씻은 후, 얻어먹을 곳이 없자 자신을 위해 큰 굿을 드려주면 큰오빠 집은 멸족을 시키고 둘째와 셋째 집은 부자로 살게 해주겠다고 약속을 한다. 그 후 양씨 집안에서 양씨애미를 조상님으로 모시게 되었다. 양창보 구연에서는 양씨아미를 죽게 한 상가지의 자손은 깡패와 도둑이 되게 하고, 작은가지는 부자로 잘살게 해 주었다는 구체적인 시혜가 나타난다.

무당이 되려 하는 사람을 방해하면 그 집안이 망하고, 도와준 자손은 흥하게 된다는 결말에는 바로 무당들의 염원이 담겨 있다. 무속에 지배이념이었던 고대국가 탐라국이 망한 후에는 중세 이념인 불교가 들어오게 되고 위세를 부리게 되었을 것이다. 무속은 불교와 습합하는 수준에서 타협할 수 있었다. 그러나 중세후기 유교의 거센 도전과 탄압에는 힘겨운 싸움을 계속할 수밖에 없었다. 그래서 무당이 되는 일은 팔자를 그르치는 일로 인식되었고, 양반 혹은 부자로 사는 권세 있는 집안에서 무당이 나오는 것을 허용하지 않던 당시의 풍속을 읽을 수 있다. 이제 무당은 사회에서 천시되는 존재이고 무속은 배척되고 있었다. 그래서 양씨아미의 죽음은 무속신앙의 패배를 의미하고 신앙비판서사시의 경향을 띠고 있다. 불교와 유교의 도전을 받는 중세에 만들어졌기 때문에 중세 서사시이고, 주인공은 평범한 인물에 해당하는 범인凡人 서사시의 모습이다. 그러나 후반부는 반전이다. 무당 되는 일을 방해하면 그 자손이 벌을 받고, 무당 직업을 하도록 도우면 복을 받는다는 결말구조, 그리고 양씨아미가 신이되어 자손들의 위함을 받고 굿에서 다른 신들과 함께 모셔진다는 신성 설정은 이 본풀이가 신앙서사시일 수 있게 만든다.

다른 지역에서는 〈본풀이〉는 없어지고 굿만 있는데, 제주는 〈본풀이〉와 굿이 서로 연결되어 있다. 양씨아미가 신내림을 받고 무당으로 들어서는 장면, 굿을 하는 장면은 바로 굿의 일부가 〈본풀이〉로 남아 있는 증거다.

이 이야기 속에 '서천꽃밭'이 등장한다. 사라도령이 꽃감관이 되어 서천꽃밭을 관리하는 〈이공본풀이〉와도 연관성을 지닌다. 양씨아미가 자신을 위하는 굿이 없자 샛오라버니의 딸에게 광증을 주고 부자로 살게 해 줄테니 굿을 해 위하라고 하는데(이중춘 심방 구연본) 이런 사례는 당신본풀이에서 흔한 것들이어서, 조상신본풀이와 당신본풀이의 상관성을 가늠하게 한다. 〈고전적따님아기 본풀이〉에서 고전적의 따님아기가 신기가 있어 무당이 되고자 하나 양반 집안에서 무당이 나올 수 없다는 방해 때문에 죽게 된다. 그리고 따님아기가 치제대상이 되었다는 점, 따님아기의 혼인을 약조했던 집안이 바로 예촌 양씨였다는 점 또한 양씨아미와 상통한다. 제주도에서는 이처럼 〈일반신본풀이〉와 〈당신본풀이〉와 〈조상신본풀이〉가 서로 연관을 맺으며 전승되고 있다.

한국 본토에는 별로 보이지 않는 것이 〈조상신본풀이〉다. 한국에서 조상은 대개 남성 조상이고 혈연조상을 의미한다. 그런데 제주도에서는 혈연조상도 있지만, 남의 조상인데 옮겨와 위하게 된 조상도 있고 직업조상도 있다. 남성보다는 여성조상의 계보가 이어져 나간다.

〈고대정본풀이〉의 주인공은 고대정高大靜 혹은 고대장이라 한다. 고대장은 고대정의 와음訛音이다. 대정은 제주의 세 행정구역 중 하나인 대정大靜에서 비롯되고, 여기서 대정은 대정현감大靜縣監을 줄여 부른 말이다.

이 신화는 무속이 불신되던 시기에 무속의 영험함을 입증한 고대정이란 무당의 영웅적 면모와 그의 활약 때문에 제주 성안의 신당을 온전하게 보존할 수 있었다는 신앙서사시다. 또 다른 삽화는 부군칠성(뱀신)을 조상으로 모신 덕분에 집안을 크게 일구고 부자로 살게 된 고대정의 내력담으로 신앙서사시의 내용을 포함한다.

18세기 초 이형상 목사 시절(1702~1703) 유교적 이념을 적극적으로 일반 민가에 실현하려는 목적으로 당 오백 절 오백을 파괴한 역사가 있다. 이 본풀이는 제주에서 무속과 불교가 시련을 겪었던 그 역사를 고스란히 담고 있되, 있었던 사실보다는 있어야 할 당위를 내세운 설화의 유형이다. 불교는 그 영험함을 증명하지 못한 반면 무속은 영험함을 보여 제주 성안의 당을 온전하게 보존할 수 있었다고 한 이야기 속에는 무속 집단의 소망이 담겨 있고, 파괴되었던 현실에 대한 정신적 승리담이다. 시간이 흘러 파괴되었던 당이 복구된 뒤 그 복구를 주도한 영험한 지도자 고대장을 추앙하는 이야기일 수도 있다. 또 하나의 삽화는 뱀 신앙에 대한 것인데, 육지와 빈번한 교류가 있던 시기 육지로부터 새로운 신앙이 전해졌고 그것을 잘 수용한 무당이 발복한 설화 유형이다. 고려 이후에 만들어진 본풀이일 것이고, 고려 말 유명했던 나주 금성산의 뱀신앙의 유입과 연관된 것으로 보인다. 설화로 전승되는 것에서는 대정현감인 그가 나주현감을 하려고 하다 위기에 빠졌는데 어머니의 부고로 운 좋게 살아난 경험담인데, 일반 대중들의 이야기 속에서도 그를 긍정적으로 수용하는 태도를 읽을 수 있다. 단골민들의 무속에 대한 신뢰가 아직 남아 있다는 증거다.

〈고대정본풀이〉는 세 개의 삽화로 이루어져 있다. 순서대로 소개한다.

1. 이형상 목사 시절 당 오백 절 오백을 불태워 없애면서 제주 삼문 안에 들어와 성내의 모든 당과 절을 없애려 할 때였다. 남문 밖에 각시당이 있는데 이 당을 없애기 전에 고대장 심방을 불러 당신의 영험함을 보이라고 명한다. 동시에 사찰 스님을 불러 부처의 영험함을 보이라고 명하면서, 누운 부처를 일으켜 세우라는 주문을 내렸으나 증명에 실패했다. 이 목사는 그때 각시당의 깃발 세운 것을 보면서 그 깃대(兵馬旗)가 관덕정 앞까지 걸어오는 영험을 보이라고 주문한다. 고 심방은 주변 심방과 도황수(제주도 심장의 대표격)까지 불러 칠일 동안 지극정성으로 굿을 하였더니, 천하가 요동치며 광풍이 불고 깃대가 떨기 시작했다. 이 목사는 그 영험함을 인정하고 각시당을 비롯한 광양당, 내왓당, 궁당, 운지당, 가스락당, 칠머리당 등 신당을 파괴하지 못

하게 되었다고 한다.

2. 순흥 안씨 3형제가 제주 한라산에 사냥감이 많다고 하여 입도했다. 큰형은 애월 어음리에 들어와 살고, 둘째는 납읍리에, 막내는 선흘에 들어와 사냥했다. 첫째와 둘째는 사냥이 잘 되어 재산을 일으키고 잘 살았는데, 막내는 사냥이 안 되어 가난하게 살았다. 막내가 점을 치니 산신기도를 하라고 일러주어, 성안 고씨 댁을 찾아가 굿을 하게 되었는데, 두이레 열나흘 큰굿이었다. 굿을 끝내고 상안체(무구와 쌀을 담는 자루)를 소미에게 들려 오는데, 자루가 무겁다고 하여 열어보니 그 안에 뱀이 들어 있었다. 고 대장이 자신에게 태운 조상이라 여기고 모셔 간다. 이때 배가 고파 사경을 헤매던 중을 구해 준다. 중은 정신을 차리고 부군칠성富君七星이 원래 안씨 집 조상이었는데 옮겨온 것이라 일러준다. 중이 함께 고씨 심방의 집에 와 명당자리를 구해 이장을 시키자, 고 심방이 천문지리天文地理를 깨치고 대정현감을 하게 되었다. 그리고 자식들은 제주 판관, 정의 현감, 대정 현감, 만호, 훈장, 좌수, 별감 등 벼슬을 하고 집안이 크게 일어났다.

3. 제주에 큰 가뭄이 들었을 때 고대장이 술집에서 자신이 기우제를 드리면 영험이 있을 것이라는 말을 했는데, 이를 들은 관원이 사또에게 고하자 사또는 고대장을 동헌으로 불러 기우제를 드리라고 명한다. 고대장은 많은 심방을 불러모아 정성을 드리고, 짚으로 55발 크기의 큰 용을 만들고 칠일 치성을 드리면서, 영험이 없으면 자신이 죽게 된다고 눈물로써 축원을 드렸다. 그때 사라봉에서 구름이 솟아 맑은 하늘에 비가 내리고 천둥번개가 치면서 온 세상을 적시게 된다. 심방들은 짚으로 만든 용을 들고 거리를 돌아다니며 춤을 추고 거리굿을 했고, 관원들도 함께 기뻐했다.

이형상의 〈탐라순력도〉에는 성안 여러 곳의 신당이 불타는 모습이 그려져 있다. 많은 당이 파괴되었지만, 성안의 신당은 보존될 수 있었다는 이 이야기는 실제 있었던 일이기보다, 심방들이 신당의 신성함을 믿는 신앙 고백일 수 있고, 파괴되었다가 다시 복원된 내력을 말한 것일 수도 있다. 첫째 삽화는 삼문 안의 각시당과 그 당을 지킨 고대장 심방의 영험함이 돋보이는 신화적 영웅담이다. 셋째 삽화도 기우제와 고대장의 영험함을 보여주는 영웅담이라 하겠다.

고대장과 그 자손들이 천하거부로 살면서 높은 벼슬까지 하게 된 것은 두 가지 이유다. 하나는 뱀 조상을 모신 때문이고, 다른 하나는 중의 말대로 명당에 이장을 했기 때문이다. 뱀신 숭배사상과 풍수신앙이 결합된 사례라고 하겠다. 이야기 속에는 용담의 생수가 있는데 이 생수가 잦아질 때까지 부귀가 계속되지만 그치면 자손들도 재산도 사라질 것이라 했고, 후에 그렇게 되었다고 하는 후일담이 덧붙어 있다. 풍수신앙이 뱀신앙을 압도하는 듯하지만 실제로는 뱀신앙이 이 이야기의 주종을 이룬다.

〈선흘 안판관 본풀이〉는 〈고대장본풀이〉와 동일 문맥임을 보여 주고 있다. 안동 안씨 3형제가 제주로 들어와 한라산을 둘러보고, 큰형은 납읍, 둘째는 가시, 셋째는 선흘에 살며 사냥을 업으로 삼았다. 형제가 의론하는 중에 칠성부군이 나타났는데 선흘리 셋째에 의탁하여 셋째의 조상이 되었다. 그 후 셋째의 자손들에서 대대손손 벼슬아치들이 나왔다. 그 중 제주판관이 된 자가 고씨 심방을 청하여 굿을 하면서 제주목사가 되지 못함을 탓하니, 뱀 조상이 서운해하며 고 심방을 따라가게 된다. 심방의 짐 속에 숨어들어 고씨 심방의 집으로 옮겨 갔고, 그 후 고 심방은 큰 심방이 되고 동지, 첨지, 별장 벼슬까지 얻게 되었다. 〈선흘안댁〉이란 설화에도 뱀신이 조상신이 된후 셋째의 집안이 흥했던 내력담이 전한다.

안씨 조상이 고씨 조상으로 옮겨간 내력이다. 부귀도 함께 옮겨 갔다. 이런 유형의 이야기가 일반신본풀이에도 남아 있다. 〈칠성본풀이〉에서도 뱀신이 송대장의 집안으로 들어와 조상신이 되면서 집안이 크게 일어났다고 되어 있다. 후에 칠성신은 제주 관아의 여러 곳으로 옮겨가 좌정하는 바람에 조상신에서 벗어나 일반신이 되었다. 이처럼 제주의 조상신은 집안 위주의 신이었다가, 전승폭을 확대하면 마을 수호신으로, 제주 전역의 신격으로 확장되어 감을 알 수 있다.

불도맞이의 '석살림' 절차에서 군웅본판 뒤에 일월조상을 놀리는 굿에서 이 〈조상신본풀이〉가 불렸다. 고대정은 〈조상신본풀이〉다. 제주의 조상신은 혈육 조상이기보다 직업조상인 경우가 많은데, 이 고대정이 바로 그 대표적인 예이다. 이 조상을 일월조상이라고도 한다. 김윤수 심방의 '일월조상' 놀리는 굿에 보면, "양반집엔 사당일월도 있고, 책 보는 집엔 책불일월도 있고, 농부 집엔 제석일월도 있고, 배 부리는 집엔 선앙일월도 있고, 사냥하는 집엔 산신일월도 있고, 심방 집엔 당주일월도 있다"고 한다. 책불일월은 택일하는 사람이나 지관이나 한의원을 업으로 하는 사람들이 모시는 조상신이고, 사냥하는 집과 비슷하게 도살업을 하는 사람(피쟁이)도 산신일월을 모시고 있다.

고대정은 훌륭한 무업 조상으로 숭앙되었다. 또한 고대정은 부군칠성을 잘 위해서 크게 복을 누렸다. 고대정 이야기는 뱀 신앙과 함께 무속의 위엄을 실증한 영웅 서사시이면서 신앙서사시라 하겠다.[9]

4. 제주신화
활용방안

한반도의 문명교류는 북방문화와의 일방적인 루트를 언급하는 단계이다. 고대문명은 북방 육로를 통해 교류될 뿐만 아니라, 남방 해상활동을 통해서도 교류되었다고 보는데, 남방문화와의 교류를 제주문화 속에 다양하게 확인할 수 있다. 중국과의 교류도 압록강과 만주를 그 통로로 삼아 논의해 왔지만, 해상활동에 대한 탐구는 미미한 실정이고, 특히 일본이나 유구와의 교류에 대해서는 애써 외면해 온 실정이다.

제주는 동아시아로 향하는 전진기지로서의 지정학적 위치를 점하고 있다. 제주의 문화 속에는 북방문화와 남방문화와의 교류가 다양하게 나타나고 있다. 21세기 해양문명의 주도자로 우뚝 서기 위해서도 제주의 해양문화적 요소들을 주목해야 한다. 특히 오끼나와, 대만, 중국의 영파를 잇는 동아시아 지중해의 중심 제주를 주시할 필요가 있다. 제주에는 해양문명교류를 반증하는 '상주漂着船舟漂着' 설화가 많이 남아 있고, 제주에서 주변지역으로의 표류 관련 자료가 풍부하다. 제주는 태평양을 향한 교

---

9 국립민속박물관 편, 『한국민속문학사전 : 설화』, 2012. 〈조상신본풀이〉 중 '양씨아미본풀이' '고대정본풀이' 두 항목을 필자가 담당하였는데, 여기에 그대로 옮겨왔다.

두보이다.

1) 제주 서사무가 본풀이의 신화를 통해 그 동안 배제하였던 '탐라사'를 재정립할 수 있다. 탐라건국신화와 건국 당시의 문화를 연구하여 탐라문화 정체성을 정립해야 한다.

2) 제주는 한반도와의 격절성 덕분에 유교와 불교의 영향에 잠식되지 않고 본래의 사유를 잘 보존하고 있는 편이다. 인류에게 처음 영향을 준 우주관인 무속사상 중심의 문화와 고대적 사유를 확인함으로써 한반도의 고대문화의 정체성을 정립할 수 있을 것이다. 그리고 기존의 무속신앙에 어떻게 유교와 불교를 받아들였는가 하는 습합 과정도 관심의 대상이 될 수 있다. 기존의 문화에 새로운 문화를 받아들이는 방식과 새로운 패러다임을 만드는 방식을 재구할 수 있을 것이다.

3) 신화 속에는 고대사에서부터 중세사, 근대사가 망라된다. 그래서 신화 속에는 고대적 사유에서부터 근대적 사유까지 통시적 접근을 가능하게 한다. 고대 이전의 원시 시대의 인간의 삶과 경험을 반영하고 있는 홍수신화는 세계 보편적이다. 홍수신화를 통해 우리는 약 8000년~1만년 전의 지구의 경험을 유추할 수 있었다. 제주에는 해가 둘이고 달이 둘인 신화가 나타나는데, 이를 통해 인류가 경험했던 자연현상과 인문현상까지 유추해 낼 수 있다. 그리고 지구의 고난에 대처하는 인간의 의식 발달과정을 찾아낼 수 있다. 더불어 고대적 사유에서부터 서서히 합리적 사유를 하게 되는 과정이 신화 속에 온전히 남아 있다. 제주신화를 통해 인간 사유의 발달과정을 탐구할 수 있다는 점은 행운이다.

4) 제주의 서사무가 본풀이 신화 속에는 음악, 미술, 문학, 춤, 연극이 공존하고 있다. 우리는 서사물인 신화, 서정시, 희곡의 다양한 문학 장르가 어떻게 변화해 왔으며, 주변의 예술장르와 어떻게 교섭하면서 발전해 왔는가 하는 점을 확인할 수 있을 것이다. 그리고 특히 민중문화의 실체에 접근할 수 있을 것이다.

5) 한국문화의 다양성을 정립할 수 있다. 제주문화의 독자성을 한국문화의 보편성으로 설명하고, 한국문화의 독자성을 동아시아 문화의 보편성과 대비시킬 수 있을 것이다. 동아시아가 두루 지녔던 문화인데 우리에게는 남아 있고 저들에게는 사라진 문화현상을 파악하여 그것을 동아시아의 보편성으로 만들어가고, 더 나아가 세계적 보편성으로 만들어가는 것이 바로 한류문화 보급 전파과정일 것이다. 제주문화는 한국문화의 다양성을 가능케 하고, 한국문화가 세계사적 보편성을 획득하는 데 지대한 역할을 할 수 있을 것이다. 제주에는 세계 신화에 대응하는 풍부한 전승이 남아 있기 때문이다.

6) 세계의 기록신화와 구비신화를 총정리하여 우리나라를 신화학의 중심으로 만들 수 있을 것이다. 구비전승을 중시하지 않던 서구는 이런 일을 할 수 없다. 기록과 구전이 함께 풍부한 우리나라가 그 일을 할 수 있다. 제주도에 가칭 '세계 신화 센터'를 열고 여기서 세계적 문화콘텐츠를 창조하고, 우리는 문화 창조의 중심이 될 수 있다. 그리고 서구에 의해 주도된 근대성을 극복하고 탈근대의 문명적 대안도 창출할 수 있을 것이다.

제주신화는 다양하고 풍부하여 세계인의 주목을 받고 있다. 그런데 신화의 중심지에서 신화를 연구하는 사람들이 별로 없다. 관심을 갖는 사람도 많지 않다. 다만 신화로 돈벌이를 하는 데에는 관심이 있다. 문화콘텐츠 운운 하면서 정작 문화 원형의 수집과 정리, 해석과 평가는 뒷전이다. 이 엄청난 보물들이 사라지고 있어 마음이 아프다. 근대 자본주의의 물결은 수천 년 역사와 문화를 송두리째 파괴하고 있다. 더 사라지기 전에 채록해야 하고, 그 중요성을 알려 지금 수준으로 보존해야 한다. 더 좋은 것은 신화가 부활하여 모든 생명들이 다시 신성성을 회복하는 일이다.

신화 속에는 생명을 존중하는 마음이 있다. 인간을 비롯한 만물이 대등하다. 인간과 자연이 서로 교감한다. 신화 속에서 인간은 자연의 혜택에 고마워한다. 그리고 자연의 심술에 좌절하거나 거역하지 않고 겸허하게 받아들인다. 자연의 경이로움 속에서 인간도 그렇게 닮아 간다. 자연을 파괴하여 지구 종말을 눈앞에 두고도 오만방자

하기 이를 데 없는 현대 문명인의 그 잘난 문명文明과는 다르다. 거기에는 신과 인간과 만물이 함께 공존하는 신명神明 세상이다. 신화는 인간의 무의식을 다루는 법을 가르쳐 주었는데, 근대가 신화를 파괴하면서 무의식을 다루는 방법마저 잃게 되었다. 미쳐 날뛰는 현대인을 치유하기 위해서는 다시 신화여야 한다.

신화의 세계가 잔인하다고 말하는 경우도 있다. 인간을 죽여 제단에 바치고 그 피를 제단에 뿌리는 잔혹함을 두고 그렇게 말한다. 정말 원시 혹은 고대의 제의는 잔인한가? 소와 돼지 수백 만 마리를 산 채로 땅에 묻는 21세기 인간들의 잔혹사를 떠올리면 정말 무섭다. 땅은 인간을 먹여 살렸다. 그 대지의 신에 대한 고마움을 어떻게 표현해야 좋을까 고민했다. 가장 중요하고 귀한 것을 바쳐 그 고마움에 보답하려 했다. 그래서 사람을 죽여 제단에 바치면서 인간의 정성을 땅과 신에게 표시했던 것이다. 인간을 제물로 바치는 의식을 무지하다고 바라보는 우리는 땅에 대해 과연 어떤 보상을 했는지, 땅이 주는 혜택에 대해 어떤 고마움을 표했는지 반문해 볼 일이다.[10]

신화를 비과학적이라고 했다. 21세기 눈부신 과학의 진전에 놀라움을 느끼지만, 과학의 덕택으로 인간이 행복해지지는 않았다. 유전자를 조작하는 그 대단한 과학이 생명을 파멸로 이끌고 있다. 인류는 오히려 불안에 떨고 있다. 우리는 현실계와 초월계를 오가는 신화에서 위안을 받는다. 근대의 과학이 비과학적이라 처단했던 신화 속에 인간을 행복하게 해 주는 과학이 숨어 있다. 그것은 현대 과학과는 구별되는 오래된 과학이다. 둘의 만나는 방식이 잘못되어 하나는 미신이 되었는데, 그 책임은 현대 과학에 있다. 현대 문명의 오만함에 있다. 서구적 근대만을 추종하는 우리의 사고방식에도 문제가 있다. 이제 우리의 전통, 원시적 고대적 사유를 온전하게 보존하고 있는 제주의 신화 본풀이 속에서 새로운 대안을 마련해야 한다. 신화에는 인간과 인간, 인간과 자연이 만나는 방식이 있다. 모든 생명이 어우러져 행복해질 수 있는 사유가 담겨 있다. 제주신화에서 현대문명의 대안을 찾을 수 있었으면 좋겠다.

· · ·

10 허남춘, 『제주도 본풀이와 주변신화』, 보고사, 2011. 서문 등에 문명 비판의 내용을 제시한 바 있는데, 여기는 〈개요〉의 글이어서 그 내용을 다시 가져와 심화시켰다.

09.

일반신본풀이

·

·

·

1. 고순안 심방

본풀이

제주대 탐라문화연구소 소장으로 6년간 재임할 당시 제주도 큰 심방의 본풀이를 채록하는 사업을 강소전 박사와 함께 구상한 바 있다. 그래서 한국학협동과정 대학원생들과 2008년부터 이용옥 심방과 양창보 심방의 본풀이를 채록한 바 있고, 각각 단행본으로 출간되었다. 두 본풀이의 내력과 개요를 『제주도 본풀이와 주변 신화』(제주대 탐라문화연구소, 2011)에 소개한 바 있다. 세 번째 본풀이 개요도 여기에 소개하고자 한다.

고순안도 역시 제주도의 큰심방으로 제주큰굿의 문서에 정통한 심방이다. 고순안 심방은 전체적으로 제주큰굿의 제차 순서를 따라서 구연하였다. 물론 제주큰굿의 모든 제차를 빠짐없이 구연한 것은 아니지만, 웬만한 핵심 제차들에 대하여는 언급하려고 노력한 편이다. 이 책에 수록된 세부 내용들을 본풀이를 중심으로 정리하면 아래와 같다.

독립적으로 구연된 본풀이는 모두 8편이다. 즉 초공본풀이, 이공본풀이, 삼공본풀이, 세경본풀이, 처서본풀이, 문전본풀이, 칠성본풀이 등으로 모두 일반신본풀이다. 제주큰굿의 말명 속에 구연된 본풀이는 일반신본풀이 5편이다.

일반신본풀이는 초감제의 천지왕본풀이, 불도맞이의 인간불도 할마님 본풀이와 동이용궁 할마님 본풀이 및 마누라본풀이, 엑멕이의 소수만이본풀이, 상당숙임의 만지장본풀이 등이다. 천지왕본풀이는 초감제의 '베포도업침'에서 '월일광 도업'과 관련하여 구연되었다. 인간불도 할마님 본풀이와 동이용궁 할마님 본풀이는 불도맞이에서 '할망질침'과 관련한 대목에서 구연되었다. 마누라본풀이의 경우 원래는 고순안 심방이 인간불도 할마님 본풀이에서 함께 구연하였던 것이다. 그런데 조사팀이 '마누라베송'과 같은 의례를 감안해서 마누라본풀이만 따로 구연해 줄 것을 부탁하자 고순안 심방이 다시 구연하였다. 따라서 마누라본풀이는 이 책에서 불도맞이라는 큰굿 제차와 관련되기도 하면서 한편 독립적으로도 구연된 셈이다. 소수만이본풀이는 엑멕이의 '방엑'과 관련하여 구연되었다. 만지장본풀이는 굿을 마무리하는 시점으로 들어서는 상당숙임에서 구연되었다. 지장본풀이는 시왕맞이에서도 구연되는 것인데 상당숙임에서 마지막으로 푼다고 하여 만지장본풀이라고도 한다.

1) 초감제와 천지왕본풀이

초감제는 제주도 굿의 첫머리에서 신들을 청해 들이는 제차이다. 주요 내용은 베포도업침(천지왕본풀이 포함), 날과국섬김, 연유닦음, 군문열림, 새ᄃ림, 오리정신청궤, 정데우 등으로 이루어진다. 초감제에서도 베포도업침(천지왕본풀이 포함), 날과국섬김, 연유닦음, 새ᄃ림, 도레둘러뱀, 군문열림, 오리정신청궤(조상신본풀이 포함), 정데우 등의 순서로 이루어졌다. 비록 본풀이를 채록하기 위하여 연출된 상황이지만 고순안 심방은 일반적으로 '〈가칩私家'에서 굿을 할 때 초감제의 중요한 부분을 그대로 진행하여 보여주었다.

베포도업침의 내용은 다음과 같다. 천지가 혼합이 되었는데 하늘과 땅이 열리고 하늘에서는 청이슬이 땅에서는 흑이슬이 솟아났다. 그 후 까마귀는 말을 하고 인간들은 말을 못하고 있었다. 그런데 송피가루를 뿌리니 말을 못하던 사람들이 말을 하게 되었고 까마귀는 말을 못하게 되었다고 한다. 이슬이 솟아난 후 만물이 형성된 사연은 생략되고 새와 인간이 말을 하고 못하는 사연이 이어지고 있다. 대개의 경우에서는 인간과 동물이 함께 말을 하고 있었는데 송피가루를 뿌리자 동물들은 말을 못하고 인간만이 말을 하게 되었다는 전개가 이루어지는 데, 이런 점에서 고 심방의 본풀이는 특이한 편이다. 그때 낮엔 해가 둘이어서 더워 죽고 밤엔 달이 둘이어서 추워 죽는 상황인데, 해 하나와 달 하나를 활로 쏘아 떨어뜨렸다고 한다. 누가 쏘았는지 그 주체에 대한 말이 없다. 이처럼 배포도업침은 두 개의 해와 달을 쏘아 맞히는 대목까지 짧은 내용으로 전개된다.

천지왕본풀이의 줄거리도 간략하게 구송되었다. 대별왕과 소별왕의 탄생 줄거리, 꽃가꾸기 경쟁, 소별왕의 속임수, 이승과 저승 차지 내용으로 천지왕본풀이의 핵심 줄거리는 담겨 있으나, 전개 과정에서 축약되어 불린 사정을 알 수 있다.

옥황에서 지부왕地府王이 지상에 내려와 쳉명부인 집에 머물고 아이를 포태시킨 후 떠나려 하자, 쳉명부인이 아이 이름과 증표를 요구하여 받아 놓는다. 지부왕이 떠난 후 두 아들을 낳아 대별왕과 소별왕이라 이름 짓는다. 형제가 15세가 되었을 때 꽃가꾸기 경쟁을 하는데 대별왕의 꽃은 번성꽃이 되었는데 소별왕의 꽃은 시들어가는 꽃이 되었다. 형이 잠든 사이에 소별왕이 꽃을 바꿔치기 하여 이승을 차지하자, 형은 저승을 차지하면서 이승법에는 도둑, 살인, 방화, 역적, 간음이 많을 것이라고 하면서 저승법은 맑은 법이 될 것이라고 말한다.

그 후 저승에서 천상으로 올라가 용상의 왼쪽 뿔을 부러뜨려, 왼쪽 뿔 없는 용상을 타는 법을 마련하였다고 한다. 그러나 천상으로 올라가는 과정에 아버지가 주고 간 박씨를 심어 그것이 자라고 하늘까지 닿은 넝쿨을 타고 올라가는 과정이 생략되어 있고, 부친 상봉의 내력도 없이 '천지왕天地王 도업, 지부왕地府王 도업'을 언급하고 있어 생략된 정도를 알 수 있다.

제인장저에게 돌이 쉰인 곡식을 꾸어 쳉명부인이 지부왕의 밥상을 차리는 대목이 본풀이의 맨 앞을 장식하고 있는데, 못된 짓을 한 제인장저와 같은 악인 징치담은 생략되어 있다. 이런 점을 달리 본다면, 쳉명부인의 살림살이가 어려운 처지에서 지부왕처럼 귀한 손님을 모시는데 남의 쌀을 꾸어야 하는 척박하고 힘든 상황을 그려낸 것이고, 애초 거기에는 선악의 개념이 개입되지 않는 것으로도 볼 수 있을 것이다. 천상과 지상의 차이가 그들의 음식에 드러나고 있음을 차별적으로 보여주는 처사일 수도 있겠다.

고순안 심방이 구연한 초감제에서 다양한 조상신본풀이를 접할 수 있었다. 조상신본풀이와 관련한 지명地名도 구체적으로 드러나고 있어 이해하는 데 도움을 준다. 김녕 송동지 영감 본풀이(광청할망본풀이)는 축약되었기는 하나 기존에 채록된 내용과 거의 유사하다. 그밖에 하도리 임씨, 의귀리 감목관, 송당리 김씨, 이만경, 하도리 고만호, 하도리 부대각, 평대리 부대각, 윤동지 영감, 이씨 하르바님, 한동지 영감 등 다양한 조상신본풀이가 함께 구연된 점도 소중하다.

한편 초감제에서 연유닦음을 하면서는 "이 자손들 교육자로서 자료를 만들고자 하니, 조상님들 도와주십시오."라고 하여 굿하는 목적을 분명히 밝혔다. 비록 본풀이 채록 및 전사를 위하여 연출된 것이지만 실제로 고순안 심방은 굿을 하고 있는 것처럼 진행하였다.

2) 초공본풀이

임진국 대감과 짐진국 부인 사이에 자식이 없더니 주접선생朱子先生이 시주를 권하여 백일 간 수륙제를 드린 후 자식을 얻게 되었는데, 정성이 한 근 부족하여 딸을 얻고 '노가단풍 ᄌᆞ지맹왕 아기씨'라 이름 짓는다. 아기씨가 15세 되는 해에 아버지는 천하공사天下公事, 어머니는 지하공사地下公事를 살러 가게 되었고, 딸은 살창 안에 가두어 늦인덕정하님에게 밥을 주도록 시키고 떠났다. 이때 황금산 주접선생이 인간세상에 와 아기씨에게 15세가 정해진 운명定命이니 이를 벗어나기 위해 시주를 해야 한다고 권하더니, 살창을 열어 자루에 시주하게 하고 다시 살창을 닫아 잠근 후 아기씨는 임신을 하게 된다.

아기씨의 전갈을 받고 급히 돌아온 부모는 임신 사실을 확인하고 슬픔을 참으며 어쩔 수 없이 아기씨를 집에서 내쫓는다. 아기씨는 늦인덕정하님을 데리고 산과 바다를 넘고 모래밭을 넘어 수삼 천리 밖 주접선생을 찾아간다. 나락 껍질을 까는 시험을 거쳐 불도땅에 닿고 거기서 세 형제를 낳는다. 오른쪽 겨드랑이로 본명두, 왼쪽 겨드랑이로 신명두, 가슴 뜯어 삼명두가 탄생한다. 이 젯부기 삼형제는 어렵게 공부하여 과거에 급제하였지만 삼천선비의 방해로 급제가 좌절되었을 뿐만 아니라 어머니가 죽게 된다. 젯부기 삼형제는 주접선생을 찾아가 어머니를 살릴 방도를 묻고, 나무 천문과 상잔을 받은 후 무악기도 마련하게 된다. 삼형제는 팔자를 그르쳐 심방(무당)이 된 후 너사무너도령과 함께 굿을 하여 죽은 어머니의 신가슴을 풀어 삼시왕이 된다.

한편 유정승 따님아기가 심방이 되는 과정에서 무당서를 통하여 굿을 익혔듯이, 옛날 시절에는 무당서가 있었는데 4.3사건 이후에 이것이 없어져 무당이 천대를 받게 되었다고 말하고 있다. 무당은 조선조 이래 천대받았다는 역사적 근거가 있는데, 4.3 사건을 들어 핍박의 기점으로 삼는 것은 제주도 무당과 도민에게 자못 중요한 의미를 띤다. 조선조 내내 무속에 대한 탄압이 있었더라도 제주도에서는 무속이 명맥을 유지하였을 뿐만 아니라 서민 대부분의 신앙형태였고, 일제 치하를 지나 근대에 이르러 본격적인 무속에 대한 탄압과 무당에 대한 천대가 시작되었다고 제주도민은 인식하고 있는 것이다.

3) 이공본풀이

짐진국 대감과 원진국이 한날한시에 태어나 40세가 넘도록 자식이 없었다. 짐진국과 원진국은 스님이 수륙제를 정성스럽게 드리면 자식을 얻을 수 있다는 말에 따른다. 부자인 짐진국이 상백미·중백미·하백미에 가삿베·송낙베·장삼베로 백 근을 채워 올렸으나 딸을 점지 받고, 가난뱅이 원진국은 백 근 수량에는 미치지 못하였으나 그날그날 정성을 올려 아들을 점지 받는다. 둘은 사돈을 약속하고 시간이 흘러 '사라데왕 사라도령'과 '월강암이 월궁부인'이 백년가약을 맺게 된다.

둘은 서천꽃밭에 꽃감관 살기 위해 함께 떠났으나 월강암이가 병이 나 제인장제의 집에 팔아 두고 홀로 떠난다. 제인장제는 월강암이의 몸을 요구하다 아이가 태어나고 장성할 때까지 기다려야 한다고 합방의 기일을 미루자, 그들에게 고된 일을 시키게 된다. 좁씨 한 가마를 들판에 뿌려 두고 그 좁씨를 모두 줍는 일을 당하기도 한다. 호된 일을 감당하던 할락궁이는 콩을 볶는 어머니의 손을 뜨거운 솥에 누르면서 아버지의 행방을 묻고 범벅 세 덩어리를 해달라고 하면서 길을 떠난다. 추격하는 천리둥이와 만리둥이를 범벅으로 따돌리고, 여러 시련의 물을 건너 서천꽃밭에 당도한다.

할락궁이는 손가락에 피를 내 꽃밭에 뿌리자 꽃이 시들게 되고, 이 문제를 해결하려고 나타난 아버지를 만나 머리빗 한 짝을 증표로 제시하고, 대야에 피를 짜 놓아 부자의 피가 합혈하자 자식임을 인정받는다. 아버지로부터 어머니가 죽었으니 지상에가 살리라는 당부를 듣고, 할락궁이는 환생꽃을 가져가 어머니를 살리고 제인장제의 집을 멸망시킨다. 어머니는 도환생하여 저승 '유모어멍'으로 들어가 살게 되었고, 할락궁이는 제인장제 작은딸과 함께 서천꽃밭으로 돌아온다.

헤어졌던 부자가 만나고 신표로 부자를 확인하는 과정은 주몽신화 속의 주몽과 유리의 해후와 매우 유사하다. 홀로 핍박받으면서 자라다가 건국의 위업을 위해 떠난 아버지의 존재를 확인하고 고구려로 남하하여 아버지를 만나고 고구려 왕의 위업을 잇게 된다는 영웅의 일대기와 이공본풀이는 매우 닮아 있다. 유리가 단검의 반쪽을 지니고 신표로 삼았듯이, 할락궁이는 빗의 한쪽을 지니고 신표로 삼는다. 주몽과 유리가 합혈하여 부자를 확인하였던 것과 똑같이 사라도령과 할락궁이가 부자를 확인한다. 인류 신화의 애초부터 거울과 칼 혹은 빗 한쪽은 신표로 자주 등장한다. 신화는 상징의 연속이다. 상징symbol의 어원이 된 그리스어 심발레인symbalein은 청동거울 반쪽을 의미한다.

고 심방의 이공본풀이 내용에서 특이한 점은 아들과 딸의 탄생 부분이다. 대부분의 경우 늦게까지 자식이 없다가 절에 시주하고 수륙제를 드려 자식을 얻게 되는데, 백근에서 하나가 부족할 경우 딸을 얻고, 약속하거나 정해진 정도의 시주가 있을 때는 아들을 얻는다는 전형성을 찾을 수 있다. 그런데 여기서는 짐진국 대감이 백 근을 채웠는데도 딸을 점지 받고, 원진국은 정해진 정도에는 미치지 못하지만 정성이 가득 담긴 시주를 하여 아들을 얻는다고 되어 있다. 부자로 살아 재물을 많이 내는 것만이

능사가 아니라, 가난한 가운데도 마음으로 지극하게 하는 것이 정성이라는 것을 일깨워주는 좋은 사례라 하겠다.

빈부에 대한 문제는 죽은 아이들에게까지 미치고 있다. 15세 이전에 죽은 아이들은 서천꽃밭에 가서 물을 주는 일을 맡는다고 한다. 부잣집 아이들은 은동이로 물을 주고 놋그릇에 밥 먹던 아이들은 놋그릇을 가지고 꽃에 물을 주는데, 나무바가지로 밥 먹던 가난한 집의 아이들은 물이 새는 나무바가지로 물을 주다 보니 제대로 일을 못한다고 거기에서도 구박받고 설움을 겪는다는 삽화가 담겨져 있다. 가난의 고통이 사후세계에까지 이어져 그 문제를 해결하고자 하는 의지가 신화 속에 박혀 있다고 하겠다.

4) 삼공본풀이

거지였던 홍문소천국과 구에궁전녀실부인이 합심해 부부의 연을 맺은 뒤 딸 셋을 낳게 된다. 막내딸 가믄장아기가 태어나자 가세가 펴서 큰 부자가 되기에 이른다. 어느 날 이들 부부는 딸 셋을 차례로 불러 호의호식하며 사는 이유를 물어본다. 큰딸과 둘째딸은 부모의 덕이라 대답하고 가믄장아기는 자신이 타고난 복 덕분이라고 대답한다. 진노한 부부는 불효자식이라며 가믄장아기를 내쫓아버린다. 내쫓은 뒤 마음이 안쓰러워 다시 셋째를 불렀으나 중간에서 말을 전하는 언니들이 거짓말로 방해를 하다가 팥벌레와 구렁이가 되어 버린다.

집을 떠나 정처 없이 떠돌던 가믄장아기는 산골에서 마를 캐며 노모와 함께 살아가는 마퉁이 삼형제를 만나 막내 마퉁이와 혼인하게 된다. 이후 막내 마퉁이는 금과 은을 발견해 큰 부자가 되어 남부러울 것 없는 삶을 살게 된다. 가믄장아기가 거부가 되는 사이 다시 장님에 알거지 신세까지 전락한 홍문소천국 내외는 문전걸식으로 전선하다 걸인잔치 소문을 듣는다. 부모를 찾을 생각으로 잔치를 베푼 가믄장아기는 홍문소천국 내외와 상봉한다. 서로가 겪어온 그간의 사정을 풀어놓는 사이 홍문소천국 내외는 눈을 뜨게 된다.

본풀이의 뒤에는 심방집으로 '전상 네놀림'을 하는데, 심방의 소재지와 이름이 낱낱이 거론된다. '서문통 강대원, 강순선, 김순옥, 삼양 김윤보, 신촌 회장님네(김윤수, 이용옥), 함덕 영철이네 어멍(김순아), 북촌 정공철, 김녕 서순실, 행원 이선생(이중춘), 한동 강태화, 평대 정애네, 하도 고복자, 시흥 오춘옥, 신양 양정순, 남원 김평수, 하효 고태송네 각시, 서귀포 신대인네 각시, 하귀 양창보, 이만송이 각시' 등이다. 현재 굿을 하면서 무가를 부를 수 있는 심방들의 이름이 제주도 해안을 돌면서 언급되고 있는데 이들이 제주도 전역의 대표적 심방이라 하겠다. 물론 본풀이를 채록하던 2011년 봄과 전사하고 정리하는 2013년 여름 사이에 이중춘 심방과 정공철 심방이 세상을 떠났다.

삼공신은 '전상신'이라 하는데, 전상은 '전생 인연'의 의미인 듯하고, 인간의 운명을 관장하는 신으로 해석된다. 운명의 신인 삼공신에게 전생 인연을 잘 정화시켜 좋은 인연으로 현생과 내생을 살도록 빌고, 그 비념의 매개인 제주 심방들의 굿 덕에 도민 모두가 좋은 전상으로 발복하길 기원하고 있다. 나쁜 전상과 모진 전상을 거두는 적극적인 비념이 심방 이름의 나열과 함께 상징적으로 제시되고 있는 뜻 깊은 본풀이다.

5) 인간불도 할마님 본풀이, 동이용궁 할마님 본풀이, 마누라본풀이

인간불도 할마님과 저승 할마님이 한날에 태어나 할마님(삼승할망)의 지위를 두고 서로 다투다가 꽃 피우기 경쟁을 했다. 할마님은 은수반에 저승 할마님은 놋수반에 꽃을 심어, 할마님은 번성꽃이 되고 저승 할마님은 꽃을 피우지 못한 탓에, 이것으로 이승할망과 저승할망이 구분되게 된다.

포태胞胎를 시켜주며 이승을 누비던 할마님은 자신이 점지한 아이들에게 천연두를 퍼뜨리는 임나라 임병서를 만나 마마를 앓아도 얼굴이 얽지 않도록 '좋은 준지眞珠'처럼 병이 지나가도록 당부한다. 그런데 마마 때문에 자손들의 얼굴이 얽어지고 비틀어지는 상황을 괘씸하게 여겨 그의 며느리를 임신시킨다. 시간이 흘러 산달이 지났지만 출산을 못하자 임나라 임병서는 할마님에게 통사정을 하기에 이른다. 이에 할마님이 도와 며느리가 눈도 코도 없는 아기가 탄생하게 하는데, 할마님은 마마 때문에 얽어지고 비틀어지는 폐단을 지적하고, 임병서로부터 천연두를 퍼뜨리되 가려가며 하겠다는 다짐을 받은 뒤에, 씌워놓았던 봇줄(탯줄)을 잘라 온전하게 해산을 시켜준다.

동이용궁 할마님은 할마님이 포태시키면 낙태시키는 할마님이다. 어떤 때는 아이에게 경기驚氣(경풍 혹은 경세)를 일으키기도 한다. 용왕국의 막내딸로 태어나 부모의 눈에 거슬려 무쇠철갑에 갇혀 버려졌다. 물 아래로 물 위로 떠다니다가 땅 위로 올라 인간 세상에 자식 없는 사람들을 위해 생불(잉태)을 주는 삼승할망의 역할을 했는데, 이후에는 죽은 아이들을 관장하는 구삼승이 되었다고 한다. 동이용궁 할마님이 출산을 못 시켜 삼승할망의 지위를 상실하는 내용은 생략되어 있다. 그리고 꽃 피우기 경쟁에서 진 내력은 앞의 인간불도 할마님 본풀이의 경쟁 부분에 있고, 삼승할망에서 구삼승할망(저승할망)으로 밀려난 후의 역할에 대해서는 동이용궁 할마님 본풀이에 자세하다.

한편 불도맞이를 할 때에 고 심방이 마누라본풀이를 함께 풀었는데, 조사팀이 마누라본풀이만 따로 해서 들려줄 것을 부탁하자 고 심방이 거듭 마누라본풀이를 구연하였다. 인간불도 할마님 본풀이에서는 마마를 가져다주는 존재가 '임나라 임병서'라 했는데, 새로 구연된 마누라본풀이에서는 '서신국 마누라 홍진국 데별상'이라 했고 줄여서 '서신국 마누라' 혹은 '홍진국 마누라'라고 했다. 그 다음 며느리에게 잉태시키고 해산을 시켜주지 않아 할마님에게 부탁하고 타협하는 내용은 위와 같다. 여기에 저승할마님의 역할이 부연되어 있는데, 물과 불 때문에 낙태하여 간 아이들이나, 15세 이전에 죽은 아이들을 서천꽃밭에 가서 거느리고 인정받는 신이 된 내력이다.

홍진국 마누라의 며느리가 해산을 못 하자 할마님께 청을 하는데, 할마님은 며느리에게 와서 비단자리를 치우고 북덕자리를 마련하여 해산을 시켜준다. '북덕자리'는 보리짚을 평평하게 깔아 놓은 자리다. 예전에는 순산을 위해 볏짚 자리 혹은 보리짚 자리를 마련하여 깔았고, 벼와 보리가 지닌 풍요와 다산의 에너지를 인산의 출산에 옮겨오려는 유감주술有感呪術의 실제를 볼 수 있는 대목이다.

6) 세경본풀이

원불수륙을 드리는 도입 부분에 아기가 없어 짐진국 대감과 즈지국 부인이 쓸쓸해

하는 부분과, 동개남 은중절 대사가 권제를 받으러 이 세상에 내려오는 부분의 묘사가 자세하다. 대부분은 자식이 없다는 부분과 권제를 받아 가는 부분을 서사로만 나타내며 짧게 표현하는 점과 다르다.

ᄌ청비가 문도령을 만나게 되는 대목 설정도 신선하다. 정술덱이의 손과 발이 예쁜 이유를 묻자 빨래를 자주 해서 그렇다는 대답을 듣게 되고, ᄌ청비도 주천강 연못으로 빨래를 가게 되고 거기서 문도령을 만나게 된다. ᄌ청비는 문도령이 거무선생에게 글공부하러 간다는 말을 듣고 남장으로 변신하여 문도령을 따라나선다. 글공부를 마치고 집으로 돌아오는 길에 자신이 여자임을 밝히고 자신의 집에서 둘이 가연을 맺어 둔다. 문도령이 연분을 맺고 ᄌ청비와 하직하면서 증표를 주고 가는데, '큭씨' 두 방울을 주고 이것을 심어 열매가 열려 따 먹을 때에 돌아올 것이라 하지만 문도령은 오지 않는다.

ᄌ청비는 정수남이의 유혹과 탐욕스러움에 위기를 겪지만 오히려 기지를 발휘하여 정수남이를 죽이고 돌아온다. 정수남이를 죽이는 과정이 명확치 않은데, 고 심방이 이전에 푼 본풀이를 보면, '화살에 꼭허게 꽂이완 죽여두언'(『동복 정병춘댁 시왕맞이』, 제주대 탐라문화연구소, 2008, 428쪽)이라 하여 귀에 화살을 꼽아 죽이는 것으로 자세히 나타난다. 그러나 함부로 종을 죽였다는 부모의 비난을 받고 서천꽃밭에 가서 도환생꽃을 얻어와 정수남이를 다시 살렸지만, 종을 죽였다 살렸다 한다는 부모의 비난에 집을 떠난다. ᄌ청비는 주모의 집에 의탁하여 문도령을 만날 기회를 얻었지만 실수로 떠나보내고, 선녀들이 물을 길어 천상으로 가는 것을 돕고 함께 천상으로 올라가는 기회를 맞이한다. 하늘에서 문도령을 만나고 칼선다리를 건너는 시련을 극복하고 시부모로부터 결혼을 승낙 받는다. 후에 오곡종자를 갖고 지상에 내려와 세경신으로 좌정한다. 신위에 대한 것은 본풀이의 들어가는 말미에 자세히 제시되어 있다.

대부분의 본풀이를 보면 상세경에는 문도령, 중세경에는 ᄌ청비, 하세경에는 정수남이를 두고 있고 일부는 상세경에 염저실농씨炎帝神農氏, 중세경은 문왕성에 문도령, 하세경에 ᄌ청비, 정수남이로 일컫고 있다. 고 심방의 본풀이는 정술덱이를 ᄌ청비와 정수남이와 함께 하세경에 올려놓고 있다. 그리고 세경하르방은 들물썽간, 세경할마님은 쏠물썽간이라고 이르고 있는데 바다밭의 요왕세경을 일컫고 있음을 보여준다. 고 심방은 제주시 동쪽마을 하도리 심방으로 마을이 해촌이라 바다를 요왕세경으로 바다밭을 육지의 토질을 일구는 밭처럼 인식하고 있다는 것을 본풀이에서 드러내주고 있다.

바다도 육지의 밭처럼 김을 매어주고 씨를 뿌리고 가꾸는 농사지역으로 여기는 해촌 생산방식의 반영이다. 이러한 인식은 영등굿 속에서 요왕맞이를 마치고 바다에 씨를 뿌리는 과정을 보면 그대로 드러나고 있다. 굿중에서 초석 위를 해녀들과 어부들이 활동하는 바다 지경으로 가상하여 조씨를 뿌리며 그해 풍농을 점치는 제차에서 유감주술로서 그대로 보여준다. 해녀들이 지내는 잠수굿 요왕맞이 제차에서도 나타나고 있다.

양창보와 이용옥 심방은 1시간 30여 분을 걸리며 구송을 했는데 고순안 심방은 1시간 5분 정도로 짧아 본풀이 내용이 줄어든 느낌이다. 본풀이의 들어가는 말미, 본풀이, 테우리청 지사귐, 비념은 세 심방이 공통으로 구술하고, 공선가선, 날과국섬김, 연유닦음, 산받음은 고 심방만 구연하였다. 이 부분 제차를 뺀다면 본풀이 분량은 더 적어진다.

또 하나의 의문을 풀 수 없다. 짐진국 대감과 즈지국 부인 내외간이 부자여서 '강답도 많고 수답도 많고', '벨진밧 둘진밧' 즉 기름지고 넓은 밭을 소유하고 있으며 이미 농사가 시작되었는데 후에 즈청비가 세경신이 된다는 설정은 앞뒤의 상황설정이 모순이다. 애초 이 본풀이는 세경신 즉 농경의 신에 대한 신앙을 기초로 불렸는데, 오랜 시간을 내려오면서 고대적·중세적 영웅 이야기로 바뀌고 중세 이행기에 이르러서는 근세적 로망스의 주인공으로 바뀌어 전승되고 있다. ᄌ청비의 로망스는 마치 춘향전의 사랑과 여성의 적극적 구애과정을 떠올리게 한다. 이처럼 오랜 기간 전승과정에서의 변이를 염두에 두고 이 본풀이를 보아야 할 것이다. 물론 심방의 착종 현상도 덧보태졌을 것이다.

7) 처서본풀이

버물왕 아들 삼형제가 3년 동안 불공을 드려서 목숨을 연장하나, 과양셍이 각시에게 죽임을 당한다. 버물왕 아들 삼형제가 과양셍이 각시 아들로 환생하여 과거에 급제하나 한날한시에 죽는다. 과양셍이 각시가 김치 원님에게 소지를 올리고, 김치 원님은 강림이에게 염라대왕을 잡아오라고 명을 내린다.

인간이 죽어 꽃이 되었다가 구슬로 변하고, 그 구슬을 삼킨 과양셍이 각시가 아이를 잉태하고 다시 죽는 몇 번의 윤회가 등장한다. 인간이 식물로, 식물이 광물로, 다시 인간으로 환생하는 과정 속에 인간과 자연만물이 대등한 관계임을 신화는 보여주고 있다. 그리고 강림이의 용맹함 뒤에 감추어진 중요한 역할이 바로 강림의 처이다. 여러 여자를 두고 있는 것에도 흔들리지 않고, 정성이 그득하여 문전신과 조왕신을 움직이고 있는데, 이는 여성에 의해 주도된 문전신과 조왕신에 대한 가내신앙家內信仰의 흔적을 뚜렷이 보여주고 있다.

강림이는 본처의 정성에 탄복한 조왕할망과 문전신의 도움을 받아 저승으로 가서 염라대왕을 만나고 자신의 용맹함을 보인다. 염라대왕은 이승에 내려와서 과양셍이 각시를 징치하고 버물왕 아들 삼형제를 살려낸다. 염라대왕이 강림이를 저승으로 데리고 가서 저승차사가 된다. 강림차사 대신 까마귀가 적베지를 가지고 이승으로 오다 잃어버리고, 그 이후 이승에서는 나이 순서로 죽는 법이 없어졌다. 강림이의 역력함으로 3천년을 산 동방섹이를 잡아 저승으로 데려간다.

위의 줄거리는 기존에 채록된 것에서 마지막 부분에 강림의 역력함을 추가로 보여주는 동방섹이 화소만 추가되었을 뿐이다. 또한 세부적인 내용에서 가감이 있을 뿐이다. 하지만 줄거리는 유사해도 구연자의 특성에 따라 사건을 표현해가는 방법은 다르기 마련이다. 강림이가 저승에 가서 염라대왕을 잡아오는 것은 차사본풀이의 핵심 요소이다. 이는 강림이가 신격을 획득하는 중요한 모티브로 작용한다. 그러다 보니 강림의 용맹한 모습이 자주 등장한다. 저승 염라대왕을 결박하고 호통을 치는 대목이나, 아기씨의 혼과 파리의 몸속으로 여러 번 도망을 하며 몸을 숨기지만 강림이가 염라대왕을 찾아내는 장면은 바로 강림이의 영웅적 면모를 강하게 드러낸다. 그러나 결말 부분에 강림의 몸은 김치 원님이 갖고 영혼은 염라대왕이 갖게 된 후부터 강림이의 주체적이고 영웅적인 면모는 사라진다. 이승의 무한권력인 원님과 저승의 무한권력인 염라대왕의 권위를 쉽게 넘지 못할 세상에 당시 사람들은 살고 있었기 때문인가. 아니면 저승에 대한 신앙이 사라진 중세의 신앙비판서사시여서 염라대왕도 권위를 잃고 강림이도 더 이상 영웅적이지 못한 것은 아닐까 한다.

고 심방의 본풀이에서 특이한 점은 '허궁아기' 이야기가 덧보태져 있다는 점이다. 본풀이의 마지막 대목인 까마귀가 날개에 붙이고 오다 적베지를 떨어트린 것을 뱀이 삼킨 사연 다음에 등장한다. 그런 사연 때문에 정명(정해진 운명)이 지켜지지 않고 아이 올 때 젊은이가 오고, 젊은이 올 때 늙은이가 오고, 늙은이가 올 때 아이 오는 혼돈이 생겼다. 이때 저승에 왔던 '허궁아기'가 이승에 가서 어린 아이들을 돌보고 다시 오겠다고 청하고 이를 허락받는다. 하지만 허궁아기는 아이들을 돌본 뒤에도 그만 저승으로 돌아갈 생각을 잊어버린다. 이런 허궁아기의 거짓된 행동 때문에 저승과 이승이 나누어졌다고 하였다. 허궁아기의 내력은 기존에 '허웅아기 본풀이'라고 하여 이른바 특수본풀이로 학계에 알려져 있다. 현재 특수본풀이는 제주도굿에서 더 이상 연행되지 않는 본풀이로 여겨진다. 그런데 고 심방의 처서본풀이에는 이승과 저승을 오가는 강림이 이야기에 허궁아기가 등장하고 있어 귀한 장면을 선사하고 있다.

또 하나 이 본풀이를 따라가다 보면 특별한 고유어를 만나게 된다. 질토벤이(길 보수하는 사람), 쑥섭(이파리), 무뚱(처마 밑 공간), 즈추모르(지붕 위 꼭대기), 왕레노수(안팎 노자), 고고리(이삭), 느단(오른쪽), 두갓(부부), 큰냥(잘난척) 등 이미 사전에서 찾을 수 없거나 고어에서도 그 흔적이 미미한 방언들이 등장하여 국어학적 보고임을 느러내고 있다.

처서본풀이는 죽은 자의 영혼을 위무하여 저승의 좋은 곳으로 보내는 사령공양의례死靈供養儀禮에서 구연되고 있다. 현재에도 다른 본풀이에 비해 빈번하게 구연되고 있다. 그러다 보니 본풀이가 원형을 유지하면서 심방의 특성에 따라, 구연상황의 특성에 따라 약간의 가감을 거치면서 구연되고 있음을 고 심방의 본풀이에서 확인할 수 있었다.

8) 소스만이본풀이

소스만이가 각시의 머리카락을 팔아 사냥총을 사 가자, 각시는 그것으로 식구를 봉양할 수 있을지에 대해 회의를 품는다. 사냥을 나갔다 돌아오는데 백정승의 아들이 죽어 백년 해골이 되어 들판에 구르고 있었다. 백년 해골은 스만이에게 말을 걸며 자신(백골)을 잘 모셔 주면 부자로 발복시켜주겠다고 약속을 한다. 이에 소스만이가 지극정성으로 백골을 모시자 사냥이 잘 되고 일거에 부자가 되어 갔다.

그때 나쁜 소문이 돌아 염라대왕의 귀에 들어가고 그 이유 때문에 삼차사가 소스만이를 잡으러 지상에 내려오게 된다. 다른 구연본에서는 사만이의 죽음이 조상영가를 모시지 않아 염라대왕의 노여움에 의해서인데 여기서는 백년 해골이 죽음에 임박했다고 알리기만 한다. 그래서 소스만이는 옷, 신발, 음식으로 삼차사를 지극정성 대접하고 이에 감동한 삼차사는 스만이 대신 동갑인 스덱이를 잡아 간다. 글자 한 자를 고쳐 스만이가 살아나게 되었다고 하고, 그래서 스덱이는 30년 정명이 되었고 스만이는 사만四萬 년이 되었다고 한다. 대부분의 구연본에서는 삼십三十년에 획을 하나 더 그어 삼천三千 년이 되었다고 한 점과 다르다.

사만이 본풀이는 정기적인 가정신앙인 '맹감제'나 모든 굿의 액막이 제차에서 구연된다. 맹감제에서 전반부는 조령신앙과 연관되어 생업의 풍요를 기원하는 의미를 담고 있다. 후반부 액막이에서는 사만이가 수명연장을 하게 되는 근거에서 쓰인다. 두 가지 삽화가 합쳐졌지만, 원래의 것은 백골을 잘 모셔 거부가 되었다는 '산신맹감'과 관련된 부분일 것이다. 제주가 오래 전에 사냥을 위주로 살았을 때는 매우 중요한 신격으로 모셔졌을 것이고, 이후 농경이 보편화된 이후에는 사냥을 생업으로 여기던 중산간에서 중시했던 신격이 산신맹감일 것으로 보인다.

9) 문전본풀이

남산고을 남선비와 여산고을 여산국 부인이 아들 일곱 형제를 낳고 살았다. 남선비가 전배독선에 오곡 물건을 팔러 가다가 풍랑을 만나 오동고을에 가게 되고, 이때 노일저데구일이 딸의 호탕에 빠져 눈은 어둡고 겨죽만 먹으며 산다. 여산국 부인은 남선비가 돌아오지 않자 직접 찾으러 나섰다가 풍랑을 만나 오동고을에 가게 된다. 남선비가 살고 있는 비서리초막에 가서 부엌을 빌리고 밥을 차려주고 부부임을 확인한다. 여산국 부인이 남선비를 집으로 데려오려고 하니, 노일저데구일이 딸도 함께 가겠다고 한다. 그러나 노일저데구일이 딸이 목욕을 하고 가자며 여산국 부인을 연못으로 데리고 가서 빠뜨려 죽여 버린다.

노일저데구일이 딸은 여산국 부인의 옷으로 갈아입고 남선비와 돌아온다. 아들들은 부모님의 마중을 나오나, 작은 아들이 나의 어머니가 아니라고 의심한다. 이를 알아챈 노일저데구일이 딸이 하루는 배가 아프다며 남선비에게 문점하러 다녀오라고 하고는 스스로 점쟁이로 변장하여 점을 쳐 아들들 일곱 형제의 애를 내어 먹어야 좋겠다고 한다. 이에 남선비는 칼을 갈며 자식들을 죽여 애를 내려하자, 이를 알게 된 작은아들이 자신이 형제들 애를 내어 드릴 것이며 마지막으로 자기 것만 아버지가 내도록 하면 좋겠다고 한다. 그리고는 멧돼지 애 6개를 내어 노일저데구일이 딸에게 드리니, 진짜인 줄 알고 먹은 체하며 이불자리 밑으로 숨긴다. 작은아들이 이불자리를 걷으면서 노일저데구일이 딸의 흉계를 밝히자, 아버지는 정낭으로 달려가 죽어 정낭신이 되고, 노일저데구일이 딸은 변소에 가서 목을 매어 죽는다. 그리고 신체 각각은 해산물, 농기구 등으로 탄생한다. 어머님은 서천꽃밭에서 환생굿을 하여 살아나 조왕할망으로 들어서고 아들들 일곱 형제는 집안 각각의 신이 되고, 작은아들은 일문전으로 들어선다.

고 심방의 문전본풀이에는 특이한 점이 여럿 발견된다. 여산국 부인이 오동나라에 도착했을 때 남선비의 소재를 알려주는 아이의 노래가 들린다. 새를 쫓는 노래의 내용은 다음과 같다. "이 새야 저 새야. 아이 맺은 그물에 든다(아이 못은 춤그물에 든다). 남선비는 약은 척 해도 노일저데구일의 딸의 꼬임에 빠져 오곡 물건 다 팔아 먹고 거지 신세로 살았구나." 이런 내용은 제주민요에 흔하게 발견되고 다른 지방 민요, 그리고 오래된 민요에서도 발견된다.

拘拘有雀爾奚爲	까불 까불 새야 너는 무슨 짓을 하니
觸着網羅黃口兒	그물에 걸려 노란 주둥이만 짹짹
眼孔元來在何許	눈구멍은 원래 어디 있었길래
可憐觸網雀兒癡	불쌍하게도 그물에 걸려드느냐, 못난 참새야.　　　李齊賢, 長巖

걸렸네 걸렸네 그물에 걸렸네

참새새끼 그물에 걸렸네

눈알은 어데다 두고

어리석은 참새새끼

불상하다 그물에 걸렸네.　　　　　　　조성일, 『민요연구, 연변인민출판사』, 1983, 119번

새야새야 옥은 양 마라

밥주리도 제옥은 깐에

아이 못인 구물에 든다.　　　　　　김영돈, 『제주도 민요 연구』上, 민속원, 2002, 618번

　약은 체 하다가 어린 애가 맺어놓은 그물에 걸려 위험에 처한 참새를 조롱하고 있다. 이런 종류의 민요는 자신의 욕망을 위해 물불을 가리지 않지만 결국은 패가망신하는 인물과 세태를 풍자하는 데에 널리 불렸다. 웅대한 포부를 가지고 떠났으나 얄팍한 노일저데구일이 딸의 꼬임에 빠져 어리석은 인생을 살고 있는 남선비에 대한 풍자가 어린애의 노래 속에 잘 드러나고 있다. 이런 노래가 제주에서도 널리 민요로 불리던 것이었는데, 그것이 무가 속에 이끌려 들어가기도 했음을 확인할 수 있다. 민요가 무가의 일부분이 되기도 하고 무가가 떨어져 나와 민요가 되기도 한다.

　또 특이한 점이 있다. 일반적으로 노일저데구일이 딸의 신체가 대체로 해산물이 되는데, 여기서는 다양하다. 머리카락은 감태가 되고, 음부는 전복이 된다. 대가리는 국자와 돼지 먹이통이 된다. 손은 갈퀴가 되고, 발은 곰방메가 된다. 입은 마이크가 되고, 귀는 전화기가 된다. 그러니 신체가 나뉘어져 해산물, 집안 도구, 농기구가 되고

심지어는 가전제품이 되기도 한다. 현대적 사고를 받아들여 청중과 소통하는 구절을 끼워 넣은 결과라 하겠지만, 시체화생屍體化生의 범위가 훨씬 넓게 구연되는 것이 독특하다고 하겠다.

아버지는 일곱 형제의 애를 내기 위해 칼을 간다. 그때 불을 빌러 갔다가 이를 알게 된 마고할망은 일곱 형제에게 이 사실을 알려준다. 이를 듣고 일곱 형제는 어떻게 하면 좋을지 당황하고 두려워하면서 죽은 어머니를 그리워한다. 자기들을 키워주고 고생하다가 가신 어머니를 애절하게 찾는다. 이는 이용옥본과 양창보본에서는 구연되지 않았던 내용으로, 고 심방본에서는 심방이 울먹이면서 애절하게 어머니에 대한 그리움을 구연하는 것이 돋보인다. 이는 구연하는 고 심방 개인의 감정이 깊게 투영되었다는 느낌을 받는다. 본풀이 곳곳에는 심방으로 살아왔던 비극적 삶의 흔적이 많이 표출되고 있다. 청중들도 그런 장면에서 고 심방과 함께 눈시울을 적시며, 무당의 힘겨운 생애에 공감을 표했다.

10) 칠성본풀이

장설룡 대감과 송설룡 부인 사이에 40세가 되어도 자식이 없어 동관음·서관음을 찾아 수륙제를 지내고 늦게 자식을 얻는다. 물론 정성이 한 근 부족하여 딸로 태어난다. 제주도 일반신본풀이 대부분의 전형적인 수법이다. 이는 고전소설의 영향을 받은 것으로 보인다. 특히 조선후기 18세기를 풍미한 귀족적 영웅소설에 부부가 만득자晩得子를 얻는 대목이 유행적인 것과 상통한다. 본풀이와 고전소설이 교류하고 있었음을 보여주는 대목이다. 무당의 노랫가락이라 하더라도 당대 문학의 주류라고 할 고전소설의 영향을 피해 갈 수는 없었던 것으로 보인다. 이처럼 문학은 서로 영향을 주고받는다.

고순안본은 다른 본풀이와 비교하면 자식을 얻는 과정을 매우 상세하게 서술하고 표현한 것에 비해 뒷부분에서는 내용이 축약되거나 구체적으로 구연되지 않아 내용의 연결성이 부족해 보인다. 딸이 벼슬을 살러 가는 부모님을 쫓아가다가 버려지는 내용이 구체적이지 않다. 삼베중이 딸을 물팡돌 아래 감추어 두었다가 일러주어 찾는데, 임신 확인 부분이 없이 철갑에 담겨 버려지고 있는 부분도 연결성이 부족한 예라 하겠다. 송씨할망 집으로 들어가게 된 배경과 나오게 된 내용이 축약되어 자연스럽지 않다. 또 아기씨의 몸이 뱀으로 변신되는 과정을 구체적으로 묘사하고 직접으로 언급하는 데 비하여, 여기서는 뱀이라고 직접적으로 언급하지 않는다.

한편 독특한 부분도 있다. 여궁녀는 여섯 아이를 잉태하고 철갑에 갇혀 떠다니다가 상륙할 지점을 찾는다. 그런데 워낙 각 당의 당신이 세다 보니 상륙할 엄두를 못 내고 제주 바다를 떠돈다. 앞의 삼공본풀이가 제주 전역의 당과 심방을 자세하게 열거하고 있다면, 여기서는 제주 동부지역의 당과 당신을 자세히 보여주고 있다. 제주시 산지의 칠머리, 화북의 가릿당한집, 삼양의 시월도병서, 신촌의 전방어사, 조천의 정중아미 정중도령, 함덕의 서물할마님과 김첨주영감, 북촌의 가릿당한집, 동복의 신중선왕님, 김녕의 성세기에서 궤노깃한집, 월정의 산신백관님, 행원의 중이데스또, 한동의 구월구일한집, 평대의 수데깃한집, 갓마리의 멍동소천국, 세화의 금상한집, 하도의 도걸호에서 남당할망, 종달의 족지일뤠, 우도의 장하르방 장할마님, 시흥의 중이데스또, 오조리의 족지일뤠, 성산의 김통정장군, 수산의 하로산또까지 열거하고 있다. 수산리가 송당계와 한라산계 당신의 경계지점이다 보니, 제주시에서부터 동쪽으로 수산까지의 당과 당신을 언급하는 것으로 보인다. 고 심방의 관심 지역도 제주시에서 수산까지였을 것이다.

11) 만지장본풀이

남산과 여산 부부가 자식이 없어서 영급 좋고 수덕 좋은 절을 찾아가 정성(가삿베 구만 근, 장삼베 구만 근)을 드려 지장아기씨를 얻는다. 지장아기씨는 조부모와 부모의 귀여움을 받으며 자란다. 7세가 되며 부모와 조부모가 죽게 되자 외삼촌 집으로 가게 된다. 외삼촌 집에서 구박을 받으며 생활을 하게 된다. 결국 버림을 받게 되는데 하늘과 땅의 도움을 받으며 15세까지 살게 된다. 혼인할 나이가 되어 착하다는 소문이 동서로 나서 서수왕 댁에서 사주가 와 혼인을 하게 된다. 시댁에서 전답과 마소를 물려받으며 생활하다 17~18세가 되며 시부모 죽고 19세가 되어서는 신랑도 죽는다. 시댁에서 줄초상이 나게 되니 시누이에게 심한 구박을 받게 된다. 빨래하러 빨래터에 나왔다가 지나가는 중에게 자신의 사주팔자를 물어 듣게 된다. 사주팔자가 좋지 않고 친정부모, 시부모, 남편을 위해 초세남, 이세남 굿을 해야 한다고 하여 정성껏 음식을 장만하여 굿을 하였다. 특히 정성스럽게 제물 떡을 만드는 과정이 자세하다.

지장본풀이의 내용에는 지장아기씨와 주변 부모와 시부모의 힘겨운 팔자를 달래는 의식이 드러난다. 일찍 죽은 조상 부모를 달래고, 또 심방이 억울한 삶을 산 지장을 달래는 의식이 포함되어 있기 때문이다. "지장이 아기씨 좋은 일 헤엿져."라고 하는 말을 들으면 영혼을 달래는 의식의 일단을 느낄 수 있다.

2. 서순실 심방
본풀이

한국학협동과정에서는 지난 2008년부터 이용옥 심방, 양창보 심방, 고순안 심방을 차례로 청하여 본풀이를 채록하고 전사하여 자료집으로 출판하였다. 이 본풀이는 네 번째로 서순실 심방을 청하여 얻은 것이다. 이번 본풀이 작업 역시 처음에 기획한 의도와 체계에 의해서 기존의 방법과 동일하게 진행되었다. 즉 해당 심방이 보유한 본풀이만을 대상으로 조사하였다. 서순실 심방은 비교적 젊은 나이인데도 제주도 굿의 '문서文書'가 풍부한 큰심방이다. 제주도 무속 관련 연구사 측면에서 보자면 서순실은 지속적으로 여러 차례 소개된 심방이기도 하다.

서순실의 본향 동김령

서순실 심방

　서순실 심방은 이번에 '제주큰굿'의 제차祭次 순서에 따라 이른바 일반신본풀이, 당신본풀이, 조상신본풀이 등을 다양하게 구연하였다. 일반신본풀이는 모두 구연하였다. 서순실 심방은 이번에 나름대로 세부 제차를 두면서 본풀이를 구연하였다. 사실 하나의 본풀이는 여러 소제차로 구성된다. 본풀이의 내부에는 들어가는 말미, 공선가선, 날과 국 섬김, 연유닦음, 신메움, 본풀이, 비념, 주잔넘김, 제차ᄆᆞᆷ (혹은 제차넘김) 등 구연순서에 따라 다양한 소제차들로 이루어져 있다. 서순실은 기본적으로 소제차들을 감안하여 본풀이를 구연하였다. 그런데 일부 본풀이를 구연할 때는 이러한 소제차들을 부분적으로 생략하여 구연하기도 하였다. 이는 인위적으로 본풀이를 구연하는 자리였기 때문이다. 게다가 한정된 기일 안에 본풀이만을 연속적으로 구연하는 상황이다 보니 본풀이 내의 소제차들이 일부 생략되었다.

서순실 심방이 구연한 일반신본풀이는 모두 12편이다. 천지왕본풀이, 멩진국할마님본풀이, 동헤용궁할마님본풀이, 초공본풀이, 이공본풀이, 삼공본풀이, 세경본풀이, 처서본풀이, 지장본풀이, 멩감본풀이, 칠성본풀이, 문전본풀이 등이다. 천지왕본풀이는 첫째 날에 간략히 초감제를 하면서 구연하였다. 한편 멩진국할마님본풀이에는 이른바 마누라본풀이가 함께 들어 있다. 마누라본풀이만을 따로 떼어내서 구연하지는 않는다고 하였다.

1) 천지왕본풀이

　천지왕본풀이는 초감제와 불가분의 관계다. 그러니 '날과 국 섬김'을 거론하지 않을 수 없다. 서순실의 본풀이는 해동국의 개국으로 시작된다. 서울이 한성이 되고 일제 36년을 거쳐 해방이 되는 나라의 역사와, 탐라국이 개국하고 몽골 침탈을 거쳐 조선조에 제주목과 대정현과 정의현의 세 고을이 형성되었고, 이후 제주도의 '섬 도島'가 도道의 행정구역으로 바뀌고 이어 특별자치도로 된 제주의 역사가 이어진다. 마무리에 제주대학교를 언급하면서 "뿌리 없는 싹은 없다."는 의미 있는 말로 마무리하는데, 나라도 지역도 공부도 뿌리를 잘 알아야 한다는 가르침도 있지만, 본풀이가 인간 삶의 근본을 일러주는 이야기임을 천명한 것이기도 하다.
　'연유닦음'에서는 제주대학교에서 본풀이를 하는 내력이 제시된다. 이씨 자손, 양씨 자손, 고씨 자손에 이어 네 번째로 자신이 박물관 기메전의 전시 기념으로 본을 풀게 되었다고 하면서, 이씨 삼촌(이중춘 심방)이 배워준 대로 본풀이를 하겠다고 결의를 다졌다. 제주대학교 한국학협동과정에서는 이용옥 심방, 양창보 심방, 고순안 심방에 이어 서순실 심방의 본풀이를 네 번째로 정리하는 셈이다. 기록도 잘 되고 편집도 잘 되어 좋은 책이 나오게 다들 도와달라는 기원을 하고, 축원 정성을 올리는 목소리가 높이 울려 퍼졌다.
　천지왕이 지부왕인 총명부인에게 내려오게 되는데 가난하여 밥을 지을 쌀조차 없는 처지여서 제인장자 집에 쌀을 빌러 가는 첫 대목으로 시작된다. 부잣집에서 가난한 사람들에게 모래를 섞어 쌀의 양을 늘려 꾸어주고 돌이 섞인 밥을 먹다 돌을 씹게 되는 상황과 더불어, 묵은 곡식 꾸어주고 새 곡식 받는 상황, 나쁜 쌀을 아래에 놓고 좋은 쌀을 위에 놓아 꾸어주는 상황, 꿔줄 때는 되를 깎고 주고받을 때는 수북이 받는 상황을 자세히 묘사한다. 오랫동안 서민들이 겪어온 빈부의 격차, 부자의 횡포, 가난의 설움이 제시되어 본풀이가 사회적 맥락 속에 성장하여 왔음을 보여준다. 아울러 천지왕이 밥을 먹은 후에 오천 군사와 칠천 군중을 먹이는 시시걸명법(잡신 접대)은 밥을 왕과 군사와 백성이 함께 먹는 법도로서 신인神人·상하上下 공동체의 삶을 지향하고 있다. 신화 속에 담긴 민중적 가치관을 여실히 담아내는 서순실 심방의 지향점을 여실히 발견할 수 있는 대목이다.

첫날밤을 지낸 뒤 떠나는 천지왕에게 총명부인은 수태한 아이의 이름을 지어두고 가라고 부탁한다. 아들이 나면 대별왕과 소별왕, 딸을 나면 대털이와 소털이로 정하고 박씨 세 알을 주고 떠난다. 하루는 소별왕이 수수께끼 내기를 하자고 하여 이기면 이승어멍 차지하고, 지면 저승아방 차지하기로 한다. 수수께끼에서는 소별왕이 이기자 대별왕이 꽃피우기 내기를 하자고 제안한다. 이승을 어멍으로, 저승을 아방으로 수식하는 바가 색다르고, 대부분의 경우 수수께끼에서 대별왕이 이기는데 여기서는 다르다. 대별왕의 경우 한 뿌리에 '사만오천육백' 가지가 돋고 무성하게 꽃이 피는데, 소별왕에게는 한 뿌리에 한 가지가 돋고 시들어가는 꽃이 핀다. 소별왕이 낮잠 자기를 청하여 꽃을 바꿔치기하고 결국 소별왕이 이긴다. 대별왕이 소별왕의 계략을 나무라고 이승에는 살인, 역적, 도둑, 방화, 간음이 많을 것이라 예언한다.

정월 정해일 첫 돼지날에 박씨를 심어 옥황에 올라가게 되는데, 이 날을 마을 포제酺祭날로 삼는 법이 마련되었다고 한다. 지금도 마을제를 정해일에 거행하는 마을이 많다. 대별왕이 옥황에 올라가 보니 짐승과 새가 말을 하고, 귀신과 산 사람이 대화하는 혼란한 상황이었다. 이에 송피가루를 뿌리자 새와 짐승이 말문을 닫고 자기들끼리만 소통하게 하고, 인간만 말을 할 수 있게 하였다. 천하를 굽어보니 낮에는 해가 둘이어서 백성들이 더워 죽고, 밤에는 달이 둘이어서 백성들이 얼어 죽게 되자, 천 근 활과 백 근 화살로 하나씩 쏘아 정상이 되게 하였다. 하늘과 땅을 구별하고, 대별왕의 저승법과 소별왕의 이승법을 구별하여 격식에 맞게 나누어 운행하도록 하였다고 한다.

2) 멩진국할마님본풀이(+마누라본풀이)

멩진국할마님은 한 손에는 번성꽃, 다른 한 손에는 환생꽃을 들고 인간 세상에 내려와 아들과 딸을 점지해 준다. 열 달이 다 차면 아기를 태어나게 하고 열다섯 십오 세까지 잘 자라도록 보살펴준다. 멩진국할마님은 홍진국대별상이 아이들에게 마마를 주고 간다는 말을 듣고 부디 마마를 주되 진주처럼 예쁘게 앓게 해달라고 빌었는데, 홍진국대별상은 틀어진 데 얽어지고 얽어진 데 틀어지고 구멍이 깊이 파이게 해버린다. 이에 멩진국할마님은 홍진국대별상의 아들이 결혼을 하자 홍진국대별상의 며느리에게 아기를 점지해 주되 해산을 시켜주지 않는다. 나중에 홍진국대별상이 멩진국할마님에게 가서 잘못을 빌자 아기를 해산시킨다. 홍진국대별상이 마마를 준 아이들의 얼굴을 다시 곱게 해 주자 멩진국할마님은 그때서야 아기 얼굴을 볼 수 있게 해주는 것이다. 서순실 심방은 멩진국할마님본풀이와 마누라본풀이를 한데 묶어서 구연하였다.

멩진국할마님은 산천이 좋은 집안은 아들을, 산천이 부족한 집안은 딸을 점지했다고 한다. 이런 문맥 속에는 풍수사상이 가미되어 있고, 후대의 아들 선호 사상도 덧보태져 있는 모습이다. 그리고 정성이 많고 적음에 따라 결과가 나뉜다는 의식도 담겨 있다. '청이슬과 백이슬이 내려' 아이가 탄생하는 과정은 천지개벽 후에 천지만물이 생겨나는 과정과 유사하게 표현되어 있다. 애초의 본풀이에는 천지만물의 탄생과 함께 인간의 탄생담도 있었을 것 같은데, 함경도의 창세가에는 인간 탄생담이 남아 있음에 반해 제주도의 천지왕본풀이에는 그 탄생담이 소거되어 있다. 인간 탄생담의 흔적이 여기 '멩진국할마님본풀이'에 남아 있다고 할 수 있다.

머리 방향이 동이면 부자, 서쪽이면 가난, 남쪽이면 장수, 북쪽이면 단명이라는 설정은 특이하다. 이와 함께 비념 중에 아이들의 멧질(화내거나 싸움, 살인을 일으켜 손해를 주는 사기邪氣)을 '오방 멧질'이라고 한 것은 오방사상에 의해 분석된 흔적으로 보인다. 이처럼 서순실 심방의 본풀이 속에는 원형적인 것과 후대 변형적인 요소가 함께 드러나

본풀이의 변모과정을 읽을 수 있게 해 준다. 그리고 굿과 본풀이가 우리 시대의 삶과 결부되어 있다는 인식을 준다. 멩진국할마님은 아이의 탄생과 함께 15세까지의 안전을 지켜주는 신인데, 어린이집의 소풍이나 현장학습 때에 악심 주는 것이나 액을 막아달라는 비념을 덧보태 현실적인 감각을 느낄 수 있게 해 준다.

3) 동헤용궁할마님본풀이

동헤용궁할마님은 한두 살이 되니 어머니 젖가슴 두드린 죄, 세 살이 되니 아버지 무릎에 앉아 수염을 잡아 거슬린 죄, 네 살이 되니 마당에 널어둔 곡식을 흩뜨린 죄, 대여섯 살이 되니 동네 어르신들 말씀에 대꾸를 한 죄를 지어 인간 세상으로 쫓겨나게 된다. 인간 세상에 내려오기 직전 어머니에게 아이를 점지시키는 방법을 듣게 되지만 아버지의 호통 때문에 해산시키는 방법을 듣지 못하고 내려오게 된다. 인간 세상에 올 때에는 철갑에 갇혀 바다에 띄워진다. 물 위에 삼 년, 물 아래 삼 년을 떠다니다가 임 박사와 인연이 되어 철갑이 열리게 된다. 부친에 대한 죄와 축출과 궤에 갇혀 떠다니는 고난은 궤네깃도의 일대기와 같다. 일반신본풀이 속에 당신본풀이가 깊게 영향을 준 흔적이라 하겠다. 혹은 동헤용궁할마님은 일렛당신의 정체와 유사한 당신으로 아이의 산육을 책임지는 신이었는데, 후에 육지에서 들어온 멩진국할마님이라는 산육신에게 밀려난 흔적일 수도 있다.

임병나라 임박사는 나이 서른이 넘어가도 아이가 생기지 않아 백일 불공을 드리는데 철갑을 발견하게 된다. 임병나라 임박사가 철갑을 열어 보니 동헤용궁아기씨가 앉아 있었다. 동헤용궁아기씨가 임박사의 사정을 듣고 생불을 주니 아이가 생겼으나 해산을 시키지 못한다. 부인이 죽을 지경이 되어가자 임박사가 하늘에 바랑소리를 울리게 된다. 그 소리를 듣고 옥황상제가 멩진국따님아기를 보내 임박사 부인의 아이를 해산시키도록 한다.

멩진국따님아기는 돌아오는 길에 동헤용궁따님아기를 만나게 된다. 서로 자기가 생불할망이라고 다투다가 옥황에 올라가니 옥황상제가 '얼굴도 같아지고 말도 같아져서' 구별을 못하게 되어 꽃피우기 내기를 시킨다. 멩진국따님아기는 꽃을 번성시켜 인간생불할망이 되고, 동해용궁따님아기는 꽃을 번성시키지 못하여 저승할망으로 가게 된다. 멩진국따님아기가 번성꽃과 환생꽃을 무성하게 피우고 동해용궁따님아기는 검뉴울꽃(시든 꽃)을 피우는 장면은 대별왕과 소별왕의 경쟁 장면과 똑같다. 꽃 피우기가 탄생을 관장하는 신의 권능이면서 이승의 삶과 풍요를 관장하는 신의 권능과 밀접하다는 것을 이런 장면에서 찾을 수 있다.

경쟁에서 진 동해용궁따님아기는 화가 나서 멩진국따님아기의 꽃 하나를 꺾으며 아이들에게 해코지하고 경기驚氣를 시키겠다고 하였다. 그러자 멩진국따님아기가 아이들에게 악심을 주지 말아달라고 당부하면서, 자신이 받던 잔은 동해용궁따님아기가 받고 동해용궁따님아기가 받던 잔은 멩진국따님아기가 받기로 하고 화해를 하게 된다. 멩진국따님아기와 동해용궁따님아기는 꽃 가꾸기 경쟁을 통해 인간생불할망과 저승할망으로 갈라지게 된다.

4) 초공본풀이

서순실 심방의 초공본풀이는 한국학협동과정에서 연속적으로 채록했던 이용옥, 양창보, 고순안 심방에 비해 구연시간이 상대적으로 짧은 편에 속한다. 그러나 일대기적 서사의 흐름 속에 중요한 사건들은 빠짐없이 나타나고 있어서 기존의 채록본과 큰 차이를 보이지 않는다. 묘사가 장황하지 않고 함축적이며 간결하다. 서사의 전체적인 진행과 반주의 패턴 또한 빠른 속도감을 느끼게 만들고 있어서 긴장감이 느껴진다. 아마도 기존의 심방들과 견주어볼 때 비교적 젊은 연령대의 심방이기 때문에 구연의 함축과 긴장이 나타나는 것으로 보인다. 이와 같은 묘사의 함축과 음악적 긴장감 외에 뚜렷하게 나타나는 특징은 발견되지 않는다. 서순실 심방의 초공본풀이에 드러나는 서사를 간추려 살펴보기로 한다.

천하 임정국 대감과 지하 짐진국 부인이 부귀영화를 누리지만 마흔이 되도록 슬하에 자식이 없어서 쓸쓸하게 지낸다. 새가 새끼 치는 장면을 보고 가난한 집 부부가 아이들과 웃음이 떠날 줄 모르는 모습을 보며 부러워하는 장면이 현실감 있게 묘사된다. 대감과 부인은 황금산 상저절을 찾아가 백일불공을 치른 뒤 귀한 딸을 얻어 '노가단풍 ㅈ지맹왕아기씨'라고 이름을 짓는다. 세월이 흘러 어느덧 노가단풍아기씨가 열다섯 살이 되자 임정국 대감 부부는 각각 천하공사와 지하공사를 맡아 집을 떠나며 딸을 살장으로 막힌 방에서 머물게 한다. 대감 부부가 떠나기 무섭게 황금산 상저절의 주접선생이 한달음에 날아들어 도술을 부려 노가단풍아기씨에게 포태를 주고 떠나버린다.

딸의 소식을 듣게 된 대감부부는 급히 돌아온다. 마침내 딸의 임신을 확인한 짐진국 부인은 노가단풍아기씨를 쫓아내버린다. 하루아침에 갈 데 올 데 없는 신세가 된 아기씨는 정처 없이 헤매 다니다 동개남 은중절로 주접선생을 찾아간 뒤 불도땅에서 아들 삼형제를 낳는다. 본맹두, 신맹두, 삼맹두라고 아이들의 이름을 지은 아기씨는 어렵게 품팔이를 하며 삼형제를 기른다. 삼형제는 예닐곱 살이 되자 삼천서당의 하인 노릇을 하였다. 삼형제가 아궁이 속의 재를 눌러 글을 쓰니, 삼천서당 선비들은 재투성이가 된 삼형제를 놀려대며 젯부기 삼형제라는 별명을 붙였다. 삼형제는 비록 동냥 글공부였지만 타고난 총명함 덕분에 뛰어난 실력을 가지게 되었고 열다섯 살이 되자 과거를 보러 간다. 그러나 이들을 질투한 선비들의 흉계에 빠져 배낭골이라는 마을에 버려진 채 오도 가도 못하는 위기에 처한다. 천만다행으로 그 마을에 사는 배좌수의 도움으로 위기에서 벗어나 우여곡절 끝에 삼형제는 모두 과거에 급제한다.

삼형제의 과거급제를 시기한 삼천선비들은 노가단풍아기씨를 납치해 깊은 궁에 가둔다. 삼형제는 어머니를 구할 방법을 얻으려고 아버지 주접선생과 상봉한다. 삼형제는 양반 자식을 거부하는 주접선생의 뜻에 따라 머리를 삭발하고 송낙을 쓰고 장삼을 걸치는 변신을 하고 전생 팔자를 그르쳐 심방이 된다. 승려의 차림인데 심방이 되는 과정을 겪는다고 하여 무속과 불교가 혼합되어 있음을 알게 한다. 주접선생으로부터 해결책을 얻은 삼형제는 굴미굴산을 향하던 길에 너사무너도령 삼형제와 만나 의형제를 맺는다. 그 뒤에는 굴미굴산에 올라가 나무를 구해 북과 장구를 만들고, 동해바다 쉐철이 아들을 청하여 천문과 상잔 등의 무구를 만들어 어머니가 갇힌 깊은 궁을 찾아간다. 삼형제가 굿을 하자 노가단풍아기씨가 풀려났다.

젯부기 삼형제는 노가단풍아기씨와 극적으로 상봉한 뒤 하늘의 명을 받아 저승의 삼시왕이 되어 무당의 조상신이 된다. 그리하여 이승 사람들 중에 하나를 택해 신병에 걸리게 만들었는데 바로 유정승의 딸이었다. 원인을 알 수 없는 신병 탓에 평생을 병마에 시달리던 유정승 따님아기는 일흔일곱 살이 되던 해에 인간 세상의 첫 무당이 되어 젯부기 삼형제를 삼시왕으로 모시게 된다.

5) 이공본풀이

원진국은 부자인데 쌀과 베를 많이 바쳤지만 백 근이 못 차서 딸을 낳고 월광아미라 하였다. 김진국은 가난한데 멥쌀 한 되를 바쳤지만 정성이 백 근에 해당하여 아들을 낳고 사라도령이라 하였다. 두 집안에서는 자식들을 15세에 혼사를 시키는데, 사라도령은 월광부인이 임신한 직후 꽃감관을 살러 가게 된다. 월광부인도 동행하다가 발병이 나서 제인장자의 집에 의탁하고 종이 된다.

월광부인은 제인장자의 육체적 요구에 여러 빌미를 대며 피하다 결국 고된 시련을 겪게 된다. 아들 할락궁이가 자라 어머니의 고역을 보고 제인장자가 아버지가 아님을 알아챈 후 아버지의 행방을 묻는데 제대로 알려주지 않자, 콩을 볶는 솥에 어머니 손을 눌러 자백을 받아낸다. 이런 엽기적인 장면은 본풀이의 원시적인 원형을 실감하게 해 준다. 주인공의 영웅성을 야생적으로 드러내는 묘미라 하겠다. 할락궁이는 어머니로부터 아버지가 남겨준 증거물을 가지고 서천꽃밭에 가게 된다. 거기서 손가락을 찔러 연못에 피를 뿌리고 조화를 부리자 꽃감관이 나타나 상봉을 하고, 증거물을 맞춰 본 후 부자임을 확인한다. 어머니의 죽음을 아버지로부터 듣고 환생꽃을 가져가 어머니를 살려낸다.

대체적인 내용은 일반적으로 알려진 이공본풀이의 내용과 같다. 다만 사라도령이 꽃감관으로 부임하기까지의 과정이 여타의 본풀이와는 다르다. 옥황상제에게 직접 맹진국할마님이 사라도령을 꽃감관으로 임명하여 달라는 청이 있었다. 서천꽃밭이라는 공간의 속성과 관련 신격들의 특성을 설명하기 위해 옥황상제, 멩진국할마님, 꽃감관이라는 구체적인 체계를 나름대로 마련하였다. 저승과 서천꽃밭을 연관시켜 삼차사가 사라도령을 데리러 오는 이본異本과는 어쩌면 세계관 설정이 다르다고도 할 수 있겠다.

가난한 집에 태어나고 15세 이전에 죽은 아기들의 설움도 극대화되어 있다. 서천꽃밭에 가서도 좋은 물동이를 갖지 못하고 힘들게 일하는데, 제대로 일을 하지 못한다고 회초리까지 맞는다. 살아서 고생하였으니 죽어서는 편히 일할 수 있도록 인정을 걸어주어야 한다는 논리가 극적인 제시로 더욱 효과를 발한다. 본풀이의 비념도 이를 염두하고 이루어진다. 서천꽃밭에 간 어린아이들을 잘 돌보아 달라 염원하기 때문이다. 무엇보다도 서천꽃밭의 좋은 꽃들이 잘 번성하도록 기원하고 있어, '꽃불휘'라는 별칭으로 불리는 이공본풀이의 근원과도 잘 맞는다. 서순실의 본풀이에는 제인장자 족은딸아기의 행방은 나타나지 않는다. 사라도령은 꽃감관 벼슬을 그대로 유지하고, 월광부인은 저승 유모가 된다. 할락궁이는 "아미도령의 처서로 들어간다."고 되어 있어 기존의 이본들과는 다른 특성을 보인다. 월광아미의 '아미'와 사라도령의 '도령'이 함께 머무는 공간 속으로의 행복한 귀향을 의미하는지도 모르겠다.

6) 삼공본풀이

강이영성이서부와 홍문소천녀실부인은 서로 다른 마을에서 동냥하여 살아가는 거지이다. 자기 마을에는 흉년이 들어 상대 마을로 동냥을 가다 만나서 부부가 되어 살아간다. 얼마 후 딸들이 태어나기 시작한다. 첫째 딸은 은그릇에 밥을 먹여 은장아기, 둘째딸은 놋그릇에 먹이니 놋장아기, 셋째 딸은 검은 나무바가지에 먹이니 가믄장아기라 불렀다. 가믄장아기가 태어나고 가산이 늘어 거지 부부는 부자로 살게 된다.

하루는 심심하여 부부는 아이들을 불러다가 누구 덕에 사느냐고 묻는다. 첫째와 둘째는 하느님, 지하님, 부모님의 덕이라고 대답하여 부모의 마음을 흡족하게 한다. 하지만 가믄장아기는 '내 배또롱 아래 선그믓(음부)' 덕이라고 하여 부모님의 노여움을 사서 집에서 쫓겨나게 된다. 막내를 시기한 두 언니는 각각 지네와 말똥버섯으로 환생하고 두 부부는 장님이 되고 가산도 모두 잃어 다시 거지가 되고 만다. 쫓겨난 가믄장아기는 마퉁이를 만나 부부 인연을 맺고 함께 마를 파다가 금덩어리를 발견해 부자가 된다. 부모님 소식이 궁금했던 가믄장아기는 거지잔치를 열어 부모님을 찾는다. 당달봉사에 거지가 된 부모님께 음식과 술을 대접하며 회한을 풀던 가믄장아기는 자신이 셋째 딸임을 밝히자 부모님은 눈을 뜨게 된다.

삼공본풀이는 삼공맞이(전상놀이)와 연결되며 전상의 신을 풀어내는 내력담이다. 전상은 불교의 전생 인연과 연관되기도 하고 '스록'이라고 하여 인간 운명을 포괄하는 뜻인 듯하다. 삼공신은 이러한 전상을 차지하여 자신의 운명을 헤쳐 나가는 신이다. 삼공본풀이에서 가믄장아기가 쫓겨나 마퉁이를 만나 부부가 되고 금을 캐서 부자로 잘 살았다는 이야기는 선화공주가 마퉁이인 서동을 만나 금을 캐어 부자가 되었다는 〈서동설화〉와 비슷하다. 또한 삼공본풀이에서 가믄장아기가 거지잔치를 열어 부모님을 만나고 부모님의 눈을 뜨게 한다는 내용은 고전소설 〈심청전〉과 매우 비슷하다.

7) 세경본풀이

옛날 김진국 대감 부부가 부자로 살고 있었지만 자식이 없어 즐거울 일이 없었다. 하루는 대사가 찾아와 불공을 드리면 자식을 얻을 수 있다는 말에 불공을 정성껏 드렸으나 시주가 백 근이 되지 않아 딸을 얻게 된다. 부부는 자식을 스스로 자청하여 낳았다고 이름을 '자청비'라 지었다. 자청비는 열다섯 살이 될 무렵 빨래터에서 거무선생에게 글공부를 하러 가는 문도령을 만나 남장을 하고 같이 글공부를 떠나게 된다. 문도령과 한 방에서 기거하게 된 자청비는 혹시 문도령이 자신이 여자라는 사실을 알게 될까봐 꾀를 내어 모면한다. 그러던 어느 날 문도령은 결혼하라는 편지를 받고 집으로 돌아가겠다고 한다. 자청비는 문도령에게 자신이 여자라는 사실을 알려 함께 자신의 집으로 가게 된다. 자청비와 문도령은 남녀의 정을 나누고 서로 증표를 나누어 가지고 헤어진다.

하염없이 문도령을 기다리던 자청비는 문도령이 연네못에서 노는 것을 보았다는 정수남이 거짓말에 속아 산에 올라가게 된다. 정수남이는 산에서 자청비를 겁탈하려 하고 이를 안 자청비는 꾀를 내어 정수남이를 죽인다. 집으로 돌아온 자청비는 부모에 꾸중을 듣고 집에서 쫓겨난다. 자청비는 남자 의복을 차려 입고 길을 나선다. 자청비는 서천꽃밭에 부엉이가 출몰하여 부엉이를 잡아주는 사람을 사위 삼는다는 소식을 듣고 부엉이를 잡으러 서천꽃밭에 들어가게 된다. 자청비는 부엉이를 잡고 사위가 되고 서천꽃밭에서 살면서 환생꽃을 훔쳐 정수남이를 살린다. 자청비는 정수남이를 데리고 집으로 돌아오지만 부모는 사람을 죽이고 살리는 자청비를 다시 내쫓는다. 자청비는 다시 길을 나서게 되고 주모 할머니를 만나 수양딸이 된다. 자청비는 주모 할머니의 베 짜는 일을 돕는다. 비단옷이 문도령 결혼할 때 쓸 폐백인 것을 안 자청비는 주모 할머니에게 이 옷을 자신이 만들었다는 사실을 문도령에게 알려달라고 한다. 문도령은 자청비의 소식을 듣고 급히 인간세상으로 내려와 자청비를 만나러 간다. 하지만 자청비가 문도령 손가락을 바늘로 찔러 피가 나게 만드는 장난 때문에 만나지도 못하고 헤어지게 된다. 이 사실을 안 주모 할머니는 자청비를 내쫓는다. 자청비는 절간 법당으로 들어가 머리 삭발하고 중의 차림으로 방랑생활을 한다.

어느 날 자청비는 하늘 옥황 궁녀를 만나 그들과 함께 옥황으로 올라가 문도령을 만나 다시금 서로의 사랑을 확인한다. 문도령은 서수왕 따님아기와 혼사를 파기하고 자청비와 혼인을 하겠다고 한다. 자청비는 문도령의 부모가 낸 시험을 무사히 통과하여 며느리로 인정받는다. 서수왕 따님아기는 이에 크게 실망하여 죽어 새 몸으로 환생한다. 행복하게 사는 자청비를 질투한 궁녀들이 남편 문도령을 죽인다. 자청비는 죽은 남편 문도령을 살리기 위해 다시 서천꽃밭으로 가 환생꽃을 구하여 남편을 살린다. 이후 자청비는 남편 문도령에게 한 달에 보름은 자신과 살고 보름은 서천꽃밭 따님아기와 살라고 한다. 하지만 문도령은 서천꽃밭에서 살다보니 자청비를 찾아가지 않는다.

하늘 옥황에 큰 난리가 나고 자청비는 문도령에게 소식을 전하고 문도령은 급히 하늘 옥황에 올라와 난을 수습한다. 옥황상제는 문도령과 자청비에게 곡식의 씨앗을 주고 이를 가지고 둘은 인간세상으로 내려온다. 내려와 정수남이를 만나 같이 농사를 짓는 것을 돌아보며 다닌다. 자청비는 정수남이를 시켜 농사짓는 곳에 가 밥을 구걸

하게 한다. 밥을 준 농사꾼에게는 풍년이 들게 하고 그렇지 않은 농사꾼에게는 흉년을 들게 한다. 자청비는 농사의 신으로 좌정한다.

서순실 심방의 세경본풀이에서는 자청비의 능력이 다른 본풀이에서처럼 영웅적 면모가 드러난다고 보기에는 무언가 부족한 면이 있다. 하늘 옥황의 난을 수습하는 인물은 자청비가 아니고 문도령으로 되어 있다. 하지만 신으로 좌정하기까지의 단계로 능력이 발전하는 모습을 보인다. 어찌 보면 이렇게 차근히 단계를 거쳐 자신의 능력을 깨닫는 것이 인간의 위대함이고 신으로 좌정할 만한 능력이 아닌가 생각해 본다.

자신이 어떤 능력이 있는지 모르던 시기에는 변장을 하거나 꾀를 내어 위기를 모면한다. 이후 정수남이를 죽이고 다시 환생시키는 과정을 겪은 후, 고난을 헤쳐 나가는 과정을 통해 자신의 능력을 서서히 깨달아 간다. 그 이후 현실세계를 벗어나 하늘 옥황이라는 다른 세계로의 이동이 가능하게 되고 변신술을 하게 된다. 다시 두 번째 큰 숙제인 천상계에서의 시련과 시험을 견뎌내고, 문도령 살리기를 통해 신으로의 자격이 주어진 것을 아닐까 생각해 본다.

서수왕 딸과 정수남이는 죽어 새 몸으로 환생한다. 하지만 서수왕 딸은 다시 인간으로 환생을 하지 못한다. 정수남이는 자청비의 의해 다시 인간으로 환생한다. 여기이 둘의 죽음의 차이는 자의인가, 타의인가의 차이점이 보인다. 실연의 아픔으로 자살을 선택한 서수왕 딸은 새 몸으로 환생하여 결혼식 때 음식을 받아먹는 신세가되고 정수남이는 자청비의 의해 죽고 다시 살아 자청비가 인간세상을 떠나 하늘 옥황을올라간 동안 늙어가는 인간의 모습이었지만 다시 자청비를 만나 신으로 좌정한다. 농경의 신인 세경신 때문에 정수남이의 능력이 왜소해지긴 했지만 목축을 관장하는 신격으로서의 자격 회복이 인정되는 결말이다.

정수남이는 소와 말을 위해 고사를 드리기도 하고, 여러 마리 소를 한꺼번에 먹어치우는 대식성을 지닌 영웅적 요소는 남아 있지만 자청비에 의해 악역처럼 내몰리는신세가 되었다. 특히 서순실 심방의 본풀이에서는 소 백 마리와 말 백 마리가 죽자이것들을 모두 구워 먹고 그 가죽을 지고 가는, 엄청난 대식성과 장수의 면모를 지니고 있으니 정수남이의 감춰진 능력을 짐작할 수 있겠다. 백 마리를 먹는다는 것은 지나친 과장이긴 하지만, 소와 말을 온 마리로 잡아먹는 소천국이나 궤네깃도보다 훨씬 거대신으로서의 묘사라고 하겠다. 시간이 흐르면서 소략화 되긴 하였지만 목축 역시 농경의 부수적인 일이어서 정수남이도 당당히 하세경으로 좌정하는 것이다.

8) 처서본풀이

이 세상에서 인간의 수명을 규정하는 것만큼 비논리적인 일은 없다. 죽음과 맞닥뜨릴 때는 더욱 그렇다. 인간의 탄생만큼이나 죽음은 의문스런 과제다. 문제는 시간 속에 일어나는 필연적인 사건이지만 논리적이지 않는데서 인간은 혼란스러워 한다. 그래서 이 문제를 풀어내는 데 논리적인 방법이 필요하다. 처서본풀이는 인간수명의 한정적 죽음을 논리로 풀어내어 생명이 존재하는 이승과 혼으로 존재하는 저승의 두 공간을 정명과 연관시킨 신화다.

버무왕아기 삼형제는 '십오 세' 정명의 운명을 타고 난다. 이를 극복하기 위한 노력에도 불구하고 과양생이 부부의 행실에 의해 죽게 되었다. 재물에 탐이 나 삼형제를 죽였는데 시체를 주천강 연못에 수장시켜 다음날 시체가 떠오르지 않았는지 확인하러 가보니 빨강, 노랑, 파랑 꽃이 피어 그 꽃을 꺾어 가져온다. 그 꽃을 화로에 태우니 삼색 구슬로 바뀌어 그것을 손바닥에 놓고 놀리고, 입안에 넣고 놀리다 삼키고 임신이 된다. 그 후 삼형제를 낳게 되고, 15세가 되어 과거를 보아 급제를 하게 되는데, 급제 행렬이 우렁찬 모습을 본 과양생이 처는 남의 자식들인 줄 알고 시기질투하여 죽으라고 저주를 하고 나니, 그들이 자기 자식이었고 저주 때문에 모두 죽는다.

과양생이 부부는 김치 원님에게 소지를 올려 억울한 사정을 호소하지만 백일이 되어도 소식이 없자 원님을 겁박하게 된다. 그리하여 강림이로 하여금 염라대왕을 이승에 데려오도록 명하여 저승길을 떠나게 된다. 강림이 큰부인의 조력으로 조왕할망과 문전하르방의 조언을 따라 길을 찾고 문제를 해결할 실마리를 얻게 된다. 저승 관원을 구워삶아 염라대왕을 만나게 되고 겁박하여 이승에 데려오려 한다. 염라대왕이 두려워 고라니로, 청대 위의 파리로 변신을 하였지만 지혜롭게 찾아내자 이승에 갈 약속을 한 후 강림이는 먼저 이승으로 돌아온다. 염라대왕의 변신과 숨기가 흥미진진하게 전개되고, 염라대왕을 추궁하는 강림이의 용맹함이 돋보이는 대목이다. 염라대왕이 이승에 와서 과양생이 부부의 죄를 낱낱이 밝히고, 버무왕 삼형제의 시체를 찾아내어 서천꽃밭의 환생꽃으로 살려낸다. 그리고 버무왕아기 삼형제를 대신해 원수를 갚아주며 과양생이 부부를 죽여 뼈까지 빻아 바람에 날려 홉혈 각다귀로 변모시킨다.

버무왕아기 삼형제 정명 확인과정은 '연네못'에서 이루어진다. 염라대왕이 버무왕아기 삼형제 시체수습을 할 때 '요왕황제국님'을 청해 연네못 물을 퍼달라고 한다. 염라대왕은 버무왕아기 삼형제 죽음을 확인하는 데 여러 방법을 동원하고 있다. 채록본마다 다르게 나타나고 있는데 동네사람 어른 아이 할 것 없이 동원해 연네못 물을 퍼내는 〈양창보본〉, 〈고순안본〉과 그래도 안 되니까 염라대왕이 금봉채를 두드려서 연네못 물을 마르게 하는 〈이용옥본〉, 〈안사인본〉이다. 그래도 이루어지지 않자 더 나은 신력인 요왕황제국님을 청하고 자신의 부족을 인정하고 도움을 얻는 내용이 서순실 심방 본풀이에서 전개된다. 도움으로 물이 말라 버무왕아기 삼형제 형체를 확인하고 비로소 과양생이 부부를 벌하게 된다. 과양생이 부부는 버무왕아기 삼형제 목숨을 쉽게 빼앗고 연네못에 버리는 일을 감행하지만 염라대왕은 사람들의 힘과 자신 힘, 그보다 좀 더 나은 요왕황제국의 능력을 빌리며 해결을 보여준다.

인간수명은 '까마귀 젓늘게에 부찐 적베지'가 무심히 떨어지는 소재를 통해서 볼 수 있듯이 적베지가 떨어진 순간에 정해진다. 적베지를 잃어버리면서 남녀노소가 구분 없이 죽게 되었다고 한다. 인간의 운명을 재미있게 표현하였다. 그리고 인간수명은 한정되어야만 하기 때문에 삼천 년을 살던 동박삭이를 저승에 잡아가는 것으로 보여주고 있다. 강림이의 저승 왕래 과정에서 장례법을 상세히 실벙하는 것도 이 본풀이의 특성이다.

9) 지장본풀이

옛날 남산과 여산 부부가 슬하에 자식이 없어서 동게남 은중절에 불공 드려 지장아기씨를 얻는다. 네 살까지 부모와 조부모 슬하에서 어리광을 부리며 잘 자라다 다섯 살 때부터 줄초상이 생기기 시작한다. 다섯 살 때 어머니, 여섯 살 때 아버지, 일곱 살 때 할머니, 여덟 살 때 할아버지가 차례대로 죽는다. 고아가 된 지장아기씨는 외삼촌의 수양딸로 간다. 그 뒤 열다섯이 되기까지 외삼촌의 극심한 구박을 당하면서도 지장아기씨는 하늘과 땅의 도움으로 곱게 성장한다.

열다섯이 된 지장은 혼인할 나이가 되어 착하다는 소문이 나서 서수왕의 아들과 결혼하고 열여섯 살에 아들을 낳고 시댁의 귀여움을 받는다. 그러나 다시 열일곱 살 때 시아버지가 죽고 열여덟 살에 시어머니가 죽고 열아홉 살에 남편이 죽고 스무 살에 아들까지 죽는다. 줄초상이 나서 시누이의 원망과 구박을 받아 시집에서 쫓겨난다. 시집에서 쫓겨난 지장은 주천강 연못에서 우연히 만난 대사에게 자신의 사주팔자에 대한 이야기와 친가와 시댁의 죽은 이들을 위한 초세남, 이세남, 삼세남 굿을 하라는 말을 듣는다. 그래서 지장은 뽕나무를 심어 누에를 치고 그것으로 굿에 필요한 천을 만든다. 그러고는 돌아다니면서 시주를 받아 쌀을 모아다 빻아서 떡을 만들고 굿을 한다.

지장이 죽은 후에 새의 몸으로 변하고 사람들의 몸에 접신해 재앙과 질병을 불러일으키는 신이 되었다. 굿할 때에는 새가 된 지장의 원혼을 달래기도 하고 또한 사악한 기운을 내쫓기도 한다. 그리하여 지장은 새드림의 대상이 되는데, 어떤 때는 위함의 대상이기도 하고 구축의 대상이기도 하다.

10) 멩감본풀이

사만이가 어릴 적에 고아가 되어 홀로 밥을 빌어먹으며 살다가 같은 처지의 여자를 만나서 부부가 되지만 역시 가난한 삶을 살게 된다. 사만이는 부인의 머리카락을 판 돈으로 쌀 대신 마세조총을 사온다. 그리고 사냥을 나갔다가 원래 총의 주인인 백년조상(해골)을 만난다. 백년조상은 자신을 잘 모시면 부자로 잘 살게 해주겠다고 약속을 한다. 이에 백년조상을 고팡에 모시고 위하자 사냥할 때마다 많은 짐승을 잡게 되고 부자로 잘 살게 된다.

저승에서 사만이 부모가 제사와 명절 때 이승으로 왔는데, 사만이가 자기 조상은 멀리하고 백년조상만 위하고 있으니까 억울해 울고 있었다. 마침 순찰하던 저승 염라대왕이 그 내력을 묻게 된다. 염라대왕은 사만이 부모의 사정을 들어 사만이가 조상을 모시지 않고 박대한 죄를 물어 잡아오라고 삼차사를 이승으로 보낸다. 저승 삼차사가 사만이를 잡으러 내려오는 것을 알고 백년조상은 차사를 위한 상을 차려서 대접하게 하고, 또한 염라왕과 대명왕차사를 청하여 굿을 하고 인정을 건다. 저승 삼차사는 사만이가 차려 놓은 상인 줄 모르고 음식, 옷, 신발 등을 대접받는다. 나중에야 자신들이 사만이로부터 접대를 받았으며, 염라왕도 인정을 받았다는 것을 알고 사만이 대신 오만이를 저승으로 잡아간다. 염라왕은 뇌물을 받고 사만이를 잡아오지 않은 삼차사를 처벌하려고 하사, 삼차사는 저승 명부를 고쳐서 사만이 수명 삼십 년을 삼천 년으로 바꾼다. 그리고 염라왕까지 사만이의 수명 삼천 년을 인정한다.

멩감본풀이는 두 개의 이야기 구조를 가지고 있다. 하나는 혈연조상보다 자신들에게 운명처럼 찾아 온 '테운 조상'을 잘 모시면 부자로 잘 산다는 것이며, 또 하나는 저승 삼차사를 잘 대접하면 타고난 수명도 연장할 수 있다는 것이다. 부자로 잘 살고 오래 사는 것은 인간으로서 누구나 원하는 것이다. 그러한 부귀와 장수를 염원하는 인간의 욕망을 멩감본풀이는 반영하고 있다. 그래서 멩감본풀이는 굿을 할 때 액을 막고 부귀와 장수를 가져다주는 제차에서 부른다.

본풀이 줄거리에는 민중들의 생활과 사회의식이 나타나 있기도 하다. 사만이는 어릴 적에 부모가 모두 돌아가고 홀로 가난하게 밥을 빌어다 죽을 쑤어 먹으며 살게 된다. 사만이 부인도 어릴 적에 고아가 되었으며, 부부가 된 이후에도 이러한 가난은 지속된다. 가난한 살림에 아이들은 계속 태어나 보리 쭉정이로 연명할 성도이다. 먹을 것이 없이서 배가 고파서 아이들의 울음소리가 그치지 않는다. 또한 사만이 부모도 저승에서 제사 명절 받으러 이승에 올 때에도 비록 가난하여 아이들 울음소리 그치지 않고, 똥 냄새, 오줌 냄새가 나도 자식들 얼굴 보고 돌아 왔다는 표현을 한다. 그리고 혈연조상을 모시지 않고 다른 곳에서 들어온 조상을 모시고 있는 불효를 처벌하기 위하여 염라대왕은 사만이를 저승으로 잡아오라고 삼차사를 이승으로 보낸다. 이러한 내용은 불효를 하면 염라대왕에게 처벌을 받는다는 백성들의 관념이 깔려 있는 것이다.

이렇게 기본적으로 조상에 대한 효와 불효 관념이 바탕이 된다. 하지만 줄거리는 조상을 위한 제사를 잘 모시면 복을 받고, 그렇지 않으면 벌을 받는다는 생각을 넘어서서 다른 차원으로 전개되고 있다. 즉, 사만이를 잡으러 온 저승 삼차사를 잘 대접하고, 염라대왕과 대명왕차사를 청하여 인정을 걸면 위기를 극복할 수 있다는 것이다. 이는 무속신을 청하여 잘 대접하면 액을 막을 수 있다는 관념과 연결되는 것이다. 저승 삼차사는 잘 대접을 받고 염라왕까지 인정을 받았는데, 사만이를 저승으로 데려갈 수 없다고 하여 그 대신 오만이를 데려간다. 즉, 인간의 운명도 노력하면 바꿀 수 있으며, 염라대왕과 차사를 정성을 다하여 잘 대접하면 된다는 것이다.

또한 더욱 극적인 줄거리는 염라대왕까지 속이는 것이다. 저승 삼차사는 사만이에게서 뇌물을 받고 오만이를 대신 저승으로 잡아 온 죄 때문에 처벌을 받게 된다. 그러자 삼차사는 저승 명부를 바꾸어 사만이의 정명 삼십 년을 삼천 년으로 바꾸어 놓는다. 그리고 염라대왕을 속여서 자신들도 풀려나게 된다. 끝부분에 동박삭이를 강림차사가 잡아가는 줄거리가 붙어 있다. 동박삭이가 아침에는 아이로, 점심에는 젊은이로, 저녁에는 늙은이가 되어 삼천 년을 살고 있는데, 검은 숯을 잘 씻으면 흰 숯이 된다는 말에 넘어가서 자신의 정체를 밝히자 저승 차사가 결박하여 잡아 간다. 이러한 내용 역시 흥미진진하다.

결국 맹감본풀이는 길에서 만난 조상을 잘 모셔서 복을 받고, 저승 차사도 잘 대접하고, 염라대왕에게 인정을 걸면 죽을 목숨이 살아남는 목숨으로 변할 수 있다는 민중들의 관념이 잘 반영되어 있다고 하겠다. 그리고 저승에서도 위기에 처한 삼차사가 염라대왕까지 속일 수 있다는 재미있는 줄거리까지 더해져서 민중들의 저승관, 무속에서의 저승 세계에 대한 표현 중 일부를 알 수 있게 한다.

11) 칠성본풀이

장나라 장설룡과 송나라 송설룡 부부는 자식이 없는 채 살다가 불공을 드려서 딸자식을 낳는다. 부처님께 많은 정성을 드렸으나 백 근에서 한 근이 모자라서 딸을 얻게 된다. 아기씨가 일곱 살이 되자 장설룡은 천하벼슬, 송설룡은 지하벼슬 살러 오라는 명령이 내려온다. 부부는 아들이면 책 심부름하는 아이로나 데려가지만 딸이니까 못 데려가므로, 궁 안에 가둬놓고 문을 잠가서 하인에게 밥과 옷을 주라고 한다. 부부가 벼슬하려고 떠나는 날, 아기씨는 몰래 나와서 아버지가 타고 가는 가마채를 몰래 잡고 하늘로 올라가다가 억새밭에 떨어져서 낮에는 청이슬, 밤에는 흑이슬을 맞고 지낸다. 그렇게 지내다 보니 아기씨는 뱀으로 변했으며, 억새밭에서 서럽게 울다가 지나가는 스님에게 자기를 데려가 달라고 말을 한다. 스님은 자기 절에 와서 불공드려 태어난 딸인 것을 알아차리고, 억새로 오장삼을 만들어서 그 안에 아기씨를 넣고 간다.

아기씨가 사라지자 하인은 장설룡, 송설룡에게 편지를 보내고, 부부는 벼슬을 빨리 마치고 돌아온다. 하지만 사방팔방 찾아봐도 아기씨를 찾을 수 없었다. 스님은 아기씨(뱀)가 들어 있는 오장삼을 먼 올레에 있는 몰팡돌 아래 감춰두고 장설룡 부부 집으로 들어간다. 그리고 아기씨는 서서 보아도, 앉아서 보아도, 말을 해도 들을 수 있는 곳에 있다고 알려주고, 부술을 부려서 사라진다. 장설룡 부부는 몰팡돌 아래에 있는 오장삼에서 아기씨가 뱀처럼 되어있는 것을 발견하고, 양반 집에 흉한 일이 발생했다고 해서 무쇠함을 만들어서 강남천자국에서 바다로 떠 보낸다. 무쇠함은 동해바다, 서해바다를 떠다니다가 제주도에 다다른다. 제주의 해안 마을 전역을 돌아다니며 들어오려고 하지만 각 마을에 좌정한 신들 때문에 들어오지 못한다. 제주시 산지포구부터 시작하여 성산포 마을까지 돌아 다녔지만 들어오지 못하고 다시 돌아가서 함덕으로 들어오게 된다.

함덕리 평사동 일곱 잠수들이 물에 들어가려고 바다에 나왔다가 무쇠함을 발견하고 서로 자기가 가지려고 싸우다가 그 안에 들어있는 것이 뱀인 것을 알고는 빗창으로 이리 저리 치워버린다. 그리고 물질을 했으나 아무 것도 잡지 못했으며, 크게 아프게 되자 문점을 한다. 문점을 하자 육지에서 들어 온 조상을 무시한 죄 때문이라고 해서 굿을 하게 되고, 그러자 일곱 잠수들은 부자가 된다. 동네 사람들도 그 소문을 듣고 굿을 하는 한편 함덕 본향당신을 찾지 않게 되자 본향당신은 딸아기에게 마을을 떠나라고 한다. 딸아기와 일곱 자식들은 제주 성안으로 들어와 칠성통 송대정 부인 집으로 좌정한다. 일곱 자식들은 제주목의 여러 관청을 차지했고, 장설룡 딸아기는 민가마다 모시는 안칠성과 밧칠성이 되었다.

서순실 심방의 칠성본풀이 특징은 '들어가는 말미'에서 안칠성, 밧칠성을 분명하게 언급하고 있다. 상고팡은 물론 나무 아래 큰 항아리, 작은 항아리에 여러 신들이 있음을 말하고 있다. 그런데 신의 명칭이 강관셍이, 호도셍이, 섬지기, 말지기, 뒈지기, 홉지기라 하여 곡식의 량에 따라 달라진다. 또한 일곱 자식들이 좌정하는 곳도 분명히 하고 있다. 큰딸은 '추수秋收할망', 둘째는 '이방왕 성방왕', 셋째는 '옥獄할망', 넷째는 '동과원東果園 서과원西果園', 다섯째는 '동창고, 서창고', 여섯째는 '관청할망'을 차지한다. 일곱째는 '감나무와 밀감나무 아래로 기와집, 한라산을 띠를 둘러 좌정'했다고 하는데, 이는 집의 뒤편 감나무, 밀감나무 밑으로 가서 좌정하겠다는 것으로 해석된다. 한라산 띠를 두른다는 것은 짚으로 봉긋하게 만든 밧칠성을 의미하는 것으로 풀 수 있다. 그리고 고팡을 차지하여 안칠성으로 좌정한다.

줄거리 구성에서 딸아기가 뱀으로 변신하는 과정이나 일곱 명의 딸자식이 나타나는 것도 분명하지 않다. 그리고 일곱 명의 자식이 모두 딸이라고 표현한 것도 특이하다. 남자가 아니라 모두 여자라는 점, 즉 집안에 들어오는 곡식을 관리하는 신들은 모두 남성신이 아니라 여성신이라는 것은 가정 경제권이 여성에게 있음을 반영한 것이라 생각할 수 있으며, 칠성본풀이도 이러한 사회 현실과 관념에 따라 만들어진 것이라 하겠다.

12) 문전본풀이

남선비와 여산국 부부 사이에는 일곱 아들이 있었다. 흉년이 들어 육지 장사를 간 남선비는 노일저데귀일이 딸의 꼬임에 넘어간다. 결국 가져간 재산을 다 팔아먹고 처량한 신세에 눈까지 멀게 된다. 여산국 부인은 형편이 나아지자 남선비를 찾기 위해 아들들이 만들어 준 배를 타고 오동고을로 가서 남선비가 머문다는 초막을 물어물어 찾아간다. 여산국 부인은 초막에 살고 있는 남선비를 만나고 밥을 해준다. 남선비는 밥을 먹고 옛 기억을 더듬어 이야기하면서 부부임을 확인하고 상봉한다.

잔치집에서 돌아온 노일저데귀일이 딸은 남선비가 다른 여인과 함께 있는 것을 보고 분노를 터트리자 남선비는 여인이 여산국 부인임을 알려준다. 노일저데귀일이 딸은 여산국 부인에게 오느라 고생하였다며 주천강 연네못에 목욕을 함께 가자고 한다. 그러나 노일저데귀일이 딸은 여산국 부인을 밀어서 빠트려 죽인다. 그런 후 여산국 부인의 옷으로 갈아입고 남선비에게 가서 노일저데귀일이 딸의 행실이 못 마땅하여 죽였다고 한다. 남선비는 노일저데귀일이 딸의 말에 속고, 노일저데귀일이 딸과 함께 아들들이 있는 곳으로 돌아온다. 녹디셍인은 형님들과 부모를 맞이하러 나갔는데, 자기 어머니가 돌아올 때는 다른 돛을 달고 오겠다는 언약을 했는데 배의 돛이 그대로인 걸 보고 자기 어머니가 아님을 안다. 배에서 내린 노일저데귀일이 딸이 집으로 가는 길을 잘 모르고 형제들 밥상을 바꿔가니 형제들도 어머니가 아님을 확신한다.

노일저데귀일이 딸은 이 사실을 아들들이 아는 게 두려워 배가 아프다고 하고 남선비에게 문복단점을 지어 오라고 한다. 노일저데귀일이 딸은 김정시한테 가서 남선비가 오면 아들 일곱 형제 애腸를 내어 먹어야 병이 좋겠다고 말하도록 한다. 남선비는 그대로 믿고 이야기 하자 노일저데귀일이 딸은 그럴 수 없다며 한 번 더 점을 봐서 똑같이 나오면 애를 먹고 세 쌍둥이씩 아홉 형제를 낳아주겠다고 한다. 남선비가 점을 보러가니 노일저데귀일이 딸은 망탱이를 쓰고 남선비를 속여서 애를 내어 먹어야 좋겠다고 한다.

남선비는 아들들 죽일 칼을 내어 갈고 있는데 불 빌러 왔던 옆집의 마고할머님이 그 사실을 알고 아늘들에게 알려준다. 서러운 일곱 형제들은 울다 잠이 들고 어머니가 꿈에 현몽한다. 날이 밝자 일곱 형제들은 산으로 올라가 신령이 알려준 대로 산돼지 여섯 마리 애를 내어 온다. 녹디셍인이 노일저데귀일이 딸에게 애를 갖다 주니 먹는 척 하고 베개 아래로 숨긴다. 창구멍으로 보고 있던 녹디셍인은 화가 나 달려들어 숨긴 애를 꺼내고 노일저데귀일이 딸의 계략을 폭로한다. 그러자 남선비는 정낭으로 도망가고 노일저데귀일이 딸은 변소로 도망쳐 목을 매어 죽는다. 각 신체 부위는 해산물, 농기구, 어구, 생활도구로 화생한다.

머리카락은 듬북이라는 해조류로, 머리통은 돼지먹이통으로, 눈은 왕방울로, 귀는 전화기로, 코는 한의원의 침통으로, 입은 마이크로, 이빨은 거북손으로, 젖통은 밥그릇 뚜껑으로, 갈비뼈는 빗으로, 배꼽은 보말로, 항문은 말미잘로, 음부는 전복으로, 허벅지는 변소 디딜팡(디딤판)으로, 발은 곰방메로, 손톱과 발톱은 굼벗(삿갓조개)으로, 배는 망시리(해산물 그물)로, 창자는 닻줄로, 뼈는 빻아 날리니 모기와 각다귀로 바뀌었다고 장황하게 묘사하고 있다. 마치 판소리의 장면 묘사와 닮아 있다. 인간의 신체와 닮은 여러 가지로 변하고 있는데 그 형상이 제주도민들의 일상생활과 밀접한 해산물과 어구와 농기구로 제시된다. 그들의 먹고 사는 욕망과 현실이 반영된 바인데 그 일상생활 도구들이 악독한 여인의 대명사인 노일저대귀일이 딸의 신체에서 연유하였다고 함이 의아하다. 여기선 선악을 개입시키지 말고 형태의 유사성에 주목해야 하고, 인간 세계와 자연계가 서로 의존하는 관계를 중시하면 좋겠다.

일곱 형제는 어머니를 살리려고 찾아가 형님들은 물을 빼고 녹디셍인은 서천꽃밭에 가서 살릴 꽃을 꺾어다가 탁탁 두드리니 어머니가 깨어난다. 어머니를 집으로 모시고 와서 어머니는 조왕신이 되고 아버지는 정낭신, 형제들은 오방신, 녹디셍인은 문전신이 된다. 문전본풀이는 집 안의 좌정한 신들의 이야기다. 그리고 문전본풀이는 제주도 전통 가옥 구조에서 화장실과 부엌의 위치가 멀리 떨어져 있는 것은 실제 위생 등의 여러 가지 이유가 있겠지만, 문전본풀이의 처첩간의 관계 이야기로도 흥미롭게 설명할 수 있다.

서순실 심방의 본풀이를 비롯한 대부분의 문전본풀이에서 제주도 가정의례의 모습을 엿볼 수 있다. 제주도의 문전제, 조왕제의 의미를 담고 있다. 녹디셍인이 일문전

잠수굿과 서순실

상을 받으면 제반 삼술 걷어서 어멍국(조왕)에 보내겠다는 내용은 현재 문전제가 끝나고 걸명(고수레)한 것을 조왕으로 보내는 풍습을 말하고 있다. 또 지금은 집에서 떡을 만들지 않지만, 떡시루 본으로 집에서 시루떡을 만들던 때에 떡을 만들면 떡을 조금 떼어내서 일문전에 올렸다고 한다.

서순실 심방은 진지하게 본풀이를 구연하던 중 장난말이라고 하면서 우스갯소리를 하였다. 노일저데귀일이 딸이 산톳 애를 먹는 척하는 장면에서 입에 빨갛게 살짝살짝 발랐던 유래에서 여자들이 립스틱을 바른다는 내용이다. 서순실 심방의 입담이 굿판을 놀이판으로 이끈다. 노일저데귀일이 딸이 통시를 차지하니까 옛날은 아기들이나 어른들이나 통시에 갔다가 자빠지거나 빠지면 '똥떡'을 백 개 마련해서 백 사람을 먹여야 명을 잇는 법이라고 하였다. 실제 똥떡을 만들어 먹었던 것은 제주뿐만 아니라 육지에까지 널리 퍼진 옛 풍습이다. 똥통에 빠진 부끄러운 소문을 잠재우기 위해 여러 이웃에게 떡을 돌려 환심을 사려던 의미였을 것으로 보인다.

3. 본풀이 내용 고찰[1]

1) 천지왕본풀이

(1) 천지개벽

하늘과 땅이 갈라지고 산과 물이 생겨났으며, 하늘에서 내린 물과 땅에서 솟은 물이 합수하여 세상만물이 만들어졌다고 한다. 이 물은 생명수이고, 정액이다. 음양의

* * *

1   여기에는 12본풀이가 11 항목으로 되어 있다. 삼승할망본풀이 속에 마누라본풀이(마마신 내력)가 함께 구연되기 때문에 둘을 구분하지 않고 하나로 정리하였다. 각 본풀이 고찰의 앞 부분 서너 항목은 이미 『제주도 본풀이와 주변신화』(제주대 탐라문화연구소, 2011)에 소개한 바 있는데 부가적 설명을 위해 다시 가져왔다. 뒤의 질문과 답으로 이루어진 항목은 2015년 2학기 한국학협동과정과 국어국문학과 대학원 수업에서 논의되었던 내용을 정리하였다. 진지하게 수업에 임했던 대학원생들에게 경의를 표한다.

태초 원리가 작동하고 있고, 그때 천지가 개벽한다. 닭의 울음으로 태초의 어둠과 혼돈이 사라졌다. 우리들의 아침은 닭의 울음소리로 시작되듯이, 태초의 아침도 천황닭의 울음소리로 밝아온다. 만물 중에 별이 제일 먼저 만들어졌다고 하니, 우주의 형성 과정에 대한 선조들의 과학 지식이 놀랍다. 그 후 인간이 탄생한 이야기도 있을 법한데, 사라지고 말았다. 다른 이야기에서는 하늘에서 금벌레 은벌레가 떨어져 금벌레는 남자가 되고, 은벌레는 여자가 되어 결합하였다고 한다.

(2) 천지왕과 총명부인의 결합

하늘과 땅이 아득하게 멀어졌지만, 하늘에서 내려온 천지왕과 땅의 총명부인은 결합하여 두 아들을 낳는다. 두 아들은 아버지가 준 박씨를 심어 넝쿨을 타고 하늘나라로 올라가게 되는데, 이 넝쿨은 하늘과 땅을 연결하는 통로역할을 한다. 옛날에는 하늘과 땅의 통로가 있었다. 후에 사악해진 인간 때문에 이 통로는 사라지고 만다. 하늘의 뜻을 모르고 사니 하늘의 재앙이 임박한 것도 모르는 것은 당연하다. 박씨 넝쿨을 타고 하늘로 올라간 이야기는 서양 동화 '재크와 콩나무'에서 익히 들어왔다. 우리 것은 모르고 서양 것은 잘 아는 우리의 천박함을 반성해야 한다.

(3) 이승과 저승 차지 경쟁

대별왕과 소별왕은 인간세상을 차지하기 위해 내기를 한다. 수수께끼 내기는 지혜를 겨루는 과정일테고 지혜 있는 자가 인간세상을 다스려야 함을 일깨운다. 꽃피우기 경쟁은 생산력을 가늠하는 과정이다. 옛 사람들은 생산과 풍요가 통치의 근본이라고 알고 있다. 그런데 이 경쟁에서 트릭을 쓴 소별왕이 이겼다. 그래서 세상은 역적과 살인과 도둑과 간음이 판치게 되었다고 한다.

(4) 해와 달의 조절

태초에는 해와 달이 둘 떠 있어서, 낮에는 더워서 죽을 지경이고, 밤에는 추워서 죽을 지경이었다고 한다. 그 더위는 인간이 경험한 혹서기의 기억이고, 추위는 인간이 경험한 혹한기의 경험이다. 지구가 한 때 무진장 더웠던 적이 있었다고 한다. 또 지구는 4~5회의 빙하기를 지내왔는데, 현생인류의 시조들은 뇌의 혁명, 지혜를 축적하여 그 추위를 무사히 견뎠다. 신화는 이렇게 지구의 경험을 고스란히 담고 있다. 초목과 새와 짐승이 말을 못하게 되었다는 것은 인간 중심의 사회가 만들어진 상황을 뜻하는 것은 아닐까. 대별왕이 지배하는 세상은 신명神明세상이고, 소별왕이 지배하는 세상은 문명文明세상이라 말할 수 있다.

(5) 천지왕본풀이에서 주인공은 대별왕과 소별왕인데 왜 제목은 천지왕본풀이인가.

천지왕본풀이는 초감제와 함께 구송되는데, 천지 분리와 일월조정화소가 반복되기도 한다. 그 때문에 천지왕의 역할이 두드러지는 앞부분이 소략화되면서 무게 중심이 서서히 대별왕과 소별왕으로 옮겨 갔다. 천지왕이 수명장자를 징치하는 부분은 악을 징치하는 부분으로서 인간세계의 선악관과 연관되는데, 이는 소별왕의 위계 때문에 인간세계에 악이 창궐하는 상황과 함께 '선악'의 문제를 들여다보아야 할 대목이다. 그런데 수명장치 징치 부분이 가볍게 다루어지고 일월조정화소와 꽃가꾸기 경쟁에 의한 이승저승 차지 화소가 중심 서사가 되었다. 양창보 심방 본풀이의 경우 일월조정화소는 없는 대신에 수명장지 징치 화소가 중요 서사로 다루어지는 이본도 있다. 이런 경우는 좀더 원형에 가까운 것이고, 대부분의 것들은 대별왕과 소별왕의 역할담에 초점이 맞추어져 있다고 하겠다.

시간이 흐르면서 아버지인 천지왕에 대한 서사보다 아들인 대별왕과 소별왕에 대한 서사가 강화되어 갔던 것으로 보인다. 환웅의 인간세계 하강과 웅녀와의 결연 이야기가 신화의 중심이었다가 단군에게 귀결되는 것처럼 말이다. 헤모수가 유화와 만나고 하백과 겨루는 이야기가 주몽의 투쟁담으로 무게중심이 옮겨가는 것과 유사한 현상으로 보인다.

(6) 꽃피우기 경쟁 화소는 후대에 개입한 것인가.

우선 한국 함경도의 창세가에도 함께 나타나는 것으로 보아 어느 것이 다른 것에 영향을 끼친 것이 아니라, 창세의 서사 속에 일월조정 화소와 꽃피우기 경쟁 화소가 이미 내장되어 있는 것으로 본다. 제주도의 경우 초감제의 베포도업침은 자연 현상인 베포와 인문 현상인 도업의 출현이 함께 들어 있는데, 천개 분리와 개명開明과 별의 탄생과 일월 조정까지가 자연현상이라면, 인간세계에 존재하는 귀신을 저승으로 보내고 인간처럼 말하는 동식물을 말 못하게 하고 이승과 저승을 구획하는 것까지가 인문현상이라 하겠다. 그런 측면에서 본다면 꽃피우기 경쟁에 의한 이승 저승 차지 화소는 오래 전부터 함께 있던 것으로 보인다. 그러다가 나중에 꽃피우기 경쟁 화소가 독립해 나가기도 했을 것이다.

(7) 맑고 공정한 저승법이란 무엇인가.

소별왕의 위계 때문에 인간세계에는 도둑과 거지와 간음과 사기가 판을 치게 되었다고 했다. 대별왕이 다스리는 곳에는 이런 부패와 악이 존재하지 않는다는 뜻이다. 원인에 대한 정당한 결과가 있다는 의미다. 노력하지 않았는데 잘산다거나, 남을 괴롭히면서도 장수와 복을 누릴 수 없어야 하는데 인간세상에는 이런 부조리가 만연하다. 저승에서는 남을 괴롭힌 자가 반드시 응징되고 노력하지 않은 자가 복을 받지 못한다. 우리는 이런 말을 한다. 귀신은 없는가. 못된 인간이 잘살고 부단이 노력한 사람이 가난하게 살다니. 귀신은 있는 것 같기도 하다. 열심히 노력한 사람이 온당한 보답을 받게 되고 나쁜 짓을 한 사람이 결국에 패가망신을 하게 되다니. 그런 귀신이 있다고 여기는 사유의 끄트머리에 저승이 있다.

저승은 지옥과 다르다. 애초 이승과 저승의 구분이 있었다. 죽은 자는 저승으로 떠나면 그만이다. 거기서 일정기간 머무르다 다시 동굴 밖으로 나오게 되면 새로운 삶이 시작된다고 여기기도 했다. 누구든, 선이든 악이든 죽으면 모든 것은 용서되고 똑같아진다고 여기는 것이 초창기 인간의 사유였을 것 같다. 그러다 나중에 선악에 대한 인식이 강화되면서 저승 속에 착한 사람이 가는 극락과 나쁜 사람이 가는 지옥이 나뉘어졌을 것이다. 저승을 관장하는 장은 대별왕이다. 그러다가 불교의 영향을 받으면서 지옥을 관장하는 염라대왕이 나타나고, 그 직분이 겹치게 되었다.

대별왕이 저승을 차지했다고 한 것을 두고 지옥의 염라대왕이라 여기고, 염라대왕은 모든 악의 근원처럼 여기면 곤란하다. 염라대왕도 공정하게 심판하는 존경받을 대상이다. 그런데 제주의 세계문화유산센터 4D공연장에서는 애니메이션 하나가 공연되는데 인간세계의 악을 전파하는 악마대왕이 대별왕으로 그려지고 있다. 이 무슨 해괴망측한 말인가. 신화의 기본도 모르고 문화콘텐츠를 만들어 놓고, 문제점을 지적하는데도 고칠 줄 모르는 이 무지함이야 어찌 막을 길이 없다.

(8) 꽃 피우기와 차지하기의 차이는 무엇인가.

애초 화소는 꽃피우기 경쟁에서 진 편이 몰래 가져다 꽃을 바꿔치기하여 차지하는 것이었는데, 나중에는 꽃 피우기 경쟁만 나오거나 꽃 차지하기 경쟁만 나오는 경우도 있다. 천지왕본풀이는 피우기와 차지하기가 함께 나타나는 원초형이어서 '피워 차지하기 화소'라 명명해야 구분이 명확하다.

꽃피우기는 단순하게 꽃의 아름다움을 완성하는 것에 있지 않고 열매를 맺는 전초의 의미를 지닌다. 열매를 맺고 씨앗을 만들어 생명이 다시 퍼지게 만드는 출발점이다. 그래서 꽃피우기 경쟁은 신격의 생산능력을 가늠하는 중요한 절차다. 천지왕본풀이에서는 꽃피우기 경쟁만 하지는 않는다. 앞서 수수께끼를 하면서 어떤 잎은 시들지 않고 어떤 잎은 가을에 시드는가, 속이 빈 것은 시드는가 아닌가의 지혜 겨루기도 있다. 다음 세상에서는 어떤 경쟁을 하는가. 힘겨루기를 했을 것이다. 힘겨루기를 할 필요가 없는 경우 하늘의 뜻을 점지 받는 경우도 있었을 것이다. 하늘의 뜻을 받더라도 활쏘기 경쟁에서 승리해야 신탁을 받은 것으로 인정되기도 했다. 지금은 어떤 세상인가. 창의성을 겨루는 세상이다. 이성과 지혜를 넘어 인간의 감성(EQ)과 영성(스피릿추얼리티)을 동원해 창의성을 지녀야 세상에 앞서갈 수 있다. 기술의 혁신이 필요하였듯이 인간 정신세계의 혁신이 필요한 때이다.

어떤 방식이든 항상 선善이 될 수 없다. 세월이 변하면 겨루는 방식도 변하고 이길 수 있는 방식도 변한다. 중세 합리주의는 고대 자기중심주의를 허물었다. 고대 자기중심주의에 중세 합리주의를 결합한 새로운 사고가 아니면 중세를 견디거나 존재할 수 없었다. 그래서 신화도 중세를 만나면 중세적 사고를 덧씌운다. 근대 합리주의 앞에서 중세 사고도 허물어진다. 이제 더 이상 중세는 합리주의가 아니다. 이처럼 합리주의는 상대적 개념이다. 근대도 이제 합리주의적 사고라 하기에는 낡았다. 쇄신하지 않으면 근대성은 인간을 압살할 것이다. 탈근대의 에너지가 필요할 때다 새로운 패러다임을 만들면서 신화가 주는 메시지는 절실하다.

　근대는 너무 인간 중심주의였다. 인간의 유익함을 위해 자연이 너무 희생되었다. 이제 인간과 자연이 대등해지는 세상이 필요하다. 천지왕본풀이에서 인간과 짐승과 새와 나무가 함께 말하면서 소통했던 그런 세상이 다시 요구된다. 안도현의 '내 마음의 자작나무'[2]는 그래서 우리에게 값진 것이다. 나무에게 말 걸고 나무가 걸어오는 말을 들을 수 있어야 행복해질 수 있다. 자연은 단순한 환경이 아니다. 삶과 동행하는 운명 그 자체다.

　꽃이 말을 걸어오고 그 말에 응대하는 내용의 시도 있다.

　　인사했더니

　　꽃이 말했다

　　─기다리고 있었어요!

　　─내가 올 걸 어떻게 알고?

　　─제가 꽃피어 올 것을 당신도 아셨지요?

　　그렇게, 저도 그렇게 알았어요.

　　　　　　　　　　　　　─〈꽃과 만나서〉, 이철수

• • •

2　"누가 내 이름을 부르는 것 같아서 뒤를 돌아보았더니 거기에 자작나무가 서 있었다. 아, 자작나무가 나에게 먼저 말을 걸었던 것이다. 그때 내 마음 속에서 걷잡을 수 없이 일어나던 흥분된 감정을 어떻게 표현하면 좋을지 모르겠다. 나는 너무나 놀라서 한참 동안 그 자리에 자작나무처럼 그대로 서 있었다. 내 이름을 어떻게 알았지? 당신이 나에게 관심을 가진 것처럼 나도 당신에게 관심을 가지고 있었으니까요. 관심? 그래요, 관심을 가지게 되면 제일 먼저 이름부터 알게 되지요."(안도현, 「내 마음의 자작나무」, 『관계』, 문학동네, 1998, 31~32쪽)

2) 삼승할망본풀이

(1) 생불꽃

명진국할마님이 생불꽃을 가지고 다니며 아이를 잉태시킨다고 한다. 여기서 생불은 生佛(살아 계신 부처님)을 뜻한다고 하여 불교적인 꽃으로 해석하기도 한다. 그러나 생불은 '아기' '인간' '자식'을 의미하는 것으로 보면 좋겠다. 그러니 생불꽃은 아기를 잉태시키는 꽃을 말한다. 동이용궁할망과 명진국할마님은 둘 다 생불왕이다. 그런데 해산시키는 데 실패한 동이용궁할망은 구할망이고, 아이를 잘 해산시켜 주는 명진국할마님은 생불할망이다. 둘의 경쟁은 꽃씨를 뿌려 누가 번성하는 꽃을 피우는가 하는 것인데, 하나의 꽃씨를 피우는 능력이 아이의 잉태를 가능케 하는 능력으로 전이된다. 생불할망은 아이의 탄생만이 아니라 양육까지 책임지는 신이다. 15세 어른이 되기 전까지 모두 할망의 덕으로 아이가 자란다. 그 할망은 천지자연이다.

(2) 탄생

아버지 몸에 흰 피 석 달 열흘, 어머니 몸에 검은 피 석 달 열흘, 살을 만들며 석 달, 뼈를 만들어 석 달, 아홉 달 열 달 준삭 채워 어머니의 자궁으로 해산이 이루어진다. 우리의 몸은 아버지와 어머니의 피와 살과 뼈를 받아 이루어졌으니, 내 생명이 부모의 은공임을 알게 해 준다. 그러나 어찌 아버지와 어머니의 공이기만 하랴. 하늘이 도와 생불할망을 냈으니 탄생의 공덕은 하늘에도 있고, 땅이 우리를 실어주고 땅이 키운 만물을 먹고 자라니 천지만물이 모두 우리의 부모인 셈이다. 결국 하나의 꽃씨가 곡식이 되고 풀이 되고, 인간을 키우는 근원이다. 우리는 하나의 꽃씨에서 시작된다. 그리고 천지부모의 덕으로 산다.

(3) 마마신의 방해

아이의 잉태와 해산, 그리고 양육을 책임지는 명진국할마님은 마누라신의 행동을 바로 잡기도 한다. 홍진국 대별상은 마마신으로 인간 자손에게 천연두를 내려 명진국할마님의 양육을 방해하는 신이다. 예전에 마마를 앓게 되면 치사율도 높았을 뿐만 아니라, 낫게 되더라도 얼굴이 얽어 곰보가 되었다. 마마(천연두)는 이제 지구상에서 사라진 질병이지만, 인간이 가장 무서워하던 병마였다. 이 마마라는 병(악마)을 해결하는 또 다른 신이 처용이다. 처용가도 무속의 노래다. 근대 이전의 사람들에게 무서운 병마를 해결할 다른 방도가 존재하지 않았고, 다만 무당의 굿에 의존할 수밖에 없었으니, 당대인에게 무당의 굿은 과학 이상이었을 것이다. 굿을 하면 그래도 70% 이상의 사람들이 죽지 않았으니 굿의 효용성을 무시할 수 없다. 육지에서는 마마를 방지하기 위해 처용의 형상을 대문에 걸었고, 제주에서는 명진국할마님의 공덕에 의지하였다. 세상의 두려움에서 벗어날 방도를 무속인 굿과 신에게서 찾았다는 측면에서 그 의의가 크다 하겠다.

(4) 구삼승할망이 외래신격에 의해 자신의 자리를 내주고 말았다고 했는데,
　　명진국따님아기가 외래신격인가.

애초에는 동해용왕따님아기가 삼신할미(산육신)의 역할을 했는데, 나중에 온 명진국따님아기에 의해 밀려났다. 그래서 구삼승할망이 된 것이다. 제주에서는 삼신할미를 삼승할망이라 부른다. '삼'이란 '생기다'의 고어 '슴기다'에서 온 말인 듯하고, '승'은 '이승, 저승'의 승인 것 같아 합치면 '잉태시키는 세상'이 된다. 아이를 잉태시키는 세상의 할머니란 의미로 볼 수 있다.

동해용왕따님아기가 밀려난 것은 잉태는 시켰지만 해산시키지 못하였다고 한다. 능력이 모자란 이유로 밀려난 것이다. 마치 산파가 아이를 받던 세상에서 과학기술로 무장한 산부인과 의사에게 밀려난 형국과 같다. 기존의 신보다 훨씬 강력한 힘을 가진 산육신이 와서 밀려난 것으로 보면 좋다. 강력한 신은 하늘에서 온다. 노각성자부줄을 타고 옥황상제의 하늘에서 명진국따님아기가 내려오는데, 천상계에서 하강한 신이 당시 새로운 신격이고 강력한 신격이었다. 재래의 신은 물에서 도래한 신이었는데 하늘을 당할 재간이 없다. 그래서 권력이 이양되고 동해용왕따님아기는 구삼승할망으로 밀려 구덕을 관장하고 멜빵을 관장하는 구덕삼승, 걸레삼승이 된다. 구덕은 아이

를 재우는 요람을 의미하고 아이를 업을 때 띠는 끈을 걸레라고 했다. 구덕과 걸레를 관장하는 신으로 좌정하여 인정 거는 것을 받아먹으며 살게 되었고 저승으로 올라가게 되었다고 한다.

신구 갈등이 평정되었다. 각각의 기능을 차지하면서 화해하였다. 명진국따님아기는 아이의 잉태와 출산을 관장하고, 동해용왕따님아기는 멜빵과 구덕과 업저지를 관장하는 신으로 분거한 것이다. 대부분의 갈등과 쟁투는 피비린내로 끝나는데 제주의 신화는 이처럼 화해로 끝난다. 명진국따님아기는 아기들에게 흉험을 주며 살겠다는 동해용왕따님아기의 위협을 잘 무마하였고, 동해용왕따님아기 또한 함께 잘 지내자는 권유를 흔쾌히 받아들인 결과다. 싸움과 갈등과 반목으로 일관하는 우리네 삶을 돌아보게 만드는 대목이다. "상생의 미학을 보여주는 대목이다."라고 한 대학원생이 말했다. 공감할 대목이다. 우리가 신화를 읽으면서 가야 할 적절한 길이다.

⑸ 이승에서 아이를 관장하는 신이 있고 저승에서 아이를 관장하는 신이 있다고
   사유하는 이유는 무엇인가.

연민 때문이다. 애석하게 죽은 아이에 대한 위로를 위해 저승할망이 있게 되었다. 사람이 죽으면 어떻게 될까라는 의문은 일찍부터 있었을 것이다. 죽은 자에 대한 애달픔이 짙어지면 억울한 죽음을 해결할 방법을 모색한다. 그것이 서천꽃밭의 꽃이다. 그 꽃으로 죽은 자를 살려내는 이야기가 제주신화에 두드러진다. 그런데 더 애석한 일이 바로 아이들의 죽음이다. 그래서 삼승할망은 15세 이전에 죽은 아이를 다시 서천꽃밭으로 불러 꽃에 물 주는 일을 시키며 그 아이들을 돌본다고 한다.

중국의 소수민족 신화에도 화파가 등장하는데, 아이를 껌지해 주는 신이다. 화파는 꽃이 시들면 아이들이 죽게 되는데 이 아이들을 데려다 보살핀다. 제주도 삼승할망 이야기와 너무 닮아 있다. 중심부에서는 사라졌지만 주변부에 이런 연민의 신이 있다. 연민은 공감을 낳는다. 공감은 다른 사람의 입장이 되어 생각하는 감정이입의 단계를 거친다. 그래서 누가 아파하면 함께 아파하는 공감에 이른다. 세계의 아이들이 굶어죽고 있다. 1년에도 수천 만 명의 아이들이 굶어죽고 있다. 전쟁 때문에 아이들

이 희생되고 있다. 죽어가는 아이들에 대한 연민과 공감을 되살리자는 마음이 삼승할망으로부터 살아난다.

(6) 본풀이 순서가 왜 천지왕본풀이 다음에 삼승할망본풀이로 이어지는가.

옛 사람들도 신의 위계를 나름 고민했을 것이다. 천상계의 신을 슈퍼울트라 신격으로 보았을 것이다. 처음부터 그랬던 것은 아니지만 서서히 천상계를 중시하는 신관념이 생겼다. 그래서 옥황상제를 처음으로 삼았고 땅을 관장하는 신을 다음으로 삼았을 것이다. 그 다음을 고민했을 것이다. 산과 바다란 자연 조건을 두고 그 다음으로 생명 탄생의 신 삼승할망을 두었다. 물론 대사가 끼어든 것은 후대 불교의 영향이다. 삼승할망본풀이에 동반하고 있는 마마신이 다음 순위를 차지한다. 그리고 초공, 이공, 삼공 순이다.

동해용왕따님아기는 애초 산육신이었다가 물러났다고 했다. 그런데 다른 이야기(토산 일렛당본풀이) 속에서 동해용왕따님아기는 궤네깃도와 함께 용궁에서 쫓겨나 지상에 와서 아이의 소화기병과 피부병을 관장하는 일렛당신으로 좌정하였다. 기능은 역시 산육신이다. 동해용왕따님아기는 지상에 와서 시어머니의 눈에 콩깍지가 껴서 앞을 볼 수 없는 상황을 부술로 해결한다. 그런데 돼지고기 금기를 어겨 마라도로 쫓겨났다가 돌아와 아이 일곱을 낳고 산육신으로 좌정하게 된다. 이 일렛당은 토산당에서 연유하여 제주도 전역으로 전파되었다. 그러니 당신이면서 일반신 근처에까지 갔다. 동해용왕따님아기가 애초 산육신이었던 정황이 일렛당본풀이에서 확인된다. 그러던 주인공은 하늘에서 내려온 새로운 강자 명진국따님아기에 밀려난다. 그래서 구삼승할망이 되었다고 한다. 마을에서는 산육신이고, 일반신본풀이 〈삼승할망본풀이〉에서는 저승할망이다. 시간의 흐름이 느껴진다. 세월이 흐르면서 신화가 바뀌고 새로운 권력에 기대기도 하고 정복당하기도 한다. 원형의 일부를 간직한 채 끊임없이 변모한다. 세상 모든 것이 변한다는 이치와 부합한다. 이 세상에 변하지 않는 것이 딱 하나 있다. 이 세상 모든 것이 변한다는 그 사실만 불변이다.

3) 초공본풀이

(1) 고구려 건국신화와 유사

〈초공본풀이〉는 육지의 〈제석본풀이〉와 유사하다. 부모가 집을 비운 사이 홀로 남겨져 있던 당금애기가 스님에게 시주를 하다가 손을 접촉하고 임신하여 아들 셋을 낳고 온갖 시련을 극복하여 자신은 삼신(탄생을 주재하는 신)이 되었거나 아들은 삼태성이 되었거나 삼산三山의 신이 되었다는 이야기다. 고구려 건국영웅인 〈주몽 신화〉는 제석본풀이가 역사화 된 흔적을 보인다. 해모수와 사통하여 임신한 유화가 주몽을 낳았고, 아비 없이 자란 주몽은 젯부기 삼형제처럼 아비 없는 자식이라고 놀림을 받고, 주변 금와왕의 아들에게 죽을 위협을 당하지만, 시련을 극복하고 왕위에 오른다는 영웅의 일생이다. 유화는 햇빛에 접촉하여 임신하였다고 기록되어 있기도 한데, 그 탄생의 신성함을 드러내기 위해 신비화시킨 흔적이다. 중이 머리를 쓰다듬었다거나 손을 잡아 여인(당금애기와 주지명왕 아기씨)이 임신하였다는 것은 불교가 들어온 후에 변모한 내용이다. 애초에는 해모수와 같은 신성한 영웅과 결합한 내용이었을 것이다.

〈초공본풀이〉는 신성한 인물과 접촉하여 낳은 삼형제가 시련을 극복하고 무당의 조상巫祖이 되었다는 신화다. 이런 신화가 생성될 때 무교 즉 샤머니즘은 지배층의 종교였고, 그 당시 지배자는 무당의 역할을 함께 하였다. 후에 불교가 들어와 무당이 민간 무당으로 전락되고 말았지만, 애초 무당은 국가 무당으로서 지배자의 권능을 함께 지닌 존재였다. 그러니 삼형제는 〈삼성신화〉의 고·양·부 삼신인三神人과 같은 국가의 지배자다.

(2) 대장상이와 쇠를 다루는 능력

주치명왕아기씨가 낳은 삼형제는 아버지를 만날 때 하늘과 땅과 문을 보며 왔다고 했고, 과거에 급제할 당시 천지혼합天地混合과 천지개벽天地開闢이란 글을 썼다고 하는데, 이는 삼형제가 천天·지地와 통하는 문門을 관장하는 신격이고, 천지가 혼합되어 있던 것을 개벽시킨 능력과 연관되는 존재다. 삼형제는 동해바다의 쇠철이(대장장이) 아들을 불러와 여러 기구를 만들었다고 하니, 쇠를 다루는 청동기문명 혹은 철기문명의 주역이기도 하다. 신라의 탈해는 숯과 숫돌을 감추었다가 호공의 집을 빼앗고 나중에 왕이 되는데, 그도 대장장이 – 쇠를 다루는 능력을 지닌 자다.

삼형제가 중의 자식이어서 과거에 낙방했다는 내용은 후에 덧붙여진 것이니, 과거 제도란 유교가 들어온 후의 것이고, 스님이란 불교가 들어온 후의 것임에서 잘 알 수 있다. 애초에는 삼형제보다 큰 권력을 지닌 방해꾼들에 의해 시련을 당하다가, 온갖 역경을 극복하고 투쟁에서 승리한다는 영웅의 이야기였을 것이다. 〈초공본풀이〉는 기이하게 탄생한 자가 탁월한 능력을 보이고 기존의 세력을 제압하여 승리자가 되는 영웅의 일생이다.

(3) 어머니 주지명왕아기씨의 능력

아기씨가 집에서 쫓겨나 방랑하다가 자기를 임신시킨 주접선생을 만나게 되는 대목에서 우리는 즐거운 해후를 기대했다. 그러나 주접선생은 아기씨에게 세 동이의 벼를 까라는 시련을 준다. 아기씨가 손톱으로 껍질을 까다가 힘이 들어 잠깐 잠이 들었을 때 새들이 날아와 모든 벼의 껍질을 까주고 간다. 이 모습을 본 주접선생이 아기씨를 인정하게 된다.

우리는 여기서 콩쥐팥쥐와 신데렐라 이야기를 만난다. 의붓어미는 콩쥐가 왕실의 파티에 참석하지 못하도록 벼의 껍질을 까는 일을 부과하였는데, 참새들이 날아와 모두 해결해주었다는 이야기다. 서양에서는 요정의 도움이고 우리나라에서는 선녀의 도움이 있다. 하늘의 은혜를 입는 주인공은 왕비가 되거나 신격이 된다. 하늘의 권능과 여주인공의 능력이 닿아 있다. 〈초공본풀이〉의 아기씨는 곡식을 먹을 수 있도록 해주는 곡모신의 모습이 아닐까. 앞에서 살핀 주몽의 어머니 유화는 아들에게 오곡의 종자를 보내는 곡모로서의 능력을 갖는데, 삼형제의 어머니인 아기씨는 유화의 권능과 대비된다. 〈제석본풀이〉에서 당금애기는 아이의 탄생을 주재하는 삼신이 되었듯이, 〈초공본풀이〉의 아기씨는 곡식과 연관되는 생산신의 모습을 애초에 지녔는데, 후에 어머니의 역할은 축소되고 삼형제 무조신의 능력만이 남게 되었던 것으로 보인다. 제주에는 아이의 탄생을 주재하는 〈생불할망〉이 이미 있기 때문에 〈초공본풀이〉의 아기씨는 직업을 잃어버린 것 같다.

(4) 3형제를 만난 아버지는 어머니를 찾으려면 전생팔자를 그르쳐야 한다고 했는데,
　　무당이 되는 것이 왜 팔자를 그르치는 것인가.

　후대의 변이이고 무당의 지위가 천민이 되었을 때, 무당들이 자조적으로 하는 말이 지금까지 남겨진 것이다. 애초에 무당은 제사장으로 통치자를 겸하고 있었고, 후에 정교政敎가 분리되었을 때에는 국무國巫의 지위를 누렸다가, 중세를 맞으면서 민간 무당으로 전락하고 말았다. 중세 시기 불교와 유교의 배척과 탄압을 받으면서도 무속은 민간신앙의 중심에 놓여 있었다. 무속이 배제의 대상이 된 참담한 시기는 일제의 침탈기부터이다. 조선 민중의 구심점이 마을제에서 비롯되었다는 것을 민속조사를 통해 알게 되었던 일제는 마을 공동체를 해체시키기 위해 마을제洞祭를 탄압하는데, 풍물굿이거나 무당굿으로 거행되던 신앙의 말살이 우선 실시되었다. 미신迷信 타파를 외치면서 조선 민중의 신앙을 말살해 나갔다. 그 다음 해방 후에는 기독교 등 서구사상을 앞세우고 무속을 미신으로 가르치기 시작하였다. 초등학교 교과서에서부터 우리는 무속을 미신으로 배우기 시작하였고, 그것이 상식이 되어버렸다. 새마을운동을 한다고 하면서 경찰이 무속인을 탄압하고 무구를 압수하는 상황 속에서, 무당은 천민 이하의 질곡 같은 삶을 살아왔다. 팔자를 그르치며 살아간다는 그들의 자조가 젯부기 삼형제의 삶으로 전이된 것이다.

　아버지는 젯부기 삼형제에게 팔자를 그르쳐야 한다고 하면서 무악기와 무점구를 만들어 주었다. 무구는 청동기문명의 상징이다. 기기에 동경銅鏡과 동검銅劍이 있다. 동경은 지배자의 장신구이면서 태양빛을 모으는 제사장의 상징물이었다. 그 동경이 작아져서 제주에서는 천문天門으로 남아 있다. 동전으로 보아서는 안 된다. 지금 천문은 점을 치는 중요한 무구다. 동검 역시 지배자의 권력을 상징하였던 것이 무구로 남아 있다. 제주의 신칼도 역시 길흉을 점치는 중요한 무구다. 청동기문명 시절부터 있었던 무속이 다음 시기인 철기시대로 이어지면 그들은 쇠를 다루는 대장장이의 역할을

맡게 된다. 신석기를 벗어나며 청동기문명을 열었던 중심축에 무속이 있었던 증거다.

〈박봉춘본〉에서 집으로 돌아온 삼형제는 어머니가 잡혀갔다는 말을 듣고서 연주문을 다시 세우고 무구를 만들어 옥황에 올라가 굿을 하게 된다. 그러자 옥황 상시관이 어머니를 석방시킨다. 굿과 의례의 완성을 보게 된다. 고대 제사장은 의례를 통해 정치권력을 만들어 나갔다.

(5) 〈초공본풀이〉 속에서 아기씨의 고난의 여정은 어떤 의미를 지니는가.

〈고대중본〉의 경우 검은 암소에 행장거리를 짊어지고 다리를 건너고, 푸른 모래사장과 검은 모래사장을 거쳐서 청산·흑산·백산을 거치고, 거신물과 거신다리를 지나고 푸른 바다와 검은 바다를 건너지만 낙수바다에 이르러 건너갈 수 없어 하늘을 보고 통곡한다. 이때 흰 거북과 검은 거북이 나타나 아기씨를 건네준다. 그리고 황금산에 도착하게 된다. 주몽이 부여 금와왕의 군사에 쫓겨 엄체수에 이르렀을 때 자신이 해모수의 아들이고 수신의 외손자임을 들어 하늘을 향해 외치니, 고기와 자라가 다리가 되어 무사히 강을 건너는 장면과 흡사하다.

앞에서 〈초공본풀이〉와 고구려 건국신화와의 유사성을 밝혔듯이, 아기씨가 무사히 물을 건너는 장면과 주몽이 물을 건너는 장면이 겹쳐 보인다. 여성영웅이 고난을 극복하는 과정과 건국신화의 남성영웅이 고난을 극복하는 과정이 유사하다. 애초에는 어머니 유화의 여성신적 면모가 우세하다가 그 무게중심이 주몽의 영웅적 면모로 바뀌어 나갔듯이, 〈초공본풀이〉에서는 아기씨의 고난과 고난 극복의 이야기가 아들 삼형제의 고난극복 이야기로 바뀌고 있다. 〈고대중본〉은 아기씨의 여성영웅적 면모가 우세한 원형적 자질을 풍부하게 지니고 있어 〈초공본풀이〉의 원래 모습을 유추하게 한다.

〈박봉춘본〉에서는 목이木伊라는 사람이 배를 타고 와 아기씨를 건네주는 것으로 나온다. 자연계의 거북이나 자라가 물을 건네주는 설정에서 사람이 건네주는 합리적 설정으로 바뀌었다. 이렇게 신화 본풀이의 맥락은 시간이 흐르면서 함께 바뀌어 나감을 이본 비교를 통해 알 수 있다. 좀 더 원형적인 것은 아들 삼형제의 역할보다는 어머니 아기씨의 행적이 아닐까 생각해 본다.

(6) 절에 시주하는데 백 근이 못 차서 여자아이를 점지해 주었다는 화소가 〈초공본풀이〉에도 있고 여타의 본풀이에 많이 나오는데 어떤 배경인가.

〈고대중본〉〈안사인본〉〈이중춘본〉 등 대부분의 본풀이에서 백 근에서 하나가 부족하여 여자아이를 점지 받았다고 했다. '하나 부족 모티프'의 전형이다. 백 근이 차야 남자아이를 점지 받고 원하는 바를 성취하는데, 하나가 부족하여 원하는 바를 모두 이루지 못했다는 실패담이다. 이런 사유의 밑바닥에는 남아 선호사상이 깔려 있고, 조선조 남성 중심의 가문의식이 그 중요 원인임을 우리는 잘 안다. 조선 중기 사림파가 등장하는 시기부터 남성 중심적 가족체계가 고착화하고, 아들을 낳지 못한 여성이 핍박을 받는 문화가 시작되었다. 남성이 일정 기간 여성의 집에 가서 살다가 아이가 성장하면 본가로 돌아오는 제도가 바뀌어, 여성이 결혼과 동시에 시집살이를 하는 문화도 시작되었다 이런 점에서 보면 조선 후기는 남성우월주의가 꽃피었던 부당한 시대였다.

〈김병호본〉〈박봉춘본〉의 경우 청감주와 호박안주를 먹는 꿈을 꾸고 여자아이를 낳게 되었다고 하는데, 이처럼 태몽과 탄생이 적절하게 부합하는 화소가 근원적인 것이었다.

4) 이공본풀이

(1) 서천꽃밭

서천꽃밭은 다른 본풀이에도 여러 번 등장한다. 탄생을 주재하는 꽃도 있고 죽음으로 몰아가는 꽃도 있고, 죽은 이를 살리는 꽃도 있다. 억울하게 죽은 사람을 살릴 수도 있고 악한 이를 죽일 수도 있는 꽃은 자연의 생명력으로 인간의 생명을 좌우할 수 있다는 생각이고, 우주와 자연과 인간의 운명이 결합되어 있다는 사유의 반영이다. 천상과 지상의 중간 쯤(석해산 같은 곳)에, 혹은 강을 몇 번 건넌 수평적 공간에 서천꽃밭이 있다. 삼차사가 사라도령을 꽃감관으로 데려가기 위해 '느려' 오는 부분이 있는데, 이 경우를 생각한다면 수직적인 관념이 내재해 있다. 물을 건너 도착하는 곳이란 표현도 있는데, 이 경우에는 수평적인 관념이 내재해 있다.

하늘에서 정한 운명과 염왕이 정한 운명에 순종하지 않고, 죽은 이를 살릴 수 있고 악인을 징벌하여 죽일 수도 있는 도구가 서천꽃밭의 환생꽃과 멸망꽃이다. 제주신화의 서천꽃밭은 생사의 운명을 극복하려는 소박한 운명 창조 의지라 하겠다. 서천꽃밭은 죽음에 대한 극복의지이고, 그들이 살고 있는 세상과 그것을 넘어선 세상에 대한 이미지의 투영이다. 그곳은 지상의 생명원리와 관련되는 장소로서, 지상에서 가까운 곳에 있다. 강을 건너면 되기도 하고, 거기를 지키는 꽃감관의 허락을 받으면 환생꽃을 가져와 죽은 어머니를 살리고, 죽은 남편을 살릴 수 있다. 수평적 '저기'일 수도 있고, 하늘과 땅의 중간일 수도 있다.

(2) 할락궁이와 고구려 유리왕

할락궁이는 아버지 없이 태어나 홀어머니 밑에서 자라고, 제인장제의 핍박 속에서 집을 떠나 아버지를 찾아 나선다. 아버지가 남겨 준 신표를 가지고 가서 맞춰보거나, 피를 내서 합하는 것으로 부자간을 확인한다. 그리고 아들임을 인정받은 후 아버지의 대를 이어 서천꽃밭의 꽃감관이 된다.

고구려 주몽의 아들 유리왕의 일대기도 매우 유사하다. 유리는 아버지 주몽이 부여로부터 남하하여 고구려를 건국하러 떠난 상황에서, 홀어머니 예씨부인에게서 태어난다. (주몽도 그랬다. 하늘에서 내려온 해모수가 유화부인을 잉태시키고 떠난 상황에서 태어나, 홀어머니 밑에서 자라고 의붓아버지인 금와왕의 핍박 속에서 살해의 위협을 느끼고 집을 떠나 새로운 세상을 건설하게 된다.) 유리는 아버지가 남겨 준 신표(단검 반쪽)를 가지고 가서 맞춰보고, 피를 내서 합하는 것으로 부자간을 확인한다. 그리고 아버지 주몽의 대를 이어 고구려의 왕이 된다. 할락궁이의 일대기는 고구려 유리왕의 성장기와 거의 흡사하다. 할락궁이 이야기 유형이 떠돌다가 유리왕 신화를 낳았고, 〈안락국태자전〉과 같은 고전소설로 바뀌기도 하였다. 이야기의 원형이 제주에 남겨 있다는 의의를 살피면, 본풀이가 얼마나 중요한 이야기인지를 가늠할 수 있을 것이다.

(3) 꽃과 사랑

말 한마디에 천량 빚을 갚는다고 했는데, 꽃 한송이에 무량의 미움과 반목을 씻을 수 있다는 것을 생각하면, 인생이 그리 어려운 것은 아니다. 꽃 한송이에 실어 보내는 겸허함과 염치와 용서, 그리고 사랑이 있다면 인생은 아름다울 수 있고 행복할 수 있다. 꽃 한송이로 큰 사랑을 성취한 일이 동서양에 두루 흔한 일 아니던가. 이름을 불러 주지 않아도 꽃은 무한한 생명의 에너지다. 제인장제처럼 월광암이의 인생을 억압하고 남의 인생을 손아귀에 쥐려 한다면, 역으로 꽃 한송이의 힘에 의해 멸망할 수도 있는 것이 인생이다. 살리는 힘은 죽이는 힘이 될 수도 있다.

(4) 사라도령은 신직을 부여받은 후 모자母子가 있는 현실계로 돌아올 수 없다. 할락궁이는 꽃을 꺾어들고 현실계로 돌아와 재인장자 집안을 응징하고 죽은 어머니를 되살린다. 돌아올 수 있음과 돌아올 수 없음의 차이는 무엇인가.

사라도령은 하지 못했던 일을 할락궁이가 스스로 해냈다. 이런 측면에서 할락궁이가 신으로 인정받는 능력이 있게 된다. 할락궁이는 서천꽃밭에서 분리되어 나온 후 다시 아버지의 세계로 돌아간다. 어머니 아래에서 자라다가 잠시 아버지에게 갔지만, 돌아와 어머니를 살리는 부분까지는 모계母系의 세계에 머무는 셈이다. 그 다음 아버지에게 돌아가 꽃감관이 되는 과정부터는 부계父系의 세계로 이동이다. 이처럼 모계에서 부계로 이동은 문화사의 변모단계이기도 하다.

(5) 어머니의 죽음과 재생이 신화의 생사관을 환기시킨다. 생사의 인식 속에는 어떤 의미가 담겨 있는가.

신화 속에 담긴 고대·중세인의 사유는 죽음을 인정하지만 현실에 더 가치를 두고 있다. 본풀이는 산 자, 현실세계의 존재를 위해 구연된다. 그래서 현실의 삶을 누리는 사람들에게 죽음에 대한 두려움을 극복하게 하고, 억울한 죽음은 재생으로 이어질 수 있음을 시사한다.

5) 삼공본풀이

(1) 전상前生신

삼공본풀이는 삼공맞이(전상놀이)와 연관된다. 전상이란 전생前生에서 왔을 것 같은데, 그 의미는 다르게 쓰인다. 전상은 술을 많이 먹거나 도박과 도둑질을 하여 가산을 탕진하는 행위와 마음가짐을 뜻하고, 한편으로는 이런 행위나 마음가짐을 나쁜 전상이라고도 한다. 삼공신은 이런 '전상'을 차지한 신이다. 이런 점을 미루어 볼 때 '전상'은 전생인연의 뜻인 듯하고, 따라서 '삼공'은 전생인연을 차지하고 있는 신인 듯하다고 현용준 선생은 추정한다. 전상놀이에서는 거지 잔치 장면과 눈 뜨는 장면이 주가 된다. 그 다음 가믄장아기 부모는 동네 사람들을 막대기로 때리며 인정(돈)을 받으며 다닌 후 비를 들고 다니며 '사록'(나쁜 기운)을 풀어낸다. 악한 사록을 내몰고 좋은 사록을 불러들이는데 '사록'은 나쁜 기운이란 의미에 머무르지 않고, 인연과 운명을 지칭하는 '전상'과 같은 면이 있다. 좋은 사록이 집안으로 들어오도록 하고 모질고 악한 사록을 쫓아버리면 천하 거부가 된단다. 삼공신은 나쁜 인연을 털어내고 좋은 인연을 만들어주는 신, 행운의 신이다.

(2) 백제의 〈서동설화〉

삼공본풀이의 앞부분은 가믄장아기의 부모가 거지였다가 세 딸을 얻은 후 부자가 되었지만, 가믄장아기를 쫓아낸 후 다시 거지가 되고 봉사가 되는 이야기다. 중간 부분은 가믄장아기가 마퉁이(마를 캐는 아이)를 만나 금을 발견하고 부자가 되는 이야기인데, 선화공주가 마퉁이(서동)를 만나 금을 발견하고 부자가 되는 〈서동설화〉와 매우 비슷하다. 삼공본풀이에서는 가믄장아기(여자)가 적극적으로 마퉁이를 자기 남편으로 만드는데, 서동설화에서는 마퉁이(남자)가 적극적으로(혹은 트릭으로) 선화공주를 자기 아내로 만든다. "선화공주님은 남 몰래 사랑하고 서동을 밤에 안고 가다."라는 노래로 선화공주를 얻게 된다. 아이들에게 마를 나누어주고 헛소문을 퍼트려 공주를 아내로 삼는 서동설화의 마퉁이는 똑똑하고 기지가 넘쳐난다. 삼공본풀이의 마퉁이는 부모를 잘 섬기는 착한 아이고 기회를 잘 포착하는 영리한 아이다. 허나 바보처럼 금인지 똥인지 모르는 점은 두 이야기에서 같다. 마퉁이는 영리한 바보이고 똑똑바보다. 서동설화에서 마퉁이는 금을 진평왕에게 보내 사위로 인정받고 나중에 백제의 무왕이 된다. 남성 중심의 이야기다. 그러나 삼공본풀이는 여성 중심 이야기다. 제주에는 여성이 소외되지 않고 운명의 주인공인 경우가 많다. 제주는 남녀가 평등한 섬이다.

(3) 〈심청전〉

삼공본풀이의 후반부는 거지 잔치 혹은 맹인 잔치로 부모를 다시 만나고 부모가 눈 뜨는 이야기인데, 우리가 잘 아는 〈심청전〉과 흡사하다. 왜 이렇게 소설 속 이야기가 제주에서는 인연을 관장하는 신의 이야기(신화)로 전할까. 제주의 삼공본풀이는 무가(무당의 노래)이고 고대로부터 오래도록 전해져 온 신들의 이야기니, 이것이 육지에 올라가 소설을 만드는 구실을 한 것일까. 아니면 육지의 소설이 제주에 전해지고, 여기에 신성한 힘이 덧보태져 신화가 된 것일까. 잘 모르겠다. 애초 '눈을 뜨게 하는 신비한 이야기'가 효성 깊은 심청의 정성으로 맹인 부모가 눈을 뜨는 이야기가 되기도 했고, 그 신비한 이야기에 신성한 힘이 덧보태져 인연을 관장하는 신의 이야기(신화)로 재탄생하였다고 보면 좋겠다. 앞이 보이지 않던 상황에서 눈이 떠 개명천지開明天地가 되었다는 것은 이전에 살던 답답한 인생을 청산하고 밝고 명랑한 삶이 새로 시작되었다는 의미다. 새로운 운명이 펼쳐지는 내력은 신비하고 신성한 힘의 신인 가믄장아기에서 비롯된다. 제주에는 답답한 인생을 떨쳐내고 새로운 인생을 살게 만드는 신이 있어 행복하다.

우리 인생은 전생의 인연에 지배되기도 하지만 과거 인연의 사슬을 끊고 새로운 인연을 만들 수도 있는 셈이다. '시절인연'을 바꿀 수 있는 것이 인간이다. 국화 씨앗에서 나팔꽃이 피게 할 수는 없지만, 가을에 피는 꽃을 봄에 피게 할 수 있는 것이 인간의 힘이다. 나쁜 전상을 버리고 좋은 전상을 만나 보자. 스스로 노력하면 얻어진다. 전상신이 있다는 것은 스스로 운명을 개척할 수 있는 가능성이 열려 있다는 증거다.

(4) 삼공은 전상신이 되었다고 했는데, 불교 이전의 이야기인데 불교의 전생前生이 가미된 것이 아 닌가.

그런 것 같다. 운명을 스스로 개척하는 주인공의 주체적 삶이 결국 운명의 신으로 좌정하는 데 이르렀고, 그 운명을 불교적 용어인 '전생'으로 덧입힌 것 같다. 그렇다 면 이전의 용어는 어떤 것이었을까. '사록'이란 말에 주목할 필요가 있다. "좋은 사록 들이놀리고, 모진 사록 내풀렸수다."나 '상사록' '하사록'이란 말이 있어 머리 좋은 것 은 상사록이고 술 먹는 습관은 하사록이라 한 것을 보더라도 '전생'이란 말과 통한다. 전생 인연이 현생을 결정하는데 전생 인연 중에 좋은 것은 잘 지키고 나쁜 인연은 풀 어 없애는 것이 우리 인생 과정이라는 의미가 내포되어 있다.

삼공놀이에서는 봉사 부부가 나서서 하사록을 풀어내는 데 몽둥이질을 한다. 심방 이 두린굿과 같은 치병의례를 할 때 환자를 몽둥이로 때려 몸속에 있는 사악함을 없 애는 장면이 연상이 될 수도 있다. 전상신의 대리자가 몽둥이로 때리며 나쁜 사록을 몰아내는 것을 보면서 전상을 심방의 능력에 해당한다고 하는 것은 잘못이다.

(5) 삼공본풀이와 유사한 이야기가 다양한 설화로 전하고 있는데, '내 복에 산다' '쫓겨난 막내딸' '탄소장자' 설화 등 여러 제목이 혼재하여 있는데 같은 것인가.

예전에 연구자들이 각각 그렇게 다양하게 불렀다. 주인공이 쫓겨나게 되는 결정적 인 요인이 "누구 덕에 먹고 사느냐."는 질문에 "내 복에 산다"라고 하여 제목으로 정 하기도 했고, 주인공이 쫓겨난 막내딸이어서 제목으로 정하기도 했다. 쫓겨난 막내딸 의 운명이 숯구이 총각을 만나 부자로 반전되기 때문에 탄소장자라는 제목을 붙인 경 우도 있다. 막내딸보다는 숯구이 총각이 주인공 행세를 하는 경우다. 지금은 대체적 으로 '내 복에 산다 계系 설화'라고 통칭하는 편이다.

(6) 삼공본풀이에서 주인공 '감은장아기'는 애초부터 신적 능력을 지니고 있었던 것인가, 아니면 쫓겨나 시련을 겪은 후에 신으로 좌정하는 것인가.

삼공본풀이는 막내딸이 주체적으로 행동한다. 부모의 비위를 건드리지 않고 슬쩍

넘어갈 일일 수도 있는 질문에 '내 복에 산다'고 단호하게 말한다. 그리고 스스로의 의지로 막내 마퉁이와 결혼하고 자신의 지혜로 황금을 발견하여 부자가 되고, 거지잔 치를 벌여 부모와 재회하는 전 과정에서 주체적인 행로를 보여준다. 그리고는 전상신 으로 좌정한다. 그러니 시련과 극복의 주체적 삶이 신격이 되는 중요 인자라 하겠다.

그런데 셋째딸 감은장아기가 태어나면서 집안이 일어나고 부자가 되었다고 했고, 두 언니가 감은장아기를 내쫓는 과정에서 위계를 보이자 청주넹이(뱀)와 웅달버섯으로 변신시킨다. 그리고 일부 이본에서는 부모를 봉사가 되도록 하거나 거지가 되도록 만 든다. "고대광실 높은 집 물로 만딱 씻어 보세. 헤연 따시 얻어먹는 거지가 되엇입니 다."(양창보 본풀이) 태어날 때 부자가 되고 떠날 때 가난하게 되었고, 부모의 눈이 밝다 가 감은장아기가 떠나게 되자 어두워지거나, 재회하여서는 다시 개안開眼이 된다는 설 정은 애초부터 가믄장아기가 신적 능력이 있음을 의미한다. 눈을 뜨게 하는 것은 송 당본풀이에서 용왕 따님아기가 부채로 부쳐 시어머니의 눈을 뜨게 하는 능력에 비견 된다.

마퉁이 집안은 마만 먹고 사는데 가믄장아기가 가져간 쌀로 밥을 해주자 평소 먹어 보지 못하던 것이라 했다. 쌀밥을 모르는 수렵 채취의 삶이었는데 여자가 오면서 비 로소 농경의 삶으로 바뀐 것이다. 그렇게 본다면 원시사회에서 고대 농경사회로 이행 하는 과정과 흡사하고, 〈탐라국 건국신화〉에서 삼신인이 수렵을 하며 먹고 살았는데 삼여신이 오곡종자를 가져와 농경을 하게 되었다는 탐라국 건국신화와 유사하다. 문 명의 전환이 여성에 의해 이루어졌다. 마퉁이는 마를 캐는 주변에 놓인 황금의 가치 를 모르는데 감은장아기는 그 가치를 발견하고 큰 부자가 된다. 감은장아기는 철기와 금을 사용할 줄 아는 고대문명의 이주민이라 하겠다. 감은장아기는 고대국가를 건설 한 남성영웅에 앞서 존재하는 문화영웅의 모습도 지니고 있다.

이제 여성이 주인공인 이야기는 남성이 주인공인 이야기로 파생된다. 〈서동설화〉 가 대표적이다. 앞에서 거론한 '탄소장자 설화'도 같은 부류의 것이다. 마를 캐는 아 이가 숯을 굽는 아이로 바뀐 것인지, 숯을 굽던 야장이 그 속성을 탈각하면서 마를 캐 는 아이로 바뀌었는지는 의문이다. 이것들은 여성보다 남성이 주체가 되는 이야기의 경우에 해당한다. 이야기의 내용이 바뀌지는 않았지만 무게중심이 바뀌었다. 여성은 비주체적이고 남성에 부속된 인물로 전락한다. 숯을 사용하여 쇠를 다룰 줄 아는 이 남성 주인공은 바로 야장이고 철기문명의 주체이며 고대국가 건설의 주인공으로 이어지기도 한다.

(7) 삼공본풀이와 비슷한 설화가 한국에도 풍부하고 중국과 일본에도 널리 분포하는 것을 어떻게 보아야 하는가.

자발적이고 주체적이고 능동적인 여성이 신격으로 좌정하여 인간의 운명을 관장한 다고 하는 신화가 있었는데 이런 이야기가 주변에 널리 전파되었을 것 같다. 그 근원 은 어딘지 불명확하다. 다만 설화에서 〈서동설화〉와 같은 전설의 형태, 〈내 복에 산다〉와 같은 민담의 형태보다는 삼공본풀이가 좀 더 원형에 가깝다. 제주도에 그런 신화 형태가 남아 있고 이 설화들의 근원이 신화였음을 확인할 수 있어 다행이다.

감은장아기는 "내 복에 산다."라는 말을 하고 쫓겨난 것으로 되어 있지만, 실은 "내 배꼽 아래 선그뭇 덕에 먹고 산다."라고 했다. 자신의 음부 덕에 먹고 산다는 말이다. 여성성이 강하게 표출되는 대목이다. 대지의 생산력에 대응하는 여성의 생생력 상징 이다. 이런 측면을 보더라도 삼공본풀이의 내력은 오래 되었고 신앙서사시의 반열이 라 하겠다. 여성성을 숭상하던 원시적인 상징성이 두드러진 신화로, 풍요가 운명에 연결된다는 사유도 깔려 있다.

무속신앙은 빙의나 엑스타시의 경험과 연결되고 타력신앙이라고 한다. 그런데 여기 감은장아기는 자발성이 두드러진 신격이다. 이런 자발성은 불교의 자력신앙과 통한 다. 불전설화 〈바사닉왕의 딸 선광의 인연〉을 보면, 왕이 공주에게 아버지 덕에 대중 으로부터 존경받고 있다고 하자, "저에게 업의 힘이 있기 때문이요, 아버지의 힘이 아 닙니다."라고 해서 쫓겨난다. 그 후 거지를 만나 집안을 일으키고 부자가 되었는데, 왕은 그제서야 "자기가 선악을 짓고 자기가 그 갚음을 받는 것이다."란 깨달음을 얻는 다. 불교의 자력신앙을 여실히 드러내는 대목이라 하겠는데, 샤머니즘 속에 있는 자 발성이 두드러진 신의 이야기가 자력신앙을 강조하는 불전설화로 발전해 간 것이 아닌가 한다. 자력신앙을 강조하는 불교 설화의 영향을 받으면서 무속신앙 속에 자력신 앙을 강조하는 화소가 개입된 것일 수도 있다. 어느 것이 먼저인지 밝히기 어렵다. 다 만 타력신앙과 자력신앙이 만나는 접점에 이 〈삼공본풀이〉가 놓여 있다. 그러니 무속 신앙은 타력신앙 위주라고 단정해서는 안 된다.

(8) 삼공본풀이 속에 등장하는 〈심청가〉 관련 내용은 원래부터 본풀이 속에 있던 원형적인 요소 인가, 아니면 나중에 덧보태진 것인가.

동해안별신굿의 〈심청굿〉에서 〈심청가〉를 청배무가로 부르는데, 심청가의 전 줄거 리를 부른 것은 1950년대 중반부터이고, 그 이전에는 심청이 인당수에 빠져 죽는 대 목에서 끝났다고 한다.[3] 이것은 무당 집단이 판소리와 고전소설의 심청이를 원혼 계 통의 신격으로 수용했음을 의미한다.[4]

심청가(봉사풀이)는 어둠의 밤이 지나고 광명의 아침이 되는 시각에 맞추어 노인이나 어부의 눈을 밝히기 위해 연행되기도 하였다고 한다. 〈삼공본풀이〉는 어두운 삶을 청 산하고 새 세상을 맞는 이야기 구성으로 되어 있고, 부와 복을 얻어가는 과정으로 짜 여진다. 그래서 이야기의 중심인 가믄장아기는 운명의 신 혹은 업을 주재하는 신의 의미를 띤다. 첫 번째로 가난에서 벗어났으나 추방당한 후 다시 부를 획득하는 이야 기가 전개되었고, 두 번째로 부모를 등장시켜 안맹이었다가 득안하는 내용을 전개하 고 있다. 역시 어두운 삶을 청산하고 새 세상을 맞는 이야기의 반복인데 눈이 먼 상 황(어둠)과 눈을 뜬 상황(밝음)을 극명하게 대비시킨 것이다. 주제를 강화시키는 후대의 부연이다.

〈삼공본풀이〉의 근원설화로 보이는 〈내 복에 산다〉계 설화에는 거지잔치나 맹인 득안 화소는 거의 없다. 안맹과 개안 화소는 별개의 다른 설화 요소이던 것이 화소를 주고받는 과정에서 삽입된 것으로 본다.[5] 안맹, 개안화소는 가믄장의 신성성을 보여주

---

3   이두현, 『한국민속학논고』, 학연사, 1984, 199쪽.
4   박진태, 「심청가와 봉사놀이의 비교연구」, 『민요 무가 탈춤연구』, 태학사, 1998, 689쪽.

기 위한 주술력의 상징적 표현이다. 마치 토산 일렛당의 개안 삽화와 같은 구조를 갖는다.

(9) 삼공본풀이 뒤에 이어지는 전상놀이의 주인공은 누구인가. 가믄장아기의 아버지일 수 있는가.

전상놀이에서 입무(가믄장아기)는 아버지가 눈을 뜬 후 잔을 떨어트린 모습을 보고 길흉을 판단한다. 주체는 가믄장아기이지 부모가 아니다. 봉사 영감이 대주 앞에 가서 명과 복을 준다며 막대기로 때리고 인정을 거는 장면은, 부흥회에서 앉은뱅이가 일어선 후 자신의 신앙을 간증하는 행위, 눈을 뜬 봉사가 신의 능력을 증명하는 증인으로 나선 모습이다. 놀이는 놀이일 뿐 근엄할 필요가 없다. 전상놀이의 봉사의 행동에 현혹되지 말길 바란다.

(10) 가믄장아기가 운명의 신인데 가믄장아기의 '선그믓'을 인간 운명이 그려져 있다는 '손금'과 연관시켜 볼 수 있을까.

'그믓'을 손금처럼 운명의 금이라고 해석해 보자. 그렇다면 인간의 운명을 모두 그렇게 정해져 있는 것으로 보아야 하는가. 인간의 운명은 전생 혹은 업에 의해 결정되지만, 한편으로는 현세에서 고치고 수정해나가는 과정도 중시되어야 한다. 가믄장은 전상을 주재하기도 하지만 현세적 삶과 운명을 주재하기도 한다.

배꼽 아래는 단전이라고 하여 몸의 중심이고, 여기에 힘을 길러야 뱃심과 배포가 있는 삶이 가능하다. 그러니 매우 중요한 곳이다. 그곳은 금으로 표시되어 있지 않다. 내부의 기氣가 모이는 곳이다. 어느 누가 배꼽 아래에 있는 금이 운명을 관장한다고 발설한 바 있는가. 그것을 금이라고 인정한 바 있는가. 억측은 상상력을 구렁텅이로 몰아갈 수 있다. 그래도 배꼽 아래 '그믓'을 운명의 금이라고 주장하고 싶으면 과학적, 언어적 탐구를 해서 그 증거를 제시해야 옳다.

• • •

5   현승환, 『삼공본풀이 형성과정연구』, 제주대 박사학위논문, 1995.

그렇다면 '선그믓'이 음부를 뜻하고, 여성성을 상징한다는 데 대해 해명하고자 한다. 음부가 여성성으로 해석된 바 있고 그때는 대개 다산과 풍요의 상징을 드러낸다고 한다. 그렇다면 이 〈삼공본풀이〉도 풍요 다산의 상징성으로 회귀해야지 왜 '운명의 신'에 대한 풀이이겠는가 하는 의문이 있을 것이다. 음부에서 시작되는 그 여성성은 풍요와 다산에 그치지 않고, 어머니 대지의 모습, 생명의 탄생, 우주의 시작, 생명력과 연관되고, 설문대할망과 같은 여신의 국토생성력과도 끈이 닿아 있다.

그런데 〈삼공본풀이〉에서 가믄장아기의 능력은 음부에 국한하지 않는다. 부모에게 자신의 능력으로 잘 먹고 잘살고 있다고 당당하게 밝히는 여성으로서의 주체성, 쫓겨나서도 운명에 굴복하지 않고 새로운 삶을 찾아 나서는 진취성, 마퉁이가 모르는 금을 발견하여 부를 취해가는 지혜력, 쫓겨난 운명이지만 자신을 쫓아낸 부모를 다시 만나고자 하는 포용력 등이 작용하여 가믄장이 운명개척의 여신이 되는 것이다. 어느 하나의 상징성에 매몰되지 말아야 한다.

이용옥 심방은 〈삼공본풀이〉를 '노불리'(노뿌리)라 했다. 매우 의미심장한 어휘로 여겨지는데 아직 명쾌하게 해석할 자신이 없다. 일부가 끈으로 본 것까지는 좋았는데, 꼬인 운명을 푸는 것으로 생각한 것에는 동조할 수 없다. 노끈 혹은 끈이란 의미일 텐데, 이는 관계를 의미하는 것 같고, 앞과 뒤의 관계, 위와 아래의 관계, 나와 너의 관계이고, 구체적으로 나가면 전생과 현생, 현생과 내세의 관계, 남녀의 관계, 부모와 자식의 관계 등을 의미한다고 여겨진다. 그래서 〈삼공본풀이〉 속에는 부모와 자식의 관계, 부부관계, 그리고 앞의 일과 뒤의 일의 관계가 엮여 있다. 과거의 어두운 사슬을 끊어버리고 새로운 운명을 시작한다는 주제와 상통하는 '노'의 해석을 기대한다.

6) 세경본풀이

(1) 세경신

이 이야기의 주인공은 분명 자청비다. 그녀야말로 곡식의 신이고 풍요의 신이다. 서천꽃밭을 수시로 드나들며 환생꽃으로 죽은 자를 살리고, 무질서한 변란을 멸망꽃으로 해결하는 생명의 신이고 조화의 신이다. 문도령은 아무 역할을 하지 않았는데도 왜 세경신으로 좌정하는가. 농사가 하늘의 자연적 기후에 따라 좌우되기 때문에, 문도령은 하늘의 존재로 자연운행의 상위질서를 상징하고, 자청비는 땅의 존재로 하늘의 조화에 따라 적절히 대응하는 자연의 힘을 상징하는 것 같다. 정수냄이는 말썽꾸러기다. 그러나 온갖 악행을 저지르고 죽임을 당하는 정수남은 온갖 액운을 지고 버려지는(祓除) 제웅과 닮아 있다. 정수냄이는 소도 아홉 마리 말도 아홉 마리를 먹는 대식가다. 그의 식성은 궤네깃도와 같은 거인영웅을 상징한다. 그리고 소와 말을 키우는 일은 단순히 목축만을 의미하지만 않고 농사와 직결된다. 제주의 뜬땅은 파종 후 밟아주어야 하는데 이때 마소의 힘이 필요하고, 마소는 농업에 반드시 필요한 도구다. 그래서 마소를 관장하는 정수냄이도 세경신의 하위 자리를 차지한다.

(2) 오곡종자와 메밀

자청비가 오곡씨를 장만하다가 씨앗 한 가지를 잊어버린 것을 알고 다시 뒤늦게 받아온 것이 메밀씨다. 메밀은 늦게 가져와 늦게 파종하더라도 다른 곡식과 같이 가을에 거둘 수 있다고 했으니, 다른 농사가 망치면 대신 심어 흉년을 면할 수 있는 구황식품이다. 보통 농사가 망칠 것을 대비해 구원 투수를 준비해 놓은 것을 보면 자청비는 가난한 민초의 편에 서 있는 신이다. 정수냄이의 배고픔을 해결하기 위해 큰 농사를 짓는 이에게 먹을 것을 부탁하지만 거절당하자 대흉년이 들게 하고, 작은 농사를 짓는 가난한 이에게 먹을 것을 구하자 선뜻 내주는 모습을 보고 그들에게는 대풍년이 들게 해주었다. 큰 농사는 망하게, 작은 농사는 흥하게 하는 세경신은 민초들을 위한 신이다. 자청비가 오곡과 꽃으로 사람을 살린다는 것은 식물의 성장을 주재하는 지모신의 성격이다. 자청비는 자연의 생명을 주재하는 신격이다. 아울러 가난한 백성을 살리는 생명의 신이다.

(3) 고전소설의 여성영웅

옛소설을 보면 늦도록 자식이 없는 부모가 부처에 지극정성으로 빌어 여성 주인공이 태어나는데, 뭔가 정성이 하나 부족하여 딸로 태어난다. 그리고 훌륭한 신랑감과 혼사가 약속되었지만 쉽게 성사되지 않는다. 숱한 장애를 극복하고 난 뒤에야 행복한 결혼이 이루어진다. 이를 혼사장애 모티프라 한다. 제주의 자청비를 보면 고전소설의 여성 주인공과 흡사하다. 조선 후기를 보면 여성영웅소설이 대유행한다. 〈여장군전〉에서는 부모가 기도를 드려 낳은 만득의 무남독녀 정수정이 남장을 하고 도술을 배워 전쟁에 대원수로 출장하고 큰 공을 세운다. 〈홍계월전〉에서는 여주인공이 전란을 만나 위기에 빠진 남주인공을 구하고 천자 앞에서 뛰어난 능력을 보인 후 남장을 벗고 여자의 위치로 돌아가 당당한 승리를 취한다. 여장군이 국난을 극복하고 남편을 구하는 이야기 또한 하늘나라의 국난을 구하고 남편을 살려낸 자청비의 활약담과 비슷하다. 자청비 이야기는 조선후기 고전소설의 영향을 받은 것 같다. 그래서 고대적 신의 모습만이 아니라, 중세의 여성영웅의 모습이 담겨 있고, 자유분방한 결혼을 하는 모습에는 근대적 로망스의 주인공 모습도 보인다.

(4) 정수남의 신적 능력이란 어디에 있는가.

우선 그의 대식성을 주목할 필요가 있다. 소 아홉 마리와 말 아홉 마리를 한꺼번에 먹어치우는 능력은 송당본풀이의 소로소천국을 닮아 있고, 더 거슬러 올라가면 설문대할망의 대식과 엄청난 생식력에 닿는다. 자청비의 집안에서는 식구들을 먹여 살리는 일을 하기 때문에 딸보다 더 소중한 존재로 여기고 있다. 그래서 자청비에 의한 일이지만 죽었다 되살아나는 능력도 있다. 마지막으로 농경의 신 중세경과 함께 목축신 하세경으로 좌정하는데, 목축은 농경에 반드시 필요한 것이기에 함께 좌정하는 것이다. 제주는 뜬 땅이어서 파종을 하고 꼭 밟아주어야 발아를 할 수 있다. 그러니 어디건 소와 말이 농경에 요긴하겠지만 제주에서는 특히 중요하다. 소와 말은 먹는 대상이 아니었다. 그런데 정수남이 소와 말을 먹어치우는 바람에 자청비의 표적이 되고 급기야 죽음에 이르게 되었는지도 모른다.

자청비는 서천꽃밭에 두 번 다녀온다. 한 번은 정수남을 살리러, 다음에는 문 도령을 살리러 다녀온다. 문 도령은 또 어떤 이유로 상세경이 되었는가. 아마 하늘의 존재로서 농경에서 가장 중요한 비를 내려주기 때문에 세경신이 되는 것이겠고, 자청비가 하늘에서 오곡종자를 얻어오는 데 중요한 매개 역할을 했기 때문에 상세경인 것이다. 자청비의 아래 위로 문 도령과 정수남이 있다. 비와 오곡종자와 소와 말, 이것이 농경이다.

(5) 자청비의 사랑은 어떤 것인가.

애초에는 문 도령과 자청비의 사랑이 큰 비중은 아니었을 것이다. 그런데 시간이 흐르면서 조선조 중기 즈음을 맞으면 고전소설이 서사무가에도 영향을 주었던 것 같다. 본풀이 모두에 들어 있는 주인공의 탄생담은 고전소설의 서두와 흡사하다. 〈세경본풀이〉 자청비의 사랑도 그렇게 무르익게 되었던 것 같다. 자청비의 사랑이 발아하여 농경의 풍요가 이루어지는 것이 아니라, 풍요신의 유래담에 사랑이 덧보태진 것으로 보인다. 그래서 춘향전의 사랑처럼 과감하고 근대적이다. 그래서 로망스적 풍모가 있다는 느낌이다.

그런데 사랑만 있는 게 아니다. 하늘나라 변란을 막는 장면에서는 군담소설 같고, 문 도령을 살리고 하늘나라를 평정한 다음에 인간세상의 문화영웅이 되는 것으로 보아 여성영웅소설 같다. 다양한 소설적 요소는 서사무가 본풀이가 조선시대를 통과한 흔적이다. 그런 것을 보면 제주는 육지와 자주 소통하고 육지 문화를 받아들이는 데도 인색하지 않은 것 같다. 그러나 다 내주지는 않았다. 자기 것에 남의 것을 덧보태 시류에 맞는 서사로 거듭 났다. 이것이 제주문화의 저력이다.

(6) 자청비가 남장을 하고 문 도령을 만난 것에서 조금 기미가 있다가, 나중 서천꽃밭의 꽃을 타내기 위해 꽃감관의 딸과 결혼을 하면서 남장을 하는 것을 보면 동성애가 있다고 보는데 어떤가.

남장 여성을 모두 동성애로 몰아서는 안 된다. 문 도령을 사랑하는데 그와 함께 글공부를 하려면 남장을 하는 수밖에 없었다. 함부로 내주지 않는 서천꽃밭의 환생꽃을 얻기 위해서는 그 집 식구가 되는 수밖에 없다. 그러니 목적을 위해 어쩔 수 없이 택한 수단이니 이 내용을 지나치게 성 심리학으로 재단할 필요는 없다.

(7) 일반신본풀이인 〈세경본풀이〉가 제주에 들어와 당본풀이의 어떤 영향을 받았는가.

〈세경본풀이〉의 서사구조 속에는 〈송당본풀이〉가 들어와 있다. 첫째, 남신의 대식성과 육식성이 그렇다. 둘째, 여신의 농경 풍요신적 성격이다. 셋째, 목축신과 농경신이 결합하려 하지만 여신이 남신을 거부한다. 넷째, 농경신이 우위에 있다. 다섯째, 자청비의 천상여행처럼, 부모에 버림 받은 자식이 용궁에 다녀오고 이어 강남천자국에 다녀 온다. 〈송당본풀이〉에서 남신은 소로소천국이고 여신은 백주또이다. 그 사이에서 난 아들이 아버지에게 불경한 짓을 하여 버림 받게 되는데, 아이의 이름이 문곡성 또는 궤네깃도이다. 이 아들 또한 아버지의 대식성을 닮아 소와 돼지를 온마리로 먹는 장수의 면모를 지닌다. 정수남의 대식성은 문곡성(혹은 궤네깃도)과 같은 제주도 영웅의 식성에서 기인한 것이다.

자청비는 세 번 옷을 벗는다. 왜 벗는지 궁금하면 일독을 권한다.

7) 차사본풀이

(1) 염라대왕 혼쭐내기

인간은 정해진 운명대로 죽어 염라대왕 앞에 불려간다. 저승으로 데려가는 사자도 무섭지만 염라대왕이야 더 말해 무엇하랴. 그런데 강림이는 저승에 찾아가 염라대왕을 포박하고 혼내 주어 무릎을 꿇린다. 그 장면은 장쾌하기 이를 데 없다. 눈을 부릅뜨고 팔뚝을 걷어붙이고 우뢰 같은 소리를 지르며 염라왕 행렬을 공격하니 삼만관속과 육방하인이 도망간다. 이어 가마채를 잡아 문을 열어젖히니 "염라대왕이 두 주먹을 불끈 쥐고 앉아 벌벌 떨고 있는" 모습이었다. 이어 강림이 호통을 치자 염라왕의 손목에 수갑이 채워지고 발에 치꼬가 끼워지고 몸에는 밧줄이 감겼다. 염왕이 밧줄을 늦추어달라고 사정을 하는 장면까지 연출된다.

강림도령은 인간의 죽음을 관장하는 염라대왕을 하수인 다루듯이 하고 좀처럼 주눅들지 않는 모습이다. 그렇게 해서 인간을 죽게 만드는 저승신에게 통쾌한 복수를 하고 죽음조차 거부한다. 운명의 굴레를 씌우는 신과 신앙을 거부하고 비판한다. 열세에 놓인 인간이 신을 거부하고 저승세계를 관장하는 왕을 조롱하고 있다. 삼만관속과 육방하인을 데리고 다니는 지하의 왕뿐만 아니라 지상의 왕까지도 조롱을 하고 무릎을 꿇리는 자유분방함이 느껴진다. 그러나 더 이상 운명을 거부하지는 못한다. 강림은 염라대왕을 따라가 그 밑에서 저승사자의 일을 하게 된다. 중세의 굴레는 쉽게 풀어버릴 수 없는 상황이었고, 그래서 왕이 다스리는 세상을 극복하지는 못하고 만다. 아직 신의 세계와 왕이 다스리는 세계를 뒤집을 전망이 부재한 시대였으리라.

(2) 장례의 법도, 인간의 법도

채서본풀이에는 인간이 죽을 때 장례지내는 법이 다양하게 제시된다. 붉은 종이에 흰 글자를 쓰는 명정법銘旌法, 수의를 준비하는 법, 삼혼三魂을 부르는 법, 밧줄로 결박하여 행상 가는 법, 성복·일포·삼우제·삭망제·소기·대기·기일의 제사법 등이다. 이 본풀이를 통해 자연스럽게 장례의 절차와 법도를 익히게 하는 교훈적인 의도도 있다.

그런데 우리를 깨닫게 하는 중요한 법이 들어 있다. '남의 음식 공으로 먹으면 목 걸리는 법'이 그것이다. 버물왕 삼형제가 과양생이 처에게 찬밥을 얻어먹고 비단으로 보답할 때 이 말을 한다. 저승의 이원차사가 강림에게 떡을 얻어먹고 저승 가는 길과 염라대왕을 만나는 방법을 일러주는 대목에서도 이 말을 한다. 그럴 만한 연유가 있으면 정당하게 보답하여야 한다. 떡을 뇌물로 주고 저승 가는 길을 알아낸 강림에게는 참으로 이원사자가 고맙다. 하지만 저승의 차사인 이원사자는 연유 없이 떡을 얻어먹고는 자신의 상관인 염라대왕을 팔아넘기고 만다. 준다고 그냥 받아먹으면 이렇게 코가 꿴다. 선의이건 호의이건 주는 것을 가려서 받아야 한다. 주는 자는 늘 기대하는 바가 있는 법이다. 떡값은 그때나 지금이나 문제다. 이렇게 본풀이는 신의 세계를 이야기하지만, 문맥 깊숙이 인간의 세계에서 지녀야 할 삶의 법도를 일러주기도 한다. 그래서 신화는 인간들의 이야기다.

(3) 강림은 염라대왕을 붙잡아오는 능력을 보였음에도 불구하고 저승에 가서 적패지를 까마귀에게 맡기는 실수를 한 탓에 재차 능력을 입증해야 했다. 이 대목에 동방삭 전승이 삽입된다. 그래서 삽입본풀이가 아닐까 한다.

아니면서 그렇다. 강림이는 대단한 능력이 있었음에도 불구하고 후반부에는 무기력하게 나온다. 적패지를 까마귀에게 맡기는 실수만이 아니다. 김치 원님과 염라대왕에게 자신의 운명을 맡겨야 했다. 김치 원님이 강림이의 몸을 선택했기 때문에 그의 영혼은 염라대왕을 따라 저승에 가고 저승차사가 되었다. 이 모두 강림이가 선택한 것이 아니다. 강림이의 저승 여행은 본부인과 천태산 마고할망(조왕신)과 문전신의 도움 때문에 가능했다. 능력이 있으면서도 어리숙한 설정이 강림의 캐릭터다. 그의 능력 때문에 저승차사가 되어 인간을 저승으로 데려가는 중한 일을 하는 것이고, 그의 어리숙함 때문에 인간이 순서 없이 저승에 가게 되는 것이다. 둘을 합치면 인간의 운명이 나온다. 인간은 너나 할 것 없이 순서도 없이 저승에 가야 하는데 그 동반자가 강림차사다. 인간 정명定命이 있었는데 누군가의 실수 때문에 순서 없이 죽게 되었다고 책임을 미루고 있다. 인간 운명의 한계가 읽힌다.

강림이가 까마귀에게 적패지를 맡겼는데 떨어트려 뱀이 먹어버렸고 그래서 인간의 운명이 꼬이게 되었다고 해서, 강림이가 재차 자신의 능력을 증명할 필요가 없다. 그건 어차피 운명일 뿐이다. 동방삭의 삽화는 있어도 좋지만 없어도 좋은데, 들어와 있기 때문에 삽입된 화소다. 그러나 강림이의 능력을 입증하기 위해 들어온 화소는 아니다.

인간 70, 80 정명定命이 있다면 이 또한 운명의 장난이다. 알지 못하는 사이에 죽음의 문전에 도달하는 것이 오히려 행복일 수 있다. 우리의 죽는 운명을 알 수 없도록 만든 것이 강림이라면 강림이의 능력이 입증된 셈이다. 우리는 강림이 덕분에 정해진 죽음을 기다리며 애태우지 않아도 되니까.

(4) 상장의례의 기원을 두고 문화기원이라고 할 수 있나.

문화라는 말보다는 관습과 법도의 기원이라고 하면 족하다. 신화에서 문화영웅이라고 하면 우리는 곡식이나 비단이나 직조기술이나 철기를 가져온 영웅을 말하는데, 삼혼, 성복, 삭망제 등을 문화라고 하면 혼란이 가중될 수 있다.

(5) 강림이는 저승을 다녀오는 영웅성이 있는데, 다른 한편에서는 왜 무기력하게 보이는가.

〈차사본풀이〉는 저승으로 인간을 데려가는 차사신의 내력이다. 그래서 원시신앙적 요소가 깔려 있다. 버무왕의 세 아들이 죽었다가 꽃으로 환생하고 이것을 태우자 구슬이 되었는데, 이 구슬을 삼키자 과양생이처가 회임을 하게 된다. 꽃으로 잉태하는 〈삼승할망본풀이〉와 그 사유가 통한다. 말의 주술성도 강하게 남아 있다. 과양생이처가 장원급제하여 돌아오는 자기 아들을 몰라보고 저주하여 '목이나 부러져 죽어라.'라고 했더니 그렇게 죽어버린다. 그러나 과양생이처가 하루 세 번 100일 동안 소지를 올려서야 김치원님이 소원을 들어주는 부분에서는 주술성의 상실을 볼 수 있다.

그래서 이 〈차사본풀이〉는 신앙비판서사시이기도 하다. 저승세계를 주재하는 염라대왕이 일개 아전에게 치도곤을 당하고 붙잡혀 온다는 설정은, 인간이 죽어 저승세계로 가고 그곳의 심판을 받는다는 신앙 자체를 흔들어 놓는다. 염라대왕이 희화화되어 있다. 열세에 놓인 인간이 신을 조롱하고 거부한다.

그러나 그뿐이다. 강림이는 김치원님의 휘하에 있다가 저승으로 가야 했고, 염라대왕의 휘하에 놓인다. 아직도 중세는 완고했다. 그래서 왕의 권위에 함부로 도전할 수 없었다. 그래서 왕과 원님의 굴레에 속박되고 만다. 강력한 신앙비판은 조금 더 시간을 기다려야 했다. 이것은 강림이의 한계이기보다 시대적 한계다.

그런데 〈차사본풀이〉속 인물은 중세에서 근대 이행기의 성격도 보여 준다. 바로 과양생이처인데, 그녀는 하루 세 번 100일 동안 줄기차게 소지를 올리면서 자신의 뜻을 관철하려고 한다. 원님에게 이 놈 저 놈 욕까지 해가면서 집요하게 자기 아들을 살려 달라고 조른다. 단순한 인물 설정이 아니다. 나는 여기서 근대적 속물정신에 빠진 강남 아줌마를 본다. 자식의 일이라면 죽음을 불사하고 뛰어들어 목적하는 바를 반드시 달성하고 마는 강남 아줌마. 12시가 넘도록 과외를 시키며 목적하는 바 영어 진도를 마치지 못하면 집에 보내지도 말아 달라고 당부하는 그 억척스러움. 하루 세 번 100

일 기도를 하며 서울대에 합격시켜 달라고 비는 우리 시대 강남 아줌마에게서 과양생이처의 욕망을 본다.

8) 지장본풀이

(1) 죽음과 죽임, 연민과 증오

다섯 살에 어머니가, 여섯 살에 아버지가, 일곱 살에 할머니가, 여덟 살에 할아버지가 죽는 비극을 경험한 지장 아기씨는 외삼촌 밑에서 성장하여 시집을 가게 된다. 허나 열여덟 살에 시아버지가 죽고, 열아홉 살에 시어머니가 죽고, 스무 살에 남편과 자식이 연달아 죽는다. 우연히 그들이 죽게 되었다면 지장아기씨는 연민의 대상이 될 것이요, 재수 없는 여인에 의해 필연적으로 일어난 일이라면 지장아기씨는 증오의 대상이 될 것이다. 우연이라고 하기엔 너무할 정도로 가족이 씨몰살한다. 이런 비극 앞에서 지장아기씨는 쫓아낼 대상이다. 그런데 왜 지장아기씨가 신으로 숭앙되는가.

(2) 새ᄃ림

지장아기씨는 자신도 모르는 새에 벌어진 운명에 난감해한다. 그러다가 전새남굿과 후새남굿을 하며 억울하게 죽은 영혼을 달래는 굿을 한다. 정성스럽게 옷을 준비하고 떡을 준비하여 제를 올린다. 명주로 신 길을 마련하여 신 맞이를 하고, 음식을 올려 신 맞이를 한다. 오죽하면 이 지장본풀이를 시루떡을 찌는 과정의 노래라고 할 정도로 떡 찌는 과정이 상세하고 그만큼 정성이 내비친다. 그래서 새(邪氣)를 쫓아낼 수 있게 된다. 쫓겨날 대상이 쫓아낼 주체가 되는 것이 고대신화의 보편적 특성이다.

이 이야기는 불교를 덧칠하게 된다. 기구한 팔자의 지장아기씨는 머리를 깎고 송낙을 쓰고 장삼을 입고 목탁을 들고 쌀 시주를 받는 승려가 된다. 그리고 시주를 받아 정성스런 제를 드려 억울하게 죽은 혼령을 달래게 된다. 그리고 죽음의 공간, 지하의 공간을 주재하는 지장보살이 되어 죽은 혼령들을 저승으로 잘 천도하는 역할을 한다. 애초에는 식구를 죽음에 몰아넣는 팔자로 태어났지만, 불교적 정화를 거쳐 죽은 영혼을 구제하는 신격으로 승화되었다.

(3) 죽음을 직시함

지장아기씨는 백정들의 수호조상신으로 모셔진다. 백정의 삶 주변에는 무수한 동물의 죽음이 있고 그 죽음을 달래는 일도 만만치 않으리라. 큰굿 시왕맞이에서 강림차사, 멩감, 지장본 이후에 삼천군병지사빔이 행해지는데, 삼천 군병은 전란에 죽은 군병이다. 죽은 영혼을 달래는 이 제차가 저승사자본과 지장본과 함께 있다는 것을 보더라도 지장본의 성격이 가늠된다.

죽음은 어디에서나 있는 것이고, 운명의 반전은 어디에건 있는 것이다. 지장아기씨는 죽음의 원인이면서 치유의 주체이기도 하다. 전후의 반전이 극심하여 그 본풀이의 핵심이 무엇인지 아직도 혼동되는 게 사실이다. 지장본풀이는 죽음을 직시하게 만든다.

(4) 새와 사邪에 대하여

새와 사를 잘 구분하여야 한다. "새로 환생을 하여"와 "새를 쫓는, 액을 막는 비념"과는 다르다. 김헌선 교수는 지장 새를 "공을 들인 신"이라 했듯이 '새 몸으로 환생'한 것이 바로 신직神職을 부여받은 형국일 것이다. 신은 늘 인간과 넘나드는 관계를 갖는 것은 아니다. 새도 신일 수 있다. 이 새의 역할이 불교적 '지장신' – 땅 속에서 남을 위해 희생하고 돕는 신격 – 과 연결되는 지점도 있었을 것이다.

사邪를 쫓는 관념에 대해서는 다음의 민속을 참조할 만하다. 우리 민속에서 '추영'(혹은 추용)은 악신적 존재인데, 버려짐으로서 액막이를 실현시킨다. 스스로 버려짐을 선택하는 희생적 제의의 일면이다. 이런 맥락과 지장아기와 닿아 있다. 그리고 사악함, 악신은 늘 쫓아버려야 하는 존재로 인식하는 것은 잘못이다. 악신이라 할지라도 잘 달래서 보내는 것이 바로 우리의 신 관념이다. 그것은 이객환대異客歡待라 한다. 그런 측면에서 '드리다'는 막대기로 두드려 쫓아버린다는 의미보다는 '달래다'의 의미가크다.

(5) 〈지장본풀이〉에서 보이는 연쇄적인 죽음은 다음의 민요에서도 확인할 수 있다.[6]

A-1. 똑딱불미소리

푸르르탁탁 푸르르탁탁(후렴)

불미나 불엉 담배 먹자(후렴)　　　　흔 살적이 어멍 죽고(후렴)

두 살적에는 할마님 죽어서(후렴)　　다섯 살적에는 할아버님 죽어놓고(후렴)

열다섯 살 나는 해는(후렴)　　　　　경상도 대불미를(후렴)

걸머지고 나갑니다.(후렴)　　　　　모리 처냑은 할아버님(후렴)

제사는 돌아오고(후렴)　　　　　　앞집에강 불미불엉(후렴)

곤쌀 흔 뒈 빌어다네(후렴)　　　　　안방에다 두있더니(후렴)

고넹이놈 쳉이놈이(후렴)　　　　　　오꼿ᄒ게 먹어불고(후렴)

요만ᄒ면 어떵ᄒ료(후렴)　　　　　　제사는 근당ᄒ지(후렴)

췌 흔 봉을 산 댕기단(후렴)　　　　췌 흔 자루 싸고 그날 처냑 앉아시난(후렴)

할마님이 고기쌀을 내어준다(후렴)　　돼지 ᄒ나 내어준다(후렴)

그제사를 잘 지내연보난(후렴)　　　　천년만년 잘 살앗댄 흡디다(후렴)

 B-1. 경북지역 시집살이노래

한 살 먹어 엄마 죽고 두 살 먹어 아바이 죽어

세 살 먹어 할매 죽고 네 살 먹어 할배 죽어

다섯 살에 삼촌 우에 얹혔으니 서름 많고 괄세 많고 서름 많다

삼오 십오 열다섯에 시집이라 가였드니 가장조차 죽어지네

• • •

6　한진오, 「〈지장본풀이〉에 담긴 수수께끼와 연행방식 고찰 — 지장과 새의 의미, 연행방식의 특징을 중심으로 — 」,
　　『탐라문화』 35호, 제주대학교 탐라문화연구소, 2009, 41~73쪽.

C-1. 과부타령(신중타령)

① 한살에 모친 잃고

② 다섯 살에 부친 잃어

③ 고모, 이모,…등 친척의 집에서 구박받으며 살다가

④ 열다섯에 시집가니

⑤ 일곱 달 만에 남편이 죽어

⑥ 시집식구의 구박을 받다가

⑦ 집을 나와 중이 된다.

A-1은 안덕면 덕수리의 불미공예의 과정에서 전하는 것으로 1인용의 간소화된 풀무질을 하면서 부르는 노래다. B-1은 제목이 별도로 정해지지 않은 경북지역의 시집살이노래로 자탄가의 일종으로 볼 수 있다. 마지막으로 C-1은 동해안 별신굿에 불리는 노래로 서대석의 견해에 따르면 6.25사변 이후에 새로이 추가된 것이라고 한다. 때문에 기존의 중타령과 달리 신중타령이라고 부르기도 한다.[7]

9) 맹감본풀이

(1) 명감命監 또는 명관冥官, 그리고 산신山神멩감

멩감본풀이는 신과세제新過歲祭와 큰굿의 시왕맞이 때 불리는데, 풍요를 기원하는 의미와 죽을 액운을 물리치는 의미를 지닌다. 30세로 정해진 운명을 타고난 스만이는 차사(저승사자)에게 잡혀갈 처지였는데 차사를 잘 대접해서 죽을 운명을 벗어났다. 여기서 맹감은 '목숨을 살피는' 직위의 명감命監일 수도 있고 저승세계에서 인간을 잡으러 온 관리인 명관冥官일 수도 있다. 젊은 나이에 죽어야 할 운명을 잘 극복한 이 본풀이

• • •

7   좌혜경, 『e-book 민요시학연구』, 한국문학도서관, 2007, 243~244쪽; 조동일, 『서사민요연구』, 계명대학교 출판부, 1979, 264쪽; 최정여·서대석, 『동해안무가』, 형설출판사, 1974, 401~406쪽.

는, 운명을 관장하는 신을 잘 위해서 액을 막았다는 이야기로 볼 수도 있다. 위의 이야기에서 집안에 사람이 죽어갈 액厄을 막는 데 〈시왕맞이〉를 하는 이유가 여기 있다. 또한 '멩감코스'와 결부시킬 수도 있다. 멩감고사는 생업의 풍요를 비는 신년제로, 농신인 세경이나 수렵신인 산신을 청해 농사와 수렵이 잘 되도록 기원하는 것이기 때문에, 〈세경본풀이〉와 함께 〈멩감본풀이〉가 불린다. 특히 산신을 청해 사냥이 잘 되기를 비는 의례를 '산신멩감고사'라고 하는데, 이때의 맹감은 수렵의 풍요신이다. 위의 이야기에서 해골 조상이 사냥이 잘 되도록 도와주었다고 하니 그가 바로 '산신멩감'이다.

(2) 백골白骨을 조상신으로

스만이는 사냥을 하다가 백년 해골과 결연을 맺고 집으로 가져와 고방에 모셔 조상님이라 위했으며 그 결과 큰 부자가 되었다. 길 위에 구르는 해골을 잘 위해서 부자가 되었다는 말을 곱씹을 필요가 있다. 여타의 이야기에서도 해골을 잘 장사지내 주었다가 발복했다는 경우도 있다. 무덤을 쓸 수 없던 주인 없는 해골을 위해 정성을 들였다면 복을 받을 만하다. 조상신을 잘 모셔서 복을 받았다는 이야기는 많다. 여기 스만이는 남의 해골을 조상처럼 잘 위해서 복을 받았다. 장독대 위에 정안수를 떠 놓고 자식의 건강과 행운을 위해 비는 어머니의 손길마냥 따듯하다. 길 위에 구르는 돌 하나, 집 뒤의 나무 하나에도 정성을 쏟으면 복을 받을 것이다. 다른 사람을 위해 정성으로 비는 일도 또한 그러하리라.

어린 나이에 고아가 된 스만이로서는 딱히 모실 조상이 없었을 것이고 기댈 곳도 없었을 것이다. 그래서 백골을 조상신으로 모시고 부자가 되었다. 한편 부모 조상을 공경하지 않고 백골 조상만 위하였기 때문에, 저승사자가 사만이를 잡으러 오게 되었다고도 한다. 조상신에게 잘 대접하지 않으면 자손이 해를 입을 수도 있다는 것을 보여주는 사례일 것이다. 우선 조상부터 잘 모시라는 충고로 들으면 족하리라. 조상신 숭배란 우선 혈연조상을 모시는 것이고, 모실 만한 존재가 없으면 밖에서 모셔 들이는 것이 이곳의 법도다. 제주의 〈조상신본풀이〉에서는 혈연조상이건 아니건 함께 조상신으로 모셔진다. 조상신은 집안 수호신이고 직업 수호신이기도 하다.

(3) 먹고 살아갈 도리

ᄉ만이는 가난에 찌들어 자식들을 먹여 살릴 도리가 막막했다. 아내는 머리카락을 끊어 자식을 먹일 양식이라도 사 가지고 오라고 남편에게 당부하였는데, 양식 대신에 총을 구해온다. 잠시 먹어치우면 사라질 양식 대신 '먹고 살아갈 도리'를 선택을 한 것이다. 눈앞의 이익보다 먼 미래를 내다보는 선택이 중요함을 일깨우는 것은 아닐까.

머리카락을 판 석 냥으로 집을 사거나 밭을 살 수 없으니 사냥에 나선 것이다. 농경은 안정적인 삶이긴 하지만 밑천 없는 사람들에겐 그림의 떡이다. 막노동 같은 힘든 일에 뛰어드는 것은 우리 시대의 서민이나 ᄉ만이나 마찬가지다. ᄉ만이는 서민의 다른 이름이다. 그러나 누구도 거들떠보지 않는 백골을 모시는 한바탕 굿으로 부자가 되었으니, 그는 샤먼shaman의 다른 이름이기도 하다. ᄉ만이의 처는 저승사자를 대접하기 위해 많은 제물을 준비하고 시왕맞이를 하여 액을 막았다. 큰 정성으로 살면 부자도 되고, 사람이 죽어갈 액을 막기도 한다는 의미로 읽힌다.

(4) 멩감은 두 가지 신의 성격을 갖는 것인가.

맹감은 명관冥官 혹은 명감命監으로 저승세계의 신격 혹은 목숨을 과장하는 신격으로 해석될 수 있다. 그리고 또 다른 산신멩감으로 수렵의 풍요신이다. 왜 이렇게 두 가지 성격을 갖게 되었을까. 우선은 수렵과 관련된 신이었는데, 수렵의 풍요신은 산신이기도 하고 드르(들)의 신이기도 하다가 나중에는 농사의 풍요를 관장하는 세경멩감도 생겨나고 바다 멩감도 생겨났다. 제주에서 수렵이 시들해지는 시기에 일반적 생업신의 역할을 하는 쪽으로 변질되기도 했다. 들은 다시 감귤 농사를 지으면서 중요한 장소가 되었고 감귤 풍요를 빌기 위해 드르멩감에 대한 제가 확장되었다.

왜 수렵수호신 본풀이에 액막이가 결합되었을까. 액막이 대명代命 동물의 희생과 관련된다는 견해도 있다. 애초에는 소나 말을 대명 동물로 쓰다가 나중에는 닭으로 썼다고 한다. 사만이 대신에 다른 사람이 명부에 끌려가는 이야기도 있지만 이본에 따라 소나 말이 대신 잡혀가는 경우도 있는데, 사냥을 업으로 삼는 사만이가 동물을 대신 희생으로 바쳤다는 논리이다.[8]

나는 '사만이'에 주목한다. 사만이는 40,002로 보고 저승 차사를 위해 제물을 진상하는데 40,002개보다 많은 40,003개를 바쳤다고 하는 이본도 있다. 40,002 대신 '오만이(50,002)'가 잡혀가는 경우도 있다. 예전 사람들도 '사만이' 이름이 무엇인지 몰랐기 때문에 여러 억측을 한 것 같다. 그런데 사만이는 'Shaman'을 그대로 가져온 것 같다. 샤만, 즉 무당은 백무白巫와 흑무黑巫의 두 기능을 갖는데 흑무는 저주이고 백무는 안전과 풍요의 기원이다. 사만이는 수렵수호신으로 풍요를 관장하면서 동시에 생명의 안전을 돕는 수명장수신으로의 기능이 덧보태진 것이 아닐까.

(5) 사만이는 해골, 뼈를 숭배하는 수렵 집단의 신앙과 관련되지 않는가.

그렇다. 최근까지도 수렵 집단은 동물을 사냥하고 나면 동물의 영혼을 달래고 환생하기를 빌었는데, 뼈를 소중하게 본래대로 맞추고 그 위에 가죽을 덧씌워 다시 생명을 얻길 빌었다. 머리뼈를 집안에 장식하는 것은 단순히 사냥감 포획을 자랑하기 위해서가 아니라 그 뼈를 소중하게 여기는 마음이 동물을 소중하게 여기는 마음과 다르지 않음을 보여주기 위해서다. 동물은 그들의 사냥감이어서 하찮을 수 있지만, 그들의 생명을 유지시켜주는 식량이어서 귀중하다. 그래서 동물을 사냥하지만 동물을 신으로 숭배하기도 한다. 우리 신화에 오래 전 사냥하던 집단의 뼈 숭배 신앙이 남았다는 것은 다행이다.

그래서 이 〈멩감본풀이〉는 애초 사냥을 업으로 삼는 집단의 생업수호신을 모시는 조상신본풀이였을 것이다. 변신생 구연본에는 백골이 조싱 내력이 나오는데 백정白丁 나라 백정丞 자식이라고 하여 백정 조상을 그리고 있다. 그러니 이 본풀이는 사냥을

...

8 백무(白巫)란 안전과 풍요를 주는 것이기에, 풍요신에 수명장수신이 결합되는 것은 자연스럽다는 논리다. 그래서 사냥의 신 즉 생업의 신에 액막이 신이 결합하게 되었다는 논리로 읽힌다(김형근, 「제주도 멩감본풀이(소만이본풀이)의 구조와 의미」, 『탐라문화』 36호, 제주대 탐라문화연구소, 2010, 133~140쪽).

업으로 삼는 집단에서 동물을 잡는 백정 집단으로 확산되었다. 그러다가 사냥을 주로 하는 마을의 당신으로 자리 잡는다. 제주의 중산간 본향당에는 산신을 모시는 경우가 많은 것을 보면 알 수 있다. 그러다가 수렵, 농경, 어로를 포함하는 생업수호신이 되면서 일반신본풀이로 발전되어 나간 것이 아닌가 한다. 매년 정초에 하는 멩감코사와 문전철갈이는 다르면서도 하나처럼 거행된다. 이 멩감코사가 바로 생업의 풍요를 기원하는 개인 집안 비념으로 바뀐 흔적이다.

이 본풀이는 많은 변화를 겪었다. 그 단적인 예가 장에 가서 총을 사는 이야기다. 애초 활을 샀다고 했을 것인데, 사냥에 총이 유용해지면서 독자의 이해를 쉽게 하기 위해서도 총으로 바뀌었다. 바뀌고 덧보태진 흔적을 모두 걷어내면 거기에는 오래 전 사냥을 업으로 삼던 수렵집단의 수호신 신앙이 남는다. 그리고 거기에 수렵의 수호신인 샤만(사만이)이 있다.

10) 칠성본풀이

(1) 풍요와 뱀

서양에서 뱀은 사악한 존재라고 한다. 우리에게도 뱀은 재수 없는 동물이란 인식이 넓다. 그러나 상반된 인식도 함께 존재한다. 그리스·로마신화에서 카두세우스는 두 마리의 뱀이 얽혀 있는 형상인데 이는 정신과 물질의 통일, 몸과 영혼의 통일을 나타낸다. 뱀은 허물을 벗으면 새로운 몸으로 태어나기 때문에 탄생과 죽음의 영원한 반복이라는 근원적 이미지를 갖고 있다. 체서본풀이에서 까마귀가 떨어트린 적패지를 뱀이 삼켰기 때문에 아홉 번 죽어도 열 번 되살아난다는 이야기도 뱀의 재생성을 상징한다.

그러나 뱀의 가장 두드러진 상징성은 풍요와 다산을 주재하는 여성성이다. 뱀은 지하세계와 지상세계를 오가면서 지하세계의 힘과 이미지를 실어 나르기에, 어두움과 동굴의 이미지가 여성적 속성과 관계가 깊다. 그런 어려운 측면 말고도 뱀은 용과 동일 범주로 취급되어 용사龍蛇신앙의 풍농신앙과 관련된다. 용은 비를 부르는 신격으로 농경과 밀접한데, 그 아류인 구렁이와 뱀도 같은 상징성을 획득하고 있다. 칠성본풀이의 칠성신도 뱀이고, 오공풍성을 가져다주는 신이다. 그래서 칠성신에게 고방庫房에 머무르며 독과 뒤주의 곡식이 가득 차기를 기원한다. 또한 칠성신은 마을사람이 자기를 위하여 제를 지내면 부자로 만들어주는 부신富神이다. 예전 농경사회에서야 고방에 곡식이 그득하면 부자로 사는 것이니 풍농신이 곧 부신인 셈이다.

(2) 칠성신과 도교

칠성본풀이에는 '7'이란 숫자가 여러 번 겹쳐 나온다. '일곱' 명의 잠수, 뱀 자식 '일곱' 등은 '7'과 연관된 반복이다. 이런 이유로 북두칠성의 '7'을 연관시켜 칠성신이라고 한 듯하다. 북두칠성을 신격화하여 북두성군이라 하는데, 도교에서 인간의 수명을 주재하는 신이다. 문전본풀이에서도 이본에 따라서는 일곱 아들이 북두칠성이 되었다고 하는데, 이 역시 '일곱'이란 숫자와 연관된다. 호남지방에서 씻김굿이나 축원굿 중 큰굿에서 구송되고, 혹은 수명장수를 기원하는 칠석맞이에서도 구송되는 칠성풀이는 기자칠성으로 일곱 아기를 얻고 후에 이들이 칠성신이 되었다고 한다.『풍속무음』책에서 칠성단을 만들어 칠성에게 기자祈子하여 딸을 얻고 '칠성아기'라 이름 하였다고 하는데, 여기서는 칠성신과의 관계가 명료한 편이다.

그러나 도교적인 칠성부군과 제주도의 칠성신은 그 성격이 서로 다르다. 도교에서는 수명을 관장하는 신이고, 무속에서는 풍요와 자손의 번성을 관장하는 신으로 나타난다. 그런데 제주도 무속의 오곡풍요신인 뱀신을 칠성신이라 했을까. 도교에서도 뱀신, 그중에서도 흰 뱀을 숭상하는 관습이 있고 그 신앙이 칠성신과 연관되어 후대에 영향을 끼친 것이 아닐까 생각한다.

(3) 일반신, 당신, 조상신

뱀신을 신으로 모시게 된 내력은 제주에 풍부하다. 칠성본풀이 이외에 토산여드렛당의 당신본풀이가 있고, 〈나주기민창본풀이〉같은 조상신본풀이도 있다. 한 집안의 조상신 혹은 마을의 신으로 모셔지던 외래 신인 뱀신이 전도적인 숭앙을 받는 일반신이 되었다. 집안의 창고에 곡식이 그득하길 비는 풍요기원 관념이 작용하여, 개인과 마을을 뛰어넘어 또 다른 풍요신인 세경신과 함께 보편신이 되었던 셈이다. 허나 세경신처럼 풍요신으로서의 의의가 미미하다. 함덕 당신과 경쟁하고, 남들이 위하지 않으면 토라져서 병과 불행을 주기도 하는 통 좁은 신이다. 자기 마음에 들면 한없이 복을 주는 도깨비신과 같은 반열이라고나 할까.

(4) 왜 뱀이 칠성이란 말인가.

뱀은 뱀이고 칠성은 북두칠성이다. 다른 것이었는데 어느 때인가 뱀이 칠성의 권위를 덧입었다. 뱀 신앙이 오래 전부터 이어져 오고 있었는데, 그 존재 의미가 희미해지고 신앙민으로부터 서서히 멀어지기도 했을 것이다. 특히 제주도의 뱀 신앙은 목민관의 제척 대상이었다. 유학자의 문집에는 늘 '제주민은 음사淫祀를 숭상한다.'는 비판을 담고 있다. 뱀 신앙 중에 널리 알려진 것은 광양당과 차귀당이다. 제주에서 육지로 배를 띄우는 사공들은 필히 이 당에서 제를 드렸다고 한다. 그런데 당 500, 절 500을 부수는 결단이 1702년 이형상 목사에 의해 단행된다. 그후 다시 복구된 것이 많은데, 유독 광양당과 차귀당은 언급이 없다.

그리고 뱀 신앙의 중심지는 토산 여드렛당이 된다. 토산당은 한라산 남쪽 지역에서 그 세력을 넓히고 있었다. 그런데 토산 여드렛당의 당신은 전라도 나주에서 출자했다고 한다. 외부의 신이 제주의 토착신으로 좌정하기까지 어려움이 있었을 것 같다. 그만큼 제주의 본래 뱀 신앙은 위축되었을 수 있다. 이때 뱀 신앙은 칠성의 권위를 빌려 다시 세력을 넓히고 급기야 일반신의 반열에까지 오른다. 자연현상과 인문현상 전반을 관장하는 것이 일반신이다. 뱀신이 늦은 시기에 칠성신으로 새단장을 하고 가옥의 부신과 건물의 수호신으로 등장하게 된 것이다. 특히 각 집안의 고팡(고방, 즉 창고)을 관장하고 아울러 관청할망이 되어 관아의 건물을 관장하는 신의 반열에 오른다. 원래 북두칠성의 수명과 장수와는 다른 직능의 신이 되었다.

(5) 〈칠성본풀이〉는 아주 늦게 일반신본풀이가 되었나.

〈칠성본풀이〉에서 칠성신은 함덕에서 제주시로 들어온 뒤 송대장의 부인 치마폭에 싸여 송대장의 집으로 옮겨간다. 그 송대장(송대정)은 실제의 인물인 송두옥宋斗玉이다. 김윤식은 1898년 2월 15일 송대장을 만나 함께 식사하는데, "오늘 밤은 송대정宋大靜(斗玉)이 성찬을 차리고 와서 먹여줘 아래 관속에 이르기까지 모두 실컷 배불리 먹었다"고 했다. 그리고 송대장과 연관된다고 하는 〈칠성본풀이〉 내용을 담았다.

> 일곱 아기가 (가락쿳)물이 내려가는 구멍으로 도성안 칠성골로 들어가 송대장(宋大靜) 집 먼 문 앞에 소랑소랑 누웠더니, 송대장 부인이 산지 금산물에 물을 길러 나가다 문 앞을 보니 일곱 아기가 누워 있으므로 어떤 일인가 하고, 송대장 부인이 금산물에 가서 치마를 벗어서 물통 입구에 놓아두고 물을 들고 나와 치맛속을 보니 일곱아기가 치맛자락에 누워 있으므로 송대장 부인이 "나한테 내려준 조상이면 어서 우리집으로 가십시오." 치맛자락에 사서 고당으로 가 모셨더니, 면의 종들까지 송대장 집을 알게끔 천하거부가 됩디다. 칠성님이 제일 먼저 송대장 집에 와서 좌정했었기 때문에 칠성골로 이름 석자 지습디다.

(6) 〈칠성본풀이〉에는 사찰기원형과 칠성기원형이 있는데, 어느 것이 더 오랜 기원을 보일까.

제주도 일반신본풀이 주인공의 탄생담을 보면 대개가 '사찰에 빌어 늦게 얻은 자식'으로 나온다. 이것은 거의 천편일률적이다 할 정도로 전형적이다. 이런 전형은 조선 후기 소설의 영향을 받은 것으로 보인다. 부모에게 늦도록 자식이 없다가 산천과 사찰에 빌어 늦게 자식을 얻는, '만득자晚得子'형 기자담이다. 그런 측면을 본다면 〈칠성본풀이〉도 사찰기자형이 원래 있다가 후에 제목의 '칠성신'에 걸맞는 쪽으로 변모하였을 가능성이 높다. 칠성신에게 빌고 낳은 아이여서 칠성아기가 주인공이고, 부모가 칠성에게 빌었으나 눈이 멀어 원망했는데, 얼마 후 전쟁에 나가지 않아 목숨을 보전한다는 내용과 제목이 부합하도록 변모하였을 것이다.

그러나 그 반대의 경우도 상정할 수 있다. 뱀과 칠성이 결합하여 '뱀 칠성' 혹은 '칠성부군'의 탄생담이 칠성신에게 빌어 태어난 것으로 정착되어 갔는데, 후에 사찰기자형이 유행하면서 〈칠성본풀이〉가 그런 유형에 휩쓸리게 되었다고 할 수 있다. 조선후기 고전소설의 깡패 같은 힘이 아주 많은 문학에 영향을 끼치고 있음을 보아 〈칠성본풀이〉도 예외일 수 없다는 것이다. 애초 칠성님과 같은 일월성신께 명과 복을 빌던 관념이 앞서 있었고, 후에 불교의 영향에 힘입어 사찰에 아이의 탄생을 비는 쪽으로 바뀌어 갔다고 보아야 할 것이다. 우리 옛 할머니들의 비념을 보면 우주자연을 대상으로 삼아 천지신명과 명산대천에 기원하는 것이 상례다. 그러므로 북두칠성에 비는 것이 기본형이다가 사찰기원형으로 정형화되어 갔다고 보는 것이 순리다.

(7) 아이들의 수명을 비는 칠성제와 칠성본풀이는 다른가.

물론 다른 의례다. 불도맞이를 하면서 처음에 칠원성군상을 차리고 차성을 드린 후 〈할망본풀이〉를 푼다. 칠원성군을 위한 본풀이는 없다. 그러나 이 절차는 분명히 아이의 수명 관장신에게 드리는 치성이다.

굿법이 왜곡되고 굿의 의미 있는 상징이 왜곡되는 사례를 들면서, "칠성에는 북두칠성과 부군이칠성(蛇神)이 있는데, 이 양자를 구분하지 못한 채 옥황칠성굿에 터신칠성(蛇神) 지방과 본풀이를 하는 것"[9]이라 했다. 매우 중요한 발언이다. 북두칠성과 뱀신인 '부군이칠성'은 구분되어야 한다는 것이다.

그러나 북두칠성 신앙, 부군신앙, 뱀 신앙이 혼합되어 간다. 〈칠성본풀이〉에서 뱀신을 자기 집안으로 모셔 조상신으로 받들고 있는 주인공이 송대장부인이다. 진성기의 책에서는 '송대감첩 어멍' 혹은 '송대감 부인'으로 나타난다. 뱀 신앙과 부군당 신앙이 결합해 가는 과정이 엿보인다. "나는 인간에 북두칠성으로 들어상근 맹命과 복을 제기곡(지녀 주고) 애기 번성 시기곡(시켜주고) 가지전답 유기제물 말마쉬 쇠마쉬 오곡번성 육국 버려 인간에 상을 받으마."[10]

딸들이 좌정하고 마지막으로 어머니가 고방庫房으로 좌정하면서 자신은 위와 같은

• • •

9 조성윤 외, 『제주 지역 민간신앙의 구조와 변용』, 백산서당, 2003, 131쪽.
10 진성기, 『제주도무가본풀이사전』, 민속원, 1991, 153~154쪽.

역할을 하겠다고 한다. 명과 복을 주는 본래 칠성신의 직능과 오곡과 마소가 번성하는 풍요신으로서의 직능을 가지면서 인간에게 위함을 받겠다고 선언한다. 이렇게 칠성신과 뱀신의 기능이 하나로 엮어나가는 것은 후대의 일이었다. 풍요를 관장하는 뱀신이자 명과 복을 관장하는 칠성신이 되었다는 것은, 뱀신이 칠성신의 권위를 빌려와 일반신으로 퍼져가게 되고 제주도 전도의 위함을 받는 신이 되었다는 의미다.

11) 문전본풀이

(1) 시체화생屍體化生

여산부인의 일곱 형제가 어머니를 죽이고 자신들마저 죽이려 한 노일제대귀일의 딸에게 복수하는 장면은 우리나라 이야기에 흔치 않은 일이고 잔인하기 이를 데 없다. 말하자면 '두 다리를 찢어 드딜팡(디딤돌)으로, 대가리를 끊어 돼지먹이통으로 만들고, 머리털은 끊어 던지니 해조류가 되고, 입을 끊어 던지니 솔치가 되고, 손톱과 발톱은 굼벗으로, 배꼽은 굼벵이로, 음부는 전복으로, 육신을 빻아 날려보내니 각다귀와 모기가 되었다'고 한다.

본풀이 속에는 악인에 대한 응징의 교훈이 있고, 고대인의 지략과 지혜가 담겨 있다. 해조류나 해산물의 유래를 설명하는 이야기인데 그것이 사람의 시체에서 왔다는 사유다. 인간세계의 것과 자연세계의 것 중 닮은 것을 짝지어, 인간과 자연이 순환하는 관계임을 은연 중에 밝힌다. 여성의 음부와 전복을 관계 짓는 흥미담 속에 옛 사람들의 유머가 묻어난다. 시체화생신화의 대표격은 중국의 반고신화다. 반고가 죽은 후 그의 몸에서 해와 달, 산과 강, 흙과 초목, 그리고 인산이 탄생하였다는 이야기로 장세의 내용을 담고 있다. 그런데 문전본풀이에는 그런 창세적인 화소는 없다. 창세 이야기가 화석화되어 해초와 해산물 기원 신화적 흔적을 남기고 있다.

(2) 정낭과 도둑

제주의 독특한 대문 형식인 정낭은 집안에 사람이 있는지, 가까운 곳에 출타했는지,

먼 곳에 가서 한참 뒤에 돌아올 것인지를 알려주는 신호등과 같은 체계다. 이런 표식은 도둑에게 집이 비어 있으니 털어가라는 신호가 아니냐고 우려하기도 한다. 그러나 걱정 없다. 정낭을 지키는 정낭신이 있기 때문에 누군가 함부로 집안을 드나들 수 없고, 그것을 어기면 동티가 나거나 벌을 받는다고 믿고 있기 때문이다. 정낭뿐 아니라 집안을 수호하는 신들이 도처에 좌정하고 있으니 도둑과 병마가 얼씬거리지 못한다. 그래서 제주의 가옥은 신성한 구조이고, 그곳에 머무는 인간도 허튼 짓을 하지 못하고 경건하게 살아간다. 제주 가옥에서 중심은 상방의 앞문이고, 대표적 신은 역시 '문전신'이다. 육지에서는 '성주신'을 중히 여기는데, 제주에서는 대부분의 제사와 명절에 문전신을 위한 제상을 차리고 문신을 중하게 여기고 있다. 육지에는 보이지 않는 이 정낭은 필리핀, 라오스, 스리랑카에까지 분포되어 있다. 제주와 해양문화의 교류를 짐작할 수 있다. 막내 아들을 중시하는 사유는 유목문화의 잔재다. 제주에는 해양, 유목문화 복합의 흔적이 산재한다.

(3) 과학과 믿음

부엌신인 조왕과 변소의 신인 측도부인은 처첩관계였기 때문에, 부엌과 변소는 마주보면 좋지 않고 멀어야 좋다고 한다. 변소의 것은 돌 하나, 나무 하나라도 부엌으로 가져오면 좋지 않다고 한다. 옛 사람들의 과학정신이라 하겠다. 부엌과 변소를 가급적 멀리 두려는 옛 사람들의 상식과 믿음이 한 덩어리가 되어 나타난다. 현대과학의 맹신과는 분명 다르다. 현대인들은 과연 무엇을 믿고 살아야 할까. 노일제대귀일의 딸 같이 못된 짓 하면 죄 받는다고 믿고, 못된 짓 하는 사람을 귀일의 딸이라고 손가락질하면서 악행을 경계하던 과거의 일상이 훨씬 인간적이다.

(4) 문전본풀이의 일곱 번째 아들('7子')의 직능이 두드러지는 이유는 무엇인가.

제주도 생활관습과 연관이 있을 것으로 본다. 어려운 시절의 자식 혼사는 중대하고 힘든 것이었다. 그래서 수저 두 벌, 그릇 두개, 이불 한 채로 분가시킨 것이 다반사였다. 큰 아들을 분가시키고, 이어 둘째 아들을 분가시키고, 더 있으면 계속 분가시켜 독립적인 경제생활을 해나갔을 것이다. 막내는 데리고 있다가 결혼을 시키고도 함께 살았고, 막내에게 나머지 살림을 물려주었다. 그러다 보니 막내의 책임과 위상이 높아졌을 것이다.

유목민의 생활에 말자末子 중시 사상이 있다고 하는데, 그래서 몽골의 영향이 아닐까 추측하기도 하지만 몽골의 가족생활이 제주도에까지 깊게 영향을 끼치지는 못했을 것이다. 제주도에서 목마장이 있어 일부 목장 일을 했을지언정 유목민의 생활을 한 것은 아니었으니 몽골의 영향을 지나치게 과장할 필요는 없다. 제주 음식문화의 상당수가 몽골의 영향을 받은 것으로 과장하는 것 또한 잘못이다. 물론 증류주라거나 순대 문화는 몽골의 영향일 수 있지만 분식문화 전반이 그렇다는 것은 지나치다.

(5) 여산부인은 조왕신이 되었으니 '불'의 신이고 노일제대귀일의딸은 물에서 여산부인을 죽이고 주도권을 확보했으니 '물'의 신이라고 하면서, '태양신과 수신의 대립'으로 보는 것은 어떤가.

당연히 경계할 일이다. 여산부인이 조왕신이 되어 불의 신이 되었다는 것은 당연한 결과다. 아울러 불과 부엌과 칼을 관상한다는 점에서 '샤먼'의 역할을 하는 것이란 해석도 경청할 만하다. 그러나 불의 신 건너에 물의 신을 배치하고 구조적 기호적 관계로 보려는 태도는 신화를 너무 기계적으로 해석하려는 태도로서 경계해야 한다. 구조주의는 문학을 해석하는 단계여야지 결론이 되어서는 안 된다. 그러면 문학을 너무 건조하게 만들어버린다.

(6) 녹디생이의 '녹디'가 녹두의 방언이고, 노일제대귀일의 '제대'를 '저대'라고도 하는데, '저대'는 술자리에서 노래나 춤과 풍류로 흥을 돋우는 것을 직업으로 하는 여자, 즉 기생이 아닌가, 이것은 함경도 방언에서 그렇다고 하였는데, 연관성이 있을까.

없다. 고유명사를 함부로 재단하면 동티가 난다.

(7) 〈문전본풀이〉의 가옥구조를 보면 정낭, 부엌, 측간, 상방의 앞문전과 뒷문전은 있는데 안거리와 밖거리는 없다. 그러면 이런 구조가 원래적일까.

안거리와 밖거리는 제주가 만들어낸 훌륭한 가옥구조다. 부모가 안거리에 살고 자식 내외와 손자가 밖거리에 살다가, 부모가 경제적 주도권을 넘기는 환갑 즈음이 되면 밖거리로 나온다. 3대가 함께 살면 시간대가 맞지 않아 힘들다. 부모님은 밤 9시가 되면 벌써 잠자리에 들고 새벽 5시면 벌써 깨어 움직이기 시작한다. 반면 아들 내외는 9~10시가 가장 집안에서 왕성하게 움직이는 시간이고 손자들도 늦게까지 공부하는 시간이다. 이것은 물론 요즘 세태를 빗댄 것이다. 부모와 자식이 따로 살다가 필요하면 뭉친다. 누구의 생일날 같은 경우는 식사를 같이 한다. 그러나 그 외에는 따로 식사를 하고 독립적이다. '따로 또 같이'의 훌륭한 가족문화다. 이런 합리적 구조는 후대에 문화가 집적되면서 마련되었을 것으로 보인다. 그래서 안거리와 밖거리를 제외한 상방을 중시한 제주의 가옥구조가 원초형일 것이다.

(8) 〈문전본풀이〉에서 녹디생이 위주의 남성 중심적 문화코드가 우세하지 않은가.

그렇지 않다. 서두를 장식하는 것은 여산부인의 활약이다. 매우 적극적이고 능동적이다. 집을 떠난 남편이 3년 동안 소식이 없자 아들들에게 배를 만들게 시키고 자신이 직접 찾아 나선다. 위험을 무릅쓰고 항해에 나서는 적극성과 진취성을 눈여겨보아야 한다. 만일 자신이 살아 돌아오게 될 때에는 배의 깃대를 달리 달아 표시하겠다고 하는 말에서 죽음을 감수하는 여성의 강한 인상이 지배적이다. 그러다가 여산부인의 죽음 뒤에는 일곱째 아들 녹디생이의 지혜와 활약이 두드러지고 그는 죽어 집안의 중심인 상방의 문전신이 된다. 그러니 주인공이 녹디생이인 것은 맞다. 그러나 집안의 두 축은 문전신과 조왕신이다. '상방과 부엌'으로 이어지는 이 견고한 구조는 유교식 제사가 들어온 뒤에도 상존한다. 제사에 앞서 문전상과 조왕상을 차려 먼저 위하는 것을 보더라도 알 수 있다.

(9) 여산부인과 노일제대귀일의딸, 처첩갈등은 어떤 의미인가.

두 갈등은 하나는 부엌의 신이 되고 하나는 측간의 신이 되는 것으로 귀결된다. 제주의 처첩갈등은 미미한 편이다. 배를 타고 위험한 일을 감내해야 했던 제주의 남성들은 자주 사고로 죽었고 남자보다 여자가 훨씬 많은 인구 구조를 낳았다. 그래서 남편을 잃은 여성은 남성에 의탁하여 새로운 가정질서 속에서 아이들을 기르고자 하였고, 그러나 보니 한 남자에게 둘 셋의 부인이 있게 되었다. 이런 당연한 집안 가족구조 때문에 처첩갈등이 미미할 수밖에 없었다.

여기서 첩이 응징을 당하는 것은 '악에 대한 응보' 때문이다. 여산부인을 물속에 밀어 넣어 죽게 한 죄는 몸이 찢어지는 벌로 응징된다. 넓적다리는 측간의 디딜팡이 되고, 머리카락은 해초가 되고, 손톱은 굼벗이 되고, 음부는 전복이 되고, 뼈는 빻아 각다귀 모기가 되었다. 시체화생설화다. 몸이 부서져 만물이 되었다는 시체화생설화보다는 축소된 형태의 '해산물 유래담'이 되었다. 그러나 몸이 해산물이 되고 다시 해산물은 몸이 되는 순환구조가 있다. 화장실의 똥이 채소밭에 뿌려지고 채소가 다시 부엌으로 가는 순화구조도 있다. 처첩은 멀수록 좋기 때문에 부엌과 화장실은 멀게 자리 잡았다는 과학적 사고도 있지만, 똥이 다시 먹을 것이 되고, 측간의 것이 부엌으로 가는 순환의 질서를 우리는 주목하게 된다. 이 세상 모든 것이 이렇게 순환한다. 혼자 외로운 것은 없다. 누군가 인드라망으로 연결되어 있고, 우리의 운명은 죽음으로 연결되지만, 또 언젠가 삶으로 순환될 것이다.

우리는 처첩갈등이라거나 녹디생이의 영웅성과 아버지의 무능함을 대비적으로 바라볼 수 있다. 그러나 〈문전본풀이〉는 우리에게 집안의 신성성을 일깨운다. 집안 모든 곳이 신이 좌정한 곳이어서 어느 하나 신성하지 않은 곳은 없다. 거기에 머무는 사람 또한 마찬가지다. 신이 있다고 믿는 사람들은 대상을 신처럼 여긴다는 말이 사실이다. 신은 죽었다고 신을 부정하는 사람들은 사람들 속에서 신성을 느끼지 못한다. 신을 부정하는 세상에서 인간은 그저 오물푸대일 뿐이다. 그래서 상대를 함부로 대하고 감정이 많이 상하면 그냥 찌른다. 폭력이 난무하는 세상, 학살이 커져가는 세상을 우리는 경계해야 한다. 다음에 오게 될 학살과 폭력은 우리가 상상하지 못할 정도의 엄청난 것일 가능성이 높다는 경고를 지나쳐서는 안 된다.

이제 우리는 사람에게서 신성을 되찾아야 한다. 그러기 위해서는 우리 사는 공간 속에 신성을 회복해야 한다. 〈문전본풀이〉는 그래서 우리에게 값진 신화다.

하나 더 눈여겨 보아야 할 것이 있다. 바로 역할분담이다. 어머니는 부엌을 책임지

고 아버지는 정낭과 올레의 신이 되어 대문 안팎을 책임진다. 어머니는 집안을 책임
진다. 먹는 것과 아이들의 양육, 그리고 교육을 담당한다. 과외를 시키고 늦게 들어오
는 아이를 나무라기도 한다. 아버지는 집의 안팎을 연결하는 임무를 갖는다. 동네 사
람들과의 관계, 마을 공동의 일을 책임진다. 그리고 집안의 중요한 결정이 있을 때 관
여한다. 아버지가 집안의 사소한 것에 잔소리하면 집안의 질서가 흔들린다. 반대로
이웃과의 문제에 여자가 나서면 싸움이 커진다. 역할분담의 지혜다. 물론 현대에는
그 역할을 바꾸어도 좋다. 그러나 아이가 학원에 가지 않고 놀았다고 엄마도 잔소리
를 하고, 아버지도 화를 내면 아이는 갈 곳이 없다. 시험성적이 떨어졌다고 엄마가 혼
을 낸 후, 뒤늦게 들어온 아버지가 또 혼을 내면 아이는 갈 곳이 없다. 가출하거나 15
층 옥상으로 올라갈 수밖에 없다. 엄마가 꾸중하면 아버지는 감싸야 하고, 아버지가
꾸중하면 엄마가 감싸는 역할분담이 소중한 때이다. 〈문전본풀이〉는 이런 안팎의 역
할분담 지혜를 일깨운다.

$$10.$$

뱀신 – 칠성본풀이

·

·

·

1. 서

　　　　　　우리에게 칠성은 무엇일까. 북두칠성이 우선 떠오른다. 그런데 제주도 〈칠성본풀이〉는 북두칠성의 별 신앙과 별로 관련이 없다. 수명장수를 비는 대상이고, 명과 복을 내려준다는 칠성신과 무관하게 제주도 칠성은 뱀이다. 제주도에서는 육지와 다르게 뱀을 칠성이라고 사유했었던가. 그렇지는 않다. 제주도는 고유한 사상과 신화체계를 지니고 있지만 한국의 문화적 문명적 지형도 속에 놓여 있고 많은 문물이 제주도로 흘러들어 이질성보다는 유사성이 크다. 신들이 땅에서 솟았다는 탄생담은 한반도에는 없고 제주에만 있다. 바다에서 많은 신들이 온다는 신화는 육지에 드물게 나타나고 제주에는 빈번하게 나타난다. 하늘에서 내려온 신화 화소는 제주에는 미미하다.

　육지에는 없는 당신본풀이가 제주도에 풍부하다고 한다. 육지는 유교를 비롯한 중세문명과 근대문명에 의해 지속적으로 탄압을 당하였기 때문에 당본풀이가 사라졌을 것이다. 제주도에 많이 남아 있는 일반신본풀이도 애초에는 육지에서 온 것일 가능성이 크기 때문에 그런 것들이 육지에도 있었을 것이다. 12본풀이 중 7~8개는 육지의 무가 혹은 서사문학에서 확인할 수 있다. 그런데 〈칠성본풀이〉는 육지에 보이지 않는다. 제주에서 성장하여 일반신본풀이 반열에 든 것으로 보인다. 사실 일반신본풀이라는 것은 천지, 일월, 산해山海, 생사, 질병, 생업, 빈부 등 자연과 인간생활의 일반적인 일들을 관장하고 지배하는 신의 내력을 설명한 신화다. 그런데 〈칠성본풀이〉가 과연 인간과 자연의 일반적인 일들과 연관되는 본풀이인지 애매하다. 물론 고방과 주저리의 신으로서 결국 풍요를 주재한다는 측면에서는 일반신의 반열에 들 수도 있겠다. 그러나 어느 집안이 모셔서 부자가 되었다고 하는 틀은 조상신본풀이의 흔적이 역력하고, 한 마을에서 뱀신을 모셔 마을의 풍요를 기원하는 〈여드렛당본풀이〉와 근거리에 놓여 있다.

그래서 이 장에서는 우선 제주도의 칠성신앙을 규명하고자 한다. 옛 탐라국의 지도자를 성주星主라고 했듯이 제주에서는 별 신앙이 각별한 곳이다. 노인성도 중요한 치제 대상이었다. 목축의 신이라는 방성도 중요하게 여겼다. 제주시에는 '칠성대'라는 지명도 있었다. 그래서 제주도의 칠성이 도교의 칠성과 어떤 연관성이 있는지 살펴보아야 할 것이다. 그 다음 뱀신을 어떻게 칠성신이라고 칭하게 되었는지 그 섞이는 과정을 추적해 보려 한다. 뱀신을 왜 부군칠성이라고 하는지 '부군'의 의미를 찾아보려 한다. 부군이 '부군富君'인지 '부군府君'인지 밝혀보고, 부군의 유래도 살펴보려 한다. 조선조 서울 관아에서는 각각 관청의 신을 모시는 부군당을 설치하고 제를 드렸는데 그것과 연관성이 있는지 찾아보려 하다.

또 하나 중요한 관건은 바깥에서 온 뱀신에 관한 본풀이다. 나주 금성산 혹은 기민창에서 출자하였다는 뱀신이 제주에 오는 신화가 빈번하다. 조상신본풀이인 〈나주기민창본풀이〉에도 있고, 여드렛당의 근원인 〈토산여드렛당본풀이〉에도 등장하는 장면이다. 일반신본풀이인 〈칠성본풀이〉에서 신이 어디에서 출자했는지 불명확하지만, 바다를 건너온 신이 제주에 좌정하는 신화다. 그 바깥, 나주 혹은 육지에서 뱀신이 온다는 의미를 찾아보려 한다. 그런 규명의 끄트머리에서는 조상신본풀이와 당신본풀이와 일반신본풀이의 상호 관계도 가늠해보려 한다.

2. 칠성신앙과
   북두칠성

　　　　　　　　제주는 북두칠성과 인연이 있는 땅이다. 17세기 이원진의 『탐라지』에 의하면, 칠성도七星圖가 있는데, "돌로 쌓았던 옛 터가 있다. 삼성三姓이 처음 나왔을 때 삼도三徒를 나누어서 차지하였는데, 북두성의 형체를 모방하여 대를 쌓고 나누어 거처하였기 때문에 칠성도라 하였다"고 적혀 있다. 북두성을 신앙했던 흔적이라 하겠다. 3신인이 땅에서 솟아나 벽랑국에서 온 3여신과 혼인한 후, 탐라국을 건설하는데 그 당시부터 있었다고 하며, 그런 이유에서 왕을 성주星主라고 칭하였던 듯하다. 고려 초까지 탐라의 지도자를 성주로 불렀으니 별星과 관련된 신앙이 유별나다. 한라산 꼭대기에도 칠성대七星臺가 있다. 김치의 유한라산기遊漢拏山記에 "수행굴을 나서 10여 리 지나니 칠성대에 다다랐다. 이 대에서 동쪽으로 다시 5리쯤 지나 처다보니 석벽이 깎아지른 듯 우뚝 서서 기둥처럼 하늘을 떠받쳤다. 이것이 이른바 한라산의 상봉이다."[1] 한라산 5리 못 미쳐 칠성대가 있다고 하니, 이 또한 북두성에 제를 지내는 제단이었을 것이다.

　20세기 초 제주의 한학자 김석익의 『파한록』에도 칠성도에 대한 기록이 남아 있다. "칠성도는 제주 성내에 있다. 세상에 전하길 삼을나三乙那가 개국하여 삼도로 자리잡을 때 북두칠성을 모방하여 쌓은 것이라고 한다. 대의 터는 지금까지 질서정연하게 남아 있다. 하나는 향교전鄕校田에 있고, 하나는 향후동鄕後洞에 있고, 하나는 외전동外前洞에 있고, 하나는 두목동頭目洞에 있고, 세 개는 모두 칠성동에 있는데, 그 중에 두 개는 길 오른쪽에 있고 하나는 길 왼쪽에 있다."[2] 그의 나이 38세에 『파한록』을 지었으니 1921년 즈음의 사정이다. 그때까지도 북두칠성을 신앙하던 칠성대가 남아 있었다고 하는데, 지금은 모두 사라지고 칠성신앙도 함께 사라졌다. 칠성통이란 이름만 그곳에 남아 있다.

* * *

1　이원진, 김찬흡 외 역, 『역주 탐라지』, 푸른역사, 2002, 216쪽.
2　김석익, 오문복 외 역, 『제주 속의 탐라』, 제주대 탐라문화연구소, 2011, 39~40쪽.

칠성을 신앙하던 풍습은 매우 오래 되었다. 그런데 이후 나주 등지에서 뱀 신앙이 들어왔다는 것은 무엇을 의미하는가. 고려 - 조선에 걸쳐 전라도 나주 금성산신이 특히 주요 치제 대상이었던 점과 제주의 뱀 신앙이 연관된다는 본풀이는 무엇을 의미하는가. 제주에서는 뱀신을 뱀칠성, 혹은 부군칠성이라 하는 이유는 무엇일까. 뱀신의 도래는 당 본풀이에도 많이 남아 있고, 일반신본풀이인 〈칠성본풀이〉에도 남아 있다. 그런데 이 〈칠성본풀이〉는 아주 후대에 마련된 것으로 보인다.

〈칠성본풀이〉에서 칠성신은 함덕에서 제주시로 들어온 뒤 송대장의 부인 치마폭에 싸여 송대장의 집으로 옮겨간다. 그 송대장(송대정)은 실제의 인물인 송두옥宋斗玉이다.[3] 김윤식은 1898년 2월 15일 송대장을 만나 함께 식사하는데, "오늘 밤은 송대정宋大靜(斗玉)이 성찬을 차리고 와서 먹여줘 아래 관속에 이르기까지 모두 실컷 배불리 먹었다"[4]고 했다. 그리고 송대장과 연관된다고 하는 〈칠성본풀이〉 내용을 담았다.

일곱 아기가 (가락쿳)물이 내려가는 구멍으로 도성안 칠성골로 들어가 송대장(宋大靜) 집 먼 문 앞에 소랑소랑 누웠더니, 송대장 부인이 산지 금산물에 물을 길러 나가다 문 앞을 보니 일곱 아기가 누워 있으므로 어떤 일인가 하고, 송대장 부인이 금산물에 가서 치마를 벗어서 물통 입구에 놓아두고 물을 들고 나와 치맛속을 보니 일곱아기가 치맛자락에 누워 있으므로 송대장 부인이 "나한테 내려준 조상이면 어서 우리집으로 가십시오." 치맛자락에 사서 고당으로 가 모셨더니, 면의 종들까지 송대장 집을 알게끔 천하거부가 됩니다. 칠성님이 제일 먼저 송대장 집에 와서 좌정했었기 때문에 칠성골로 이름 석자 지웁디다.[5]

이 내용 뒤에는 일곱 형제가 성내 추수못, 관가, 창고, 광청못 등으로 좌정하고 일

...

3 "宋斗玉은 본관이 礪山으로 풍채가 단아하고 크게 재산을 이루었다. 武科를 보아 三郡의 관장을 역임했다. 戊戌年(1898년)에 洪在晉, 金南胤 제공과 더불어 의병을 일으켜 적을 토벌하여 벼슬이 秘書丞에 이르렀다. 아들 錫珍은 郡守를 지냈다."(『心齋集』, 耽羅人物考)
4 김윤식, 김익수 역, 『속음청사』, 제주문화, 2005, 40쪽.
5 위의 책, 293쪽.

곱째는 밧칠성으로, 어머니는 안칠성으로 좌정하는 좌정담이 이어진다. 김윤식의 기록에 나오는 송대장과 〈칠성본풀이〉에 등장하는 송대장이 동일인물이 아닐 수도 있다. 이전에 있던 송대장 이름에 19세기 말 송대장의 사연이 덧씌워진 것일 수도 있다. 그러나 〈칠성본풀이〉의 성격이 뱀신을 숭배하는 당신의 성격이 짙고, 또한 집안 조상으로 모셔지는 점으로 보아 일월조상신의 성격이 매우 짙다. 일반신으로 보기에는 어색한 점이 한둘이 아니다. 일반신본풀이는 인간의 제반사를 담당하는 존재의 이야기로, 그 직능과 관련된 문화 기원이 다양하게 제시된다.[6] 그런데 〈칠성본풀이〉는 그런 성격에 부합하지 못한다. 풍요신격이란 점에서 일반신의 범주에 들 수도 있는데 이미 다른 본풀이(세경본풀이)에 풍요신격이 제시되어 있기 때문에 중복되는 신격이다. 집안을 수호하는 신격도 다른 본풀이(문전본풀이)에 있기 때문에 중복되는 신격이라 하겠다. 그러므로 이 본풀이는 후대에 추가된 것으로 보인다. 기존에 있었던 어떤 본풀이와 교체되었을 가능성도 크다. 그 이전 본풀이는 제주의 대표적 신앙이라 할 북두칠성과 관련된 것이 아니었을까 추정해 본다.

칠성본풀이에는 '7'이란 숫자가 여러 번 겹쳐 나온다. 아기씨가 '일곱 살' 되던 때, '이레' 되던 날, '일곱' 명의 잠수, 뱀 자식 '일곱' 등은 '7'과 연관된 반복이다. 이런 이유로 북두칠성의 '7'을 연관시켜 칠성신이라고 한 듯하다. 북두칠성을 신격화하여 북두성군이라 하는데, 도교에서 인간의 수명을 주재하는 신이다. 〈문전본풀이〉에서도 이본에 따라서는 일곱 아들이 북두칠성이 되었다고 하는데, 이 역시 '일곱'이란 숫자와 연관된다. 『풍속무음』 책에서 칠성단을 만들어 칠성에게 기자祈子하여 딸을 얻고 '칠성아기'라 이름하였다고 하는데, 여기서는 칠성신과의 관계가 명료한 편이다.

그러나 도교적인 칠성부군과 제주도의 칠성신은 그 성격이 서로 다르다. 도교에서는 수명을 관장하는 신이고, 무속에서는 풍요와 자손의 번성을 관장하는 신으로 나타난다. 그런데 제주도 무속의 오곡풍요신인 뱀신을 칠성신이라 했을까. 도교에서도 뱀

6   강정식, 『제주도 당신본풀이의 전승과 변이 연구』, 한국정신문화연구원 박사학위논문, 2002, 157쪽.

신, 그중에서도 흰 뱀을 숭상하는 관습이 있고 그 신앙이 칠성신과 연관되어 후대에 영향을 끼친 것일 수도 있다. 도교의 칠성신앙은 수명과 깊이 관련된다.

　도교의 의례는 일찍 궁중의 공식적 제사로 정착하였다. 최치원의 기록에 남아 있어 신라 때에도 성단星壇이 있었던 것으로 보이는데, 이는 도교에서 북두칠성에게 비는 제단이다.[7] 고려 때에는 불도소佛道疎가 있었는데, 나라에서 북두칠성에 연명도액延命度厄하기를 기원하는 도량이었다.[8] 조선조에는 소격서가 있었는데, 도교의 일월성신을 구상화한 상청上淸, 태청太淸, 옥청玉淸 등의 제사 일을 맡아보던 관청이다. 삼청전에는 옥황상제, 태상노군太上老君, 보화천존普化天尊 등 남자상을 안치하고 태청전太淸殿에는 칠성제수七星諸宿를 안치했는데 모두 여자상이었다. 도교의 칠성신앙은 별에 대한 사유가 깊다.

　칠성신앙은 〈칠성본풀이〉보다는 〈문전본풀이〉와 연관되는 듯도 보인다. 제주의 〈문전본풀이〉는 육지의 〈칠성풀이〉와 매우 유사하기 때문이다. 칠성풀이는 함남, 평남, 충남, 전북, 전남, 제주 등에 자료가 남아 있어 경상과 강원을 제외한 거의 전국적인 분포를 보이고 있다. 그 중 많은 자료가 남겨진 호남지역 전승의 대강을 살펴본다. 칠성님과 매화부인이 혼인하였으나 아이가 없어 기자 치성을 드린다. 태몽을 꾸는데 별 일곱이 떨어져 보이거나 청의동자 7인이 품으로 달려드는 꿈을 꾸고 매화부인은 7형제를 낳게 된다. 칠성님은 옥녀부인에게 후실 장가를 들고 처자식을 버렸고, 아이들이 성장하여 아버지를 찾아가지만 옥녀부인의 계략에 죽을 위기에 처하게 된다. 7형제의 기지로 위기를 극복하고 모친을 살려낸 후, 칠성신이 되어 좌정한다. 아들 7형제는 동두칠성, 남두칠성, 북두칠성 등 칠성신이 된다는 점에서 각편들이 일치한다.[9]

　〈칠성풀이〉의 칠성님을 아버지로 한 칠성신 이야기는 북두칠성과의 연관성을 느끼게 하지만 별 신앙과의 거리를 느끼게 만든다. 〈문전본풀이〉의 7형제는 죽어서 상방

• • •

7　『계원필경』 권15, 齋祀.
8　『동국이상국집』 권39, 불도소.
9　서대석, 『한국신화의 연구』, 집문당, 2002, 329~332쪽.

의 신 등 집안의 신이 된다. 천상계의 신으로 좌정하는 육지의 이야기와 지상계의 신으로 좌정하는 이야기 사이에는 더 큰 거리가 느껴진다. 〈칠성풀이〉와 〈문전본풀이〉의 골격은 계모와 전실 아들의 갈등을 통해 부부관계와 부자관계의 문제를 환기시키는 가족사적 의미를 지닌다. 그러나 이면 속에는 수명신의 의미가 깔려 있다. 그래서 자손의 건강과 번창을 빈다는 측면에서는 도교신앙의 한국적 수용이라 할 만하다. 그런데 〈칠성본풀이〉는 애초의 별 신앙과 연관성을 갖지 못한다.

칠성신앙은 현재까지도 전승되고 있다. 원래 도교적인 신앙이었는데 우리나라에 들어와 토속신앙과 결합하고, 후에 불교와 결합했다. 가장 대표적인 예가 사찰의 칠성각에 모시고 있는 칠성신이다. 정안수를 떠 놓고 칠성님께 기원하거나 무당들이 칠성굿을 통해 칠성신을 섬기는 것 등은 일찍부터 민간에서 전해져 온 신앙 현상이었다. 또 12세기에 이미 칠성이 무신巫神으로 등장하고 있던 사실을 이규보李奎報(1168~1241)의 『동국이상국집東國李相國集』 노무편老巫篇의 시문에서 찾아볼 수 있다.[10]

그렇다면 고대국가 탐라국의 별 신앙은 어떤 것이었던가. 북두칠성에 대한 신앙이었을 수도 있다. 칠원성군을 목·화·토·금·수성과 해와 달의 일곱으로 사유한 흔적도 있다. 혹은 인간세상과 긴밀한 연관성을 지니면서 설화와 함께 전하고 있는 견우성과 직녀성, 노인성과 북두성 등을 전부 포괄하는 별로 사유한 흔적도 있다. 제주도 초감제에서는 '베포도업'과 '제청도업'이 이어지는데, 천지혼합이 개벽되고 닭이 울어 세상이 열린다고 하면서 다음과 같은 사설이 제시된다.

제를 이르니
이 하늘, 이 세상 대명천지가 밝아 옵디다.
동녘 하늘엔 견우성, 서녘 하늘엔 직녀성
남녘 하늘엔 노인성, 북녘 하늘엔 태금성, 북두칠원성군이 떠오릅디다.

• • •
10 『한국민속신앙사전』, 칠성신 조, 국립민속박물관, 2009.

일관님도 뜨고, 월광님도 떠오릅디다.

산이 솟아나고, 강물이 흐르게 된 제를 이르자.

하늘 옥황을 차지한 천지왕이 솟아나고,

땅을 차지한 지부왕 총명부인 솟아나고,

저승을 차지한 대별왕과 이승을 차지한 소별왕이 태어나니,

남정중화정려법(南正重火正黎法) 도읍을 제이르자.[11]

　　하늘이 밝아오고 이어 중요한 별들이 나타나고 이어 해와 달이 만들어지는 과정,
해와 달을 조정하는 대별왕과 소별왕이 태어나고 이어 15 성인聖人 도업이 이 사설 뒤
에 이어진다. 우주 자연이 만들어지고 인간 문명이 가능하도록 조정된 후에 집을 짓
고 화식을 하고 농사를 짓는 과정까지 이어진다. 열두본풀이의 첫 번째인 〈천지왕본
풀이〉에서 천지왕이 인격적 신격의 출발점이다. 그 이전은 천지와 별과 일월에 대한
자연신앙이다. 제주에서는 하늘을 주재하는 '천지왕'이 땅에서 솟아난다고 하는 이본
도 있다. 그러니 하늘보다 땅이 우선이다. 그런데 산이 솟아나고 물이 흐르는 지형 건
설보다 빠른 것은 별들의 탄생이다. 제주에는 이 별 신앙이 대지신보다 우위에 있는
것으로 사유한 듯하다. 그래서 탐라에는 그 최고의 신격이자 지도자가 '성주星主'다.
별 신앙이 고대국가 탐라국의 건국 이후에 오래도록 이어지다가 어느 시기엔가 도태
되거나 탄압되었던 것 같다. 아마 탐라국이 망한 12세기 즈음일 것이다. 해양국가 탐
라국에는 항해에 필요한 별자리가 중시되었을 것이다. 그 당시 하늘의 별자리를 땅에
옮겨 숭앙의 대상으로 삼은 흔적도 있다. 그것이 한라산 위의 칠성대이고, 읍성 안의
칠성대. 탐라국 시절부터 오래도록 전승되는 무속에 그 흔적이 남아 있고, 무속제
사 음식에도 그 흔적이 있다.
　　우선 무구를 보자. 무당의 중요한 무구 중에는 명두(명도, 멩두)가 있는데 이는 명두明

- - -

11　문무병, 『바람의 축제 칠머리당 영등굿』, 황금알, 2005, 65쪽.

斗 혹은 일월명두日月明斗라고 하고 '밝은 북두칠성'과 '일월과 밝은 북두칠성'을 의미한다. 지금 남겨진 명두에 북두칠성만 그려진 것도 있다. 북두칠성을 천제로 표현하고 면류관 위에 일월을 배치한 그림도 있다. 이 또한 '북두－일월' 표상이다.[12] 제주에서는 신칼과 요령과 산판을 모두 합하여 멩두(명두)라고 한다. 무구 전체가 북두칠성의 이름으로 구성되어 있다.

무속제사에도 이런 별과 관련된 풍속이 있는데 떡을 고일 때 해와 달과 별을 차례로 올린다. 이런 풍속은 유교식 제사로 옮겨와 지금도 제주에 전승되고 있다. 제사나 명절에 쓰는 떡에는 우주가 담겨 있다. 절벤은 동그락 곤떡이라 하는데 해日를 상징하고, 솔벤은 둘반착떡이라 하는데 달月을 상징하고, 우찍은 지름떡이라 하는데 별토을 상징하고, 전은 구름雲을 상징한다. 제펜(시루떡)은 땅地을, 은절미(인절미)는 밭田을 상징한다고 하여, 제제펜 위에 은절미를 놓고, 그 위에 절벤－솔벤－우찍 순으로 떡을 고인다.

12 정경희, 「'북두－일월' 표상의 원형 연구」, 『비교민속학』 46집, 비교민속학회, 2011, 364~366쪽.

김지순 선생은 멩질떡(명절떡)을 다음과 같이 설명한다. "시루에 찐 떡을 땅(地)이라 하고, 모물로 사각형으로 만든 은절미를 밭(田)이라 하고, 곤쌀로 2개 붙여 찍은 절벤을 양(陽)이라 하고, 곤쌀로 둥글게 하여 반으로 나눈 것을 반착곤떡(月)이라 하고, 곤쌀이나 찹쌀로 가장자리를 뾰족하게 만들어 지름떡(星)이라 하고, 전을 구름이라 하였다."[13] 땅으로부터 하늘의 해와 달과 별을 순서대로 진설하여 우주를 형상화하고 있으니, 제주의 의례음식에 담긴 세계관을 알 수 있다. 제사를 드리는 일이 바로 우주의 정연한 배열과 조화를 구축하여 인간세계의 질서와 평온을 기원하는 일이 된다. 음식이라는 것이 우주의 기운으로 탄생하였고, 각각의 우주를 상징하는 음식을 먹음으로써 소우주인 몸의 기운을 북돋는 과정임을 상징적으로 보여 주기도 한다. 제주의 음식은 천지와 일월이 탄생하던 당시의 우주의 질서를 담아내려 하고, 자연의 순행으로 땅에 질서와 풍요가 도래하길 바라는 고대적 심성을 담고 있으며, 오래된 과학과 철학을 담고 있다.[14]

중세국가에서는 천지일월성신과 풍운뇌우와 산천의 신 모두 유교적 이념 하에서 대·중·소의 제사로 재편되게 마련이다. 그런 와중에 고대적 제의는 파괴되고 그 의미는 변전된다. 탐라국의 칠성신앙도 위축되어, 몇 가지 지명과 음식 속에 그 자취를 남기고 사라졌다. 인격신 위주의 사유가 중심이 되면서 비인격신(자연신)에 대한 신앙은 소홀히 다루어지고 신화의 뒤란으로 사라진다. 초감제에 이어 〈천지왕본풀이〉의 대별왕과 소별왕 이야기가 이어지는 것을 보면 여실히 알 수 있다. 앞으로 제주 무가 본풀이를 통해 북두칠성의 별 신앙을 비롯한 자연신앙의 흔적을 재구하는 작업이 이루어져야 할 것이다.

---

13 김지순, 『제주도의 음식문화』, 제주문화, 2001, 75쪽.
14 허남춘 외, 『제주의 음식문화』, 국립민속박물관, 2007, 91~92쪽.

3. 부군府君 신앙과
서울 부군당

앞에서 칠성신에 대해 살폈다. 칠성신은 도교의 칠원성군에서 유래하였고, 명과 복을 빌어주는 신, 혹은 인간의 수명을 관장하는 신격이다. 그런데 제주의 〈칠성본풀이〉를 보면 부군칠성, 칠성부군이 등장한다. 뱀신의 막내딸이 죽어 주저리 밑 기왓장 아래로 들어가 부군칠성(밧칠성)이 되었다고 한다. 제주의 조상신본풀이인 〈고대정본풀이〉에서는 고대정이 안씨집 굿을 끝내고 돌아오는데, 자루에 뱀이 있었다. 고대정 자신에게 태운 조상이라 모셔 왔는데, 인근 중이 '부군칠성이 원래 안씨 집 조상이었는데 옮겨온 것'이라 일러준다. 여기서 부군칠성은 '부군富君'이어서 집안의 풍요를 가져다주는 신격이란 의미이다. 그런데 곳곳에 '부군칠성府君七星'이란 한자 표기도 나타난다. 이 부군은 무엇인가.

일곱째 딸의 좌정 이외 나머지 여섯 딸의 좌정을 보면 관청과 건물과 창고에 좌정하여 수호신이 되어 위해진다는 내용이다. 그 몇 가지 사례를 먼저 들어 본다.

〈현용준의 칠성본풀이〉

1. 추수못 추수할망
2. 이방 형방 방차지
3. 옥 차지 옥지기
4. 동과원 서과원 과원할망
5. 동창고 서창고 창고지기
6. 광청못 차지 광청할망
7. 귤나무 아래 주저리, 집 뒤로 억대부군칠성(밧칠성)

어머니. 고방의 항아리 뒤주 아래 안칠성[15]

• • •

15 현용준, 『제주도무속자료사전』(개정판), 각, 2007, 356~357쪽.

〈진성기의 칠성본풀이〉

1. 내동헌(內東軒)   동창고문(東倉庫門)

2. 환상창고(동서 倉庫)   서창고문

3. 칠성골 염색할망   북창고문

4. 사령방   남창고문

5. 과수원   과원할망

6.   *   장통할망(마소 수용소)

7.   *   서귀 관청(官廳) 할망

어머니. 처음 들어왔던 곳.   안방(庫房)

(이무생 본)   (고창학 본)[16]

〈양창보 본 칠성본풀이〉

1. 이방청

2. 형방청

3. 사령방

4. 옥지기

5. 동과원 서과원

6. 칠성새남

어머니. 안칠성 밧칠성[17]

〈서순실 본 칠성본풀이〉

1. 추수할망

2. 이방왕 성방왕

• • •

16 진성기, 『제주도무가본풀이사전』, 민속원, 1991, 146~155쪽, 155~161쪽.
17 허남춘 외, 『양창보 심방 본풀이』, 제주대학교 탐라문화연구소, 2012, 305~306쪽.

3. 옥 할망

4. 동과원 서과원

5. 동창고 서창고

6. 관청(官廳)할망

7. 감나무 아래, 밀감나무 아래 기와집, 한라산 띠를 둘러 밧칠성

어머니, 안칠성[18]

　본풀이에 따라 딸이 일곱인 경우도 있고, 딸이 여섯이어서 어머니를 포함하여 일곱
이 되는 경우도 있다. 막내를 제외한 나머지 딸들은 대개 동헌, 관청, 옥, 창고, 과원
등에 좌정한다. 〈이용옥 본풀이〉에서 첫째 딸은 대정 목관아지에 좌정한다. 〈고창학
본〉에서 일곱째 딸은 밧칠성으로 좌정하지 않고 서귀 관청할망으로 좌정한다. 현용준
의 〈안사인 본〉 광청할망도 '관청官廳'일 가능성이 높다. 칠성신들이 좌정하는 곳이
관청의 여러 건물이어서 신격의 이름이 '부군府君'이었던 것으로 보인다. 지금은 일곱
째 딸의 이름에만 '부군'의 흔적이 남아 있지만 실제 부군에 해당하는 것은 제주목관
아의 건물을 차지한 나머지 딸들의 신격 이름에서 기인한다. 그리고 이렇게 관부官府
의 신을 부군이라 한 내력은 서울의 부군당 신앙에서 비롯된다.

　조선시대 각 관아에 모셔진 신당이었던 부군당이 지방의 관아에까지 파급되고 아울
러 서울 근처와 지방의 민간의 신앙으로까지 확산되어 부군당의 성격은 다양해졌다.[19]
우선 이른 시기의 부군당에 대해 살펴보고자 한다. 조선 중종 때의 기록인데, 1511년
(중종 6) 양현고 안에서 행한 제사가 음사라고 하자 "양현고 안에 부근당付根堂이 있다.
부근付根은 관부에서 기축하기 위해 설지한 것으로, 나라의 풍속이다"[20]라는 답변에서
알 수 있듯이 부군당 건립의 풍속이 오래 되었음을 알 수 있다. 또 다른 기록에는 "부

• • •

18　허남춘 외, 『서순실 심방 본풀이』, 제주대학교 탐라문화연구소, 2015, 331~332쪽.
19　부군당에 관한 개괄적인 성격은 국립민속박물관, 『한국민속신앙사전』(2009), 『한국세시풍속사전』(2007), '부군당'
　　조에서 참조하였다.
20　養賢庫內有付根堂 付根者 官府設祠祈祝 國俗也(『中宗實錄』 1511年(中宗 6) 3月 29日 己卯).

군사府君祠는 각사各司 아전들의 청방 곁에 있으며, 해마다 시월 초하룻날에 제사를 지낸다. 세상에서 혹 말하기를 고려의 시중 최영崔瑩(1316~1388)이 관직에 있을 때 재물에 깨끗하고 징수를 하지 않고 이름을 떨쳤으므로 아전과 백성들이 사모하여 그 신을 모셔 존숭한다고 한다. 각 고을에도 모두 있다"[21]라고 하여 부군당 건립을 최영 장군과 연관시키는 것을 보아 그 연원이 조선 초까지 소급될 수 있음을 보여주고 있다. 그리고 중국과 조선의 음사를 변증하는 이야기(華東淫祀辨證說)를 보면 부군당 신앙이 민간의 음사와 관련됨을 알 수 있다.

> 음사 가운데 지금 서울에는 각사에 신사가 있으니 이름하여 부근당(付根堂)이라고 하고, 이 것이 와음이 되어 부군당(府君堂)이라고 부른다. 한 번 지내는 제사 비용이 심지어 수백 금이나 된다. 혹자가 말하기를 부근은 송 각시가 교접한 바라고 한다. 네 벽에 남자의 성기처럼 나무로 만든 막대기를 많이 매달아 놓았는데 심히 음란하고 외설스러우며 불경스럽기까지 하다. (혹은 누가 말하기를 부근이라고 하는 것은 관사의 뿌리가 되는 것이며, 남자의 성기처럼 생긴 나무 막대기를 매다는 것은 사람의 뿌리가 음경인 것에 우의하여 음경의 막대기를 지어서 상징한다고 하였다.) 지방의 고을에서도 역시 제사를 지냈다. 중종 기묘년에 각사의 부근신사를 혁파하였다.[22]

부군은 부군당에 모셔진 주신主神이다. 이 기록에서도 알 수 있듯이 부군이 송씨 처녀이고 이 신을 위하기 위해 남근을 모셨다고 하는데, 부근은 남근男根을 의미한다고도 한다. 김태곤은 부근이 '불근, 즉 성 신앙의 불(불두덩이, 부랄)'에서 온 말로 마을 수호신의 뜻을 지닌 부군府君으로 발전했다고 하였다.[23] 조선시대 각종 관행제가 무속의

• • •
21 『東國輿地備攷』 卷 2, 漢城府 祠廟條.
22 淫祠中 今京師各司有神祠 名曰付根堂 訛呼府君堂. 一祀所費 至於累百金 或曰 付根 乃宋氏姐所接 四壁多作木莖物以掛之 甚淫褻不經 [或曰 付根者 旣爲官司之根 而其懸木莖者 以寓人之根爲腎莖 故作莖物以象] 外邑亦祀之 中宗己卯罷各司付根神祠"(『五洲衍文長箋散稿』 天地篇, 天地雜類 鬼神說, 華東淫祀辨證說)
23 김태곤, 『한국민간신앙연구』, 집문당, 1987.

례의 형태를 띄는데, 각사 신당이 민간화 또는 각사 신당 의례가 민간화 되었다고 본다.[24] 그러나 원래 무속의례였다가 유가의례의 옷을 입은 것일 수도 있다. 부군당 제의는 유교식 제례 형태뿐만 아니라 무속식 당굿 형태도 점차 성행하게 된 것으로 보인다. 1667년에는 상익이란 자가 금부禁府의 부군당에서 항시 춤추었다고 하여 논란이 되었다.[25] 이는 당시 부군당 제의가 무속식 당굿 형태였을 가능성을 시사한다.[26]

남성의 성기를 깎아 죄수들이 복을 빌었다는 기록도 있다. 이는 의금부의 순군부군巡軍府君을 모신 신당의 일이었다. 지금 행해지는 무당굿처럼 지전을 신당에 걸어둔 예도 있다. "나라 풍속이 서울 안都下의 관부官府에는 으레 작은 집 하나를 설치하여 두고, 종이돈紙錢을 총총 걸어서 이를 '부군府君'이라 불렀다."[27]는 기록이 보인다. 조선조의 이른 시기인 문종 때의 사정인데 "서울 안에 있는 관청에는 으레 작은 집 하나를 마련해 두고 지전紙錢을 빽빽하게 걸어두어 부군府君이라 부르며, 서로 모여서 제사를 지냈다. 새로 임명된 관원은 반드시 더욱 정성을 기울여 제사를 올렸고, 법사法司라도 그와 같이 하였다. 공이 집의가 되었을 때 아랫사람이 고사故事가 그렇다고 고하였다."[28]고 한다. 이에 어효첨은 지전을 불살랐고 이후 어효첨이 역임한 관청에서는 부군을 모두 불사르고 헐었다고 전한다. 관청의 하급 관리는 민간의 전통을 가져와 세속적 의례를 행하고 관청의 상층 관리는 유교적 의례를 정착시키고자 하면서 부군당의 의례를 음사라 하여 폐지하려는 노력을 기울였음을 알 수 있다. 오문선은 호조 서리 이윤선의 기록을 인용하면서 신당 약반 고사를 주재한 예를 들어 낮은 직임의 인물이 고사와 신당 제사를 담당하였을 것으로 보았다.[29] 당연히 양반은 배제한 제의였

24 오문선, 『서울 부군당제 연구』, 한국학중앙연구원 박사학위논문, 2009, 14쪽.
25 臣聞商翼失性 各司皆有府君堂 乃事神之所 而商翼恒舞于禁府府君堂云 非失性而何(『承政院日記』 205冊, 顯宗 8年(1667) 11月 13日 癸丑).
26 김태우, 『서울 한강유역의 부군당 의례 연구』, 경희대 박사학위논문, 2008.
27 『증보문헌비고(增補文獻備考)』 권64 「예고(禮考)」 음사조(淫祀條).
28 都下官府例置一小宇叢掛紙錢號曰府君相聚而瀆祀之 新除官必祭之惟謹雖法司亦如之 公爲執義下人告以古事, 公爲執義下人告以古事公曰府君何物令取紙錢焚之 前後所歷官府其府君之祀率皆焚毁之(『燃藜室記述』 第 4卷, 魚孝瞻).
29 오문선, 앞의 논문, 2009, 47~48쪽.

을 것이다. 대개 부군당의 경우 무녀가 굿을 진행하고 소 한 마리를 제물로 쓰는 경우가 있었다고 하니, 제주도의 돗제에 비견된다.

이 서울 관부의 신앙은 지방에까지 미치게 됨을 조선 후기의 기록에서 확인할 수 있다. 연암燕巖 박지원朴趾源(1737~1805)이 1793년에 기록한 안의현安義縣 현사縣司에서 곽후郭侯를 제사한 기記에 보면 "아! 지금 중앙의 모든 관청과 지방의 주현州縣에는 이청吏廳의 옆에 귀신에게 푸닥거리하는 사당이 없는 곳이 없으니, 이를 모두 부군당府君堂이라 부른다. 매년 10월에 서리와 아전들이 재물을 거두어 사당 아래에서 취하고 배불리 먹으며, 무당들이 가무와 풍악으로 귀신을 즐겁게 한다.[30] 중앙 관청의 신앙이 지방 주현의 관청에까지 미치고 있고 그 굿의 주재자가 서리와 아전과 같은 지방 하급관리임을 재차 확인할 수 있다.

이 부군신앙의 의례에 지역민이 참여하게 되는 계기가 마련된다. 중앙 관서의 분원이 민영화되는 19세기 후반 관서와 연관된 민이 참여하게 되었고, 이 신앙은 하급관리(서리와 아전)와 지역민의 공동 의례로 발전하게 되는데, 이는 관서 주변에 하급관리의 주거지가 발달하였던 때문이기도 하다.[31] 이와 아울러 18~19세기 한강 주변이 상업화하면서 한강변 부근당이 밀집하게 되는데, 앞에서 언급한 대로 한강변에 하급관리들의 주거지가 있었고 여기에 하역과 운반을 생계로 삼는 서민들이 있었기에 한강변 부군당 신앙의 민간화가 촉진되었다. 경기도 일대의 도당제가 전승되던 지역이 서울로 편입되고 서울 무당들이 도당굿을 맡게 되면서 부군당과 도당굿의 경계가 희미해진 것으로 보인다.[32]

부군당 신앙이 서울 주변으로 확산되고, 지방 관아로 확산된 양상을 살펴보았다. 그리고 부군당 신앙이 무속식 의례를 위주로 했던 점이 애초 민간신앙이 영향을 주었을 수도 있고, 서서히 유교 의례가 민간화하면서 무속의례가 되었을 수도 있다는 점

• • •

30 噫 今之百司 外而州縣 其吏廳之側 莫不有賽神之祠 皆號府君堂 每歲十月 府史胥徒釀財賄 醉飽祠下 巫祝歌舞鼓樂以娛神(『燕巖集』 卷1, 安義縣縣司祀郭侯記).
31 오문선, 앞의 논문, 2009, 56~60쪽.
32 홍태한, 「서울 지역 부군당굿과 도당굿의 변별성」, 『남도민속연구』 15집, 2007, 331~363쪽.

을 밝혔다. 이런 무속식 의례가 서울에서 내려온 하급 관료에 의해 제주에 전해지거나, 서울을 왕래하는 상인들에 의해 민간에 전해졌을 가능성이 높다. 지금 남겨진 당본풀이나 조상신본풀이를 보면 그런 사정을 가늠할 수 있다.

〈토산여드렛당본풀이〉에서 나주 영산의 신이었던 존재가 서울을 거쳐 제주도에 내려오고, 〈나주기민창본풀이〉에서 곡식 창고의 신이 제주로 옮겨오는 현상은 제주 신앙의 변화를 예고하는 것이었다. 그것이 부군신앙이든지 뱀 신앙이든지 간에 제주와 육지와의 교류 속에 놓여 있었다는 점이 중요하다. 〈광청아기본풀이〉에서 송동지 영감이 사또의 명으로 서울에 진상을 다녀오다가 광청고을의 허정승 집에 머물다가 광청아기와 연분을 맺게 되는 사연을 통해서 서울의 상업도시와 문물을 만나는 제주의 사정을 알 수 있다. 〈구슬할망본풀이〉에서 김씨 사공이 서울 상감에게 우미 전각 미역 등을 진상하고 내려오다가 서울 서대문 밖에서 구슬할망을 만나게 되는 사연을 통해 서울 변두리 문화가 제주에 끼친 영향을 가늠할 수 있다. 한강 유역은 전국 상인이 교류하는 곳이었다. 〈토산여드렛당본풀이〉의 강씨 성방과 오씨 성방은 서울 종로에 갔고, 〈광청아기〉는 '관청官廳아기'일 가능성도 있다.

앞에서 〈칠성본풀이〉의 신들이 관청에 두루 좌정하는 양상을 살폈다. 칠성신이 '부군당신'의 직능을 가진 모습이었다. 제주도 서귀포에 '칠성당'이 있는데 북두칠성의 칠원성군이면서 또한 관청과 연관을 맺는다.

〈서귀리 칠성당〉

남방국 노인대성

칠원성군(七元星君) 대성군

맹장수(命長壽) 시켜줍던

어진 산당 한집

제주 삼업(三邑) 백성에

이 노인성을 우망ㅎ곡

일년 흔번 제를 지내민

맹(命) 엇인 이 맹을 주고

복 엇인 이 복을 주는

칠성한집님

칠성한집님은

메도 일곱 잔도 일곱

각굿 지물(祭物)이 일곱 정반(쟁반)으로

설위ᄒ고 돗날(돼지날)로

대위 받읍니다.[33]

〈서귀리 칠성당〉

들어사민 칠셍, 나사민 관청(官廳) ᄎ지

칠월 칠석 북도칠셍(北斗七星) 태운 날 ᄌ시 탄생ᄒ고

일곱 칠셍 벨자리(별자리) 남방국 노인셍(老人星)께 인간은 복을 빌어 삽니다.

옛날 옛적 제주목ᄉ 셩방(刑房) 이방(吏房) 영문도ᄉ령(營門都使令), 줴(罪)가 짓인 인간은 영문

도ᄉ령이 심어다 취주(取調)를 맡읍네다.

(죄 있는 사람을 조사하기 위해 제주목사가 이방과 형방을 데리고 제주 전역을 주유하는데,

목안에서부터 조천, 함덕, 종달, 성산, 온평, 신풍, 성읍, 서귀포, 대정, 중문을 지나 다시 제주 성안

으로 돌아오기까지 관청 송사문제를 다루는 행로가 나타난다.)

셩방(刑房) 이방(吏房) 문세(文書)를 굴려(가려) 받아서 줴 있는 이를 다 체결(處決)ᄒ네다.

송ᄉ(訟事) 제판(裁判) 해상상업자(海上商業者)딜 ᄎ지ᄒ네다.[34]

진성기 채록본 '칠성당'은 수명장수를 관장하는 칠성신과 노인성에 대한 본풀이이
고. 현용준 채록본 '칠성당'은 관청 송사와 관련 있는 본풀이여서 주목된다. 애초 칠

• • •

33 진성기, 앞의 책, 1991, 500쪽. 한경면 고산리 여무 김기생 구술.
34 현용준, 앞의 책, 2007, 633~634쪽.

성당은 수명장수를 기원하고 명과 복을 비는 원래적인 칠원성군 신앙의 장소였다. 그런데 시간이 지나면서 두 가지 기능으로 분화되어, 명과 복을 비는 대상으로서의 칠성신과 관청 송사를 관장하는 대상으로서의 칠성신이 등장한다.

보목동의 구두미 관청할망당은 원래 해녀들의 갯당(해신당)이었다. 그래서 구두미 갯당이라 불렀다. 그런데 지금은 관청과 연관된 일, 예를 들어 송사나 시험 때 다니는 곳이 되었다고 한안순 심방이 구술한다.[35] 무척 의미 있는 변화고 그런 변화가 오랜 일이 아니라는 것을 반증한다. 행정기관이 주도한 미신타파운동이 당굿 철폐의 결정적인 계기였듯이, 일상생활 속에 행정관청의 비중이 커지면서 갯당이 관청 연관 신당으로 바뀐 것이다. 그보다 앞선 시기의 칠성당도 수명관장의 신당에서 관청 연관의 신당으로 발전된 추이를 수긍할 수 잇을 것이다. 다음 장에서는 관청을 지키는 신에서 건물과 창고의 좌정신을 거쳐 고팡(창고)의 풍요를 관장하는 신격으로 변화한 예를 살피고자 한다.

4. 칠성과
뱀 신앙

칠성신이 언제부터 뱀신을 지칭하는 용어가 되었고, 부군칠성富君七星이라 불리게 되었는지 알 수 없으나 애초부터 칠성신이 뱀신은 아니었다.[36] 뱀신앙이 칠성신의 권위를 가져와 자기의 신성을 확대하고자 하는 의도가 엿보인다. 뱀신으로서는 위신이 서지 않는 시기를 맞아 그런 변화가 왔을 것이다. 뱀신을 지칭하는 용어가 서서히 부군칠성이 되었지만, 그 둘을 구분하려는 의식도 명확하다. 굿법이 왜곡되고 굿의 의미 있는 상징이 왜곡되는 사례를 들면서, "칠성에는 북두칠

• • •

35 조성윤 외, 『제주 지역 민간신앙의 구조와 변용』, 백산서당, 2003, 131쪽.
36 김헌선은 수명을 관장하는 칠성신앙, 부신(富神)인 뱀 신앙으로서의 칠성신앙, 불도맞이의 칠성신앙 중 부신인 뱀 신앙의 변이 유형으로 살폈다. 아울러 불도맞이의 칠성신앙의 영향도 어느 정도 인정하였다(김헌선, 「칠성본풀이의 본풀이적 의의와 신화적 의미 연구」, 『고전문학연구』 28집, 한국고전문학회, 2005, 268~275쪽).

성과 부군이칠성(蛇神)이 있는데, 이 양자를 구분하지 못한 채 옥황칠성굿에 터신칠성(蛇神) 지방과 본풀이를 하는 것"[37]이라 했다. 매우 중요한 발언이다. 북두칠성과 뱀신인 '부군이칠성'은 구분되어야 한다는 것이다. 그런데 언제부터 뱀신이 '부군칠성'이란 명칭을 획득했는지 모르지만 그 변모는 인정하고 있다. 7형제와 자매는 늘 칠성과 연관되는 계기를 맞는다. 〈칠성풀이〉의 7형제는 어머니를 살리고 난 후, 죽어 북두칠성이 되었다고 하여 연관성을 갖듯이, 〈칠성본풀이〉의 일곱 딸도 그런 계기를 맞을 듯하지만, 오히려 관청과 건물과 창고의 신으로 나누어 좌정한다. 오히려 〈칠성본풀이〉 서두에 칠성단을 마련하여 북두칠성신에게 비는 장치를 두어 그 연관성을 맺고 있다.

> 동개남 상주절로 의논 수록 드리래 갓더니 대사남이 말을 하대 당신내는 절간오로 수록 드령
> 자식 엇지 못하쿠다. 집오로 강 칠월칠석일에 칠성단을 무어 노코 칠일 긔도하시요. 우선 오라시
> 니 칠성단에 마지 처서 올이시요. … 칠월칠석날로 칠일간 칠성단오로 성군(星君)님내을 청하엾
> 수다.[38]

한 계열의 본풀이에서는 절에 가서 불공을 드려 아이를 낳는데,[39] 여기서는 절에 갔지만 소용이 없다고 하면서 대사가 칠성신을 모셔 기도할 것을 권하게 된다. 치성을 드렸는데 부부는 봉사가 되어 시름을 겪지만 전란이 일어나 오히려 살아나게 됨을 감사하게 생각하는 중에 아이가 들어서서 낳게 된 딸을 '칠성아기'라 하였다. 칠성아기는 수명을 관장하는 칠성신의 반열에 드는 것이 아니라, 칠성신에게 치성을 드려 낳은 아이여서 칠성아기인 셈이다. 이렇게 칠성기도를 하여 낳게 된 사연을 서두에 장

...

37 조성윤 외, 앞의 책, 2003, 232쪽.
38 문창헌, 『풍속무음』, 제주대학교 탐라문화연구소, 1994, 401~402쪽.
39 〈칠성본풀이〉는 아이를 낳기 위해 칠성제를 드리는 칠성기자형 화소(박봉춘 본, 이무생 본, 고창학 본, 문창헌 본,
    양창보 본)와 불공을 드려 딸을 잉태하는 사찰기자형 화소(고대중 본, 안사인 본, 이중춘 본, 이용옥 본 등) 이 있다
    (변숙자, 「〈칠성본풀이〉에 나타난 칠성신앙의 양상」, 『탐라문화』 46호, 제주대 탐라문화연구소, 2014, 42~43쪽).

식하는 본풀이가 여럿 있다. 그렇다고 해서 그런 성격이 바로 북두칠성신인 '칠성신'
과 연결고리가 되는 것은 아니다.

〈칠성본풀이〉의 칠성신에 대한 해명을 위해 다른 뱀 신앙을 살피면서 거기에도 북
두칠성의 별 신앙이 개입되어 있는지 밝혀야 한다. 그 대상은 바로 당신본풀이인 〈토
산당본풀이〉이다. 토산당신의 출자처는 나주 금성산이다. "본산국은 어딜런고. 난산
국은 어딜런고. 나주 영산羅州靈山 금성산錦城山서 솟아나" 신령스런 기운을 갖고 마을
에 부임하는 목사를 괴롭히자, 양이목사가 등장하여 "웃 아구린 하늘에 가 부떠 알아
구린 지애地下예 가 부떠 천지 대맹이天地大蟒"를 제치한다. 이 구렁이는 '금바둑도 되
고, 옥바둑도 되고, 은바둑'도 되어 서울 종로에 떨어진다. 이를 주운 강씨형방은 미
역 진상도 잘 하고 순풍을 만나 무사히 제주로 돌아온다. 금바둑은 아기씨로 변신하
여 좌정처를 찾느라 고생하고, 빨래하러 나갔다가 도둑에게 폭행을 당하고 죽게 된다.
이어 강씨 외동딸에게 신병을 내리고 뱀의 모습을 그려 큰굿을 하도록 하여 자신을
모시게 한 후 병을 나게 해 준다. 이후 당신으로 모시게 되었다고 한다.[40]

아키바秋葉隆가 채록한 박봉춘 본에서는 '삼두구미 대용신三頭九尾 大龍神'이라 했고 옥
바둑으로 환생하였다가 제주로 들어온 후, 제주에 좌정처를 물색하는 과정에서 누구
냐는 물음에 '나주영산 토지본향土地本鄕'이라 대답한다. 후에 나주영산의 용신은 토산
알당으로 좌정한다.[41] 이를 두고 아키바는 나주 금성산에서 날아왔다는 이야기가 전
라도 쪽에서 불어오는 계절풍(북서풍)과 관계 있는 신앙으로 생각된다고 했다.[42] 아키
바는 나주 금성산신의 존재를 잘 인지하고 있으면서 그 신앙이 고려 말부터 특별히
성행하였다고 했다. 그런데 신앙의 전래를 말하지 않고 북서풍이라는 자연신앙으로
풀어냈다. 제주에 나주 금성산의 신이 왔다는 것은 무슨 의미일까. 나주 금성산은 어
떤 곳인가.

---

40 현용준, 앞의 책, 2007, 610~616쪽.
41 秋葉隆, 심우성 역, 『朝鮮民俗誌』, 동문선, 1993, 242~243쪽.
42 위의 책, 252쪽.

금성산사(錦城山祠) 사전에 소사(小祀)로 기록되었다. 사당이 다섯개 있으니 상실사(上室祠)는 산꼭대기에 있고, 중실사(中室祠)는 산허리에 있으며, 하실사(下室祠)는 산기슭에 있고, 국제사(國祭祠)는 하실사(下室祠)의 남쪽에 있으며, 이조당(裲祖堂)은 주성(州城) 안에 있다. ○고려 충렬왕 4년에 이 사당의 신이 무당에게 내려서 말하기를, "진도(珍島)와 탐라(耽羅)의 정벌에 나의 공이 있었는데, 장병들은 모두 상을 타고 나만 빠졌으니 어째서인가. 나를 정녕공(定寧公)으로 봉하여야 한다." 하였다. 고을 사람 보문각대제(寶文閣待制) 정흥(鄭興)이 왕에게 귀띔을 하여 작위(爵位)를 주게 하고, 또 그 고을의 녹미(祿米)를 모두 받지 않고 해마다 5석을 이 사당에 바쳐 춘추로 향과 축문과 폐백(幣帛)을 내려 제사지냈다. 본조(本朝)에 와서도 향과 축문을 내린다. 속설에, "사당의 신은 영험하여 제사를 지내지 않으면 재앙을 내리므로, 매년 춘추에 이 고을 사람뿐 아니라 온 전라도 사람이 와서 제사를 지내는 이가 연락부절이였다. 남녀가 혼잡하게 온 산에 가득하여 노천에서 자므로 남녀가 서로 간통하여 부녀를 잃는 자가 많았다." 한다. 매일 밤 기생 4명이 사당 안에 윤번으로 숙직했는데, 성종 10년에 예조에 명해서 금하게 했다.[43]

나주(羅州) 사람이 칭하기를 "금성산(錦城山)의 산신(山神)이 무당에게 내려서 '진도, 탐라를 정벌할 때 내가 실상 많은 힘을 썼는데 장수, 군사들에게는 상을 주고 나에게는 아무 녹(祿)도 주지 않는 것은 어째서냐? 반드시 나를 정녕공(鄭寧公)으로 봉해야 한다'라고 말하였다"라고 하였다. 정가신이 그 말에 미혹(迷惑)되어 왕에게 넌지시 말하여 정녕공으로 봉하게 하고 그 읍록(邑祿)미(米) 5석을 걷어서 그 산신의 사당에 해마다 보내 주게 하였다.[44]

정가신은 일본 정벌에 유생을 동원하자는 견해에 대해 인재를 적재적소에 써야 한다고 반대하면서 유생을 보호하였다. 그리고 천변天變에 소재도량消災道場을 요청한 건에 대해 "천변을 어찌 불교의 교법으로 물리쳐 낼 수가 있단 말인가? 왜 임금에게 덕

• • •

43 『新增東國輿地勝覽』 35, 全羅道 羅州牧, 錦城山祠.
44 "寶文閣待制羅州人稱 錦城山神降于巫言 珍島耽羅之征我實有力賞將士而不我祿何耶必封我定寧公 可臣感其言諷王封定寧公且輚其邑祿米五石歲歸其祠"(『高麗史』 105, 列傳, 鄭可臣傳)

을 닦아서 천변을 물리칠 것을 요청하지 않소."라고 불교적 제사를 단호히 배격하였다. 세자의 스승으로 원에 들어가 황제에게 학문적 감명을 주어 칭찬을 받을 정도로 높은 식견을 지녔고 글재주도 뛰어났다. 그런 그가 금성산 산신을 중시한 것은 무슨 연유인가.

산악신앙은 흔히 그 산악이 소재하는 지역의 토착세력과 깊이 관련된다고 한다.[45] 정가신은 나주의 토착세력이었다. 『신증동국여지승람新增東國輿地勝覽』에 의하면 나주 성씨 중에서 '김金·나羅·오吳·정鄭'이 열거되는데, 오가 세 번째이고 정이 네 번째이다. 오씨는 고려 창업에 긴밀하게 연관되는 나주 오씨로서, 2대 혜종을 낳은 장화왕후가 바로 나주 출신이다. 삼별초가 진도를 거점으로 세력을 확장할 때에 나주 금성산 전투에서 정지여鄭之呂 등이 7일 동안 나주인을 이끌고 성을 지켰고 결과적으로 삼별초의 예봉을 꺾는데 나주인과 정씨, 그리고 금성산신의 공이 컸다. 그런데 1273년(원종 14) 논공행상에서 제외되자 정가신이 건의하여 1277년(충렬왕 3) 금성산신 치제를 국가 차원에서 드리게 되었다. 『고려사高麗史』 예지 잡사雜祀에도 삼별초난을 진압하는데 금성산신의 도움이 있어 제사를 드리게 되었다는 기록을 남기고 있다. 그 이전부터 토속신에 대한 제사가 있었을 것[46]으로 추정하고 있고, 그것들이 잡사의 특징이라고 한다.

조선 초기 태조 때에는 금성산이 지리산 등과 함께 호국백으로 위하는데, 고려의 중요한 산신제 대상인 송악산과 감악산 등과 함께 중시되었다. 성종 때의 기록을 보면 고려의 중요한 치제 대상이었던 송악산, 감악산, 금성산이 무녀 제사를 하고 있다고 하면서 비판의 대상이 된다. 아직 유교 이념이 뿌리 내리지 않은 탓에 사대부의 아녀자들도 참여하여 기강이 서지 않음을 비난하고 있다. 금성산 신앙이 나주에 그치지 않고 전라도 백성 전체에까지 파급된 것에 우려를 표하고 있으며, 산신에게 딸을 바친다거나 부녀자들이 음란하게 구는 풍속에 대해서 금할 것을 강력하게 요구하고 있다.

● ● ●
45 변동명, 「고려시기의 나주 금성산 신앙」, 『湖南史學』 16집, 호남사학회, 2001, 35~42쪽.
46 위의 논문, 39쪽.

"나주(羅州)금성산(錦城山)은 국사(國祀)인데, 먼 지방의 어리석은 백성이 무당에게 혹해서, 봄 가을이 될 때마다 원근의 남녀들이 시끄럽게 모여들어 남에게 뒤질세라 기도하여 앙운을 면하려고 밤을 지내기까지 하여 추한 소문이 많으니, 풍속을 손상하는 것이 이보다 더 심할 수 없습니다.

중종 20년 4월 21일

중종 때도 성종 때와 마찬가지로 음란한 풍속을 경계하고 있고, 사대부의 여자들이 왕래하는 폐단뿐만 아니라 벼슬아치가 자신의 딸을 신에게 바치는 음사를 행하기에 파직을 권고하는 상소까지 오르고 있다.

무당이 받드는 무신(巫神)의 하나. 무당의 노래인 가망청배(請拜)·호귀(胡鬼)·만명(萬明)·창부(倡夫)·군웅청배(軍雄請拜) 등에 의하면 금성대왕·금성대신(大神)·금성대국(大國)·금성대신창부(大神倡夫) 등으로 불리고 있으나 무신의 고유명사라기보다 금성산신(山神)을 무당이 받들기 시작하면서 존칭(尊稱)이 붙게 된 것이다. 금성(전라남도 나주의 옛이름)에서 산신(山神)을 제사하는 오랜 풍속이 있고 금성산신이 개성(開城)의 덕물산신(德物山神)과 같이 매년 처녀 희생으로 산제(山祭)를 올리는 것이 통례(通例)였으며, 양산신(兩山神)의 무당이 세계와 관련하여 무신으로 등장한 것으로 본다. 나주에는 일찍부터 신청(神廳)이 있어서 무당조합을 구성하고 금성산신을 제(祭)하였다.[47]

금성대왕은 무당들이 모시는 보편적 신격이 되었다. 무속사회에선 나주의 금성산은 계룡산과 유사한 성지의 의미를 띤다. 앞에서 밝혔듯이 금성산에는 다섯 개의 사당이 있었다고 한다. 산꼭대기에 상실사上室祠, 산허리에 중실사中室祠, 산기슭에 하실사下室祠, 하실사下室祠의 남쪽에 국제사國祭祠, 주성州城 안에 이조당禰祖堂이 있었다. 이렇게 많은 사당이 있는 것은 지리산과도 유사하다. 지리산산신숭배와 관련한 신당을 조사

• • •

47 『한국학대백과사전』, 을유문화사, 1972, 금성산신조.

정리한 글을 보면, 상당上堂은 성모사, 천왕당, 성모묘, 성모당, 천왕의 사우祠宇 등으로 호칭되고, 하당下堂은 백무당百巫堂, 백모당, 백무白武, 백모白母, 백문白門 등으로 불린다. 그리고 남원 쪽 고모당姑母堂은 노구당老嫗堂으로 불리는 남악사南嶽祠가 국행제로 거행된 지리산신사라고 했다.[48] 김아네스 교수는 백무당百巫堂이 무당의 근거지였다는 뜻에서 그렇게 불렸을 것이라 했다. 그렇다면 금성산의 경우 국제사國祭祠는 국행제를 거행한 곳으로 보이고, 나머지가 무속과 연관된 사당으로 볼 수 있다.

다섯 곳의 사당 중 가장 늦게까지 남아 있던 곳이 이조당인데 당이 있던 곳을 지금도 명당거리라 부른다. 그곳을 기억하는 노인들의 증언에 의하면 당은 한 평 남짓한 건물로 하얗고 반질반질한 돌이 신체로 놓여 있었다 하며, 어릴 적 그곳은 무서운 곳이라 하여 어른들이 드나들지 못하게 했다 한다.[49] 그런 증언에 토산당 당신인 뱀이 나주 금성산에서 살다가 바둑돌로 변하여 제주로 들어갔는데, 그렇다면 금성산 산신이 뱀신이었을지 모른다는 삽화를 덧보태고 있다. 지금 금성산과 관련한 어떤 곳에도 뱀신이었을 단서는 찾을 수 없다. 다만 무당들에 의해 무속제사가 이루어졌고, 산신에게 처녀를 바치는 행위가 마치 풍요를 빌기 위해 독룡에게 처녀를 바치는 희생제의를 닮아 있어, 산신의 정체가 용신 혹은 사신이었지 모른다는 추정만 가능하다.

그런 근거가 최부의 『표해록』에도 드러난다. 최부는 윤 정월 2일 별도포의 후풍관에서 바람을 기다렸다가 다음날 동풍이 불자 배를 타고 나주로 향했다. 당시 제주에서 육지 깊숙이 들어가는 방법 중 하나가 나주 뱃길이었다.[50]

제주도에서 배를 출발하고 난 후 표류하게 되자, 안의(安義)가 군인 등과 서로 말하여 신에게 알아듣도록 하기를, "이번 행차가 표류해 죽게 될 까닭을 나는 알고 있었다. 자고로 무릇 세수도

• • •

48 김아네스, 「조선시대 산신 숭배와 지리산의 神祠」, 『역사학연구』 제39집, 호남사학회, 2010, 94~95쪽.
49 나주문화원, 「나주 민속」, '금성당제'(인터넷 사이트).
50 국립제주박물관 편, 『조선선비 최부 뜻밖의 중국견문』, 2015, 68쪽. 백호 임제와 추사 김정희도 나주에서 출발하여 제주에 닿았다(69쪽). 조선시대 뱃길이 『세종실록 지리지』 등에 나오는데, 나주 영산강 – 무안 – 목포 – 해남 – 추자 – 제주가 하나였고, 해남 관두 – 노화도 – 보길도 – 제주 뱃길, 강진 – 완도 – 소안도 – 제주 뱃길 등이 있었다.

에 가는 사람들은 모두 광주(光州) 무등산(無等山)의 신사(神祠)와 나주(羅州) 금성산(錦城山)의 신사에 제사를 지냈으며, 제주도에서 육지로 나오는 사람들도 모두 광양(廣壤)·차귀(遮歸)·천외(川外)·초춘(楚春) 등의 신사에 제사를 지내고 나서 떠났던 까닭으로, 신(神)의 도움을 받아 큰 바다를 순조롭게 건너갈 수가 있었는데, 지금 이 경차관은 특별히 큰소리를 치면서 이를 그르게 여겨, 올 때도 무등산과 금성산의 신사에 제사를 지내지 않았고 갈 때도 광양의 여러 신사에 제사를 지내지 않아 신을 업신여겨 공경하지 않았으므로, 신 또한 돌보지 아니하여 이러한 극도의 지경에 이르게 되었으니 누구를 허물하겠는가?"[51]

　　최부의 『표해록』 중 첫머리 표류가 시작되는 장면이다. 신에게 치제를 드리지 않았기 때문에 죽을 위기에 처했다는 안의와 뱃사람들의 불만에 대해 최부는 표류되고 안되고를 신이 좌우할 수 없는 일이라고 단호하게 거부하는 합리적 태도가 드러난다. 그런데 대부분의 뱃사람들은 제주의 광양당과 차귀당과 내왓당에서 안전을 기원하는 무속의례를 거행하고 마찬가지로 육지에서 제주로 배를 띄울 때는 무등산과 금성산에서 무속의례를 거행한다는 것을 알 수 있다. 그런 사실을 최부도 알고 있었다. 안전을 기원하는 치제의 대상은 어떤 신격이었을까. 우선 광양당과 차귀당은 뱀신의 신당으로 널리 알려져 있고, 뱀을 보면 차귀의 신이라 하여 죽이지 못하게 하였다고 한다.[52] 무등산신과 금성산신은 산신이지만 바다를 가까이 두고 있어 해신의 성격을 함께 지니고 있었던 것 같다. 그러니 뱃사람들이 뱃길의 순조로움을 위해 치제했을 것 아닌가. 뱃길을 위한다면 치제 대상은 풍요 혹은 바다를 관장하는 '용신'이었을 가능성이 높다. 제주의 치제 대상을 염두에 둔다면 무등산과 금성산의 치제 대상도 뱀신이었을 가능성도 있다. 그런데 앞의 〈토산당본풀이〉에서는 애초 용신이었다가 나중에 뱀신

• • •

51　최부, 『표해록』, 1488년 윤1월 14일(성종 19).
52　이원진, 김찬흡 외 역, 『역주 탐라지』, 푸른역사, 2001, 27쪽; 147쪽. "성황사 : 다른 이름은 차귀당(遮歸堂)이다. 풍속이 뱀과 귀신을 제사한다. 집 벽 들보 주춧에 여러 뱀이 덩어리로 뭉치는데 제사할 때 나타나지 않는 것으로 상서를 삼는다. 차귀 글자는 사귀(蛇鬼) 글자의 그릇된 것이다. 현 서쪽 26리에 있다"(『신증동국여지승람』 권 38, 대정, 사묘)

으로 좌정한 신격이 배의 순항을 도왔고, 앞으로 살필 〈나주기민창본풀이〉에서는 뱀신이 배의 안전을 도왔다는 이야기여서 주목을 끈다. 이 뱀신도 토산신과 마찬가지로 나주로부터 출자했다. 나주는 제주에서 육지로 통하는 중요한 근거지였다.

〈나주기민창본풀이〉는 다음과 같다. 옛날 순흥에서 삼형제가 제주에 내려왔다. 큰형은 어림비(애월면 어음리)에 자리잡고, 둘째형은 과납(애월면 납읍리)에 살고, 작은 아우는 서늘(조천면 선흘리)에 살게 되었다. 조천관의 안씨 선주는 천하거부로 살면서 가난한 백성들에게 배를 빌려 주어 포구마다 안씨 선주의 배로 가득찼다. 이때, 제주에는 칠 년 가뭄이 들어 제주 백성이 다 굶어 죽게 되어 가는 판이었다. 제주 목사는 안씨 선주의 재산이면, 제주 백성이 사흘을 먹고 남을 것이라는 소문을 듣고 안씨 선주에게 구휼을 부탁한다. 안씨 선주는 빌려 줬던 배들을 다 거두고 돈을 상선. 중선. 하선에 가득 싣고 쌀을 사러 떠났다.

배를 영암 덕진다리에 붙이고 나주 기민창에 삼 년 묵은 무곡을 사서 무사히 제주로 돌아오게 되는데, 배를 띄우는 순간 갑사댕기에 머리를 땋아 늘인 처녀 아기씨가 발판으로 배에 올라오는 것이 언뜻 보였다. 제주 물마루가 가까워졌을 무렵 잔잔하던 바다에 회오리바람이 치더니, 산 같은 파도가 연이어 밀어닥치어 뱃전 밑으로 구멍이 터졌다. 간절히 두손 모아 빌었더니, 가라앉던 배의 터진 구멍을 큰 뱀이 막고 있었고, 전에 탔던 아기씨가 바로 뱀신이었고, 나주 기민창 동서남북 창고를 지키던 조상이다. 기민창고가 비어가니 무곡을 따라왔다. 안씨 선주는 조상신으로 모시고 상단골이 되었는데, 이 나주 기민창 창고에서 곡식과 함께 따라온 신이 바로 부군칠성이라 한다.[53]

〈나주기민창본풀이〉는 두 가지 점에서 주목할 수 있다. 첫째는 조상신과 업신앙(부군칠성)의 관계를, 둘째는 조상신과 낭신의 관계를 살필 수 있다. 구렁이를 조상으로 모시는 신앙의 형태는 업신앙과 깊은 관련이 있다. 제주도의 부군칠성은 육지에서

• • •
53 현용준 · 현승환, 『제주도 무가』, 고려대 민족문화연구소, 1996, 382~397쪽.

말하는 업신앙의 변이라고 볼 수 있다. 이 본풀이 자료에서 나주 기민창고를 지키던 무곡섬의 조상, 즉 무곡을 지키던 구렁이가 기민창고가 비어 갈 곳이 없어 제주도로 따라 들어왔다는 설정은 결국, 나주 고을 기민창의 업이 제주도로 옮겨 간 것을 의미한다.[54] 제주도와 육지의 활발한 교류가 있게 되면서 나주 곡식 창고의 신앙이 이동한 증거일 수 있다. 그렇기 때문에 육지에서 온 신이 토착신의 제지를 받지 않고 제주에 들어와 조상신으로 숭배되었다. 육지의 업은 집안의 재물을 관장하는 신격으로, 업의 신체는 주저리로 표현되기도 하지만 대개 건궁 방식으로 인정된다. 집의 뒤뜰 장독대 주위에 나무를 쌓아 업이 있음을 알린다. 이를 업주가리業主嘉利라고 부른다. 실제로 여기에 살고 있는 구렁이가 대표적인 업이다.[55] 제주도에서처럼 경남지역에서는 업이 주로 집 안의 고방(창고)에 있다고 믿는다. 주저리는 짚을 원추형으로 엮어서 가신을 안치한 단지나 신체 등을 덮는 데 사용하는 조형물인데, 제주의 '주젱이'와 거의 같다.

주젱이(주저리)란 것은 이엉으로 두른 위에 빗물이 아니 들게 덧덮은 물건인데, 이는 '밧칠성'을 모시는 '칠성눌'이다. 칠성눌은 집 뒤 공지에 기왓장 두 개를 마주 덮고, 그 위에 '주젱이'를 덮은 것인데, 칠성신이 이 속에 좌정한다고 하였다.[56] 최근까지도 문전철갈이에 주저리를 새것으로 교체하고 기왓장과 오곡도 교체하며, 조 콩 팥 수수 등 잡곡과 소라껍질도 새것으로 바꾸어 놓았다. 그러나 더 이상 밧칠성을 모시지 않는 집은 대개 밧칠성신을 사찰의 칠성단에 올렸다고 한다.[57] 심지어는 안·밧칠성 모두를 절의 칠성단으로 모셔 간 사례가 많아지고 있어, 민간에서 주저리를 보기 어렵게 되었다. 신앙은 이처럼 시대의 조류에 맞춰 요동치는 것이다.

앞에서 토산당신의 출자처인 나주 금성산에 대해 길게 살펴본 바 있다. 제주 뱀 신앙과 나주 금성산 신앙이 음사여서 배척된 점을 주목하였다. 육지에서 허용되지 않아

• • •
54 김헌선 외, 『제주도 조상신본풀이 연구』, 제주대학교 탐라문화연구소, 2006, 75쪽.
55 『한국민속신앙사전』, 국립민속박물관, 2009, 업.
56 현용준·현승환, 앞의 책, 1996, 295쪽, 주 152.
57 조성윤 외, 『제주 지역 민간신앙의 구조와 변용』, 210쪽; 251쪽.

망명한 신격일 수도 있다. 나주 금성산신이 유교의 핍박을 받아 그 근간 세력이 이주를 택할 수도 있다. 나주에서 떠난 신격은 함덕 주변 해안 본향당신의 강력한 저항에 부딪힌다. 이곳저곳 다니다 결국 함덕에 표착한 칠성신은 주민에게 흉험을 주고 다시 그들을 치료한다. 질병을 퍼트리는 질병신의 기능도 하지만 질병을 해결하는 치병신의 기능을 가졌다. 결국 외래신은 수용되고, 토착신과 외래신이 공존[58]이 이루어졌는데, 제주도의 신앙체계는 이렇게 고유문화에 외래적인 요소를 받아들이는 과정에서 형성되었음을 보여 준다.

기존의 뱀신이 제주에 있는데 외부에서 다시 뱀신을 받아들이는 것은 무엇을 의미하는가. 외부의 신앙을 받아들이는 계기를 통해 뱀신앙을 강화시키는 과정이 있었음을 보여주는 예일 것으로 본다. 광양당과 차귀당의 뱀신은 『탐라지』나 『신증동국여지승람』에 기록될 정도로 유명한 것이었는데, 조선 전기와는 달리 조선후기에는 토산당의 뱀신이 강해졌다. 토산당이 외부의 뱀신앙을 받아들여 '여드렛당'을 퍼트리면서 제주도 전도에 자취를 남겼다. 토산당은 차귀당보다 더 강한 뱀신의 메카로 성장한 것이다.

본풀이에 명시되어 있듯이 부군칠성이 안씨 선주 상단골, 송씨 선주 중단골, 박씨 선주 하단골로 제민단골을 맺었다는 점은 단골신앙의 범위가 확장되면서 이를 통해 일련의 성격 확장이 일어난 것으로 볼 수도 있다. 특히 신이 차지하는 영역을 구체적으로 언급하고 있어서 이 자료가 조상신본풀이에 당신본풀이의 성격이 강함을 확인할 수 있다[59]고 했는데, 조상신본풀이가 당신본풀이로 확장될 수 있는 가능성을 보여주는 예라 하겠다. 〈칠성본풀이〉는 기존의 뱀 신앙에 나주의 뱀 신앙을 덧보태고 부군신앙을 덧보태면서 일반신본풀이로 발전하는 저력[60]을 보였던 것은 아닌가 한다. 중요한 것은 뱀신앙이 칠성신의 권위를 가저와 사기의 신성을 확대하였던 점이다. 고대신화

* * *

58 이춘희, 「제주도 당신본풀이와 아이누의 오이나 비교 검토」, 『한국무속학』 30, 한국무속학회, 2015, 126~127쪽.
59 김헌선 외, 앞의 책, 2006, 75쪽.
60 〈월정본향당본풀이〉 같은 당신본풀이에서 일반신본풀이 〈칠성본풀이〉가 파생하였을 것으로 보았다(김헌선, 앞의 논문, 2005, 268~275쪽).

에서는 하늘의 권위를 가져와 주인공의 처지를 신성하게 만들고, 중세신화에서는 중국 천자의 권위를 빌려와 주인공의 처지를 숭고하게 만들듯이, 부군칠성은 칠성신의 권위를 가져와 일반신의 반열에 오른 것으로 보인다.

5. 마무리

태양숭배는 육지의 신앙이었고 그것이 고대 건국신화에 반영되어 있다. 고주몽 이야기, 박혁거세 이야기, 김수로 이야기가 모두 태양상징성과 연관되어 있다. 그래서 고대 건국주는 모두 하늘에서 하강하는 것으로 되어 있다. 그런데 제주는 하늘에서 하강하는 것이 아니라 땅에서 솟아난다. '대지의 품속에서 생명이 산출된다는 원초적 사유의 반영', 즉 대지의 생식력을 토대로 한 지모신 신앙이 내재해 있다. 대지가 자궁으로부터 만물을 만들어 낸 것으로 여긴 유럽과 북미의 초기 창조신화는 최초의 인간이 식물처럼 대지로부터 솟아올랐다고 상상한다. 땅으로부터 식물이 솟아나듯 인간이 솟아났다는 탄생담은 인류의 원초적인 신화다. 다른 지역 신화는 자연신에서 인격신으로 바뀌어 갔는데 제주는 자연신 체계를 그대로 유지하고 있는 셈이다.

고대신화가 다듬어지면 부모에게서 태어나는 자식의 형태로 바뀌는데, 그 원초형은 알로 태어나거나 태양의 정령에서 태어나는 것이다. 주몽은 해모수라는 아버지와 부자 관계를 이루는데, 원래 해(太陽)가 비추어 태어나게 되었다. 인격신으로 바뀌기 전의 자연신이 원초형이라 하겠다. 제주의 땅에서 솟아나는 탄생담(從地湧出)은 바로 자연신 체제이다. 그런데 육지와 북방이 태양상징의 강력한 왕권이었다면, 제주와 남방은 별 상징의 부드러운 왕권이었다. 일원론은 해의 사상이고 다원론은 별의 사상이라 한다. 하늘과 땅과 인간을 결합하여 다스려야 하는 상황에서 제주는 해와 달을 포함한 별 신앙을 선택하였다. 제주를 다스리던 왕 '성주星主'는 하늘의 질서를 땅에 실현시키는 존재이다. 수많은 천체에서 서서히 북두칠성이 부각되는 이유는 해와 달의 상위에 북극성이 있고 그 주변에 북두칠성이 있었기 때문일 것이다. 이제 북두칠성은 천문학이 아니라 지문학地文學이고 인문학이게 되었다. 하늘의 질서를 땅 위에 실현시키고 그 질서를 인간이 수행하는 단계에서 칠성신앙이 존재하게 되었다고 본다. 그리고 하늘과 땅과 인간을 결합시키고 다스리는 성주星主가 존재하게 되었을 것이다.

나주의 금성산과 나주의 곡식과 뱀 신앙의 상관관계는 기록으로 확인할 수 없으나 뱃사람들의 신앙이나 곡식 창고 신앙 형태와 연관시켜 볼 수도 있다. 그러나 뱀 신앙은 원래 제주에도 있었다. 원시적이고 고대적인 사유체계가 고스란히 남아 있는 제주의 신화 체계를 통해서 충분히 인지할 수 있다. 그런데 기존의 뱀 신앙에 새로운 뱀 신앙이 덧보태진다는 생각을 하게 된 것은 부군신과 칠성신에 대한 해명 때문이다. 그 시기는 서두에서 밝힌 것처럼 19세기 후반 송대장의 이야기와 연관될 수도 있고, 18세기 후반 기민창과 금성산 신앙의 충격일 수도 있다.

앞의 『오주연문장전산고』에서 부군당에 송 각시를 위해 남근을 모셨다고 했는데, 부군당의 각사各司 신당에 가장 모셔진 신이 최영장군과 송씨부인이다. 서울지역 부군당의 주신인 부군이 대개 내외로 등장하고 있고, 내외인 경우 그 부인이 송씨부인으로 알려져 있는 사실을 주목할 필요가 있다.[61] 그런데 우연치 않게도 제주도 신당 중에 제주시 쪽 신당에는 유별나게 '송씨할망'이 많다. 금성, 봉성, 상가, 소길, 수산, 어음, 유수암, 하귀, 중엄, 구엄, 신엄 등 제주시 서쪽 해안 신당에 집중적으로 나타난다. 이것이 부군당의 영향이 아니었을까 추측하게 하는 대목이다. 또 있다. 〈칠성본풀이〉에서 뱀신을 자기 집안으로 모셔 조상신으로 받들고 있는 주인공이 송대장부인이다. 진성기의 책에서는 '송대감칩 어멍' 혹은 '송대감 부인'[62]으로 나타난다. 뱀 신앙과 부군당 신앙이 결합해 가는 과정이 엿보인다.

> 나는 인간에 북두칠성으로 들어상근 맹(命)과 복을 제기곡(지녀 주고) 애기 번성 시기곡(시켜
>
> 주고) 가지전답 유기제물 물 무쉬 쇠무쉬 오곡번성 육국 버려 인간에 상을 받으마.[63]

• • •

61 오문선, 앞의 논문, 2009, 44쪽.

62 진성기, 앞의 책, 1991, 153~154쪽.

딸들이 좌정하고 마지막으로 어머니가 고방庫房으로 좌정하면서 자신은 위와 같은 역할을 하겠다고 한다. 명과 복을 주는 본래 칠성신의 직능과 오곡과 마소가 번성하는 풍요신으로서의 직능을 가지면서 인간에게 위함을 받겠다고 선언한다. 이렇게 칠성신과 뱀신의 기능이 하나로 엮어나가는 것은 후대의 일이었다. 풍요를 관장하는 뱀신이자 명과 복을 관장하는 칠성신이 되었다는 것은, 뱀신이 칠성신의 권위를 빌려와 일반신으로 퍼져가게 되고 제주도 전도의 위함을 받는 신이 되었다는 의미다.

칠성은 제각기 흩어져 막내는 밧칠성, 어머니는 안칠성으로 각각 좌정하여 곡물을 지켜 사람들을 부자가 되게 해 주는 신이 되었다. 집안을 일으키는 조상신의 단계에서 얻은 역할이다. 칠성은 그 신앙 범위를 넓혀 마을이 숭앙하는 신격이 되어 본향신의 단계에까지 이르게 되었다. 일곱 자매의 나머지는 추수지기, 형방지기, 옥지기, 과원지기, 창고지기, 관청지기로 각각 좌정하여 관부官府의 부군당신이 되었다. 그 뒤로 칠성은 제주도에서 너나없이 모시는 부군칠성신이 되었다. 명과 복도 챙겨 주는 칠성신, 관청과 건물과 창고를 지켜주는 부군신, 집안의 곡식을 지키고 풍요를 가져다주는 뱀신의 세 기능을 모두 지니게 되었다. 그래서 부군칠성富君七星이기도 하고 부군칠성府君七星이기도 한 신앙체계가 만들어졌다.

도교의 칠성신, 인간의 수명을 관장하고 명과 복을 기원하는 대상으로서의 칠성신은 언제부터인가 사찰의 칠성각에 모셔지기도 했다. 칠성신은 민간신앙으로 자리 잡았다가, 뱀신과 결합되기도 했다. 제주에서는 칠성신이 관청을 관장하는 신이기도 했다. 뱀신앙은 근대 서구사상이 유입된 이후 사악한 존재처럼 여겨지면서 배제의 대상이 되었다. 미신타파의 직접적 대상이 되면서 크게 위축되었다. 뱀신을 모시는 여드렛당 계열의 시조인 토산당도 마찬가지로 자신의 정체성을 숨기려고 애쓴다. 마을 사람들도 토산兎山은 토끼가 뛰노는 곳이니 뱀 대신에 토끼를 마을의 상징물로 삼아야 한다고 생각한다. 그러면서 제주 속에서는 뱀신앙이 마을에서, 집안의 주저리에서 사

<hr />

63 진성기, 앞의 책, 1991, 161쪽. '육국 버려'는 '육축(育畜) 번성'의 의미일 것으로 보인다.

라지게 되었다. 신앙은 이처럼 시대의 조류에 맞춰 요동치는 것이다. 그래서 사라진 것과 남은 것, 새로 끌어들인 것이 혼재하기 마련이다.

11.
사냥의 신 - 서귀본향당본풀이

- ·
- ·
- ·

1. 서

〈서귀본향당본풀이〉는 그 이름이 미미하게 전하여져
오고 있을 뿐, 그 실체가 온전히 알려지지 않았다. 제주의 당신본풀이를 본다면 송당
계와 한라산계가 크게 부각되고 있으며, 예례계와 금악계가 알려져 있다. 반면 〈서귀
본향당본풀이〉 계열(이라 서귀계)의 본풀이는 그 원형의 특성에 대해 본격적으로 주목한
것은 1980년대 김화경의 논문이고, 그 후 강권용과 강정식의 당신앙 연구가 있었을
때 언급된 바 있다. 집중적인 관심은 최근 김헌선과 권태효에 의해 이루어졌다.

본 논문은 이런 최근 관심에 힘입은 바 크다. 그런
데 서귀계의 다양한 특성을 채 다루지 않고 있어 이를
총체적으로 조명할 필요를 느꼈다. 우선 일반신본풀이
〈천지왕본풀이〉나 큰굿의 초감제에서 구연되는 '천지
개벽' 신화소가 당신본풀이에서 발견된다는 점이다.
전체 제차에서 보면 '천지개벽'의 신화소는 신기할 것
이 없다. 굿의 서두에는 늘 '베포도업'이 있기 때문이
다. 그러나 당신본풀이 그 어디에도 이런 신화소는 보
이지 않는다. 아울러 조동일 교수가 주목했듯이 사냥

서귀본향당 ⓒ 국립민속박물관

의 신이 등장하는 신화는 드문데 이 서귀계가 오래된 신화소를 지니고 있다는 점이
다. 가장 오래된 사냥법인 '뽕개질'이 등장하는 점도 신선하기 그지없다.

다음으로는 뽕개질을 하거나 활을 쏘아 각자 살 곳을 정하는 신화소는 탐라국 건국
신화에 나오는 것인데, 서귀계가 이런 귀중한 신화소를 간직하고 있다는 점은 놀랍다.
또한 신앙민이 자신들이 모시게 된 신의 형상을 멋지게 그려내면서 찬양하고 찬미하
는 대목에서, 표현의 아름다움 또한 간직하고 있다는 점은 무가의 표본이 됨직하다.
그런 점 때문에 서귀계 신화소를 깊이 들여다보고 해석을 가해 보고자 했다. 물론 이
외에 남녀신의 결합, 자매신의 갈등, 구상나무 화소 등도 다루어야 하지만 그것들은
어느 정도 다루어진 바 있어 이번 고찰에서는 생략한다. 구상나무는 경우에 따라 '상
나무' 즉 향나무이고 그것이 신을 초빙하는 매개체가 되는 것은 아닌가 하는 추측도
드는데 다음 논문의 과제로 삼고자 한다.

서귀포는 제주시를 중심으로 보면 한라산 반대편에 있는 오지다. 서귀포는 고려시
대부터 내내 후풍처 또는 방호소로서 역할을 해 온 곳이다. 고려시대까지 홍로현에
소속되었다가 조선 초 정의현에 소속되었고, 방호소에 성을 설치한 후로 서귀진 역할
을 하였다. 서귀진은 처음에 홍로내烘爐川 위에 있었는데 나중에 정방폭포 근처로 옮
겼다. 여기서 오래 전부터 사용한 '홍로'에 주목할 필요가 있다. 지금 쓰는 지명인 동
홍과 서홍이 모두 홍로에서 온 것이다. 〈서귀본향당본풀이〉는 서귀리의 본향당본풀
이이지만, 동홍동과 서홍동이 모두 이 계열의 본풀이다.

『태종실록』(15세기) 『신증동국여지승람』(16세기) 『탐라지』(17세기) 『증보탐라지』(18세기)
등에 '홍로洪爐'로 적혀 있었다. 동홍동은 일찍부터 '홍로' 또는 '홍리'로 부르다가 한
자 차용 표기로 '홍로洪爐', '홍로烘爐'라 하였다. 그러다가 동쪽지역을 '동홍리' '동홍로'
로 부르다가 나중에는 '로'를 생략하고 '홍烘'으로 굳어져 '동홍東烘'이라 하였다. 마찬
가지로 서쪽지역을 '서홍'이라 하였다.[1] 동홍과 서홍은 신들의 갈등과 별거로 인해 나

· · ·

[1] 오창명, 『제주도 마을이름의 종합적 연구』 II - 서귀포시편, 제주대학교출판부, 2007, 770~799쪽.

뉘어졌다고 하지만 애초에는 행정상 하나의 지역으로 인식되었다. 홍로현에서는 동홍과 서홍과 서귀가 중심지 역할을 했고 서로 인접하여 있음을 알 수 있다. 홍로라는 지명은 그 후 지역민들에게 오래 남아 있었다. 동홍과 서홍이 당 신앙에서는 별개이지만 본풀이 차원에서는 같은 뿌리임을 실감한다.

〈서귀본향당본풀이〉계열의 신화는 다음과 같다.

1. 서귀본향당본푸리, 박봉춘 구연, 1902년생, 1930년대 구연, 1937년 수록.

2. 서귀본향①, 박생옥 구연, 1905년생, 56세 구연(1960년), 1991년 수록.

3. 서귀본향②, 김홍 구연, 1894년생, 70세 구연(1963년), 1991년 수록.

4. 서홍리본향, 김영식 구연, 1901년생, 58세 구연(1958년), 1991년 수록.

5. 홍로본향①, 박생옥 구연, 1905년생, 56세 구연(1960년), 1991년 수록.

6. 홍로본향②, 김화춘 구연, 1911년생, 56세 구연(1966년), 1991년 수록.

7. 西歸·東烘본향당, 박기석 구연, 1909년생, ? , 1980년 수록.

1은 『조선무속의 연구』 상이고, 2-6은 『제주도무가본풀이사전』이고, 7은 『제주도무속자료사전』이 출전이다. 김기형 교수는 박생옥의 호적을 들어 1908년생이라 했고, 박기석을 두고 1910년생이라 했다.[2] 이를 따르면 본풀이 서귀본향①, 홍로본향① 구술 시기가 1963년일 수도 있다. 박봉춘 본을 제외한 대부분의 본풀이가 1960년대 전후에 채록된 것으로 보인다.

• • •

2 김기형, 「서귀포 심방 박봉춘의 가계와 무업 활동」, 『한국무속학』 31집, 한국무속학회, 2015, 41쪽.

2. 서귀본향당본풀이의
자료 개관

한라산계의 지류에 해당하는 서귀본향당본풀이의 내용도 흥미로운 점이 많다. 서귀본향당본풀이와 비슷한 내용의 본풀이가 'ᄇᆞ름웃도'와 '지산국'이 좌정한 서귀본향당뿐만 아니라 고산국이 좌정한 서홍본향당에서도 전승된다. 즉 서귀동, 동홍동, 서홍동의 세 지역이 관련 있다. 진성기의 『제주도무가본풀이사전』에 실린 자료를 바탕으로 정리해 보기로 한다.

여기 제시하는 자료 구연자 박봉춘(1902년 생)은 서귀리에 거주하였으나 예촌 심방이었고 박생옥(1908년 생)은 부친 박순홍의 대를 이어 서귀리 본향당 매인심방으로 활동했다고 한다. 박봉춘과 박생옥은 먼 친척 관계였다. 현용준 선생이 채록한 본풀이 구송자인 박기석(1910년 생)은 박봉춘의 5촌 조카다. 강정 심방 박남하(1922년 생)도 5촌 조카라고 한다.[3] 자료를 살펴보면 박봉춘 심방도 〈서귀본향본풀이〉와 〈토산당본풀이〉를 구송하고 있는데, 박생옥도 〈서귀본향〉〈홍로본향〉〈웃당본〉〈알당본〉 등 서귀와 토산 두 군데를 구송하는 것이어서 우연 치곤 흥미롭다.

서귀본향본푸리(박봉춘본)

1) 탐라 출신 바람운이 미색을 갖춘 고산국과 혼인하였다.

2) 바람운이 언니보다 더 미인인 지산국과 제주도로 도피한다.

3) 언니 고산국이 쫓아오자 지산국이 안개도술을 피워 찾을 수 없게 만든다.

4) 고산국의 하소연을 듣고 바람운이 나뭇가지를 꺾어 절벽에 찔으니 닭이 되어 울게 되니 밤이 새고 천지를 분간하게 되었다.

5) 고산국은 동생과 바람운을 비난하면서 고향에 돌아가지 못하겠다고 하며 떠난다.

3 　김기형, 위의 논문, 40~44쪽. 현재 서귀본향당을 지키고 있는 박정석(1944년 생)은 늦게 심방이 되었는데, 그의 신아버지는 박남하였다. 그렇지만 박남하로부터 말미를 받은 것은 아니고, 서홍리 김영식 심방 등 제주 전역에서 수집한 자료를 바탕으로 자신이 말미를 정립했다고 한다.

6) 둘은 백록담 근처를 돌아다니다가 나침판을 놓아 살오름에 좌정하게 되었다.

7) 김봉태가 사냥복장에 사냥개를 데리고 사냥을 오다가 둘을 만났다.

8) 둘은 인간 차지 왔다고 하고 태운 인간이니 인도하라고 김봉태에 명하였다.

9) 상하서귀 김봉태 집에 갔다가 여러 곳을 거쳐 고산국과 만나고 화해를 청한다.

10) 뽕개를 날려 고산국은 서홍리를 차지하고, 둘은 상하서귀로 좌정한다.[4]

서귀본향(박생옥본)

1) 바람운과 고산국 부인이 혼인하였다.

2) 고산국이 박색이고 처제가 미인이어서 처제와 함께 제주도로 피난을 왔다.

3) 한라산에 들어오니 천지가 깜깜하여 동서남북을 구분할 수 없는 상황이 되었다.

4) 고산국 동생인 지산국은 구상나무로 닭을 만들어 세상이 밝아지게 하였다.

5) 바람운이 활을 쏘고 지산국은 뽕개질을 하여 쌀오름에 올랐다.

6) 사냥꾼인 김봉태가 자기 집으로 두 신을 모셔 갔다.

7) 집이 부정하다고 하여 먹구들로, 다시 가시머리 외돌로 옮겨 좌정하였다.

8) 이때 고산국이 활을 준비하여 둘의 뒤를 쫓아 왔다.

9) 고산국이 둘을 차마 죽일 수 없어 땅을 갈라 살자고 제안하였다.

10) 고산국은 서홍리에, 바람운과 지산국은 서귀리에 분거하게 되었다.[5]

서홍리본향(김영식본)

1) 바람웃도가 중국에 갔다가 예쁜 처녀를 보고 주인에게 딸을 달라고 졸랐다.

2) 바람웃도는 고산국과 혼인하였는데 박색이었고, 자신이 보았던 여인이 아니었다.

3) 동생이 있다는 것을 알고 기회를 엿보아 제주도로 도망 오게 되었다.

4) 고산국이 활을 들고 축지법으로 둘의 뒤를 쫓아왔다.

• • •

4   아카마츠 · 아키바, 심우성 역, 『조선 무속의 연구』 상, 동문선, 1991, 355~371쪽.
5   진성기, 『제주도무가본풀이사전』, 민속원, 1991, 497~499쪽.

5) 바람웃도는 풍운조화를 부려 천지가 깜깜하게 만들었다.

6) 고산국은 구상나무로 닭을 만들어 세상이 밝아지게 하였다.

7) 둘의 정체가 드러나고 고산국에 살려달라고 빌어 죽일 수 없었다.

8) 고산국이 쌀오름에 오르고 바람웃도와 동생도 좌우에 앉게 했다.

9) 사냥꾼인 김봉태에게 좌정처를 찾아내라고 명령했다.

10) 고산국은 가시머리 외돌에서 좌우를 살펴보고 땅을 갈라 살자고 명령하였다.

11) 고산국은 서홍리를, 바람웃도는 하서귀를 차지했다.

12) 동생은 지씨로 성을 바꾸게 한 후 동홍리를 차지하게 해 주었다.[6]

이 자료 이외에 김홍본 '서귀본향'이 있으나 내용이 단편적이고, 김기생본 '서귀본향'도 있으나 고산국과 지산국이 박색이고 예쁜 사정만 전한다. 박생옥본 '홍로본향①'은 앞의 '서귀본향'과 내용이 거의 같다. 김화춘본 '홍로본향②'는 앞의 '서홍리본향'과 내용이 거의 같다. 김화춘은 서홍리 심방이어서 동홍리의 당본풀이를 풀었지만 실은 서홍리 당본풀이를 푼 셈이다. 장주근 선생 채록의 '서귀리 본향본풀이'도 박생옥이 푼 것이어서 앞의 것과 대동소이하다. 고산국과 일문관 바람웃도의 출자처로 나오는 '홍토나라 홍토천리 비오나라 비오천리'는 큰 의미가 없다. 중문 강정리 강정본향의 신도 '홍토나라 홍토천리 비우나라 비우천리'[7]가 출자처여서 여기저기 관용구로 가져다 쓴 것에 불과하다.

서홍과 동홍(서귀) 본풀이는 큰 차이를 보이면서도 하나이다. 서귀본향에서는 지산국의 능력이 강조되는 반면 고산국의 역할은 미미하게 그려진다. 서홍리본향에서는 고산국의 능력이 크게 강조되고, 바람웃도와 지산국은 고산국의 명령에 절절 매는 형국이다. 물론 바람웃도가 안개를 피우고 풍우조화를 일으키기는 하지만 고산국의 대응에는 속수무책이었다. 신들의 능력차를 제외하면 출자처와 좌정처가 동일하고 사건 전개방식도 같다.

• • •

6   위의 책, 501~506쪽.
7   위의 책, 518쪽.

서귀본향당본풀이는 당신본풀이 가운데 비교적 풍부한 서사를 간직하고 있는 편이다. 남녀의 애정관계가 주요 내용을 이룰 뿐만 아니라 그 애정관계가 서로 다른 마을을 차지하여 좌정하게 만든 요인이라는 점도 흥미롭다. 또한 서귀본향당본풀이에는 古形의 화소도 일부 드러나 있다는 점에서 의의가 있다. 예를 들어 바람웃도와 동생이 도망가고 그 뒤를 고산국이 추격하여 서로 대결하는 과정에서 천지가 어둡고 암흑으로 둘러싸이자 한라산의 구상나무를 꺾어 절벽에 꽂으니 닭의 형상이 생기고 이어 울음 소리가 나면서 세상이 밝아졌다는 내용이 나타나는 것이다. 천지창조의 화소와 흡사한 요소라고 할 수 있다. 또한 돌을 묶어 뿡개질을 하여 떨어진 곳에 좌정처를 정하는 모습도 원시적 수렵생활을 유추할 수 있는 화소이다.

한편 당의 본풀이가 인근 마을의 사회문화적 배경을 담고 있는 점도 소중하다. 해당 마을의 역사적 경험들이 본풀이에 반영되었기 때문이다. 서귀본향당본풀이에서 고산국은 바람웃도와 지산국과 갈등하고 대립하는 존재이다. 본풀이에서 신들이 땅과 물을 서로 갈랐기 때문에 이들 신이 각각 좌정한 서홍동과 우알서귀(동홍동과 서귀동) 마을은 서로 교류와 통혼을 하지 않는다고 한다.[8] 당본풀이의 형성이 각 마을이 자리한 자연적 배경, 풍토, 생업과 생활문화 양상 등과 밀접한 관련이 있다는 점이 드러난다.

3. 서귀본향당본풀이의 중요 신화소

1) 천지개벽

<table>
<tr><td>할로영산에 들어완 보니</td><td>한라영산에 들어와 보니</td></tr>
</table>

• • •

8 여러 지역 주민들에게 양 마을 간의 대립·갈등의 원인이나 제반관계를 금기시하게 되는 이유를 물었을 때, 노소의 차이에 따라 좀 다르게 나타나기도 한다. 노년층 주민들은 堂神들끼리의 갈등·대립 때문이라고 해석하고, 연소층의 사람들은 그런 말을 들었을 뿐이라고 말하거나, 별로 대립되는 감정을 느낄 수 없다고 한다(고광민, 「당본풀이에 나타난 갈등과 대립」, 『탐라문화』 2, 제주대학교 탐라문화연구소, 1983, 21~22쪽).

천지가 캉큼ᄒ니	천지가 캄캄하니
하늘과 땅이 와와ᄒ고	하늘과 땅이 컴컴하고
동서남북을 ᄀᆸ가를 수가 읏습네다.	동서남북을 구분할 수가 없습니다.
구상낭을 꺾어	구상나무를 꺾어
치하설백에 꼬조완 시니	층하절벽에 꽂아놓고 있으니
천앙둑은 목을 꺾으고	천왕닭이 목을 꺾고
지앙둑은 ᄂᆞ갤 벌기고	지왕닭이 날개를 벌리고
계명둑 소리가 나고	계명닭 소리가 나고
시상이 붉아집내다.	세상이 밝아집니다.[9]

바람운이 한라영산에 들어가 보니, 천지가 캄캄해졌다고 한 데서는 천지개벽이 시작되는 광경이 묘사되어 있다. 어두워서 동서남북을 분간할 수 없다가, '천왕닭'과 '지왕닭'이 울어서 세상이 밝아졌다고 하는 것은 새 역사의 시작이다. "고산국 아시, 체아지망은 피란을 온지우젠 고가 성을 지가로 변경을 ᄒ고" 한라산에 들어와 보니 천지가 캄캄하여 동서남북을 구분할 수가 없었고, 구상나무를 꺾어 절벽에 꽂아두니 천왕닭과 지왕닭이 목을 꺾고 날개를 두드리며 꼬끼오 소리를 내니 세상이 밝아졌다고 한다. 암흑천지를 개명시킨 주체는 고산국의 아우인 지산국이다. 이처럼 '서귀본향'에서는 지산국의 능력이 강조되고 있다. 그런데 다음의 '서홍리본향'에서는 천지개벽의 주체가 고산국이다.

일문관 ᄇᆞ름웃드는	일무관 바람웃도는
제주는 뭔 제주를	재주는 무슨 재주를
ᄀᆞ졌는가?	가졌는가.

• • •

9 위의 책, 497쪽.

풍원조애를 불리고	풍운조화를 부리고
동서남북이 쿰쿰ᄒ고	동서남북이 캄캄하고
안개가 찌고	안개가 끼고
비가 오고	비가 오고
ᄒ난	하니까
뒤에 심으레 좇아온 부인은	나중에 잡으려고 쫓아온 부인은
동서남북을 몰르난	동서남북을 모르니까
무르디뎌 앚안 보난	그 자리에 버티어 앉아서 보니까
칭암설백 에염일	층암절벽 곁에를
오라졌구나	와버렸구나.
배심심ᄒ연	심심하여서
보젠치 아녀연	일부러 보려고 아니하고서
칭암설백 중칭데레	층암절벽 중턱에로
ᄇ레여보난	쳐다보니까
죽은 구상낭이 이섰구나	죽은 구상나무가 있었구나.
둗둗이 보난	자세히 보니까
서늉이 된남이로구나	형용이 단단한 나무로구나.
이젠 일어산에	이제는 일어서서
그 남을 끗어내연	그 나무를 끌어내어서
석은 걸 털어불런 보난	썩은 것을 털어버리고 보니까
배만 남은 게	배만 남은 것이
어떵사 둑 모양이 되엿구나	어떻게 닭 모양이 되었구나.
이젠 체얌이 시여난	이제 처음에 있었던
원중치기에 곷다 놓난	원 자리에 가져다 놓으니까
ᄌ축 야삼은 되여가난	子표 야삼경이 되어 가니까
목을 들러 울고	목을 들어 울고

늘갤 뜨리고 소릴 쳤다	날개를 치고 소리쳤다.
그 소릴 치는 ㅂ 름엔	그 소리를 치는 바람에
도실안개가 걷어젼	짙은 안개가 걷혀져서
정신을 출련 보난	정신을 차려 보니
저 끝댕이에 둘이가	저 끝에 둘이
앚았구나	앉아 있구나.

〈서홍리본향당본풀이〉에서 바람웃도와 지산국이 몰래 제주도로 도망가자 고산국이 둘의 뒤를 좇아가서 결국 둘을 찾아낸 장면이다. 고산국이 둘(바람웃도와 지산국)에게 화살을 쏘아 응징하려고 하자 둘은 살려달라고 빌게 되고, 고산국은 남편인데 죽일 수가 없다고 하면서 용서한다. 그 대신 함께 살 수 없으니 땅과 물을 가르자고 하고 분거하게 된다. 천지를 혼돈의 상태로 바꾸는 바람웃도의 풍운조화 능력도 대단하지만 그 혼돈의 어둠을 깨트리고 천지를 개명시키는 고산국의 능력은 압권이다. 각 이본별로, 풍운조화를 부린 주체(가)와 컴컴해진 세상을 밝게 만든 주체(나)를 나누어 살펴보면 다음과 같다.

〈박봉춘본〉

(가) 도술에 능한 동생이 안개를 피워 칠흑 같은 밤을 만드니

(나) 고산국은 안개를 거두어 달라고 하자, 바람운이 나무로 닭을 만들어 울게 되니 어둠이

　　가심

〈김영식본〉

(가) 일문관 바람웃도는 풍운조화를 일으키니

(나) 고산국이 구상나무로 닭을 만들어 울게 하니 안개가 걷힘

〈박생옥본〉

(가) 한라산에 와 보니 천지가 본디 깜깜하더니

(나) 고산국 아시 체아지망(지산국)이 구상나무로 닭을 만들어 울게 하니 세상이 밝아짐

본디 세상이 캄캄하던 상황이라고 한 것도 있고, 지산국 혹은 일문관 바람웃도가 풍운조화를 일으켜 캄캄해졌다고도 한다. 그 혼돈의 세상을 바람운이 해결했다고도 하고, 고산국이 해결했다고도 하고, 지산국인 경우도 있어 셋이 모두 대단한 능력의 소유자다. 그런데 이 세상이 컴컴하다는 것은 우주의 혼돈 상황을 의미하고, 하늘 닭이 울어 혼돈이 사라지고 세상이 밝아졌다는 것은 우주가 밝아졌다는 창세創世를 의미한다.

천앙둑은 목을 꺾으고	천왕닭은 목을 꺽고
지앙둑은 늘갤 벌기고	지왕닭은 날개를 벌리고
계명둑 소리가 나고	鷄鳴(開明) 닭 소리가 나고
시상이 붉아집네다	세상이 밝아집니다.
	진성기, 서귀본향, 박생옥본

천왕둑은 목을 들러	천왕닭은 목을 들어
지왕둑은 늘갤 치와	지왕닭은 날개를 치고
인왕둑 촐릴 칠 때	인왕닭은 꼬리를 칠 때
갑을동방 늬엄들러	甲乙東方 잇몸 들어
먼동 금동이 터올때	먼동이 트고 밝아올 때
동성게문이 도업으로 제이르자	東星開門 도업으로 제이르자.
	현용준, 초감제, 안사인본

　천지혼합이 되어 있을 때, 하늘과 땅이 떡징처럼 벌어지고 하늘에서 청이슬이 내리고 땅에서 흑이슬, 중앙에서 황이슬이 내려 합수되어 만물이 생긴다. 이어서 천지인의 닭이 울어 세상이 밝아졌다는 '베포도업침'의 장면이 나온다. 이 장면과 〈서귀본향〉의 세상이 밝아지는 장면이 거의 유사하다. 그러므로 '서귀본향'과 '서홍리본향' 등 〈서귀본향당본풀이〉 계열의 신화 속에는 천지개벽의 사유가 남아 있다. 애초에 당본풀이에 있던 천지개벽의 이야기는 후에 일반신본풀이로 확장된 것이 아닐까 하는

추정을 가능케 한다. 고산국이나 지산국이란 인격신이 어둠을 밝혔다고 하니 자연히 어둠에서 밝아졌다고 하는 비인격신적 전개보다 앞선 형태일 것으로 보인다.[10]

서귀포를 에워싼 한라산과 자연의 '베포'가 제주도 전역의 '베포'로 바뀌고, 서귀포의 도업이 제주도 전역의 도업으로 확장된 것이 제주도 굿의 서두를 장식하는 초감제의 '베포도업'이 아닐까. 〈서귀본향당본풀이〉 계열의 신화는 한국 신화의 신비를 풀 열쇠 역할을 할 것이다.

제주도 할라산으로	제주도 한라산으로
피란을 오라	피난을 와서
물장오리 오백장군을	물장오리 오백장군을
구경ᄒ단 보난	구경하다 보니
밤이 어두원 와왁ᄒ난	밤이 어두워 컴컴하니까
이젠 심심ᄒ난	이제는 심심하니
구상낭 가질 꺾언	구상나무 가지를 꺾어서
설벡에 줍견 나두난	절벽에 끼워서 놓아두니까
천하득이 되연	天下 닭이 되어
동성개문 율료	동성개문(東城開門) 열려
ᄂ료ᄉ난	내려서니까
	진성기, 서귀본향2, 김홍본

서귀본향하집이 제주도 한라산으로 피난을 오다가 물장오리와 한라산을 구경하다

· · ·

10 그러나 이 문제를 신중을 기할 필요가 있다. 신앙서사시가 창세서사시보다 앞설 것이라는 추정은 신령서사시의 출현과정에서 신앙서사시가 앞선다는 일반론에 기인하는데 아직은 조심스럽다. 그래서 조동일 교수도 〈서귀본향당본풀이〉 같은 신앙서사시와 〈천지왕본풀이〉 같은 창세서사시는 사건 설정이나 전개방식이 아주 달라, 창작한 집단이 서로 달랐다고 보는 편이 자연스럽다고 했다. 선후문제도 애매하다는 입장이다(『동아시아구비서사시의 양상과 변천』, 문학과지성사, 1997, 56쪽).

보니 밤이 되었고, 심심해서 구상나무로 만든 닭이 울자 아침이 밝아왔다는 내용이다. 천하가 혼돈의 어둠으로 있다가 천왕닭이 울어 천지가 개벽한 '태초의 아침'에 대한 신화가 있다가 시간이 흐르면서 그 신성성이 약화되고 '일상적인 하루의 아침'이 오는 이야기가 되고 말았다. 이처럼 신화는 역사의 흐름과 함께 풍화작용을 일으키는 것임을 알 수 있다. 한 지역의 당본풀이도 지역의 특성에 맞게 신성성이 약화되는 변화를 겪었을 텐데 '천지개벽'의 화소를 아직도 간직하고 있다는 것은 기적적이라 하겠다.

2) 뽕개질과 사냥의 신

ㅂ람운님이	바람운님이
화살 둥갤 해서	화살 두 개로
활을 쏘와	활을 쏘아
솔오음 상봉오지로 지고	살오름의 상봉에 떨어지고
부인은 뽕개를 치니	부인은 뽕개를 치니
솔오름 동산에 간	살오름 동산에 가
지였습니다	떨어졌습니다.
	진성기, 서귀본향, 박생옥본

'바람운'은 바람웃도의 다른 이름이다. 바람웃도는 바람을 잘 활용하는 사냥의 신이다. 바람이 짐승 쪽에서 사람 쪽으로 불어와야 사냥을 할 수 있고, 사람 쪽에서 짐승 쪽으로 불면 짐승이 사람의 냄새를 맡고 도망가므로 사냥을 할 수 없어, 바람과 사냥은 밀접한 관계를 가진다. 이 본풀이의 주인공은 그 이름에서 바람의 신임을 알 수 있을 따름이고, 바람의 신으로 활약하는 것은 아니다. 아무도 없는 한라산에 올라가서 사냥을 개척한 신으로 소개되고 있다. 활을 쏘고 뽕개를 치는 것은 사냥하는 행위이기 때문이다.[11] 한라산에 와서 바람운이 화살을 쏘고, 그 부인이 뽕개를 친 결과 화살과 돌이 쌀오름에 떨어졌다. 한라산에서 쌀오름까지는 바람운과 지산국의 사냥 반

경이기도 하고 산 아래 쪽으로 좌정하는 과정이기도 하다. 거기서 가죽옷 복장을 하고 사냥개를 데리고 온 김봉태라는 사냥꾼을 만나게 된다. 사냥꾼은 바람운과 지산국을 사냥의 신으로 모시고 자기 집으로 가는 과정이 전개된다.

짐봉태 할으방은	김봉태 할아버지는
산달피 감퇴에	山獺皮 감투에
지달피 웃통에	地獺皮 웃도리에
목 좁은 약돌기에	목 좁은 도시락통에
청삽사리 흑삽사리	靑삽살개 黑삽살개
늬눈이 목동견 거느리고	네 눈의 牧童犬을 거느리고
…	…
이젠 짐봉태 그 신위를	이젠 김봉태가 그 神位를
모시고 느려오란	모시고 내려와서
좌정을 ᄒ니	坐定을 하니
	진성기, 서귀본향, 박생옥본

짐봉태라는 인간이로다	김봉태라는 인간이로다
뭣ᄒ레 갔던고	무엇하러 갔던가
사농을 갔구나	사냥을 갔구나
사농가던 짐봉태는	사냥 가던 김봉태는
고산국의 맹녕을 받고	고산국의 명령을 받고
제 오는냥만 왐시민	제 오는 양만 오고 있으면
인간처를 ᄎ자 드리겠습네다.	인간 거처를 찾아 드리겠습니다.

• • •

11 조동일, 앞의 책, 1997, 54~55쪽.

고산국은 짐봉태 가는냥만	고산국은 김봉태 가는 대로만
조롬에를 종갔다	뒤에를 좇았다.

진성기, 서홍리본향, 김영식본

　지달피와 산달피는 다른 본풀이에서도 등장한다. "지달피 알통에 산달피 웃통에 무우나무 잘리에 주석이 단개에 반동개 칼을 둘러차고 관사농을 나가서 굴미굴산 노주방산 올라사 노리 사슴 대강록 소강녹 맞쳐서 혈을 **빠서** 자시고(지다리 가죽바지에 산달피 저고리에 흑산호나무 칼자루에 주석으로 만든 동개에 반 토막의 칼을 둘러차고 밤 사냥 나가서 깊고 큰 산 올라가 노루와 사슴 대소각록 쏘아 피를 **빼서** 자시고)"[12]에서 보듯이 산달피와 지달피 차림에, 동개(화살통)와 칼을 차고 사냥에 오르는 모습이 유사하다. 물론 '네눈이 반둥개'를 데리고 한라산에 오르는 장면도 도처에 보인다.[13] 한라산 근처 중산간 지역의 당본풀이에는 아직도 사냥꾼의 모습을 형상화한 신화는 자주 보인다. 그런데 한라산신이건 바람신이건 신의 모습이 구체적으로 형상화된 경우는 별로 없다. "봉태 하르방 봉태 할망 지리산쟁이청(길이 바른 총을 가진 사냥꾼) 산신이 여들애"[14]라고 하여 사냥꾼이 활 대신 총을 가진 것으로 형상화되기도 하는데 이 사냥꾼이 산신과 관련을 맺는다. 오직 〈서귀본향당본풀이〉 계열에서만 두드러지게 나타나고, 사냥의 가장 원시적인 방법인 '뿡개질'이 나타난다.

　사냥꾼과 사냥의 신의 만남, 인간과 신의 관계를 이렇게 이야기하고 사냥감을 늘리기 위해 신을 섬기던 시기의 관심사를 남기고 있다. 그런 서사시가 아직까지 전해지는 것은 기적 같은 일이다.[15] 신과 단골의 만남도 있어서 단골에 의해서 신이 어떻게

• • •

12　장주근, 『제주도 무속과 서사무가』, 역락, 2001, 218쪽. '평대리 본향본풀이'
13　"네눈이 반둥갱이 거느려 하로 하로산이 올라가"(장주근, 위의 책, 212쪽); "늬눈이 반둘개 청 삽살이 거느려 울미굴산 올라"(산신본, 진성기, 앞의 책, 650쪽); "늬눈이반둥개 마사소총 거느려"(ㄱ다싯당, 진성기, 앞의 책, 345쪽); "늬눈이반둥개 거느려 질이바른 마세총 귀약통납늘개 거느려"(고평본향, 진성기, 앞의 책, 366쪽); "늬눈이반둥개에 오를 목 ㄴ릴 목을 짓누비명"(회천본향, 진성기, 앞의 책, 339쪽).
14　장주근, 위의 책, 238쪽. 박생옥 구술본. "봉태 할으방 봉태 할망 산신 요드레"(진성기, 위의 책, 499쪽) 역시 박생옥 구술본이다.

숭앙되고 좌정하게 되는가 알 수 있는 당본풀이다. 신들이 만나서 사연을 이루고 인간을 만나서 좌정하는 점은 다른 당본풀이에서도 흔하게 발견되지 않는 신화소이다.[16] 둘이 산에 올라가, 바람운은 활을 쏘고, 부인은 돌멩이를 끈에다 묶어서 돌리다가 던지는 '뿡개'를 쳤다는 것은 사냥하는 행위이고, 사냥법을 인간에게 알려줘 많은 사냥감을 잡을 수 있도록 해주었다는 의미와 연관된다.

'서귀본향'은 박생옥이 56세 때 구송한 것이니 1960년(혹은 1963년)의 일이다. 장주근 선생이 채록한 〈서귀포 본향본풀이〉는 박생옥이 63세에 구송한 것이니 1967년(혹은 1970년)의 일인데, 조금씩 다르다. 화살을 두 개 쏜 것이 아니라 '동개'(화살을 담는 동개)로 되어 있고, 짐봉태도 김봉태로 되어 있고, 지달피를 지다리(두더쥐) 가죽으로 해석하고 있다.[17] 진성기는 뿡개를 '돌멩이를 끈에 묶어 돌리다가 띄워 던지는 것을 말함'이라 했고, 장주근은 뿡개를 '석전용石戰用 투석投石에 쓰는 노끈으로 꼬아 만든 도구'라 했다. 현용준은 뿡개질을 '한발쯤 된 노끈을 접어 겹친 새에 돌을 접히고 노끈 끝을 쥐어 돌리다 돌을 날려 보내는 일'이라고 했다. 이 뿡개질이 바로 무릿매sling이다. 끈에 돌을 넣어 돌림으로써 얻어지는 원심력으로 멀리 날려 보내 타격을 입히는 원거리 무기이다. 이 원격사냥은 인간 문명사에 매우 중요한 의미를 지닌다.

고산국은 활을 쏘와	고산국은 활을 쏘아
지경을 갈르며는	지경을 가르면
남펜 갈 디가 엇구나.	남편 갈 데가 없구나.
대막댕이에 돌을 잽져	대막대기에 돌을 끼워
뿡개로 후리니	무릿매로 띄우니
돌이 흑담으로 간 졌구나.	돌이 흙담으로 가 떨어졌구나.

진성기, 서홍리본향, 김영식본

• • •
15 조동일, 앞의 책, 56쪽.
16 김헌선, 「제주도 당본풀이의 계보 구성과 지역적 정체성 연구」, 『비교민속학』 29집, 비교민속학회, 2005, 268쪽.
17 장주근, 앞의 책, 237쪽.

고산국은 활을 쏴	고산국은 활을 쏘아
지경을 갈르며는	지경을 가르면
남펜 갈 디가 엇일로구나.	남편 갈 데가 없겠구나.
대막뎅이에 돌을 줍전	대막대기에 돌을 끼워
뿡게로 후리니	무릿매로 띄우니
돌이 흑탕으로 간 졌수다.	돌이 흙담으로 가 떨어졌습니다.
	진성기, 홍로본향2, 김화춘본

　여기서는 '뿡개질'이 조금 다르다. 막대기에 돌을 끼우고 휘둘러 띄워 던지고 있다. 이 외에 뿡개질과 관련한 본풀이는 별로 보이지 않는다. "노리촐릴 심엉 뿡개치곡(노루 꼬리 잡아서 내휘두르고)"[18]라는 구절이 있는데 이것은 뛰어난 능력을 보이는 조상의 모습을 형상화하는 부분이다. 뿡개질은 돌팔매질 다음으로 인간이 구상한 사냥법이다. 원격사냥의 맨 처음은 평범한 돌을 던지는 것이었다. 나중에 우리 조상은 창을 던졌다. 그 후 투창발사기를 사용하기 시작하며 속도가 향상되어 큰 동물을 사냥할 수 있었다.[19] 돌 던지기와 창던지기의 사이에 무릿매가 있다. 칼과 창과 활을 쓰기 이전의 오래 된 사냥법이 제주 〈서귀본향당본풀이〉 계열에 남아 있다. 식량을 찾는 데 쓰이는 도구를 생계물이라 하는데, 자연물과 인공물이 있고, 인공물에는 창이나 활과 같은 도구와 돌살과 그물과과 같은 시설물이 있다.[20] 자연물은 가공되지 않은 돌이나 나무를 의미하는데, 뿡개질(무릿매)은 자연물에 매우 간결한 인공을 가한 자연물과 인공물의 중간 지점에 있다.

• • •

18　영아릿부씨조상본, 진성기, 앞의 책, 695쪽.
19　윌리엄 어빈, 전대호 옮김, 『아하, 세상을 바꾸는 통찰의 순간들』, 까치글방, 2015, 312쪽. 원격사냥이 발전하여 원격살해의 총과 대포가, 그리고 최근에는 대륙간 탄도 미사일이 발명되었다. 돌 던지기에서 원격살해의 무기가 등장한 이 변모과정 속에 인류의 역사가 담겨 있다. 단순히 먹는 욕망을 채우는 단계에서 자기 것을 지키고 남의 것을 빼앗는 전쟁의 역사까지 진전되었으니, 첫 원격사냥의 도구인 '뿡개질'은 문명을 반성하는 분기점이 될 수 있다.
20　로버트 켈리, 성춘택 옮김, 『수렵채집 사회』, 사회평론아카데미, 2014, 248쪽.

〈서귀본향당본풀이〉는 신령서사시이고 사냥의 신에 대한 신앙서사시이다. 단순한 수렵민의 서사시여서 "더욱 복잡한 설정을 갖춘 창세서사시나 영웅서사시보다 먼저 등장한 서사시"[21]였다고 본다. 서귀본향당본풀이에서 사냥꾼이 섬기는 사냥의 신의 내력을 노래한다. 늙은 아내를 버리고 젊은 첩과 함께 한라산에 나타나 성행위를 하고, 그 장면을 목격한 사냥꾼에게 자기를 섬기면 짐승을 많이 잡을 수 있다고 한다. 세계 전체에서 볼 때에도 아주 이른 시기에 이루어진 원시서사시의 드문 자료여서 아주 소중하다.[22]

지산국 부인님은
뿅개를 치니
연뒤동산으로 오란 떨어지고
다시 고산국 부인님은
뿅개를 치니
흑담으로 오란 떨어집네다.

지산국 부인님은
무릿매질을 하니
연대 동산으로 와 떨어지고
다시 고산국 부인님은
무릿매질을 하니
흙담으로 와 떨어집니다.
진성기, 서귀본향, 박생옥본

큰부인이 성식을 내며 뿅개질을 ᄒ니 홍리(烘里) 안까름(內洞) 흑담에 지고, 비씨영감(卑氏令監)은 뿅개질을 ᄒ니 민섬(蚊島) 한도에 가 집데.
큰 부인이 화를 내며 무릿매질을 하니 홍리(烘里) 안마을 흙담에 떨어지고, 비씨영감 무릿매질를 하니 문섬(蚊島)의 한도라는 곳에 가 떨어집니다.　　　　현용준, 西歸·東烘 本鄕堂, 박기석본

그런데 이제 '뿅개질'은 사냥하는 행위만은 아니다. 활을 쏘는 행위와 함께 땅을 나누는 방식이 되있나. 활을 쏘아 화살이 떨어진 곳이거나 뿅개질을 하여 돌멩이가 떨어진 곳이 좌정처가 된다. 활을 쏘거나 뿅개질은 더 이상 사냥의 행위를 상징하지 않

• • •
21 조동일, 앞의 책, 1997, 56쪽.
22 조동일, 『세계·지방화 시대의 한국학』 2, 계명대학교 출판부, 2005, 244쪽.

고 인연 있는 땅을 찾아 이동하고 정주하는 과정과 관련을 맺게 된다. 더구나 서로 원수지간이 되어버린 고산국과 지산국(혹은 고산국과 바람운)은 땅을 갈라 살아야 하는 상황이다. 그래서 고산국은 물이 풍부한 논농사가 잘 되는 서홍리를 차지하고, 바람운은 건조한 상·하서귀를 차지하여 밭농사를 위주로 하게 되었다고 하면서, "바람운은 산신에서 농경신으로 변모"했다고 해석한 바도 있다.[23] 그러나 30년대 아카마츠·아키바의 채록에 의하면 "수심방 김수련의 사제에 의하여, 본향당에 진좌되어 있는 본향대신대부 二祖의 신, 실은 바람인 남신, 비와 안개의 여신을 제사지냄과 동시에"[24]라 했듯이 바람의 신이며 사냥의 신으로 사유되었을 것으로 보인다. 이본에 따라 바람운은 안개와 비를 부리는 데에서 기후신적 성격이, 고산국은 달리기와 활쏘기에 능한 모습을 보여 수렵신적 면모가 돋보인다[25]는 견해도 주목할 만하다.

시간이 흐르면 수렵민이 계속 수렵채취로 남아 있는 경우는 드물다. 농경문화가 들어와 식량을 저장할 수 있게 되고 식량자원의 밀도가 높게 되면 수렵채취인이 이동을 멈추고 정주하게 된다.[26] 제주 고산리 신석기 유적은 한국에서 가장 이른 시기의 신석기 유적으로 1만 년 전 것으로 알려졌다. 제주에서는 일찍 농경이 시작되었던 것으로 보이는데, 이동하는 수렵민은 거의 토기를 만들지 않으며, 그 대신 무언가를 끓여야 할 경우 가죽을 단단히 꿰매고 송진을 입힌 바구니에 뜨거운 돌을 넣는 방식을 취한다.[27] 토기의 출현은 이미 사냥의 시대가 끝났음을 알려주는 징표. 생업이 바뀌어도 부분적으로 수렵하는 문화가 남아 있다면 수렵의 신과 신화도 남게 된다. 동절기와 농한기의 사냥은 그들에게 경제적으로 큰 의미를 지닌다. 하지만 신의 이동을 통해 서서히 농경민이 되어가는 흔적도 남겨 놓았다. 수렵을 중시하는 문화가 남고, 수렵의 신과 신앙을 남겨 놓았다는 것은 매우 중요하고 오래 된 신화가 제주에 남아 있다

• • •

23 문무병, 『제주도 본향당 신앙과 본풀이』, 민속원, 2008, 117~127쪽.
24 아카마츠·아키바, 앞의 책, 1991, 386쪽.
25 신동흔, 『살아있는 한국신화』(개정판), 한겨레출판, 2014, 350쪽.
26 로버트 켈리, 앞의 책, 2014, 215~217쪽.
27 위의 책, 256쪽.

는 증거여서, 서귀본향당본풀이에 주목하게 된다.

신들의 별거는 제주도 당본풀이의 보편적 신화소다. 부부신이 식성의 갈등으로 '땅 가르고 물 갈라 분산'하게 된다. 송당계 신화에서는 대개 남신은 사냥을 하는 신으로 육식신肉食神, 여신은 농사를 짓고자 하는 미식신米食神으로 나온다. 일부에서는 여신이 돼지고기 육식으로 금기를 어겨 분산하게 되었다고도 한다. 그래서 마을의 경계가 나뉘고 두 개의 신앙권으로 분리된다.

그런데 〈서귀본향당본풀이〉 계열은 식성갈등에 의한 분산이 아니라 부부의 별거가 처첩의 갈등에서 비롯된다. 남신이 본부인을 버리고 여동생을 택하게 되자 분노하고 죽이려 하다가 결국 남신과의 별거를 결정하게 된다. "암만 열 백 번 생각을 ᄒ여도 당신ᄒ고 살 수가 엇이매 부배간 정이랑 둬도 내 손에 밥은 다 자샀소. ᄒ니, 뜨로 갈라 살자."[28]라고 본부인 고산국이 선언하고 땅과 물과 인간을 가르게 된다. 그 법으로 서홍리와 동홍리·서귀리는 지금도 혼사를 하지 않고, 하여도 잘 되는 법이 없다는 후일담까지 본풀이에 담겨 있다. 제주도 신화에서는 부부가 식성갈등으로 분거한 후에 남신이 첩을 두는 것이 보편적인데, 여기서는 처첩갈등으로 분거가 이루어진다.

바람운은 사냥의 신으로 수렵을 위주로 하는 신이라면, 고산국은 농경신으로 볼 수 있다. 그 때문에 부부의 정은 그대로 두되 갈라설 수밖에 없었던 것은 아닐까.[29] 부부의 갈등이 식성갈등은 아니지만 생업生業 갈등일 수 있는 단서도 있다고 하겠다. 사냥의 신이 육식을 한 처를 내쫓는 경우를 보면 사냥의 신이 바로 육식 신이라 단정할 수는 없다. 그러나 사냥의 신이 육식을 한 처를 내쫓는 처사는 이해할 수 없고, 육식신이 아닌 미식신인 점도 난해한 국면이다. 당신본풀이가 역사적 시간의 경과와 함께 변모하면서 사냥의 신이 '육식신'으로서의 직능에서 빗어난 것 같은데 대단한 모순을

• • •

28 진성기, 앞의 책, 504쪽. '서홍리본향'
29 김화경은 이른 시기의 논문에서 바람운을 風神으로 보고, "원래 풍신은 바다를 생활의 근거지로 하는 어로 생활의 신이었다. 그것이 생산형태의 변천과 더불어 농경사회에서도 중요한 역할을 수행"하게 되었다고 보았다(김화경, 「서귀포 본향당 본풀이의 구조분석」, 『구비문학』 5, 한국정신문화연구원 어문연구실, 1981, 41쪽). 바람의 신이 바다와 깊은 관계를 지니는 것은 사실이다. 그런데 한라산과 뽕개질과 활과 사냥꾼 김봉태를 엮어 생각하면 애초 바람운은 사냥의 신이었다. 어업 혹은 농업과 연관되는 역할을 수행하였다는 견해는 많은 문제점을 안고 있다.

저지르고 있다. 향후 풀어야 할 본풀이의 난제다.

 그러나 본질은 처첩갈등임에는 변함이 없다. 그러나 단순하지 않다. 고산국과 지산국의 관계를 본다면 원래 형이 차지해야 할 것을 동생이 부정한 방법으로 빼앗는 형태로, 이 점 또한 〈천지왕본풀이〉와 〈서귀본향당본풀이〉 계열은 일치하는 양상이다. 〈천지왕본풀이〉에서 형이 차지할 이승세계를 위계로 동생이 차지하게 되는 상황과 유사한 점을 느낄 수가 있고 아울러 이승과 저승이 분할되는 양상도 흡사하다.[30] 다음 장에 살피게 될 화소가 활을 쏘아 살 곳을 정하는 과정인데, '천 근 활과 백 근 화살'을 든 모습은 〈천지왕본풀이〉의 대별왕과 소별왕을 연상시킨다. 고산국이 '천 근 무쇠 활과 백 근 화살'을 둘러메고 지산국을 찾아나서는 과정에서는 더욱 닮아 있다. 당본풀이가 창세신화인 〈천지왕본풀이〉와 유사한 구조와 양상을 보이는 점은 지속적으로 더 고찰해야 할 부분이라 하겠다.

3) 사시복지射矢卜地

 사시복지射矢卜地는 '활을 쏘아 살 곳을 점친다.'는 탐라국 건국신화의 구절이다. 고 양 부 3신이 각자 살 곳을 정하기 위해 활을 쏘아, 1도 2도 3도에 분거하게 되었다고 한다. 1도 2도 3도는 제주시의 지명일 수 있고 혹은 제주목과 대정과 정의 세 곳을 의미한다고 볼 수도 있다. 활을 쏘아 살 곳을 정하는 화소는 서귀포 쪽 본향당본풀이에 산견된다.

할로영주산	한라 영주산
씰거릿낭 된밭디서	아카시아나무 된 밭에서

• • •

30 권태효, 『한국신화의 재발견』, 새문사, 2014, 125쪽. 앞에서 '어둠 또는 혼돈으로부터 세상이 밝아오도록 하는 신화소'가 제시되었는데, 그것과 아울러 〈천지왕본풀이〉와 유사한 점이 여럿 발견되는 점을 통해서, 일반신본풀이와 당신본풀이의 상관성을 깊이 인식할 수 있게 하였다.

아홉성제 솟아났수다.

이 아홉성제가

을축 삼월 대보름날

천근활에 백근쌀을 슢퍼

흔날 흔시에

산 앞데레 쌀을 쏘우니

상가지는 눈미로 가

쌀이 지니

제석천황 하로백관으로

가 좌정ᄒ고

둘체는 난미 제석천황으로

가고

시체는 동홍리 지산국으로

가고

늬체는 서홍리

고산국으로 가고

이젠 성제가 바둑으로

성 아실 굴리고

할루산에 올라가 활을 쏘니

성이 손 쌀은

예촌당에 간 지고

아시 쏜 쌀은

조녹일 간 지였수다.

아홉 형제가 솟아났습니다.

이 아홉 형제가

을축 삼월 대보름날

천근 활에 백근 화살을 메워

한날 한시에

산 앞으로 화살을 쏘니

첫째는 눈미(와산리)로 가서

화살이 떨어지니

제석천황 한라 백관(百官)으로

가서 좌정(坐定)하고

둘째는 성산면 난산리 제석천황으로

가고

셋째는 동홍리 지산국으로

가고

넷째는 서홍리

고산국으로 가고

진성기, 대포본향, 강계월본

아홉 형제가 바둑으로

형과 아우를 가리고

한라산에 올라기 훨을 쏘니

형이 쏜 화살은

예촌의 신당에 가서 떨어지고

아우가 쏜 화살은

조녹이에 가서 떨어졌습니다.

진성기, 토평본향1, 이봉천본

서귀포 쪽의 한라산계 〈중문본향당본풀이〉라 하더라도 "한로 영산 삼신산 섯어깨 소못된 밭 을축 삼월 대보름날 아홉성제가 솟아나고 신거리 된 밭도 위位도 가르고 좌座 가르고 큰 성님은 수산"[31]라고 하여, '위位도 가르고 좌座 가르고'로 간결하게 9형 제의 분거를 구송하고 있다. 여타의 색달리, 열리 등 한라산계에서도 대체 유사하다. 그런데 다른 것이 있다. "할ᄅ 영주산 섯어깨 안 '소못뒈ᇇ밧'디서 솟아나고 '칠거리뒈ᇇ밧' 디서 가지 갈라갔젠 ᄒᆞ주게. 어떤 사름은 화살인가 시여네 화살 신 거 떨어지느냥 가지 갈라갔젠 해도, 그것이 아니라서."[32] 활을 쏘아 떨어진 곳으로 분거하였다고 한 근거를 제시하고 이어 신빙성이 없다고 부정하는 내용도 있다. 이처럼 활을 쏘아 분거하는 구송은 드문 편이다.

강계월본 '대포본향'에는 9형제 중에서 셋째와 넷째에 동홍리 지산국과 서홍리 고산국이 있어 주목을 요한다. 그런데 남제주군의 '중문본향당'을 비롯한 호근, 예촌, 수산, 색달의 아홉 형제 구성은 대부분 비슷하지만 강계월본은 예외적이다. 그래서 김헌선 선생도 지산국과 고산국의 계보 편입이 본질적인 것인가 의문이 든다고 했다.[33] 강정식 선생은 〈중문본향당본풀이〉는 신의 계보상 한라산계, 서사유형상으로는 송당계에 속하는 자료이고, 김명선본을 택한다면 더욱 문제가 된다고 지적했다.[34]

그러나 화살을 쏘아 분거하였다는 점에서는 삼성신화와 비견된다고 하겠다. '광정당본풀이'에서는 삼성신화에서 고을나, 양을라, 부을라 3형제가 활을 쏘아서 경계를

• • •

31 장주근, 앞의 책, 239쪽. '중문리 본향본풀이.' 진성기의 『제주도무가본풀이사전』에서도 중문면 색달리 한집본의 경우, "한집님이 할로영산 섯어깨로 아홉성제 솟아나니 신거리된밧으로 좌정해서 아홉성제가 우갈르고 좌갈르자"(522쪽)라고 하여 '위와 좌를 나누는' 내용이다.

32 문무병, 『제주도 당신앙 연구』, 제주대학교 박사학위논문, 1993, 276쪽. '중문당본풀이(1)' 1985년 김명선 심방의 구송이다.

33 김헌선, 앞의 논문, 258쪽. 그는 송당본풀이, 여드렛당본풀이, 동홍리당본풀이, 중문리당본풀이, 광정당본풀이 등 다섯 계열로 나누고 있다. 즉 중문리당과 별개의 '동홍리당' 계열로 독립해 독자적인 것으로 보고 있다.

34 강정식, 「제주도 당본풀이의 계보 구성과 지역적 정체성 연구에 대한 토론」, 『비교민속학』 29집, 비교민속학회, 283쪽. 그는 아래의 〈광정당본풀이〉는 신의 계보상으로는 송당계, 서사유형상으로는 한라산계에 속하는 자료로, 산남에서 전승되는 자료로는 유일한 송당계 계보라는 점에서 대표성을 지니기 어렵다고 지적했다. 아울러 〈서귀포본향당본풀이〉는 계보상 한라산계이나 서사유형상으로는 한라산계와 유사성이 없어, 특수한 자료에 해당하다고 지적하면서 대표성을 지니기 어려운 한계를 논하고 있다(283~284쪽).

구분했듯이 3형제가 각기 활을 쏘아서 정의와 대정과 목안牧內의 경계를 가른다. 그래서 큰 형님은 목안 광양당에 좌정하고, 둘째는 정의 서낭당에 좌정하고, 셋째는 대정 광정당에 좌정하여 각기 목안, 대정, 정의를 차지한다.[35] '토평본향1'에서 형제가 바둑으로 형과 동생의 순서를 정한 후에, 형과 동생이 활을 쏘아 예촌당과 조녹잇당으로 분거하였다는 것도 3형제의 분거와 상통한다. 삼성신화의 원형이 남제주군 지역에 여럿 남아 있는 셈이다.

嘆曰 我天帝之孫 河伯之甥 今避難至此……以弓打水 魚鼈浮出成橋 朱蒙乃得渡 (東明王篇)

松讓以王累稱天孫 內自懷疑 欲試其才 乃曰願與王射矢 (東明王篇)

주몽이 천황皇天과 후토后土에게 빌고 활로 강물을 쳐서 고기와 자라가 다리를 만들도록 한 것과, 송양과의 대결에서 활로서 승부하여 승리한 점, 이 두 화소는 주몽이 '하늘의 뜻을 묻고 활로써 그 능력을 인정받음'이라는 공통된 의미가 담겨 있다. 특히 뒤의 화소는 '천손으로서의 권능'을 인정받고 더불어 고구려의 소유권을 인정받는다는 내용이다. 탐라국 건국신화의 '사시복지射矢卜地'의 의미를 주몽신화와의 비교를 통해 살핀다면, 활을 쏘아 하늘의 뜻을 묻고 거주지를 정한다는 내용으로 볼 수 있다. 즉 '활로써 하늘의 뜻을 묻고 그 소유권을 인정받는다.'는 의미라 여겨진다.[36]

활을 쏘아 사냥을 하던 바람운이, 활을 쏘아 살 곳을 정한다는 문맥은 탐라국 건국신화의 3신인이 가죽옷을 입고 사냥을 하다가 활을 쏘아 살 곳을 정한다는 신화소와 매우 닮아 있다. 서귀본향을 비롯한 서귀포 몇 곳에만 오래된 신화소가 남아 있다는 것은 주목할 만한 부분이다.

• • •

35 현용준, 『제주도무속자료사전』(개정판), 각, 2007, 658~659쪽. '광정당'
36 허남춘, 「삼성신화의 신화학적 고찰」, 『탐라문화』 14호, 제주대학교 탐라문화연구소, 1994, 145쪽.

4) 신들의 위엄

ᄇᆞ람운님은	바람운님은
남방ᄉᆞ주 합바지에	藍紡紗紬 핫바지에
붕애바지 저고리에	붕어바지 저고리에
머리올려 감상퉁	머리 올려 신의 상투
무낭동곳 질르고	산호 동곳 찌르고
백낭보선	白낭버선
구만리 박단이	九萬里처럼 긴 박다위(멜빵)
벌통행경 둘러치고	벌집처럼 구멍 뚫린 행전
황망긴 황갓	큰 망건과 큰 갓
산쇠틸 흑도벌립	生牛毛 黑벙거지
은문다단 안을 받쳐	雲紋大緞 안을 받쳐
중앙서 둘립 밀화 궁덕짓	朱紅紗 돌립 蜜花 孔雀 깃
대공당 불림친	大貢緞 바람에 날리는 끈
소공단 죄움친	小貢緞 졸이는 갓끈
남비단 섭수	藍緋緞 夾袖
남수아지 퉁전대	藍水禾紬 通纏帶[37]

바람운 신의 형상인데, 비단으로 만든 바지 저고리에 멋진 상투에 보석 동곳을 꽂고, 망건과 갓을 쓰고 비단으로 만든 여러 가지 장식을 달아놓은 모습이 예사롭지 않다. 바람운의 앞에는 지산국의 형상도 있는데 명주 바지에 홑단치마와 구슬 저고리를 입은 아름다운 모습과 잘 어울리는 모습이다. 좋은 비단으로 장식한 남녀신의 휘황한

• • •

37 진성기, 앞의 책, 498~499쪽.

모습은 당골과 심방의 신에 대한 찬사일 것이다.

여기에는 바람운의 옷단장 및 활로 삼천군병을 다스리는 바람운의 위엄을 내보이고 모습을 잘 묘사하고 있다. 〈서귀본향당본풀이〉 계열은 이렇게 섬기는 당신들에 대한 화려하고 위엄 있는 모습을 묘사함으로써 신을 숭앙하는 당신본풀이로서의 가치를 확보하고 있는 것이다.[38]

찬신讚神의 절차에는 위엄 있고 아름다운 신의 외모, 호화찬란한 옷과 치장, 탁월한 위력과 공덕 등이 주된 찬양의 대상이 된다고 한다.[39] 이 찬신의 절차는 오신娛神의 한 방법이기도 하다고 하며, 다음의 예를 들었다. 서울 지역 열두거리굿 〈창부거리〉에 나오는 광대치장 대목이다.

> 광대 치장이야 없을손야
>
> 절구통 바지, 골통행전, 고양나이 속버선에
>
> 몽기 삼싱 것버선에 아미 탑골 밋투리에
>
> 장창 밧고 굽창 밧고, 매부리 징에 잣징 박고
>
> 어-르 망건 당사 쯴에
>
> 엽낭 차고 상낭 차고
>
> 메고 나니 검낭이요, 차고 나니 상낭이라[40]

---

38 권태효, 앞의 책, 121쪽

39 박성신・김헌선, 「무가의 이해」, 『한국 구비문학의 이해』, 월인, 2000, 310쪽.

40 아카마츠・아키바, 앞의 책, 111~112쪽. 위와 유사한 외모 묘사가 잡가 '토기화상'에 전한다.
텬하명산 승디간에 경기 보든 눈 그리고
앵무공작이 지져울 제 소릐 듯던 귀 그리고
봉닉 방장 운무 중에 닉 잘 맛든 코 그리고
란초 지초 온갓 화초 솟 싸먹든 입 그리고
만화방창 화림 중에 펄펄뛰든 발 그리고
듸한 엄동 설한 중에 방풍ㅎ든 털 그리고
좌편에는 청산이요 우편은 록슈로다(정재호, 『한국잡가전집』 2권, 계명문화사, 1984, 176쪽).

여기에서는 대체로 옷과 치장이 열거되는데 바지, 행전, 버선, 망건, 갓끈 등의 치장이 앞의 바람운의 모습과 흡사하다. 무가에서는 청배의 절차에서 신의 내력이 강화되어 나타나기 때문에 그 치장 부분이 소략화되어 나타나는 편인데, 여기 본풀이의 치장 묘사는 매우 상세한 편이다. 〈고려 처용가〉에서는 청배의 절차에서 신의 내력이 소략화된 반면, 찬신의 절차 서술이 강화됐기 때문에, 처용의 위용과 치장 서술이 특별히 강조되었다. 〈고려 처용가〉에서는 머리에서 발끝까지 찬찬히, 세밀하게, 그리고 화려하게 묘사되어 그 모습에 대한 경탄이 절로 나온다. 고려 처용가 전체 노랫말의 반을 차지하는 이 부분은 무가 중 찬신의 백미라고 할 수 있고, 또한 예술미가 두드러진 표현이라 하겠다. '서귀본향'의 뒷부분에서 34행에 걸쳐 이루어지는 지산국과 일문관에 대한 형상 묘사 부분도 서사무가 중에서는 찬신의 백미로 일컬어질 만하다. 〈서귀본향당본풀이〉 계열은 신의 좌정 경위에서 신의 직능, 신들의 갈등과 화해, 신의 위엄과 신앙의 신성함까지 두루 갖춘 드문 신화 본풀이라 하겠다.

4. 결

〈서귀본향당본풀이〉 계열의 신화는 매우 특별한데도 지금까지 이렇다 할 조명을 받지 못하였다. 이 신화 본풀이에는 몇 가지 두드러진 특성이 있다고 하겠다. 첫째, 바람운과 지산국이 제주도 한라산으로 오게 되는 과정에서 전개되는 암흑의 세상과 어둠을 몰아내고 천지를 개명시키는 전개는 예사롭지 않다. 이는 〈천지왕본풀이〉의 천지개벽을 연상시킨다. 이처럼 〈서귀본향당본풀이〉 신화에는 원시적 신령서사시로서의 면모가 내장되어 있다.

둘째, 다른 본풀이에서는 좀처럼 보이지 않는 구체적 사냥의 방법이 드러나고 있다는 점이다. 물론 중산간 지역의 산신신앙과 연관된 지역에서도 사냥꾼과 사냥의 신이 등장하고 있지만 '뿡개질'과 같은 구체적인 사냥법이 나타나지는 않는다. 뿡개질은 칼과 활로 사냥하기 이전의 원시적 사냥법으로 신화 속에는 거의 등장하지 않는 문맥으로 희소성을 인정할 만하다. 사냥의 신과 김봉태란 당골이 맺는 관계 속에 수렵민의 신앙체계가 세계 어느 곳에서도 보이지 않는 신화의 면모라 하겠다. 가히 세계적인 신화라고 인정할 만하다.

셋째, 활을 쏘아 좌정할 땅을 정하는 방식은 이 본풀이가 한라산계이지만 송당계와 연관을 맺고 있다는 증거이고, 특히 탐라국 건국신화에서 3신인이 활을 쏘아 주거지를 정하는 신화소의 원형질에 해당한다고 하겠다. 송당계 본풀이에서 해결할 수 없었던 실마리를 여기 〈서귀본향당본풀이〉 계열에서 찾을 수 있었다.

넷째, 신이 다른 지역에서 옮겨오는 과정과 신들의 갈등과 화해, 신과 신앙민의 계약과정 뒤에 덧붙은 신들의 형상은 이 본풀이가 신앙서사시임을 더욱 견고히 해주고 있다. 머리에서 발끝까지 만인이 우러를 형상을 묘사함으로써 신의 위엄을 더해주고 있기 때문이다. 신의 아름답고 화려하고 탁월한 형상은 문학적 형상미를 더해주어 〈서귀본향당본풀이〉 신화가 종교와 문학을 겸비한 신앙서사시라는 위상을 더욱 굳건히 하고 있다.

단골네 신앙민

무속의례 제상 공시상과 보답상

　우리가 알다시피 제주도 본풀이는 소멸해 가고 있다. 심방도 사라지고 있다. 물론 신앙민도 60~70세여서 신앙체계도 곧 허물어지고 말 것이다. 근대화 60년 동안 무속을 미신으로 폄하하는 교육이 학교에서 계속되었던 점을 우선 반성해야 한다. 불교와 기독교를 고등종교라 명명하고 무속을 원시신앙으로 폐기처분해야 우리의 삶이 진보할 수 있다는 식으로 계몽했던 우리 시대의 관행을 반성해야 한다. 새마을운동의 이름으로 굿과 무당을 핍박하고 무구巫具를 압수하고 압살했던 공권력을 다시금 비판해야 한다.

　죽어가는 모습을 보고서야 전통문화로 인정하고 무형문화재로 보존정책을 펴는 것은 분노할 일이지만, 그래도 수긍하고 다음 진전된 정책을 함께 모색해야 한다. 제주 칠머리당영등굿은 세계무형문화유산으로 지정되어 그나마 다행이지만 제주큰굿은 제

굿판과 아이들

주무형문화재로 지정되어 있지만 예능보유자를 지정받지 못하고 있는 실정이다. 여기 서귀본향당과 〈서귀본향당본풀이〉는 매우 값진 자취와 이야기를 담고 있지만 아무런 주목도 받지 못했다. 중앙으로부터 제주가 소외되었듯이 제주도 안에서는 서귀포가 소외지역이 되었다. 이제 지역 속의 지역으로 눈을 돌려 지역문화를 돌봐야 한다. 이 귀중한 지역문화를 돌보아노 그 신앙이 되살아날 가망은 없다. 제주학에 대한 관심은 살아나고 있지만 진정 제주학을 정립하는 데에는 소홀하다. 소중한 신화를 오래 기억할 사람들도 사라져 간다. 그렇다 하더라도 천지창조와 원시 사냥법의 신비를 그대로 갖춘 〈서귀본향당본풀이〉 계열의 신화가 우리 시대에 다시 주목받고 옛 사람들의 삶과 사유에 대한 탐구가 부활하길 기대해 본다.

12 .

바다의 신 - 제주 해양신화

- •
- •
- •

1. 바다를 건너 온
신

한국 신화를 보면 대개 하늘에서 인간세계에 하강한 내용이다. 한반도 남부에서는 알로 태어나 바다를 건너온 신의 이야기가 일부 보인다. 제주도에는 땅에서 솟아난 신과 함께 바다를 건너온 신이 대등하게 나타난다. 남신이 땅에서 솟아났다면 여신은 바다를 건너온 신인 경우가 많다. 바다 저편 땅에서 솟아난 후 바다를 건너 제주에 온 신도 있다. 한반도가 대륙문화적 속성이 강하다면 제주는 해양문화적 속성이 강하다.

제주의 해양문화라고 하면 남방 문화적 속성만 있는 것은 아니다. 제주 해역 주변이 모두 영향을 주는 곳이고, 그래서 쿠로시오 해류를 통한 문화적 교류도 있지만 한반도의 문화적 영향이 크고 중국과 일본의 영향도 있다. 모든 문화는 교류로 빚어진다. 제주는 해양 교류를 통해 문화가 형성되었고 신화도 예외는 아니다. 그래서 신화를 들여다보면 다양한 문화적 속성뿐만 아니라 사회 역사적 측면까지도 엿볼 수 있다. 이 장에서는 신화 속에 내장된 해양문화를 살피려 하는데, 그것이 대부분 해양 교류를 통해 축적되는 것이어서 교류의 역사성을 별도로 강조하고자 한다.

누군가 밖에서 오면서 문화적 충격이 가해지고 사회는 변하게 마련이다. 4면이 바다인 제주에서는 바다 속 용왕의 딸이 왔다거나 아들이 와서 좌정하였다는 신화가 가장 먼저 떠오른다. 바다 속에서 왔다는 신화 다음에는 바다 저편에서 왔다는 신화가 있을 것이다. 탐라국 건국신화도 토착족이 바다를 건너온 도래족을 만나 이루어졌다. 바다 저편에서 오곡종자를 가져온 선진문화 집단을 만나면서 탐라는 비약적인 발전을 하고 고대국가로 성장하였다. 제주신화에서 주목할 바다 저편은 '강남천자국'이다. 중국은 강남천자국이란 명칭으로 제주신화에 빈번히 등장한다.

육지와의 교류를 빼놓을 수 없다. 이른 시기부터 교류를 이어왔는데, 처음에는 고구려와, 다음에는 백제와 교류를 맺고 오랜 조공관계를 가졌다. 백제가 멸망한 후에는 신라와, 고려 건국 후에는 고려와 관계를 이어왔다. 탐라국이란 독립국가로서 12세기 초까지 교류를 이어오다가 그 이후는 중앙정부의 통치를 받는 지방으로 그 영향 관계를 이어왔다. 긴밀한 관계가 되면서 탐라국 신화도 육지 쪽 천강신화에 동화되고, 고려 건국신화가 군웅본풀이로 남게 된다. 그 이후 다양한 신앙과 신화가 교류하는데 '일반신본풀이'는 한반도의 영향 하에 만들어진 것으로 추정된다.

제주는 한반도의 일부분이지만 동북아시아와 만주에서 비롯된 북방계 문화와 해양으로부터 비롯된 남방계 문화가 만나는 곳이기도 하다. 그래서 독자적인 문화가 형성되는 곳이기도 했다. 시간이 흘러갈수록 한반도의 영향과 지배를 받으면서 점점 한반도의 문화에 동화되어 갔다. 그렇다면 그런 영향이 없던 제주도는 어떤 모습이었을까. 고립의 섬 제주가 탄생하는 과정이 신화 본풀이 속에 남아 있다.

하늘광 땅이 부떳는디 천지개벽홀 때 아미영ᄒ여도(아무리 하여도) 열린 사름이 이실 거라 말이우다 그 열린 사름이 누게기 열곗느나 ᄒ민 아수 키 크고 쎈 사름이 딱 떼어서 하늘을 우테레(위로) 가게 ᄒ고 땅을 밋트로(밑으로) ᄒ여서 ᄒ고 보니 여기 물바다로 살 수가 읊으니 ᄀᆞ드로(가로) 돌아가멍 혹 파 올려서 제주도로 맨들엇다 ᄒ는디 거 다 전설로 ᄒ는 말입쥬.

하늘과 땅이 붙어 있었는데, 천지개벽할 때에 아무래도 열어젖힌 사람이 있을 것이란 말입니다. 그 연 사람이 누군가 하면 아주 키 크고 힘이 센 사람이 (붙은 것을) 딱 떼어서 하늘은 위로 가게 하고 땅은 아래로 가게 하고 보니, 그곳이 물바다로 살 수가 없어서 가장자리로 돌아가면서 흙을 퍼 올려서 제주도를 만들었다고 하는데, 그것이 모두 전설로 하는 말입니다.[1]

키가 크고 힘이 센 사람(설문대할망)이 천지가 붙어 있던 혼돈의 시절에 하늘을 밀어 올리고 땅을 밀어내려 분리시켰다고 한다. 그리고 물바다인 곳에서 흙을 퍼올려 제주 도 섬을 만들었다고 한다. 그 다음에 우리가 익히 알고 있는 치마에 흙을 퍼 담아 한 라산과 오름을 만든 지형형성 이야기가 이어진다. 이 거대한 사람이 어디서 어떻게 왔는지에 대한 언급은 없다. 하늘에서 내려온 것은 아니고, 바다를 건너왔다고 추정 한다. 그 다음 제주의 신들은 대개 땅에서 솟아난다고 했다. 땅은 만물을 산출하는 근 거지이고 어머니의 자궁과 같은 곳이었기 때문에 "유럽과 북미의 초기 창조신화는 최 초의 인간이 식물처럼 대지로부터 솟아올랐다고 상상한다. 최초의 인간은 씨앗과 같 이 지하세계에서 생애를 시작한다."[2] 제주의 3신 탄생신화는 그래서 땅에서 솟아나는 가장 원형적인 형태를 유지하고 있다고 할 수 있다.

탐라국 신화(삼성신화)는 고대국가 형성기의 신화다.[3] 탐라국 건국신화의 모태가 된 것은 '송당본풀이' 계열의 당 신화다. 거기에는 땅에서 솟아난 이야기가 주류를 이룬 다. 탐라국 건국신화에는 땅에서 솟아난 원시적 요소와, 문명을 받아들여 나라를 세 운 고대적 요소가 섞여 있다. 제주의 신화 대부분은 신이 땅에서 솟아난다. '지중용출 地中湧出'은 제주만의 독특한 모티프이고 남방 해양신화와의 영향관계도 일부 내재해 있다.

제주와 달리 한반도 고대국가 건국주의 등장은 대부분 하늘(천상계)에서 내려온다.

. . .

1   『한국구비문학대계』 9-2, 한국정신문화연구원, 1981, 710~714쪽.
2   카렌 암스트롱, 이다희 역, 『신화의 역사』, 문학동네, 2005, 51쪽.
3   천강 화소가 고대국가 건설기 지배자의 신화라 한다면, 제주의 것은 이보다 앞선 시기 농경을 위주로 하는 신석기 의 신화다. 그 원시적 신화 형태가 그대로 고대국가 형성기까지 지속된 것이 탐라국 건국신화다. 반면 다른 지역 에서는 원시적 형태를 부정하고 새로운 세력이 나타나, 지배의 정당성을 주장하기 위해 天降神話를 조작해 냈다 고 하겠다.

부족연맹을 이루고 있던 기존 세력을 진압하여 왕권을 공고히 하려면 하늘의 권위가 필요했다. 그래서 단군신화부터 건국 주인공은 하늘에서 출자出自한다. 『고려사』에 기록된 탐라국 건국신화는 3신인이 땅에서 솟아났다고 서술한 뒤에, '中有絶嶽 降神子三人'이라 하였듯이 산악에 신이 하강한 사유를 담고 있다. 중세 국가의 지배하에 놓이면서 제주신화도 땅에서 솟아난 것에서부터 서서히 하늘에서 내려온 것으로 변천하는 증거다. 중세 지배자 고려의 신화처럼 하늘에서 내려오는 신격의 틀을 모방하고 그 권위를 빌려오는 형식을 취하면서 신화의 후반부가 천강天降의 모티프를 드러낸다.

당신본풀이를 보면 땅에서 솟아나는 것을 위주로 하다가, 바다를 통해 들어오는 신들이 등장하고, 중세에는 하늘에서 내려온 사유를 은근히 덧보탰다. 일반신본풀이에 땅에서 솟아나는 모티프가 보이지 않는 것을 보아서 후대에 만들어지거나 육지에서 유입된 신화일 것으로 보인다. 당신본풀이에는 그 출자 방식이 다양하다.

> 각시당: "옥황상제 말잣딸(末女)"가 천상에서 죄를 지어 "인간에 내려와"(306쪽)
>
> 눈미불돗당: "옥황상제 말잣딸아기 … 귀양정배(定配) 보네니, 노각성즈부줄로 와산(臥山) 당오름 상상봉오지에 ㄴ려왔는디"(312쪽)
>
> 칠머릿당: "도원수 출생(出生)ㅎ시기가 강남천제국(江南天子國) 가달국서 솟아나옵고, 하날은 아바지요 따(地)는 어머니요, 장성(長成)ㅎ니 천하명장(天下名將)이라 … 요왕국(龍王國)에 들어가서 요왕부인(龍王夫人)을 정ㅎ야 제주도(濟州島) 들어와서"(308쪽)
>
> 내왓당: "소천국은 제주절도(濟州絶島) 섬 솟아나고, 소천국 베위(配位)는 강남천즈국(江南天子國) 벡몰레왓(白沙田)디서 솟아난 백주마누라웹데다."(298쪽)
>
> 김녕큰당: "강남천제국(江南天子國) 정즈국 안까름(內洞)서 솟아나신 심형세가 제주 입도(入島)헤야, 큰성님은 ㄱ친관 성송부인 … 중형님은 짐녕 관세전부인 … 족은 아시 열누니 맹호부인"(316쪽)[4]

4 현용준・현승환, 『제주도무가』, 고려대 민족문화연구소, 1996, 298~316쪽.

각시당과 눈미불돗당의 신은 옥황상제의 막내딸인데 하늘에서 죄를 지어 인간 세상에 내려오게 되는데, 불돗당의 신은 '노각성자부줄'이란 하늘과 땅을 연결하는 줄을 타고 내려온다고 한다. 그 줄은 〈천지왕본풀이〉의 대별왕과 소별왕이 타고 오르는 박줄기와 비슷하다. 천지왕처럼 하늘에서 내려오는 당신들은 중세적 분식이 가해진 증거가 아닐까 한다. 칠머리당의 신은 강남천자국에서 솟아났는데, 백만 대병을 거느리고 용왕국에 들어가 용왕부인을 맞이한 후 바다를 건너 제주에 들어와 한라산에 진을 치고 있다가 땅의 기운을 좇아 칠머리에 좌정하였다. 칠머리당영등굿은 유네스코 무형문화유산으로 등재된 바 있는데, 이처럼 제주의 중요한 신들은 강남천자국에서 출자한 것으로 되어 있다. 바다 건너 영웅이 태어난 곳 강남천자국, 그 의미는 뒤에 자세하게 밝히고자 한다.

내왓당은 송당에서 가지 갈라온 당이어서 그 본풀이가 거의 비슷하다. 내왓당의 남신은 제주도 땅에서 솟아났는데, 백주또는 강남천자국에서 솟아난 후 바다를 건너 제주로 도래한다. 여신의 도래는 김녕큰당에도 나타난다. 세 여신은 강남천자국에서 솟아난 후 제주에 왔다고 하는데, 셋째가 열누니(온평리의 옛 이름)의 '멩호부인'이다. 김녕, 조천, 온평이 육지에서 오는 신들이 도래하는 중요 포구임을 알 수 있다. 그 비슷한 이야기가 온평리 당본풀이에도 있는데 그 출자처는 서울로 되어 있다.

신디렛빌레 고장남밧 좌정흔 맹호부인 맹호안전. 산시본산국은 서월 정기땅의서 싀 성제(三兄 弟)가 솟아나니, 게수남배(桂樹木船)를 타고 제주섬 구경오라(구경와) 조천(朝天里)으로 들어오난 (들어오니), 큰 부인은 조천관(朝天館) 정준밧디 정중부인, 셋성님(仲兄)은 짐녕(金寧) 관세전부인, 죡은부인은 맹호부인. …… 낳은 날은 생산 죽은 날은 물고(物故) 호적장적(戶籍帳籍) 추지ᄒ던 본향(本鄕) 한집. 열룬이(溫坪里), 신산이(新山里) 양ᄆᆞ슬(兩里) 추지흔 본향한집[5]

• • •
5   현용준, 『제주도무속자료사전』, 신구문화사, 1980, 688~689쪽.

서울로부터 세 형제가 배를 타고 제주에 들어왔다고 한다. 첫째는 조천 정중부인이고 둘째는 김녕 관세전부인이고 셋째가 바로 온평리 본향당신인 맹호부인이다. 온평리는 바로 탐라건국신화의 세 여신이 도착한 곳으로 구전된다. 온평리 당본풀이의 세 여신과 탐라건국신화의 세 여신은 깊은 상관관계를 갖는다. 바다를 건너는 신들의 이야기는 이처럼 문헌신화에도 자주 등장한다. 탐라건국신화의 3여신은 바다 먼 곳에서부터 출자한다. 그곳은 '벽랑국碧浪國' 혹은 '일본국'이라 한다. 벽랑국은 바다 먼 상상의 땅, 니라이가나이와 같은 해양낙토로 본다. 1년에 한 번 찾아오는 신은 인간에게 불이라거나 생명과 연관된 것을 가져다준다고 여겼고, 그 다음 시기에는 비단, 철, 오곡종자 등 고대문명을 전해 준다고 여겼다. 제주의 민속에도 1년에 한 번 내방하는 영등신이 있다. 바다를 곁에 둔 제주사람들에게 어업과 물질작업은 매우 중요했고, 이와 연관된 영등제는 제주 해양문화를 살피는 데 중요한 신앙이다.

육지의 영등은 하늘에서 내려온다고 여겼는데 반해 제주에서는 바다 저 편 '강남천자국'에서 온다고 여겼다. 영등신은 풍신의 성격이 강하다. 이 신은 풍신의 성격이 강하지만, 바람은 해상어업과 밀접한 관계가 있으므로 어촌의 경우 어업과 관계 깊은 신으로 변모된 듯하다. 그래서 제주도의 경우는 해상안전, 풍어, 해녀 채취물의 증식보호신으로 신앙하게 된 것이다.[7] 영등신은 풍신에서 풍요신격으로 자리를 잡는다. 그런데 이 영등신앙은 바닷가에 널리 분포하는 용왕 신앙과 밀접하다. 영등제는 영등신을 모시는 의례인데, 그 제차를 보면 요왕맞이를 주로 하고 있다. '요왕질침'은 용왕과 영등신이 오는 길을 함께 치워 닦음을 그 사설 내용에서 알 수 있다.[8] 영등굿은 영등신에 대한 제의이면서 용신에 대한 제의를 겸하고 있는데, 영등신이건 용신이건 바다의 풍요신격이기에 혼효되어 버렸다. 제주 칠머리낭영등굿도 그렇다. 본향당굿인데 본향당신인 도원수감찰관과 용왕부인을 모시면서 영등신을 함께 모시고 있다. 영

• • •

6 김진순, 「강원도 민속의 지역적 정체성」, 『비교민속학』 29집, 비교민속학회, 2005.
7 현용준, 『제주도 무속과 그 주변』, 집문당, 2002, 79쪽.
8 위의 책, 69쪽.

등굿의 주요 제차에 용왕맞이를 담고 있기도 하고, 본향당신을 모시는 자리에 영등신이 주요한 신격으로 모셔지니, 그 둘은 바다의 풍요신으로 크게 구별되지 않는다.

이 장에서는 바다의 대표적 신격인 용신을 우선 고찰의 대상으로 삼는다. 용신이 당신과 함께 모셔지는 상황처럼 용신은 일반신본풀이에도 개입하고, 조상신으로도 좌정하고 있다. 그래서 일반신본풀이, 당신본풀이, 조상신본풀이 속에서 어떤 역할을 하며 상호 연관성은 어떤지 살필 것이다.

둘째, 당신본풀이에 보이는 여신들의 도래와 탐라국 건국신화의 삼여신의 도래를 비교하면서 탐라국 형성의 근간을 찾아보고, 탐라국 건국신화와 송당계 당신본풀이와의 연관성도 고찰의 대상으로 삼는다.

셋째, 제주 바다 주변과의 교류가 구체적으로 드러난 신화를 살필 것이다. 강남천자국의 출자를 살피면서 제주인들에게 인식된 중국과 천자국의 의미가 무엇인지 고찰의 대상으로 삼는다. 제주도 본풀이에서 일본은 '주년국'으로 등장하는데, 삼여신의 출차처인 일본과의 교류도 살필 것이다. 마지막으로 육지와의 교류에서 비롯된 신앙과 신화도 살필 것이다. 그런데 이 교류는 오랜 것도 있지만 조선조의 교류가 신화 속에 반영되어 있어 눈길을 끈다. 중세에도 신화가 계속적으로 만들어졌고 그것이 제주도 조상신본풀이로 남아 있다. 이런 후대적 신화도 제시하면서 제주도가 신화의 섬임을 강조하려 한다.

2. 바다를 관장하는
용신

세상은 물과 뭍으로 이루어져 있다. 물이 뭍보다 훨씬 넓지만 사람들이 살아온 바탕은 뭍이다. 뭍이 부족하고 불편할 때 인류는 물로 향했다. 땅은 풍요의 원천 같지만 누군가가 차지하고 지배하는 원천이 되고부터 결핍의 원인이 되기도 했다. 땅이 메마르고 결핍일 때 물의 근원인 바다로 향했다. 풍요를 찾아서 자유를 찾아서 바다로 향했다. 그래서 바다는 유토피아가 되었다. 바다 멀러 어느 곳에서 인간에게 불이 전래되고, 곡식 종자가 전래되고, 그런 귀한 문명을 가져오는 여신의 신화가 배태되었다.

그러나 바다는 두려움의 장소였다. 풍어를 위해서 숱한 고난과 죽음을 감수해야 했다. 바람과 파도와 싸우면서 자연의 위대한 힘에 직면하여 그 초자연적 존재에 경배하게 되었다. 깊은 바다 안쪽에 바다의 모든 것을 주재하는 신이 존재할 것이라는 믿음은 그래서 당연한 것이다. 파도를 안정시키는 것도 바다의 신격에 의해서, 고기를 잘 잡게 해 주는 것도 바다의 신격에 의해 좌우된다고 믿었다. 그 바다의 대표적 신격은 용신 혹은 용왕이다.

그러나 어부의 안전과 풍어를 관장하는 신이 용왕에만 국한되지는 않았다. 바닷가의 당신이 보살피기도 하고 바다 언덕의 산신이 보살피기도 한다고 믿었다. 갯당 할머니이건 산신이건 모두 마을 수호신이고 어부 수호신이 되었다. 그뿐만 아니다. 중세 종교인 불교와 유교가 전래되면서 관음신이 바다의 수호신 역할을 하기도 했고, 중국에서 들어온 마조신이 그 역할을 떠맡기도 하였다. 나라를 구한 위대한 영웅이 어부를 구해주고 어부의 풍요도 관장한다는 믿음이 퍼지면서 임경업 장군과 최영 장군도 어부의 신이 되었다. 중국에서 들어온 신이 어부 수호신으로 좌정하기도 했다. 이처럼 해양신앙은 복잡하게 전개되었다. 바닷사람들의 절박하고 간절한 호소와 기원이 수많은 해양 신을 만들어 냈다.

제주도에서는 용왕굿, 잠수굿에서 용왕은 바다 전체를 관장하는 신이기 때문에 모셔지는 것이 마땅하다. 마찬가지로 무혼굿에서는 익사자가 빠진 바다를 관리하는 직능을 맡은 신이기 때문에 모셔지는 것이다. 용왕을 청하여 익사자의 시체를 가족에게 돌려보내 주도록 기원하는 것이다. 영혼을 선져 올린 뒤에는 다시 시왕을 청하여 영혼을 잘 데려가 주도록 기원한다.[9]

. . .

9   강정식, 「한국 제주도의 해양신앙」, 『도서문화』 27집, 목포대 도서문화연구소, 2006, 31~34쪽.

잠수굿

제주의 '젯ᄃᆞ리'(제의 절차)에 따르면 해양신앙과 관련된 신으로 '다섯용궁龍宮'을 꼽을 수 있다. 하늘 차지 옥황상제, 땅 차지 지부사천대왕, 산 차지 산신대왕 산신백관 다음인 네 번째로 바다 차지 용신龍神인 '다섯용궁龍宮'이 제시된다. '다섯용궁龍宮'은 동서남북과 중앙 다섯 방위의 용신을 말한다. 위계상으로 보아 용신은 매우 중요한 신으로 인정되고 있음을 알 수 있다.

1. 옥황상제(하늘 차지) 2. 지부사천대왕(땅 차지) 3. 산신대왕, 산신백관(산신) 4. 다섯龍宮(바다차지, 龍神) 5. 서산대사·육관대사(절 차지) 6. 삼승할망(産育神) 7. 홍진국대별상 서신국마누라(마마신) 8. 날궁전, 들궁전(日月神) 9. 초공(巫祖神) 10. 이공(서천꽃밭 呪花 관장신) 11. 삼공(前生神) 12. 十王(저승과 생명 차지) 13. 差使(十王의 使者) 14. 冥官(冥府差使) 15. 세경(農畜神) 16. 군웅, 일월조상(一家, 一族 守護神) 17. 성주(家屋神) 18. 문전(門前) 19. 本鄕(部落守護神) 20. 靈魂, 魂魄, 마을(諸死靈) 21. 칠성(富, 穀物神) 22. 조왕(부엌신) 23. 오방토신(方位, 집터신) 24. 주목지신, 정살지신(집안 出入路神) 25. 울담·내담지신(울타리神) 26. 눌굽지신(낟가리神)[10]

큰굿의 절차에서 옥황상제(하늘), 지부사천대왕(땅), 산신대왕(산)에 이어 네 번째로 용왕신이 모셔지는데, 그 용왕신은 다섯으로 되어 있다. 우리 민족이 바다를 중시했고 동해, 서해, 남해를 두루 거느리는 용신의례를 하였음을 알 수 있는데, 나중에 유교 예악사상의 영향을 받아 5방의 용신이 등장하게 된다. 하늘, 땅, 산, 바다의 신들이 모셔지는 중요한 단서를 보게 된다. 천지신을 위하고, 산신과 해신을 모시는 우리 민족의 신 관념을 여실히 알 수 있는 대목이다. 그 다음 인간의 탄생을 주재하는 삼승할망, 인간의 운명을 관장하는 삼공, 인간의 죽음을 관장하는 시왕과 차사가 열거되어 있는데, 우주자연이 먼저 제시되고 인간의 생노병사가 뒤에 제시되어 가지런하다.

• • •

10 현용준, 『제주도 무속 연구』, 집문당, 1986, 189쪽.

1) 용왕과 군웅본풀이

용왕 신앙에는 용왕, 용왕부인, 동해용왕따님아기 등이 등장하고 동해용
왕이 싸우는 설정도 있다. 그 대표적인 신화가 〈군웅본풀이〉다. 1937년 박봉춘본에
서사적 단락이 온전하게 전하는데 대략적 줄거리는 다음과 같다.

1) 서해용왕과의 싸움에서 당한 동해용왕의 아들이 왕장군에게 도움을 청한다.

2) 동해용왕의 부탁대로 활을 쏘아 서해용왕을 물리친다.

3) 공에 대한 보답으로 용녀를 아내로 맞게 되어, 왕근, 왕빈, 왕사랑 세 아들을 얻는다.

4) 용녀는 용궁으로 돌아가고, 세 아들은 강남 천자군웅, 일본 효자군웅, 조선 역신군웅으로
   살게 된다.[11]

이 이야기는 이미 알려진 대로 『삼국사기』의 거타지 설화와 유사하고, 『고려사』에
전하는 작제건 신화와 깊은 관련성이 있다. 작제건이 용녀와 결혼해서 낳은 아들이
용건이고, 그 아들이 고려 건국의 주인공인 왕건이다. 고려는 중세국가인데도 왕권의
신성성을 드러내기 위해 고대신화를 조작하여 중세신화를 만들어냈다. 그런데 왕건의
탄생신화와 유사한 신화가 제주에 〈군웅본풀이〉로 남아 있다. 고려 건국신화가 제주
에 전해져 흔적이 남은 것이 〈군웅본풀이〉는 아닐까. 고려 왕건이 여기서는 '왕근'이
다. 이 신화에서는 고려 대신 조선이 국명으로 등장하고, 그 형제들이 조선뿐만 아니
라 강남천자국(중국)과 일본국에 좌정한다고 한다. 왕이 세 아들이 각각 강남천자국,
일본효자국, 조선역신국 군웅이 되었다고 본다. 그런데 역신은 마마신이고 무속에서
늘상 모셔지는 별상신이다. 세 아들이 각각의 역할(중국, 일본, 조선의 신격)을 맡은 것이

• • •

11 "나는 인간이 아니니 / 지금붓터 용왕으로 드러가리니 / 당신들은 군농을 차지하여 사읍소서 / 강남은 천자군농으
    로 놀고 / 일본은 효자군농으로 놀고 / 죠선은 역신군농으로 놀고 / …"(赤松智城・秋葉隆, 최석영 역, 『朝鮮巫俗
    의 研究』 상, 민속원, 2008, 528쪽)

아니라, '어디에서는 무엇으로 논다'는 식의 서술이 이어진다. 세 형제들이 강남에서는 천자군웅으로 놀고, 일본에서는 효자군웅으로 놀고, 조선에서는 역신군웅으로 논다는 데 초점이 있다. 그리고 이들은 함께 여러 장소에 가서 음식과 술을 대접받으면서 논다. '높은 벼슬을 한 집안에서는 사당위패에 놀고, 중인의 집에는 책불일월로 놀고, 무당의 집에는 당주일월로 놀고, 사냥하는 집에는 산신일월로 놀고, 과거급제한 집에는 홍부일월로 논다'고 이어진다.

일월은 조상신을 뜻한다. 제주의 무속 제차에서는 〈군웅본풀이〉를 부르는 '군웅본판'에 이어 〈조상신본풀이〉를 구연한다. 군웅본판은 원래의 조상을 의미하는데, 원 조상은 고려 건국신화와 친연성이 있는 〈군웅본풀이〉를 구연하는 것이어서, 제주도 〈조상신본풀이〉가 역사적으로 형성된 증거를 보여주는 적절한 사례라고 보인다.[12] 원가닥의 군웅본풀이가 제시되고 그 후 각 집안의 조상신 내력이 제시되는 순서를 취한다.

> 군눙에 아바님은 낙수게낭
> 군눙에 어머님은 서수게낭
> 아덜이사 삼형제 나난
> 큰아덜은 동이요왕 츠질허고
> 셋아덜은 서이요왕 츠질허고
> 족은아덜 전승팔저 그리치니
> … …
> 강남드레 응허니 황제군눙(皇帝軍雄)
> 일본드레 응허난 亽제군눙(小子軍雄)
> 우리나라 왕대비(王大妃) 대웅대비(大王大妃) 서단
> 놀던 일뭘이여

• • •

12 김헌선 외, 『제주도 조상신본풀이 연구』, 제주대 탐라문화연구소, 2006, 28쪽.

물 우이는 요왕일뤌(龍王日月)

물 알에는 ᄉ신일뤌(四神日月)[13]

여기서도 세 아들이 나오는데, 이들은 동해용왕과 서해용왕이 되었고 막내는 팔자를 그르쳐 중이 되었다고 한다. 그리고 이들은 여기저기를 떠돌아다니며 다양한 역할을 담당하는 것으로 나타난다. 강남에서는 황제로, 일본에서는 소자로, 물 위에서는 용왕신으로, 물 아래에서는 사신으로 대응한다. 강남에서는 천자(천ᄌ, 황제, 황저), 일본에서는 효자(소ᄌ, 조자, 주년), 한국에서는 노ᄌ(황ᄌ, 대홍대비 서대비)[14]로 직능을 달리 하고 있는데, 이 본풀이는 한·중·일에만 국한하지 않고 여러 장소를 들먹이면서 군웅이 모셔지는 정황을 길게 부연한다. 여기서 우리가 주목할 것은 군웅이 우리나라와 제주에만 국한하지 않고 강남천자국(중국)과 효자국 혹은 주년국(일본)에서 신격으로 활약한다는 점이다. 그만큼 중세 제주의 삶은 바다 멀리 중국과 일본을 향하고 있었다. 그것은 다만 중국과 일본이란 나라에 대한 정보를 나열하는 데 그치지 않고, 바다를 통한 교류를 의미하며, 탐라국이 지녔던 해상능력을 상징적으로 보여준다는 점을 기억해야 한다.

2) 할망본풀이와 용왕의 딸

용왕이 등장하는 신화가 다양하지만, 용왕의 딸도 중요하다. 앞에서 제시한 바 있듯이, 제주의 '젯ᄃ리'(제의 절차)에 따르면 삼승할망이 여섯 번째인데, 그 삼승할망보다 앞서 산육을 관장했던 신이 바로 구삼승할망인 동해용왕따님아기다. 삼승할망본풀이의 전반부는 구삼승할망의 내력이다. 현용준의 『제주도무속자료사전』과 진성기의

●●●

13 강정식 외, 『동복 정병춘대 시왕맞이』, 제주대 탐라문화연구소, 2008, 656쪽.
14 현용준 선생이 기왕의 〈군웅본풀이〉에 있는 이름과 직능을 일람표로 만들어 보여주고 있다. 현 선생도 박봉춘본만이 작제건 설화와 유사한 내용을 담고 있다고 하면서 여러 의문을 표하고 있다(『제주도 신화의 수수께끼』, 집문당, 2005, 228쪽).

『제주도무가본풀이사전』, 그리고 제주대 한국학협동과정이 편한 『이용옥심방본풀이』 등의 〈할망본풀이〉 채록본들을 통해 통합적으로 제시 가능한 핵심 서사단락은 다음과 같다.

① 용왕의 딸로 태어난 동해용왕아기씨가 부모에게 불효한 죄로 무쇠석함에 갇혀 바다에 띄워 버려진다.

② 무쇠석함이 바다를 오랜 시간 동안 떠돌다 인세에 당도하여 임박사에게 발견된다.

③ 인간세상에 생불왕(産育神)이 없으므로 동해용왕아기씨가 생불왕으로 들어서 인간의 포태와 출산을 관장케 된다.

④ 동해용왕아기씨가 포태를 시키지만 낙태되거나 산달을 넘기도록 출산하지 못하는 일이 벌어진다.

⑤ 임박사가 이를 보다 못하여 옥황상제에게 새로 생불왕을 내려달라 청원한다.

⑥ 옥황상제가 생불왕에 들어서기 가장 적합한 인물로 명진국아기씨를 골라 인세에 내려보내고 동해용왕아기씨가 해결하지 못한 일을 수습케 한다.

⑦ 인간 세상에 생불왕(産育神)이 둘이 되었으니, 둘 사이에 다툼이 벌어지고 이를 해결하고자 둘이 옥황상제를 찾아가게 된다.

다음의 이야기 전개는 동해용왕아기씨와 명진국아기씨가 꽃피우기 경쟁을 하여 명진국아기씨가 승리하고 삼승할망으로 좌정하였다는 결말이다. 동해용왕아기씨는 밀려나 구삼승할망이 되었고 구덕삼승, 업게삼승[15]으로 지내게 되었다. 〈할망본풀이〉 서사의 전반부는 당신본풀이 〈토산일뤳당본풀이〉와 유사하다.

① 소로소천국과 금백조의 아들 ㅂㄹ못도가 죄를 지어 무쇠석함에 갇혀 동해바다로 버려지고,

• • •

15　동해용왕아기씨가 저승할망이 되자 아이들에게 경풍이나 병을 주어 얻어먹겠다고 분노하자, 인간할망이 다독거리면서 아이 업는 멜빵 수호신의 몫과 업저지 수호신 몫으로 인정을 걸어주겠다고 하였다.

석함이 용왕국에 다다르다.

② 용왕국의 세 딸 중, 막내딸이 석함을 발견하고 열어 ᄇᄅ못도와 혼인을 하게 되다.

③ ᄇᄅ못도의 식성 때문에 용궁의 곳간이 비어가자 하는 수 없이 내외간을 무쇠석함에 띄워 보내니 다시 제주섬으로 들어오게 되다.

④ ᄇᄅ못도가 부술(符術)을 사용하여, 금백조에게 눈에 콩깍지가 들게 한 것을 용왕국 막내딸 이 부채를 부쳐 낫게 하였고, 그 공으로 용왕국의 막내딸이 땅 한 착, 물 한 착을 금백조에 게 내어달라 하다.

⑤ ᄇᄅ못도의 큰부인(일뤠중저)이 첩인 용왕국 막내딸에게 땅과 물을 떼어준다고 하자 애가 타고 목이 말라 돼지털이 코ᄅ 들어가고, 비린내가 난다고 쫓아낸다.[16]

일렛당 관련 본풀이 중, 동해용왕아기씨와 가장 많은 유사점을 지니고 있는 것은 〈토산일렛당본풀이〉 계열이었다. 쫓겨난 용왕의 막내딸은 일렛당신인 동시에, 구삼승 으로 좌정한 동해요왕아기씨였고 산육신産育神의 신격을 가졌다.[17] 일렛당신은 제주도 전 지역에 분포되어 있는 농경신이며 산육·육아의 신이며, 피부병의 신이다. 제주도 전도의 보편적인 일반신본풀이에도 산육신이 있고, 각 마을마다 산재 일렛당에도 산 육신이 있음을 일렛당본풀이를 통해 확인할 수 있다.

둘 다 용왕의 딸이고 불효 혹은 분란의 책임 때문에 용궁에서 쫓겨나 무쇠석함에 담겨 떠다니다가 제주도로 들어오게 된다. 용왕의 딸은 아이의 포태를 시킨다거나 부 술로 병을 낫게 하는 능력을 보인다. 궤네깃도가 아버지에 대한 불효로 쫓겨나 무쇠 석함에 담겨 바다에 떠다니다가 대단한 능력을 발휘하는 것과 비슷한 경로를 지닌다. 궤네깃도가 남성영웅의 고난극복 과정이었다면 용왕의 막내딸은 여성영웅의 고난극 복 과정이다. 그런데 궤네깃도가 용왕의 셋째딸을 만난 후, 용왕의 셋째딸이 궤네깃 도와 역逆의 행로로 바닷길을 떠난다.

• • •

16 현용준, 『제주도무속자료사전』(개정판), 도서출판 각, 2007, 606~610쪽.
17 이현정, 「제주도 서사무가 할망본풀이의 형성원리 연구」, 제주대 석사학위논문, 2014, 15~16쪽.

위에 인용한 『제주도무속자료사전』에서는 용왕의 막내딸이 첩으로 등장하고 쫓겨나는 주체가 큰부인인데, 『제주도무가본풀이사전』에서는 용왕 막내딸이 큰부인으로 등장하고 다시 추방되는 시련을 겪게 된다. 〈할망본풀이〉에서 동해용왕아기씨가 명진국아기씨에게 밀려나듯이 용왕의 막내딸도 축출당한다. 첩의 등장 때문은 아니다. 돼지털이 콧구멍으로 들어간 사건이 돼지고기 식성으로 오인되었기 때문에 축출당한 후 첩이 들어오게 되니, 차이점은 있으나 용왕의 딸이 큰 능력을 보이다가 축출당하는 측면은 매우 유사하다.

아이를 보살피는 신이 바다에서 출자出自했다는 것은, 바다 저편에서 곡식과 불과 같은 중요한 문명이 전해진다는 사유와 같다. 제주와 같은 섬에서 바다를 통해 도래하는 신격은 중히 여겨졌다. 그런데 시간이 지날수록 도래渡來신보다는 천상에서 하강하는 신격이 중요하게 여겨진다. 그래서 동해용왕아기씨는 밀려나고 천상계에서 내려온 명진국아기씨가 주도권을 쥐고, 바다에서 온 신격은 밀려난다. 일반신에서는 이렇게 큰 변화를 보였지만, 마을 당신앙 체계에서는 여전히 용왕의 막내딸이 산육신으로 완강하게 버티고 있다. 제주신화체계의 변모과정이 느껴지는 대목이라 하겠다.

3. 해양능력과
탐라국 신화

서론에서 잠시 언급하였듯이 탐라국 건국신화에서 주목할 점은 바로 여신의 도래渡來이다. 여신들은 오곡종자를 가지고 들어온다. 철기문화·직조문화·농경문화는 고대문명과 연관된 것이고, 이깃들은 고대국가 형성에 긴요힌 깃이었음을 알 수 있다. 철기와 비단과 오곡을 가지고 새로운 땅으로 가 그곳에서 새로운 문명을 일구어 낸 이야기가 고대 건국신화의 주류를 이룬다. 제주의 삼성신화도 이런 반열에 든다고 하겠다. 제주 건국신화에서는 3여신이 오곡종자 외에 송아지·망아지를 가지고 들어왔다고 한다. 소와 말 역시 농경에 필요한 동력이었다. 제주에는 당신본풀이가 많이 남아 있는데, 부부신이 좌정하여 있는 경우 남신이 토착신이라면 여신은 도래신이다. 여신이 본향당의 주인인 경우도 많은데 바다를 건너온 여신이 많다. 그런데 여신이 주역인 상황에서 서서히 남신이 주역인 당본풀이가 많아졌을 것으로 본다. 설문대할망처럼 거인 여성이 주역이던 신화가 소로소천국같이 거인 남성이 주역인 신화로 바뀌어가고, 그 거인의 특성은 아들 궤네깃도로 이어진다. 여성영웅 서사시에서 남성영웅 서사시로 전개되어 나간다.

　제주의 서사무가 중 괴네깃당본풀이 또는 이의 발전적 형태인 송당본풀이는 삼성신화의 근원적 신화에 해당된다. 송당본풀이의 소로소천국이 땅에서 솟아나듯이 삼성신화의 삼신인도 땅에서 솟아났다. 송당본풀이가 '웃송당' '셋송당' '알송당'의 상·중·하당의 세 신당이 공존하듯이, 삼성신화에서는 고을라·양을라·부을라의 삼신인이 등장한다. 송당본풀이의 여신 백주또가 무쇠철갑에 실려 제주에 표착하고 있듯이 삼성신화의 삼여신도 목함과 석함에 담겨 제주에 표착하고 있다. 송당본풀이의 남신이 사냥을 위주로 하고 여신(백주또)은 남신으로 하여금 농사를 새로이 시작하게 하듯이 삼성신화에서 남신들은 사냥을 주업으로 삼고 있는데 삼여신은 오곡종자를 가져와 농사를 시작한다. 송당본풀이의 남신(문곡성, 소로소천국의 아들)이 제주도 전체를 지배하는 신격이 되듯이 삼성신화의 삼신인이 탐라국을 건국하여 제주 전체를 지배하는 신격이 된다.[18]

　송당계 신화에서 소로소천국이 사냥을 하여 생업을 꾸려나갔는데, 자녀들이 많아지자 백주또가 농경을 권하고 있는 것으로 보아 여성신에 의해 농경이 시작된 것으로 그려지는데 탐라건국신화에서도 그렇다. 제주의 고·양·부 3신인은 사냥을 하면서 지내다가, 3여신과 혼인하여 농경문화를 정착시킨 것으로 볼 수 있다. 그러므로 송당본풀이와 삼성신화는 함께 남성신의 수렵문화에서 여성신의 농경문화로 이행하는 과정을 보여 준다. 두 문화의 결합은 큰 힘을 발휘하게 하였고, 고대국가의 건설에까지 미치게 된다.

• • •

18　조동일, 『동아시아 구비서사시의 양상과 변천』, 문학과지성사, 1997, 89쪽.

억만대벵을 내여주시니 싸움ᄒ레 나간다. 체얌(初)에 들어가서 머릿박 둘 돈은 장쉴 죽이고 두 번채 들어가서 머릿박 싯 돈은 장쉴 죽이고, 싀번채 들어가서 머릿박 닛 돈은 장쉴 죽이니, 다시는 데양(對抗)ᄒ을 장수가 엇어 세벤도원수(世變都元帥)를 막으니, 대히(大喜)헤야, "이러ᄒ 장수는 천하에 엇는 장수로다. 땅 ᄒ착 믈 ᄒ착을 베여 주건 땅세(地稅) 국세(國稅) 받아 먹엉 삽서." "그도 마웨다." "천금상(千金賞)에 만호후(萬戶侯)를 보(封)ᄒ라." "그도 마웨다" "그레민 소원을 말ᄒ라" "소장(小將)은 본국(本國)으로 가겠습네다."

관관솔을 베여가지고 전선(戰船) ᄒ 척을 무어 무나무(珊瑚) 양석(糧食)을 ᄒ베 시끄고 벡만군ᄉ를 데동허여 조선국(朝鮮國)을 나온다. …… 방광오름 가 방광을 싀번 쳐서 벡만군ᄉ(百萬軍士)를 허터두고, "벡만군ᄉ는 본국으로 돌아가라." 작별(作別)헤야 "한라연산(漢拏靈山)이나 구경가자."[19]

강남천자국에 난리가 나서 궤네깃도가 억만 군사를 받아 난리를 평정한다. 그리고 천자로부터 여러 가지 포상을 제시하지만 거절하고 제주로 돌아온다. 백만 군사를 대동하여 "아방국을 치젠 들어옵네다"란 소식을 들은 아버지는 알손당下松堂에 죽어 좌정한다. 이에 궤네깃도는 제주도를 차지한 후 백만 군사를 돌려보낸다. 버려진 아들이 나중에 군사를 이끌고 고국에 돌아와 아버지 나라를 치려고 했다는 내용은 매우 고대적이고 야생적인 요소를 그대로 간직한 신화다.[20] 묵은 질서는 이렇게 강하고 새로운 질서에 의해 교체된다고 생각하는 문맥 속에서 고대 영웅신화의 전형을 보게 된다.

- - -

19 현용준, 앞의 책, 2007, 557~559쪽.
20 김진하는 문곡성과 아버지와의 정권교체에 대해 큰 의미를 두지 않고 있다. "문곡성의 영웅적인 귀환에도 불구하고 금백조와 소천국의 위상에는 아무 변화도 없다. 그런데 금백조와 소천국이 마치 아들신을 두려워하여 달아났다는 식의 이야기가 만들어진 것은 오로지 새로운 영웅 문곡성의 위세를 강조하기 위해서 만들어진 수사학인 것이다. 신화적 수사학이 이처럼 교묘하게 작동하는 바람에 주인공의 위상이 어느새 역전된 듯 보이는 것이다. 그러나 이 수사학의 의도를 들추어 읽으면 문곡성의 영웅적인 귀환에도 불구하고 그의 아버지 소천국과 어머니 금백조의 신성한 권위에는 조금의 손상도 없다."(「송당신화의 분화와 새로운 영웅 문곡성의 탄생」, 『탐라문화』 30, 제주대 탐라문화연구소, 2007, 20쪽) 문곡성이 한라산에 좌정한 것은 소천국의 위세에 눌려 떠난 것으로 보고 있는데, 한라산에 좌정한다는 것은 제주도 전체를 지배한다는 상징적 의미다.

"어디서 온 맹장님이 되십네까?" "천하해동 조선국 제주도에서 들어온 문곡성이 됩네다." ……
천즈지국은 문곡성을 '제일도원수'라는 직함을 지왔다. 갑옷 갑투길 내어주고, 억만대병 억만군스
를 내여줬다. 천즈지국의 난을 석돌 열흘 백일만이 평정을 시겼다. 천즈지국이 말을 ᄒ되 "천하의
반을 갈라 주느냐?" …… "나를 조선국 제주도로 보내여 주십시요" 천즈국은 황제 혼언씨 수레를
지었다. 황제 혼언씨가 수레를 지고 거기 굴량을 일천석 굿추고 일천병마 삼천군벵을 거느리고
제주를 입도했다.[21]

앞의 신화와 마찬가지로 문곡성은 억만 군사를 받아 강남천자국에서 난리를 평정하
고 일천 병마와 삼천 군병을 거느리고 다시 제주도로 돌아온다. 그 후 문곡성 일행은
일천병마 삼천 군병을 거느리고 한라영산을 올랐다. 한라산에의 좌정은 제주도 전체
를 지배한다는 상징적 의미를 지닌다. 이런 위세에 놀란 금백조는 웃손당으로 달아나
고 소천국은 알손당 고부니ᄆ루로 달아났다고 신화는 전한다.

송당본풀이의 문곡성 혹은 궤네깃당본풀이의 궤네깃도와 같은 주인공이 천자국에
서도 해결할 수 없는 난리를 평정했다는 것은 주인공의 대단한 영웅적 면모다. 이 땅
에서뿐만 아니라 천자국(중국)에서 인정하는 활약상이라 하겠다. 그리고 천하의 반을
갈라주겠다는 제안을 거절하고 제주에 돌아온 내력은, 주인공의 해상능력을 보여주는
바이다. 앞에서 살폈듯이 칠머리당의 신도 강남천자국에서 솟아났는데, 백만 대병을
거느리고 제주에 들어온다. 백만 군사와 삼천 군병은 조금 과장된 면도 있겠지만 엄
청난 해상 세력을 거느린 영웅에 대한 장식적 표현이다. 그래서 조동일 교수는 '탐라
국 건국서사시'가 재래의 수렵민과 외래의 농경민이 결합되어 생산력을 발전시킨 토
대 위에서 안으로 정치적인 통합을 이룩하고 밖으로 주권을 지키는 영웅이 해상활동
을 통해 힘을 키워 작지만 당당한 나라를 세운 위업을 나타냈다고 하면서, 탐라국의
위상을 해양능력에 맞추어 평가했다.[22]

• • •
21 진성기, 『제주도 무가 본풀이 사전』, 민속원, 1991, 413쪽.
22 조동일, 「탐라국 건국서사시를 찾아서」, 『제주도연구』 19집, 제주학회, 2001, 102~104쪽.

고대국가의 형성시기를 1세기 즈음으로 보고, 탐라도 '국國'으로서의 면모를 지니며 서서히 고대국가 체제로 성장하였음을 입증한 바 있다. 강남천자국을 평정하고 군사를 이끌고 제주로 돌아오는 궤네깃도(문곡성)의 내력은 바로 동아시아 해양문화권의 해상능력을 암시하는 것이라 하겠고, 삼여신이 농경과 목축의 문화를 가지고 들어온 것 역시 고대문명의 전래와 탐라국의 형성과정을 상징하는 문맥이라 하겠다. 본풀이(신화) 속에 탐라국은 1세기에 탄생하였다. 심방들이 영평 8년(AD 65) 고·양·부 3신인이 솟아나 나라를 세웠다고 했다. 우리는 신화를 통해 한반도의 고대국가와 대등한 시기에 탄생한 탐라국의 실체를 만나게 된다.[23]

4. 바다 바깥과의 교류

1) 강남천자국에서의 출자

영등신과 삼여신을 비롯한 무수한 제주의 신이 출자한 강남천자국이 어디인가. 천상계에서 하강하는 고대 건국신화 뒤에는 바다 건너 땅에서 도래하는 시조도래신화가 탄생한다. 시조도래 건국신화의 기본 설정은, 문명권 중심부의 인물이 주변부로 도래해서 현지의 지배자 신분의 여성과 결혼하고 그곳의 통치자가 되어 문명을 전파했다는 것으로 요약된다. 그러나 도래한 인물이 남성이 아니고 여성이어서, 왕이 되지 않고 왕후가 되었다고 했다. 여성신이 문명을 전한 문맥이다. 삼여신이 망아지와 송아

· · ·

23 허남춘, 『제주도 본풀이와 주변신화』, 제주대 탐라문화연구소, 2011, 202~204쪽에서 자세히 다루었다. 1928년 산지항 축조 공사시 발견된 오수전은 BC 118년부터 주조되어 사용되었던 화폐이며 왕망 때 잠시 사용과 주조가 금지되었다가 후한 이후 다시 주조되었고, 오수전이 왕망전과 함께 출토되기 때문에 그 연대가 기원후 1세기를 크게 벗어나지 않는다고 한다. 그리고 이 오수전이 제주도 산지항, 전남 거문도, 마산 성산 패총, 황해도 운송리 등에서 출토되는 것으로 보아 이들 지역들은 중국과 상당한 왕래와 교역이 있었다고 평가된다. 고대 제주도 역사기술을 한반도의 중심시각에서 벗어나야 하고, 상고 탐라를 동아시아 또는 동지나 해양문화권으로 잡는 것이 타당하다. 이 고대국가의 형성과정이 신화와 본풀이에 반영되어 있다.

지, 그리고 오곡종자를 가져왔다는 것은 고대문명을 전했다는 의미이다. 그런데 당본풀이에서 중국 혹은 천자국을 빙자한 것은 중세화의 과정이라 할 수 있다. 고대에 형성된 당본풀이가 전승되는 과정에서, 우선은 중세국가인 고려의 권위를 빌려 당신의 신성화 작업이 이루어졌을 것이고, 다음으로는 중세국가의 중심축이라 할 중국의 권위를 빌려 신성화 작업이 추가적으로 이루어졌을 것이다. 즉 고대의 탐라국이 중세화하지 못하고 한반도의 중세국가에 예속되면서 중심부와의 친연성을 강조하고 그 권위를 가져다 당신의 권능을 강화하는 과정에서, 당신들이 서울 혹은 중국에서 출자했다고 변모하게 되었을 것이다. 이처럼 구비전승은 신성성을 강조하기 위해 그 문맥이 끊임없이 쇄신된다.

그 예를 다른 곳에서도 볼 수 있다. 신라의 선도산 성모는 서술성모라고도 하고, 박혁거세와 알영의 어머니로서 곡모신적 성격을 지니고 있다. 고대 건국주의 어머니 신격인 셈이다. 그리고 가야의 허 왕후는 수로의 배필이 되어 고대국가를 연 주인공이다. 그런데 신라의 선도산 성모는 중국제실의 딸이라고 하거나, 가야의 허 왕후가 불교를 들여왔다는 부언은 바로 중세문명의 도래를 의미한다.[24] 고대국가의 건설과 관련된 신화가 시간이 흐르면서 중세의 권위를 빌어 신성성을 강화하려는 의도에서 그러한 변이가 나타나게 되었다.

송당본풀이에서는 백주또 여신이 '강남천자국'에서 왔다고 한다. 자식인 문곡성은 아버지에게 버릇없이 굴다가 무쇠철갑에 담겨 버려지지만 용왕국에 표착하고, 다시 식성이 과다하여 상자에 담긴 채 쫓겨나 강남천자국에 표착한다. 후에 강남천자국의 난을 평정하고 제주에 돌아와 한라산 '브름목'에 좌정하게 된다. 우리는 송당본풀이에서 백주또와 문곡성이 '강남천자국'에서 출자한 모습을 보게 된다. 그뿐만 아니다. 앞에서 살폈다시피 온평리의 당본풀이에서 세 여신이 출자한 곳이 역시 '강남천자국'이다.

• • •

24 조동일, 「시조도래건국의 중세 인식」, 『하나이면서 여럿인 동아시아문학』, 지식산업사, 1999, 96~141쪽.

강남 천제국

정ᄌ국 안가름서

삼성제가 솟아나

제주 입도ᄒᆞ야

큰성님은 조천관

앞선도 정중부인이고

족은아신 열룬이

고장낭밭 명호부인이고

셋성님은 짐녕 관사전부인[25]

현용준 채록본이나 진성기 채록본이나 모두 이달춘 구연이다. 현용준 채록본에서는 "정중부인, 관세전부인, 멩호부인"이고, 여기서는 "정중부인, 관사전부인, 명호부인"으로 조금 다르지만 '강남천자국'에서 솟아난 것은 같다. 삼성신화에서는 '일본국' 혹은 '벽랑국'에서 왔다고 했는데, 삼성신화와 밀접한 당본풀이에서는 여신의 출자가 '강남천자국'으로 일치하는 점을 알 수 있다.

〈소섬본향〉에서도 "강남천ᄌ국 ᄆᆞ른 밭 배 들려 요왕 신중 선왕"(김병생 구연) 혹은 "강남천ᄌ국 ᄆᆞ른 밭 배 들려 온 육곰이"(강봉언 구연) "강남천ᄌ국 ᄆᆞ른 밭디서 솟아난 장할으방 장할망"(이백남 구연)[26]이라고 하여 신의 이름은 용왕, 육곰, 장할으방과 장할망으로 조금씩 다르나 그 출자처는 '강남천ᄌ국'으로 같다. 여기 소섬(우도)은 2월 보름에 영등할망을 환송하는 의례가 벌어지는 곳이고 영등할망도 '강남천ᄌ국'에서 왔다고 하였다. 소섬 동천진동 〈소섬당〉에서ᄂᆞ "영등ᄃᆞᆯ엔 동경국이서 들어온 영등할으방 영등할밍이 ᄒᆞᆫ ᄃᆞᆯ간 유ᄒᆞ였당 갑네다."(영등달에는 동경국에서 들어온 영등하르방과 영등할망이 한 달 간 머물았다가 갑니다.)[27]라 하여 영등신의 유래를 말하고 있는데, 그 출자처가 '동경국'

• • •

25 진성기, 앞의 책, 1991, 381쪽. '김녕본향'
26 위의 책, 420~421쪽. '소섬본향'

으로 조금 다르다.

"예촌본향은 백관님, 도원님, 도병서또. 시성제우다. 첫체는 하로영산 동남밭디서 솟아오른 백관님이우다. 둘체는 강남천제국서 솟아오른 도원님이우다."[28] 첫째는 예촌에 한라산에서 솟아나 좌정한 백관님이고, 둘째는 '강남천자국'에서 솟아나 제주도로 온 도원님都元帥이다. 강남천자국 아들이 부모에게 불효하여 무쇠 철갑에 갇혀 버려지는데 동해용궁에 다다라서 용왕의 셋째 딸과 인연을 맺고 석 달을 살다가 제주도 오라리로 와서 세상을 살펴보고 예촌으로 와 백관님과 형제를 맺었다고 한다. 예촌본향을 비롯한 한라산계 본풀이에서는 대개 형제가 한라산에서 솟아나는 데 반해 여기 '도원님'의 출자는 예외적이다. 〈송당본풀이〉는 제주에서 태어난 아들이 부모에게 불효하여 무쇠 철갑에 갇혀 버려지는데 동해용궁에 가서 용왕의 셋째 딸과 인연을 맺고 몇 달을 살다가 강남천자국에 가서 난리를 평정하는 공을 세운 후에 제주로 돌아와 좌정하는 이야기다. 송당계 본풀이와 한라산계 본풀이가 이렇게 만나는 지점이 있다. 이처럼 '강남천자국' 출자는 제주도 전역에 큰 의미를 띤다.

열룬이

명오부인은

대국 명나라

명천즈의 손.

명나라

명천즈가

뚤 삼성제가

잘 나서

역적에 몰려들어

• • •

27 위의 책, 422쪽. '소섬당'
28 위의 책, 490쪽. '신례본향'

구양을 보내니

큰딸은 조천 정중부인

셋딸은 짐녕 황새부인

말젯딸은 열룬이 명오부인[29]

〈온평본향〉은 앞에서 살핀 〈김녕본향〉과 같은 계열의 본풀이다. 여기 소개하지는 않았지만 〈조천본향〉도 역시 같다. 열룬이가 온평리의 옛 이름이다. 〈온평본향〉에서는 '강남천자국'이 아니라 구체적으로 '명나라 천자국'이라고 했다. 막연하게 강남천자국이라 했던 것을 중세의 사정에 맞게 바꾼 것으로 보인다.

바다 멀리를 '강남'으로 사유한 흔적이 있는데, 그 땅을 '천자국'으로 인식하여 '강남천자국'이라 한 경우도 많다. 위대한 신이 중국 천자의 땅에 근거하고 있다고 하여 신의 권위를 높이려 한 것이 중세 때의 보편적인 변화였다. 고대에는 고대국가 중심부에서 왔다고 하였고, 중세에는 문명의 중심부 중국에서 왔다는 관념이 신화에 반영되어 나타난다.

2) 일본과의 교류

우선 탐라건국신화를 보자. 〈고려사계〉 삼성신화와 〈영주지계〉 삼성신화가 삼여신이 출자한 곳에 의거하여 크게 둘로 나뉘고, 〈고려사계〉는 '일본국'으로, 〈영주지계〉는 '벽랑국'으로 적고 있다. 이 삼성신화와 긴밀한 연관성을 지니고 있는 것으로 보이는 온평리와 김녕의 당본풀이에서는 삼여신이 '서울' '명나라' '강남천자국' 등에서 출사했다고 한다. 삼여신의 출자처를 서울 혹은 중국 혹은 천자국으로 설정한 것은 후대의 변이일 것이다.

• • •

29 위의 책, 452쪽. '온평본향'

온평리의 촌로들에게서 수집한 삼여신의 도래와 혼인지의 이야기는 '황노알'에 표류한 세 여인을 '금관국의 공주'라고 한 경우도 있다.[30] 여기서 금관국이라 한 것도 역시 탐라국의 건국 주역인 삼신인과 격을 맞추기 위해 국가의 이름을 빌되, 좀더 현실적인 조건을 충족하는 국내의 금관국 출자를 구비전승에 가져온 것일 듯하다. 실제로 해상 교류가 가능한 금관국에서 왔을 개연성도 있지만, 기록 자료에 전무한 것을 보면 후대의 변이일 가능성이 높다. 그렇다면 애초의 출자처는 '벽랑국'에 가까울 것이고, 현용준 선생이 추정하였듯이 '바당(바다)'의 의미[31]라 하겠고, 벽랑국은 '바다 저쪽'의 상상의 공간이라 하겠다. 일본국이라 한 것은 삼여신이 동해 먼 바다의 '일출처日出處'에서 왔다는 것의 구체적 표현이고, 탐라건국의 주역인 삼신인과 격을 맞추기 위해 국가의 이름을 빌었던 때문일 것으로 본다.

탐라국 시절 그들에게 바다와 바다 건너 일본은 문명의 중요한 교류처였을 것이다. 일본은 애초 북큐슈에서 대마도를 경유하여, 남해안과 제주도 사이, 조선반도 서해안, 요동반도 남해안를 거쳐 산동반도 등주登州에 이르는 북로北路 루트로 중국과 교류하였다. 그러다 조선반도의 정세변화에 의해 이 루트를 사용하지 않게 되었다. 나당전쟁 이후 나당관계가 단절되고 왜국은 북로의 견당사 파견이 불가능해졌다. 그래서 새로운 항로를 개척하게 되었다.[32] 이때까지 탐라국은 일본과 중국의 중간에 위치하여 다양한 교역을 하였을 것으로 추정된다.

660년 백제가 당군의 침공에 의하여 멸망하자, 탐라는 독자 외교를 전개하며, 그 해에 당에 사신을 파견하고(〈唐會要〉) 661년(왜국 齊明天皇 7)에는 제4회 견당사가 탐라에 표착했던 것을 기화로 왕자 아파기阿波伎 등을 일본에 파견하고 조공하였다. 여기서 일본의 견당사가 탐라에 표착하였던 점을 주목할 만하다. 북로 항해 중에 한반도의 남해안도 항해의 표지가 되지만, 해발 1950m의 한라산은 시인거리가 약 100마일이나

30 문무병, 「마을의 설촌과 당본풀이 - 성산읍 온평리의 경우」, 『백록어문』 7집, 제주대학교 국어교육과, 1990, 12쪽.
31 현용준, 「삼성신화연구」, 『무속신화와 문헌신화』, 집문당, 1992, 193쪽.
32 東野治之, 『遣唐使』, 岩波書店, 1990, 64쪽.

되어 주변 해역을 항해하는 선박들에겐 자기 위치를 측정하고, 항로를 결정하는 데 매우 이상적인 등대 역할을 했다.[33] 탐라가 중간 정거장 기능과 함께 피항지로서의 역할을 했음을 충분히 인지할 수 있다. 아울러 해양 기술이 발달하지 못했던 그 이전은 탐라국에 중요한 기항지 역할과 함께 중국과 일본의 중간교역을 하는 장소로서도 기능하였을 것이다.

이후 탐라는 678년(왜국 天武天皇 7)까지 공식적 기록으로 남은 것을 보면 9 차례의 사절을 일본에 파견하였다. 탐라는 679년 신라에 복속된 후, 사신 파견이 어려워진다. 그래서 679년, 684년 일본에서 탐라에 사신을 파견하였다. 이후 688년. 693년 탐라에서 일본에 사신을 파견하였지만, 정규의 국교 유지 상태가 아니어서 입경入京치 못하고 다자이후大宰府에 머물렀다.[34]

일본에는 지금도 '도라악度羅樂'이 남아 있는데 이것이 탐라의 음악이었을 것으로 추정하고 있다. 도度는 '탁'으로도 읽힌다. 그러니 그것은 '탁라악'이 된다. 탁라는 탐라의 별칭이다. 여러 번 사신이 오고 가면서 여러 가지 공물을 주고받았는데, 이때 탐라의 문물도 일본에 전해지고 일본에 대한 여러 정보가 대중들에게 익숙해진 것으로 보인다. 그래서 심방의 사설 속에는 중국과 함께 일본을 자주 거론하면서 신의 노정기를 구술하고 있고, "일본은 주년국"이란 사설을 관행처럼 읊조린다.

3) 조선조 육지와의 교류

조선 초부터 제주와 육지와의 왕래가 빈번해졌다. 전라도 지역이 중요한 출발점이었고 나주가 일찌부터 자주 등장한다. 그런 근거가 최부의 『표해록』에도 드러난다. 최부는 윤 정월 2일 별도포의 후풍관에서 바람을 기다렸다가 다음날 동풍이 불자 배

---

33 윤명철, 「동아지중해의 해양문화와 21세기 제주도의 위상과 역할」, 『바닷길과 별자리로 읽는 탐라문화』, 제주도, 2007, 51쪽. 윤명철도 제주도의 위상을 논하면서 기록에 의존하여 항해 루트를 제시하고 제주가 매우 중요한 지역임을 역설하는 데 머물고 있다. 구비전승을 중시해야 하는 이유가 여기에 있다.
34 森公章, 『白村江 以後 國家危機と東アジア外交』, 講談社, 1998.

를 타고 나주로 향했다. 당시 제주에서 육지 깊숙이 들어가는 방법 중 하나가 나주
뱃길이었다.[35] 백호 임제와 추사 김정희도 나주에서 출발하여 제주에 닿았다. 조선시
대 뱃길이 『세종실록 지리지』 등에 나오는데, 나주 영산강 - 무안 - 목포 - 해남 - 추자
- 제주가 하나였고, 해남 관두 - 노화도 - 보길도 - 제주 뱃길, 강진 - 완도 - 소안도 -
제주 뱃길 등이 있었다.

> 제주도에서 배를 출발하고 난 후 표류하게 되자, 안의(安義)가 군인 등과 서로 말하여 신에게
> 알아듣도록 하기를, "이번 행차가 표류해 죽게 될 까닭을 나는 알고 있었다. 자고로 무릇 제주도
> 에 가는 사람들은 모두 광주(光州) 무등산(無等山)의 신사(神祠)와 나주(羅州) 금성산(錦城山)의 신
> 사에 제사를 지냈으며, 제주도에서 육지로 나오는 사람들도 모두 광양(廣壤) · 차귀(遮歸) · 천외
> (川外) · 초춘(楚春) 등의 신사에 제사를 지내고 나서 떠났던 까닭으로, 신(神)의 도움을 받아 큰
> 바다를 순조롭게 건너갈 수가 있었는데, 지금 이 경차관은 특별히 큰소리를 치면서 이를 그르게
> 여겨, 올 때도 무등산과 금성산의 신사에 제사를 지내지 않았고 갈 때도 광양의 여러 신사에 제사
> 를 지내지 않아 신을 업신여겨 공경하지 않았으므로, 신 또한 돌보지 아니하여 이러한 극도의
> 지경에 이르게 되었으니 누구를 허물하겠는가?"[36]

최부의 『표해록』 중 첫머리 표류가 시작되는 장면이다. 신에게 치제를 드리지 않았
기 때문에 죽을 위기에 처했다는 안의와 뱃사람들의 불만에 대해 최부는 표류되고 안
되고를 신이 좌우할 수 없는 일이라고 단호하게 거부하는 합리적 태도가 드러난다.
그런데 대부분의 뱃람들은 제주의 광양당과 차귀당과 내왓당에서 안전을 기원하는 무
속의례를 거행하고 마찬가지로 육지에서 제주로 배를 띄울 때는 무등산과 금성산에서
무속의례를 거행한다는 것을 알 수 있다. 그런 사실을 최부도 알고 있었다. 그 자세한
내력은 당본풀이에 여럿 나오는데, 가장 대표적인 것이 토산여드렛당본풀이다. 토산

• • •

35 국립제주박물관 편, 『조선선비 최부 뜻밖의 중국견문』, 2015, 68쪽.
36 최부, 『표해록』, 1488년 윤1월 14일(성종 19).

신은 나주 금성산에서 솟아난 뱀신이었다. 나주목사의 탄압을 피해 바다를 건너 제주에 와 토산에 좌정한 신이다. 다음 나주 기민창에서 곡식을 실은 배와 함께 바다를 건너 제주에 온 신이 나주 기민창 뱀신이다.

〈나주기민창본풀이〉는 다음과 같다. 옛날 순흥에서 삼형제가 제주에 내려왔다. 큰형은 어림비(애월면 어음리)에 자리잡고, 둘째형은 과남(애월면 납읍리)에 살고, 작은 아우는 서늘(조천면 조천리)에 살게 되었다. 안씨 선주는 천하거부로 살면서 가난한 백성들에게 배를 빌려 주어 포구마다 안씨 선주의 배로 가득찼었다. 이때, 제주에는 칠 년 가뭄이 들어 제주 백성이 다 굶어 죽게 되어 가는 판이었다. 제주 목사는 안씨 선주의 재산이면, 제주 백성이 사흘을 먹고 남을 것이라는 소문을 듣고 안씨 선주에게 구휼을 부탁한다. 안씨 선주는 빌려 줬던 배들을 다 거두고 돈을 상선. 중선. 하선에 가득 싣고 쌀을 사러 떠났다.

배를 영암 덕진다리에 붙이고 나주 기민창에 삼 년 묵은 무곡을 사서 무사히 제주로 돌아오게 되는데, 배를 띄우는 순간 갑사 댕기에 머리를 땋아 늘인 처녀 아기씨가 발판으로 배에 올라오는 것이 언뜻 보였다. 제주 물마루가 가까워졌을 무렵 잔잔하던 바다에 회오리바람이 치더니, 산 같은 파도가 연이어 밀어닥치어 뱃전 밑으로 구멍이 터졌다. 간절히 두손 모아 빌었더니, 가라앉던 배의 터진 구멍을 큰 뱀이 막고 있었고, 전에 탔던 아기씨가 바로 뱀신이었고, 나주 기민창 동서남북 창고를 지키던 조상이다. 기민창고가 비어가니 무곡을 따라왔다. 안씨 선주는 조상신으로 모시고 상단골이 되어 이 나주 기민창 곡식에서 따라온 신을 부군칠성으로 모시게 되었다.[37]

현용준은 이 기민창을 '제민창濟民倉'으로 적고 있다. 나주에 있던 제민창의 역사적 근거를 들어 그렇게 한자로 표기한 것 같다.

영산창(榮山倉) 금강진(錦江津) 언덕에 있으니 곧 영산현(榮山縣)이다. 나주 및 순천(順天)·강

• • •
37 현용준·현승환, 『제주도 무가』, 고려대 민족문화연구소, 1996, 382~397쪽.

진(康津)·광산(光山)·진도(珍島)·낙안(樂安)·광양(光陽)·화순(和順)·남평(南平)·동복(同福)·홍양(興陽)·무안(務安)·능성(綾城)·영암(靈巖)·보성(寶城)·장흥(長興)·해남(海南) 등지의 전세(田稅)를 여기에 거두어 들였다가 배로 서울에 운반한다.『신증』금상(今上) 7년에 이 창고에 거두어 들이던 것을 영광(靈光)의 법성창(法聖倉)으로 옮겼으므로 폐지되었다.[38]

영산창(榮山倉) 금강진(錦江津) 가에 있는데 채산현(菜山縣)의 옛 터이다. 국초(國初)에 조창(漕倉)을 두고 창성(倉城)을 쌓아, 나주·광주·순천·강진·진도·낙안(樂安)·광양·화순·남평·동복·홍양(興陽)·무안·능주·영암·보성·장흥·해남 등의 전세(田稅)를 이곳에서 서울로 운송하였다. 중종 7년에 조창을 영광의 법성포(法聖浦)로 옮겼는데, 지금은 강창(江倉) 뿐이다. 나리포창(羅里浦倉) 제주(濟州)와 접하여서 설치하였다. 중종(中宗) 때에 공주(公州)에 설치하였는데, 경종(景宗) 때에 임피(臨陂)로 옮겼으며, 영종(英宗) 때에는 군산(群山)에 속하게 하였다가, 다시 임피로 환원했으며 정종(正宗) 때에 이곳 제민창(濟民倉)으로 옮겼다.   『대동지지(大東地志)』

법성창(法聖倉) 법성포에 있는데, 본군 및 홍덕(興德)·옥과(玉果)·부안(扶安)·함평·진원·담양(潭陽)·무장·장성(長城)·정읍(井邑)·곡성(谷城)·창평(昌平)·고부(古阜)·순창(淳昌)·고창(高敞) 등의 관전세를 여기에서 거두어 들여서 서울까지 수로로 운반한다.『신증』금상(今上) 7년에 조정의 의론으로 나주 영산(榮山)의 창고는 수로가 험하기 때문에 배가 많이 전복되어 손실이 많으므로 우창(右倉)에서 거두어 들이는 전세(田稅)를 여기로 옮기고, 또 이 창고에서 거두는 홍덕·부안·고부·정읍 등의 관전세를 군산창(群山倉)에서 나누었다.[39]

『신증동국여지승람新增東國輿地勝覽』은 중종 25년(1530)에 만들어졌는데 이보다 조금 앞선 중종 7년에 영산창은 법성창法聖倉으로 옮기고 폐지되었다. 그 이유는 영광의 법성포를 보면 알 수 있다. "나주 영산榮山의 창고는 수로가 험하기 때문에 배가 많이 전

• • •

38 『新增東國輿地勝覽』 35, 全羅道 羅州牧, 倉庫.
39 『新增東國輿地勝覽』 36, 全羅道 靈光郡, 倉庫.

복되어 손실이 많으므로" 옮기게 되었고, 나주 영산포의 영화로움은 중종대에 그치고 만다. 나주가 쇠락하게 된 것은 영산포의 폐쇄와 연관되고 이런 조치는 금성산의 음사淫祀와도 무관치 않을 것으로 보인다. '나주 영산羅州靈山 금성산錦城山'이라 했던 토산신의 출자처는 영산포의 영산榮山이 아닐까 한다.

　우리는 여기서 나리포창羅里浦倉을 주목할 필요가 있다. 이것은 애초 공주에 있다가 임피로 갔다가 군산으로 갔다가 다시 임피로 오고, 다음으로 제민창으로 왔다. 그 이유는 "제주濟州와 접하여서 설치하였다."고 했듯이 제주와 관련된 물산을 수송하기 유리한 곳이 선택되었고, 정조 때 나주로 옮겨왔다. 임피는 옥구이고 옥구의 나포에 나리포창을 두었다가 근처의 군산으로 옮겼다 환원하고, 이어 서해에서 남해 나주로 옮긴다. 나주에서의 물길이 제주로 오는 데 유리했기 때문일 것만은 아니다. 나주평야에서 곡식이 많아 생산되어 기근이 들었을 경우 많은 곡식을 모아 수송하기 유리했기 때문인 것으로 보인다. 제주 기근에 나주 기민창에서 곡식을 사왔다는 〈나주기민창본풀이〉가 허구만은 아니다.

　　아침에 전라 감사의 보고서를 보았는데, 제주에 기근이 들었다고 알려와 나리포창(羅里浦倉)의 곡식을 배로 실어 보내는 일이 있었다고 하였다. 굶주린 섬 백성들이 먹여주기를 기다리는 것이 너무나도 불쌍해 잠시도 잊을 수가 없다.[40]

　1793년 제주목사가 5만 포의 구휼미를 요청한 말을 듣고 정조가 우선 3만 포를 조치하였다. 당시 제주민은 3만 호 정도였던 점을 들어 3만 포만 구휼하고 제언하지만, 정조는 제주의 사정이 딱하다고 여겨 제주목사의 청원을 들어주게 된다. 그래서 나머지 2만 포에 해당하는 것은 왕실의 재산으로 보충하여 후에 조치할 것을 지시하였다. 이 구휼미가 보내지는 창고가 바로 나리포창이다. 그리고 나리포창이 나주의

　• • •

40 『弘齋全書』, 日得錄.

제민창으로 옮기게 된 것이고, 나주 기민창 이야기는 '제민창'에서 비롯된 것임을 알 수 있다. 제민창에서 쌀이 오면서 쥐의 피해로부터 쌀 창고를 지키는 뱀신도 함께 제주로 들어온다. 그렇다면 나주에서 들어온 뱀 신앙은 농작물을 쥐의 피해로부터 보호하고자 한 지혜가 사회적 규율을 거쳐 신앙적인 측면으로 고정된다는 인류학적 견지에서 해석할 여지도 있다.[41]

〈토산여드렛당본풀이〉에서 나주 영산의 신이었던 존재가 서울을 거쳐 제주도에 내려오고, 〈나주기민창본풀이〉에서 곡식 창고의 신이 제주로 옮겨오는 현상은 제주 토착문화 속에 오래 문화가 섞여 들어오는 변화를 예고하는 것이었다. 조선 후기 제주와 육지와의 교류 속에서 문화체계를 바꾸는 큰 변동이 있었다는 점이 중요하다. 〈광청아기본풀이〉에서 송동지 영감이 사또의 명으로 서울에 진상을 다녀오다가 광청고을의 허정승 집에 머물다가 광청아기와 연분을 맺게 되는 사연을 통해서 서울의 상업도시와 문물을 만나는 제주의 사정을 알 수 있다. 〈구슬할망본풀이〉[42]에서 김씨 사공이 서울 상감에게 우미 전각 미역 등을 진상하고 내려오다가 서울 서대문 밖에서 구슬할망을 만나게 되는 사연을 통해 서울 변두리 문화가 제주에 끼친 영향을 가늠할 수 있다.

5. 결

제주는 육지와 다른 점이 많다. 그 문화가 다르기 때문에 신화나 신앙체계도 다르고 문화 인식도 다르다. 한반도의 신화는 천상에서 하강한

• • •

41 이기욱, 「제주도 사신숭배의 생태학」, 『제주도연구』, 제주도연구회, 1989, 181~212쪽.
42 〈구슬할망본풀이〉의 핵심적인 내용은 다음과 같다. 신촌 큰물머리에 살던 김 동지 영감은 본래 김씨 사공이라고 불렸다. 김씨 사공은 버섯, 우무, 청각, 미역, 오징어 등 제주의 특산물을 진상하러 서울로 갔다. 김씨 사공이 진상을 마치고 제주로 돌아오는 도중에 서대문 밖에 이르렀다. 밤인 데다 인적이 없는데 어디선가 사람의 소리가 들렸다. 김사공이 소리 나는 곳에 가 보니 어떤 처녀 아기씨가 울고 있었다. 아기씨가 자신은 서대문 밖 허정승의 딸인데 부모에게 버려져서 갈 곳이 없는 처지임을 말하고 김사공에게 자신을 데려가 줄 것을 간청했다. 김사공이 베도포 자락에 아기씨를 감춰 제주도로 들어와서는 아기씨를 상다락에 두고 기른다.

신의 내력이 위주인데 제주 신은 땅에서 솟아난다. 그리고 그 배우자는 대개 바다를 건너온다. 바다 멀리 출자처는 다양하다. 바다 멀리 상상의 나라일 수도 있고 일본과 중국 같은 구체적인 장소인 경우도 있다. 육지에서 출자한 경우도 많은데 정치 문화의 중심지인 서울에서 온 경우와 제주에서 가까운 전라도에서 해로를 따라 온 경우가 많다. 제주와 인접한 일본에서 신이 온다고 하거나 바다의 신이 일본 주변국에 가서 신이 되었다고 한 경우도 있다. 바다 멀리를 '강남'으로 사유한 흔적이 있는데, 그 땅을 '천자국'으로 인식하여 '강남천자국'이라 한 경우도 많다. 위대한 신이 중국 천자의 땅에 근거하고 있다고 하여 신의 권위를 높이려 한 것이 중세 때의 보편적인 변화였다. 고대에는 고대국가 중심부에서 왔다고 하였고, 중세에는 문명의 중심부 중국에서 왔다는 관념이 신화에 반영되어 나타난다.

바다를 근거로 살다 보니 바닷속 용왕신이 그들 삶을 지배한다고 여겨 주요 신앙대상이 되었고, 용왕의 딸이 인간세계에 와서 신앙대상이 된 경우도 많다. 바다의 신이 생산과 풍요를 주재한다는 생각은 생명 탄생의 신이 바다에서 온다고 하는 사유로 이어졌다. 그래서 산육신이 용왕의 딸이다. 일반신인 삼승할망이 좌정하기 전에 그 일을 맡았던 구삼승할망이 용왕의 딸이고, 마을마다 있는 일렛당의 당신이 용왕의 딸이다. 영등신이 1년에 한 번 내방하여 해산물의 풍요를 관장한다고 하는 생각도 있었다. 역시 바다를 건너온 외래신이 중요하게 신앙된 흔적이다. 이런 외래신 이전에 풍요와 안전을 지켜주는 신은 제주의 설문대할망이다. 바다를 건너온 신으로 그려지기도 하는 설문대할망의 신화 이후 많은 신들이 바다를 건넌다. 그 설문대할망 신앙은 잊혀지지 않고 조선 후기까지 지속된다.

우리 표류하던 일행은 문득 한라산을 가까이 눈앞에 보는 기쁨이 지나쳐 저도 모르게 목을 놓아 호곡한다. "슬프다. 부모님이 저 산봉우리에 올라가 보셨겠지. 처자들이 저 산에 올라가 기다렸겠지." 혹은 일어나 한라산을 보고 절하며 축원한다. "白鹿仙子님, 살려주소, 살려주소, 詵麻仙婆님, 살려주소, 살려주소." 대제 탐라 사람에게는 세간에 전하기를 仙翁이 흰 사슴을 타고 한라산 위에서 놀았다 하고, 또한 아득한 옛날에 詵麻姑가 걸어서 서해를 건너와서 한라산에서 놀았다는 전설이 있다. 그러므로 이제 선마선파와 백록선자에게 살려 달라고 빌어도 아무 소용이 없을 것은 당연하다. 나 역시 한라산을 바라보게 되니 슬픔과 기쁨이 가슴에 가득 차서 어쩔 줄을 모르겠다.

『漂海錄』, 1771년 1월 5일

제주에서 육지로 올라가다가 표류하여 제주 근처를 지나가게 된 제주민들은 한라산을 바라보며 살려주기를 기원한다. 설문대할망이 산신으로 신앙되었던 흔적을 장한철의 표해록에서도 확인할 수 있다. 산신으로 국가를 보호하고 비바람을 조절하고 전쟁을 승리로 이끄는 능력도 있지만, 수신 혹은 해신으로 생산의 풍요와 뱃길의 안전을 보장해주는 기능도 있다.

제주에 있어 바다는 풍요의 근거였고, 많은 신들이 오는 길목이었고, 주변 국가들과 교류하던 소통의 장이었다. 바다를 통해 일본·중국과 교류하였고 이따금 표류를 겪으면서 오키나와·대만·월남에까지 다녀오기도 했다. 그 숱한 표류의 기억이 정운경의 『탐라문견록』에 나타나는데, 조선 후기 실학파 지식인들은 바다 밖의 사정을 이 제주 표류민을 통해 얻어들을 수 있었다. 제주는 자의건 타의건 바다로 열린 섬이었다. 제주는 태평양을 향한 교두보임을 재인식해야 한다. 이제 다시 바다를 향해 열린 마음이 필요하다. 해양의 시대에 걸맞는 제주의 해양 정책이 필요하고, 태평양을 향한 해양 연구의 장이 펼쳐지길 기대한다.

『桂苑筆耕』

『高麗圖經』

『高麗史』

『東國李相國集』

『東國輿地備攷』

『東國與地勝覽』

『東文選』

『三國史記』

『三國遺事』

『續東文選』

『承政院日記』

『新增東國輿地勝覽』

『心齋集』, 耽羅人物考

『燃藜室記述』

『燕巖集』

『五洲衍文長箋散稿』

『帝王韻紀』

『中宗實錄』

『增補文獻備考』

『한국구비문학대계』 2-5

『한국민속신앙사전』, 국립민속박물관, 2009.

『한국민족문화대백과사전』

『한국세시풍속사전』, 국립민속박물관, 2007.

『한국학대백과사전』, 을유문화사, 2011.

『弘齋全書』, 日得錄.

崔溥, 『漂海錄』.

강소전, 「제주도 잠수굿 연구-북제주군 구좌읍 김녕리 동김녕 마을의 사례를 중심으로」, 제주대 석사학위논문, 2005.

강소전,『제주도 심방의 멩두 연구』, 제주대학교 박사학위논문, 2012.

강정식 외,『동복 정병춘댁 시왕맞이』, 제주대 탐라문화연구소, 2008.

강정식,『제주도 당신본풀이의 전승과 변이 연구』, 한국정신문화연구원 박사학위논문, 2002.

_____,「제주도 당본풀이의 계보 구성과 지역적 정체성 연구에 대한 토론」,『비교민속학』29집, 비교민속학회, 2005.

_____,「한국 제주도의 해양신앙」,『도서문화』27집, 목포대 도서문화연구소, 2006.

강정화 외 편,『지리산 유산기 선집』, 경상대 경남문화연구원, 2008.

국립민속박물관 편, 서귀포본향당본풀이,『한국민속문학사전』(설화), 2012.

국립제주박물관 편,『조선선비 최부 뜻밖의 중국견문』, 2015.

권태효,『거인설화의 전승양상과 변이유형 연구』, 경기대 박사학위논문, 1998.

_____,『한국의 거인 설화』, 역락, 2002.

_____,「여성거인설화의 자료 존재양상과 성격」,『탐라문화』37호, 제주대 탐라문화연구소, 2010.

_____,「지형창조 거인설화의 성격과 본질」,『탐라문화』46호, 제주대 탐라문화연구소, 2014.

_____,『한국신화의 재발견』, 새문사, 2014.

金尙憲,『南槎錄』, 永嘉文化社, 1992.

김갑동,「고려시대와 산악신앙」,『진산 한두기 박사 회갑기념 한국종교사상의 재조명』상, 원광대출판부, 1993.

_____,「고려시대의 남원과 지리산 성모천왕」,『역사민속학』16호, 역사민속학회, 2003.

김기형,「서귀포 심방 박봉춘의 가계와 무업 활동」,『한국무속학』31집, 한국무속학회, 2015.

김대행,『우리시대의 판소리문화』, 역락, 2001.

김동전,「제주지역 문화의 올바른 이해와 활용방안」,『지방사와 지방문화』6집, 역사문화학회, 2003.

김석익, 오문복 외 역,『제주 속의 탐라』, 제주대 탐라문화연구소, 2011.

김선자,『중국소수민족 신화기행』, 안티쿠스, 2009.

_____,「중국의 여신과 여신신앙」,『동아시아 여성신화와 여성 정체성』, 이화여대출판부, 2010.

김성곤,「한국문학과 문화의 세계화」,『Comparative Korean Studies』9권, 국제비교한국학회, 2001.

김아네스,「고려시대 산신 숭배와 지리산」,『역사학연구』33집, 호남사학회, 2008.

김아네스,「조선시대 산신 숭배와 지리산의 神祠」,『역사학연구』제39집, 호남사학회, 2010.

김영돈·현용준·현길언,『제주설화집성』1, 제주대학교 탐라문화연구소, 1985.

김영수,「지리산 성모사에 就하야」,『한국민속연구논문선』1, 일조각, 1982.

김유중,「한국문화의 바람직한 세계화를 위한 전략적 고찰」,『Comparative Korean Studies』17권 1호, 국제비교한국학회, 2009.

김윤식, 김익수 역,『속음청사』, 제주문화, 2005.

김융희,『삶의 길목에서 만난 신화』, 서해문집, 2013.

김재용,「동북아 창조신화와 양성원리」,『창조신화의 세계』, 소명출판, 2002.

김재용·이종주,『왜 우리 신화인가』, 동아시아, 1999.

김지순,『제주도의 음식문화』, 제주문화, 2001.

김진순,「강원도 민속의 지역적 정체성」,『비교민속학』29집, 비교민속학회, 2005.

김진하,「송당신화의 분화와 새로운 영웅 문곡성의 탄생」,『탐라문화』30, 제주대 탐라문화연구소, 2007.

김태곤,『한국민간신앙연구』, 집문당, 1987.

김태우,『서울 한강유역의 부군당 의례 연구』, 경희대 박사학위논문, 2008.

김헌선,『한국의 창세신화』, 도서출판 길벗, 1994.

_____,「한구과 유구의 창세신화 비교연구」,『고전문학연구』21집, 한국고전문학회, 2002.

_____,「제주도 당본풀이의 계보 구성과 지역적 정체성 연구」,『비교민속학』29집, 비교민속학회, 2005.

김헌선, 「칠성본풀이의 본풀이적 의의와 신화적 의미 연구」, 『고전문학연구』 28집, 한국고전문학회, 2005.

_____, 『한국무조신화연구』, 민속원, 2015.

김헌선 외, 『제주도 조상신본풀이 연구』, 제주대학교 탐라문화연구소, 2006.

김형민, 「한국문화의 세계화 전략 방안」, 『전북대 국제문화교류연구소 심포지움 – 한국문화의 정체성과 그 세계화 전략』, 전북대 국제문화교류연구소, 2011.

김화경, 「서귀포 본향당 본풀이의 구조분석」, 『구비문학』 5, 한국정신문화연구원 어문연구실, 1981.

_____, 『신화에 그려진 여신들』, 영남대학교출판부, 2009.

나경수, 「지리산의 신성화 양상과 신성 표상」, 『한국민속학』 58, 한국민속학회, 2013.

나상진 역, 『오래된 이야기 梅葛』, 민속원, 2014.

나주문화원, 「나주 민속」(인터넷 사이트).

나카자와 신이치, 김옥희 역, 『사랑과 경제의 로고스』, 동아시아, 2004.

도 법, 『지금 당장』, 다산초당, 2013.

두창구, 『동해시 지역의 설화』, 국학자료원, 2001.

로버트 켈리, 성춘택 옮김, 『수렵채집 사회』, 사회평론아카데미, 2014.

문무병, 「마을의 설촌과 당본풀이 – 성산읍 온평리의 경우」, 『백록어문』 7집, 제주대학교 국어교육과, 1990

_____, 『제주도 당신앙 연구』, 제주대학교 박사학위논문, 1993.

_____, 『바람의 축제 칠머리당 영등굿』, 황금알, 2005.

_____, 『제주도 본향당 신앙과 본풀이』, 민속원, 2008.

문순덕, 「제주문화상징물 99선 활용방안 연구」, 제주발전연구원, 2009.

문창헌, 『풍속무음』, 제주대학교 탐라문화연구소, 1994.

박갑수, 「한국문화의 세계화와 그 방안」, 『선청어문』 34집, 서울대 국어교육과, 2006.

박경신·김헌선, 「무가의 이해」, 『한국 구비문학의 이해』, 월인, 2000.

박규태, 「일본의 여신과 여성신앙」, 『동아시아 여성신화와 여성 정체성』, 이화여대출판부, 2010.

박종성, 「제주지역 '三乙那傳承'과 '천지왕본풀이'」, 『정신문화연구』 제75호, 정신문화연구원, 1999.

_____, 『한국창세서사시연구』, 태학사, 1999.

_____, 「동아시아의 청세신화 연구」, 『창조신화의 세계』, 소명출판, 2002.

_____, 「비교신화의 관점에서 본 설문대할망」, 『구비문학연구』 31집, 한국구비문학회, 2010.

변동명, 「고려시기의 나주 금성산 신앙」, 『湖南史學』 16집, 호남사학회, 2001.

변숙자, 〈칠성본풀이〉에 나타난 칠성신앙의 양상」, 『탐라문화』 46호, 제주대 탐라문화연구소, 2014.

서대석, 『한국신화의 연구』, 집문당, 2002.

송상일, 「자라나는 전설〈설문대할망의 경우〉」, 『설문대할망제 사진기록 자료집』, 제주돌문화공원, 2012.

송정화, 「여성신화 연구사 개관 및 동아시아 여성신화의 전망」, 『기호학연구』 15집, 한국기호학회, 2004.

_____, 『중국여신연구』, 민음사, 2007

송화섭, 「지리산의 노고단과 성모천왕」, 『도교문화연구』 27, 한국도교문화학회, 2007.

_____, 「한국의 마고할미 고찰」, 『역사민속학』 27호, 역사민속학회, 2008.

_____, 「한국과 중국의 할미해신 연구」, 『도서문화』 제41집, 목포대학교 도서문화연구원, 2013.

신동흔, 『살아있는 한국신화』(개정판), 한겨레출판, 2014.

심경호, 「한국문화의 세계화」, 『정신문화연구』 60호, 한국정신문화연구원, 1995.

아카마츠·아키바, 심우성 역, 『조선 무속의 연구』 상, 동문선, 1991.

_____, 최석영 해제, 『조선 무속의 연구』 상, 『한국 근대 민속·인류학 자료대계』 16, 민속원, 2008.

秋葉隆, 심우성 역, 『朝鮮民俗誌』, 동문선, 1993.

안창현, 「중국 대형 실경 공연」, 『인문콘텐츠』 제19호, 인문콘텐츠학회, 2010.

앤소니 기든스, 박찬욱 역, 『질주하는 세계』, 생각의 나무, 2000.

오문선, 「서울 부군당제 연구」, 한국학중앙연구원 박사학위논문, 2009.

오지섭, 「세계화 시대 한국문화의 정체성」, 『인간연구』 14집, 가톨릭대학교 인간학연구소, 2008.

월러 스타인, 김시완 역, 『변화하는 세계체제 : 탈아메리카 문화이동』, 백의, 1995.

윌리엄 어빈, 전대호 옮김, 『아하, 세상을 바꾸는 통찰의 순간들』, 까치글방, 2015.

윤명철, 「동아지중해의 해양문화와 21세기 제주도의 위상과 역할」, 『바닷길과 별자리로 읽는 탐라문화』, 제주도, 2007.

이기욱, 「제주도 사신숭배의 생태학」, 『제주도연구』, 제주도연구회, 1989.

이능화, 이재곤 옮김, 조선무속고, 동문선, 1995.

이병도, 『譯註 三國遺事』, 광조출판사, 1984.

이수자, 『큰굿 열두거리의 구조적 원형과 신화』, 집문당, 2004.

이원진, 김찬흡 외 역, 『역주 탐라지』, 푸른역사, 2002.

이창식, 「설문대할망 관련 전승물의 가치와 활용」, 『온지논총』 37집, 온지학회, 2013.

이청규, 『제주도 고고학연구』, 학연문화사, 1995.

이춘희, 「제주도 당신본풀이와 아이누의 오이나 비교 검토」, 『한국무속학』 30, 한국무속학회, 2015.

이현정, 「제주도 서사무가 할망본풀이의 형성원리 연구」, 제주대 석사학위논문, 2014.

임동권, 「한라산에 얽힌 전설과 신앙」, 『제주도』 44, 1970.

임석재 편, 『한국구전설화』 전라남도편, 제주도편, 평민사, 1992, 203~204쪽

임재해, 「국학의 세계화를 겨냥한 이론 개척과 새 체제 모색」, 『국학연구』 6, 한국국학진흥원, 2005.

장주근, 『한국의 신화』, 성문각, 1962.

_____, 『제주도 무속과 서사무가』, 역락, 2001.

전경수, 「상고 탐라사회의 기본구조와 운동방향」, 『제주도연구』 4, 제주도연구회, 1987.

정경희, 「'북두-일월' 표상의 원형 연구」, 『비교민속학』 46집, 비교민속학회, 2011.

정재호, 『한국잡가전집』 2권, 계명문화사, 1984.

정진희, 「제주도 구비설화 〈설문대할망〉과 현대 스토리텔링」, 『국문학연구』 제19호, 국문학회, 2009.

_____, 『오키나와 옛이야기』, 보고사, 2013.

제러미 리프킨, 이경남 역, 『공감의 시대』, 민음사, 2010.

제주도, 「탐라문화권 발전기본계획」, (사) 제주역사문화진흥원, 2008.

제주전통문화연구소 편, 『제주신당조사-서귀포시권』, 도서출판 각, 2009.

조동일, 『동아시아 구비서사시의 양상과 변천』, 문학과지성사, 1997.

_____, 『하나이면서 여럿인 동아시아 문학』, 지식산업사, 1999.

_____, 「탐라국 건국서사시를 찾아서」, 『제주도연구』 19집, 제주학회, 2001.

_____, 『세계·지방화시대의 한국학』 1, 계명대학교 출판부, 2005.

_____, 『세계·지방화시대의 한국학』 2, 계명대학교 출판부, 2005.

_____, 『한국문학통사』 1, 지식산업사, 2005.

조성윤 외, 『제주 지역 민간신앙의 구조와 변용』, 백산서당, 2003.

조용호, 「智異山 山神祭에 관한 연구」, 『동양예학』 4집, 동양예학회, 2000.

조현설, 「마고할미·개양할미·설문대할망」, 『민족문학사연구』 41권, 민족문학사연구소, 2009.

_____, 「동아시아 신화에 나타난 여신 창조 원리의 지속과 그 의미」, 『구비문학연구』 31집, 한국구비문학회, 2010.

조현설, 『마고할미 신화연구』, 민속원, 2013.

좌혜경, 「제주도 무형문화유산 전승보전 및 진흥방안」, 제주발전연구원, 2012.

진성기, 『남국의 전설』, 일지사, 1968.

_____, 『제주도무가본풀이사전』, 민속원, 1991

진성기, 『신화와 전설』(증보 제21판), 제주민속연구소, 2005.

최석기 외 역, 『용이 머리를 숙인 듯 꼬리를 치켜든 듯』, 보고사, 2008.

최진원, 『한국신화고석』, 성균관대학교 대동문화연구원, 1994.

최창조, 『북한문화유적답사기』, 중앙엠앤비, 1998.

카렌 암스트롱, 이다희 역, 『신화의 역사』, 문학동네, 2005.

更科原藏, 이경애 역, 『아이누신화』, 역락, 2000.

하선미 편, 『세계의 신화와 전설』, 혜원출판사, 1994.

한국정신문화연구원 편, 『한국구비문학대계』 9-2.

한진오, 「제주도 입춘굿의 연행원리 연구」, 제주대학교 한국학협동과정 석사논문, 2007.

한채영, 「구비시가의 텍스트 거시구조와 인접성의 배열방식」, 『민요·무가·탈춤연구』, 태학사, 1998.

허남춘, 「제주도 본풀이와 주변 신화」, 제주대학교 탐라문화연구소, 2011.

_____, 「유구 오모로사우시의 고대·중세 서사시적 특성」, 『비교민속학』 47집, 비교민속학회, 2012.

_____, 「제주의 문화가치 확립 방안」, 『제주발전포럼』 제44호, 제주발전연구원, 2012 겨울.

_____, 「설문대할망과 여성신화 – 일본·중국 거인신화와의 비교를 중심으로」, 『탐라문화』 42호, 제주대 탐라문화연구소, 2013.

_____, 「성모·노고·할미란 명칭과 위상의 변화」, 『한국무속학』, 한국무속학회, 2014.

허남춘 외, 『제주의 음식문화』, 국립민속박물관, 2007.

_____, 『양창보 심방 본풀이』, 제주대학교 탐라문화연구소, 2012.

_____, 『서순실 심방 본풀이』, 제주대학교 탐라문화연구소, 2015.

현승환, 「설문대할망 설화 재고」, 『영주어문』 24집, 영주어문학회, 2012, 100~101쪽.

현용준, 『제주도무속자료사전』, 신구문화사, 1980.

_____, 『제주도 무속 연구』, 집문당, 1986.

_____, 「삼성신화연구」, 『무속신화와 문헌신화』, 집문당, 1992.

_____, 『제주도 전설』, 서문당, 1996.

_____, 『제주도 무속과 그 주변』, 집문당, 2002.

_____, 『제주도 신화의 수수께끼』, 집문당, 2005.

_____, 『제주도무속자료사전』(개정판), 도서출판 각, 2007.

현용준·김영돈, 『구비문학대계』 9-2, 제주도 제주시편, 한국정신문화연구원, 1981.

현용준·현승환, 『제주도무가』, 고려대 민족문화연구소, 1996.

현택수, 「문화의 세계화와 한국문화의 정체성」, 『한국학연구』 제20집, 고려대 한국학연구소, 2004.

홍태한, 「서울 지역 부군당굿과 도당굿의 변별성」, 『남도민속연구』 15집, 2007.

谷川健一, 『日本の神夕』, 岩波書店, 1999.

宮田登, 「諸国の富士と巨人伝説」, 『静岡県史』 資料編24, 斉藤滋与史他編, 静岡県, 1993.

大林太良 外, 『世界神話事典』, 角川書店, 1994.

東野治之, 『遣唐使』, 岩波書店, 1990.

柳田国男, 『ダイダラ坊の足跡』, 中央公論社, 1927.

武光誠, 『日本人なら知っておきたい〈もののけ〉と神道』, 河出書房新社, 2011.

森公章, 『白村江 以後 國家危機と東アジア外交』, 講談社, 1998.

常陸國風土記, 香島郡/那賀郡.

松前健, 『日本の神々』, 中央公論新社, 1974.

安部晃司 他, 『日本の謎と不思議大全』 東日本編, 人文社, 2006.

野村伸一 編, 『東アジアの女神信仰と女性生活』, 慶應義塾大學出版會, 2004.

李福清, 人類始祖伏犧女媧的肖像描繪, 馬昌義 編, 中國神話古事論集, 中國民間文藝出版社, 1988.

伊波普猷, 外間守善 校訂, 『古琉球』, 岩波文庫, 2000.

中西進, 『日本神話の世界』(著作集 3卷), 四季社, 2007.

村上健司 編著, 『日本妖怪大事典』 角川書店, 2005.

播磨國風土記, 託賀郡.

フリー百科事典 『ウィキペディア(Wikipedia)』, ダイダラボッチ條.

ㄱ

가문장아기(가믄장아기, 감은장아기) 102, 113, 118, 167, 168, 193, 214, 215, 244~251

가이아 82, 84, 91

감투 46, 47, 56, 59, 323

강남천자국 160~162, 169, 170, 172, 223, 255, 341, 344~346, 350, 352, 357~363, 371

강림(이) 198, 199, 218, 219, 255~258

개양할미 81, 98, 134, 143

거구巨軀 23, 29, 36, 38~40, 81, 94, 96, 102, 105~108, 118, 121, 136, 137, 170

거녀巨女 22, 23, 54, 67, 81, 95, 98, 102, 116, 117, 122

거대신巨大神 24, 25, 29, 103, 119, 218

거루돈葛魯頓 74, 75

거인설화 29, 68, 102, 105, 119, 137, 138

거인신巨人神 24~26, 29, 103, 104, 119, 141

건국신화 26, 30, 67, 85, 113, 118, 127, 128, 130, 132, 138, 154, 156~158, 163, 164, 240, 247, 306, 350, 355, 359

걸레삼승 234

경쟁담 87

고구려 건국신화 237, 240

고대국가 26, 80, 82, 85, 91, 113, 116, 121, 129, 132, 143, 149, 151, 154, 155, 157, 160, 162, 163, 178, 247, 248, 283, 284, 341, 342, 355, 356, 359, 360, 363, 371

고대문명 157, 162, 183, 247, 345, 355, 359, 360

고대신화 30, 67, 89, 128, 149, 259, 305, 306, 350

고대정(고대장)본풀이 179, 180, 182, 287

고산국 173, 174, 313~317, 319~321, 323~332

고순안 187, 188, 190, 197, 205, 207, 211

고전적따님아기 본풀이 179

고종달 138

곡모신 238, 360

공감 91, 93, 148, 236

공존 142, 149

과양생(셍)이 198, 218, 219, 256, 258, 259

과학문명 147

관청할망 224, 268, 289, 295

관탈섬 24, 36, 37, 39, 59, 63, 64, 105, 106, 118, 122

광양당 180, 268, 302, 305, 333, 366

광정당 333

광청아기 175, 293, 370

광청할망 287, 289

구비신화 155, 185

구상나무 174, 311, 314~319, 321, 322

구슬할망본풀이 293, 370

국조설화國造說話 108

국조신國祖神 100, 112

국토생성 29, 81, 82, 98, 99, 108, 118, 251

국토형성 20, 21, 71, 97, 106, 108, 110

군웅본풀이 341, 350, 351

굿상망오름 48, 108

궤네깃도 103, 115, 160~162, 169, 170, 210, 218, 236, 252, 255, 354, 356~359

금성대왕 300

금성산錦城山 297~302, 307, 366, 369

금성산신 280, 297, 299, 300, 302, 305
기계적인 지성 149
기록신화 24, 96, 155, 185
기억의 조작 116
기우제 181
김선자 84, 99, 114
김헌선 68, 83, 84, 87, 176, 260, 295, 304, 310, 325, 332, 335, 351
꽃감관 113, 178, 179, 191, 213, 214, 241~243, 254
꽃피우기 경쟁 87, 166, 228~231, 353

ㄴ

나주 126
나주 금성산 180, 278, 297, 299~301, 304, 367
나주기민창본풀이 267, 278, 293, 303, 367, 369, 370
남성신 138
남성영웅 22, 29, 82, 85, 112, 113, 115, 117, 119, 128, 142, 240, 247, 354, 356
내 복에 산다 246~249
내방신 79
노가단풍아기씨 212, 213
노고老姑 22, 28, 30, 120, 133, 135, 136, 143
노고단老姑壇 120, 122, 133, 135
녹디생(셍)이 225, 226, 273~275
농경문화 157, 159, 328, 355, 356
농사의 신 217
농업신 113
니라이가나이 79, 345

ㄷ

다이다라봇치だいだらぼっち 21, 29, 81, 98, 102, 104, 105, 108~110, 112, 119
당신堂神 53, 140, 152, 169, 171, 172, 180, 204, 236, 266~268, 281, 297, 303, 335, 344, 346, 347, 360, 371
당신본풀이 103, 163, 168, 169, 171, 174, 179, 206, 210, 267, 277, 278, 297, 305, 310, 316, 329, 335, 343, 346, 353, 355

당캐할망당 110
대별왕 87, 103, 138, 141, 165, 166, 189, 208, 211, 228~231, 284, 286, 330, 344
대식大食 41, 102, 107, 169, 253
대식성大食性 23, 96, 115, 170, 217, 253, 255
대왕大王 30, 31, 122, 130~133
대자재천왕大自在天王굿 132
대장장이 239
대지모신Great Mother 66, 84, 91, 107, 142, 148
도교 30, 120, 135, 139, 267, 278, 281~283, 287, 308
도깨비신 268
도당굿 292
도라악度羅樂 365
도래渡來 79, 80, 157, 234, 280, 286, 344, 346, 355, 359, 360, 364
도수문장 28, 83
동신성모東神聖母 129, 130
동아시아 해양문화권 162, 359
동해용왕(따님)아기 150, 234~236, 350, 352~355
동혜용-궁할마님본풀이 207, 210
두럭산 41
등경돌燈檠石 40, 60, 100

ㅁ

마고麻姑 22, 28, 30, 115, 120, 122, 133~137, 139, 142, 143, 203
마고할미 23, 24, 26, 30, 31, 53, 81, 94, 96, 98, 133~136, 141
마누라본풀이 188, 194, 195, 207, 209
마라도 39, 60, 236
마마신 233, 236, 349, 350
말자末子 중시 273
맹감본풀이 262
메밀 252
메이커 74
멩감제 200
멩두 284, 285
멩진국할마님본풀이 207, 209
명절떡(멩질떡) 286

명진국(멩진국)따님아기 150, 210, 211, 234~236
목축 217, 253
목포 45, 57
몽골 68, 76, 207, 273
무당 178, 191, 239
무리우쟈 99~101, 107
무릿매sling 325~327
무속 152
무속신앙 151, 178, 184, 248, 249
무속의례 290~292, 302, 366
무속제사 284, 285, 301
무의식 147, 186
문곡성 159~162, 255, 356, 358~360
문전본풀이 150, 187, 200, 201, 207, 224, 226, 267,
  271~276, 281~283
문전신 198, 226, 257, 272, 274
문전제 226
문화콘텐츠 86, 89, 153, 185, 231
물장오리 23, 27, 49, 50, 56, 60, 63, 96, 110, 112, 122,
  138, 178, 321
미뤄터 100
미식신米食神 329
미신타파 295, 308
미야코지마宮古島 78, 87

ㅂ

바람웃도(바람운) 173, 174, 313~317, 319, 320, 322,
  323, 325, 328, 329, 333~336
반고盤古 20, 68, 74, 103, 111, 271
반고신화盤古神話 68, 80, 87, 271
밧칠성 224, 281, 287~289, 304, 308
백골白骨 200, 263
백주또 158, 159, 169, 170, 255, 344, 356, 360
뱀신 180, 182, 267, 268, 270, 271, 278, 280, 281, 287,
  295, 296, 301~303, 305, 307, 308, 367, 370
베포도업침 188, 189, 230, 320
벽랑국碧浪國 157, 279, 345, 361, 363, 364
부군당 270, 278, 287, 289~292, 307
부군富君 278, 287

부군府君 278, 289, 291
부군신앙 270, 292, 293, 305
부군칠성富君七星 176, 180, 181, 183, 278, 280, 287,
  295, 296, 303, 305, 306, 308, 367
비엣족 80
뼈 숭배 265
뽕개질 173, 174, 311, 314, 316, 322, 324, 325, 326,
  327, 336

ㅅ

사냥의 신 174, 175, 310, 322~324, 327~329, 336
사라도령 113, 179, 191, 192, 213, 214, 241, 243
사록 244, 246
사만이(ᄉᆞ만이) 200, 220~222, 262~266
ᄉᆞ만이본풀이 188, 200
산방산 20, 34, 35, 37, 40, 41, 51, 61, 63, 64, 104, 105
산신 28, 30, 31, 107, 115, 120, 122~127, 129~139,
  142, 143, 263, 264, 266, 298~302, 324, 328, 347,
  349, 372
산신멩감 200, 262~264
산악신앙 299
산육신産育神 210, 234, 236, 354, 355, 371
삼공본풀이 67, 113, 118, 167, 187, 193, 204, 207, 214,
  215, 244~246, 248~251
『삼국유사』 129, 130, 131, 154
삼성신화 157~159, 237, 332, 333, 342, 355, 356, 361,
  363
삼승할망 101, 102, 118, 143, 150, 194, 195, 234~236,
  349, 352, 353, 371
삼승할망본풀이 101, 118, 233, 236, 258, 352
상생 93, 150, 235
새ᄃᆞ림 188, 220, 259
생불꽃 233
생불할망 210, 211, 233, 239
생업수호신 265, 266
생육신生育神 84, 114
서귀본향 312, 313, 315, 317, 320~323, 325, 327, 333,
  336
서귀본향당본풀이 172, 174, 310~313, 316, 320, 321,

324, 326, 327, 329, 330, 335~337, 339

서동설화 215, 244, 245, 247, 248

서사무가 26, 96, 163, 254, 336, 356

서사무가 본풀이 27, 163, 184, 254

서순실 205~209, 211, 217, 219, 224, 226, 227, 288

서천꽃밭 101, 151, 178, 179, 191~193, 195, 196, 201, 213, 214, 216, 219, 226, 235, 241~243, 251, 253, 254, 349

서홍리본향당본풀이 319

선도성모仙桃聖母 26, 113, 120, 123, 126~128, 130, 138

선문대 140

선문대할망 33, 36~39, 47, 49, 50, 54, 59, 62

선흘 안판관 본풀이 182

설만두고 140

설맹디할망 140

설명두 39, 102, 140

설명두할망 54, 60, 61

설문대하르방 42, 58, 64, 65

설문대할망 20~24, 26~30, 33, 34, 40, 42, 44~46, 48, 52~54, 56, 58, 60~72, 75~77, 80~82, 84~86, 88, 90, 92, 94~98, 100~102, 104, 105, 107~112, 114~121, 136~141, 143, 148, 170, 251, 253, 342, 356, 371, 372

성모聖母 30, 31, 120, 122~128, 130, 131, 134~137, 142, 143, 360

성모신앙 128, 130

성산일출봉 39, 48, 100, 108

섶지코지 65

세경본풀이 67, 113, 118, 151, 167, 187, 195, 207, 215, 217, 251, 254, 255, 263, 281

세경신 196, 197, 217, 251, 252, 254, 268

세계무형문화유산 338

세계문화유산센터 231

세계사적 보편성 185

세명뒤할망 54, 60, 61, 102

세명주 140

소별왕 87, 103, 138, 141, 165, 166, 189, 208, 209, 211, 228~230, 284, 286, 330, 344

소섬 39, 45, 48, 53, 60, 61, 64, 361

소수민족 23, 27, 68, 72, 74, 80, 89, 95, 99, 107, 235

속옷 26, 43~46, 53, 57, 59, 61, 63, 64, 72, 88, 109

송당계 169, 171, 204, 310, 329, 332, 337, 346, 356, 362

송당본풀이 103, 158, 159, 161, 253, 255, 342, 356, 358, 360, 362

송대정宋大靜(송대장) 182, 224, 269, 280, 281, 307

송씨할망 204, 307

수렵 247, 263, 264, 328, 329, 336

수렵수호신 264, 265

수륙제 190~192, 203

수메르 86

수성할미 134

순수증여 148

스사노오 103, 111

스토리텔링 67, 88, 89, 93, 116, 117

시절인연 168, 245

시체화생屍體化生 111, 150, 203, 271, 275

식성갈등 329

신당 134, 158, 179~181, 289, 291, 295, 300, 302, 307, 331, 356

신명神明 115, 132, 166, 186, 229

신석기 66, 91, 112, 148, 240, 328

신앙비판서사시 176, 178, 199, 258

신앙서사시 174, 176, 179, 183, 248, 327, 337

신표 192, 242

신화 스토리텔링 67, 92

신화 147

심발레인symbalein 192

심방 92, 152, 153, 158, 162, 175~183, 187~191, 197, 204~209, 211, 212, 217, 219, 224, 226, 227, 313

심청전(가) 215, 245, 249

아

아마미오시마 87

아마미쿄あまみきょ 27, 72, 73, 77~79, 86, 106

아마테라스 103, 107

아만추 21, 27, 68, 72, 73, 106

아부카허허 21, 27, 28, 75, 84

안칠성 224, 281, 287~289, 308

양씨아미 175~179

양씨아미본풀이 176

엉장매코지 44, 45, 63

에벤키 신화 77

에코페미니스트 91

여드렛당 278, 305, 308

여드렛당본풀이 278

여성성 92, 119, 143, 248, 251

여성신 22~24, 28~30, 66, 76, 81, 82, 84, 85, 87, 94
~96, 102, 109~115, 119, 129, 132, 136, 138, 143, 159,
167, 224, 240, 356, 359

여성신화 22, 23, 26, 28~30, 66, 76, 86, 91, 94, 95,
117~119, 121, 143

여성영웅 24, 29, 82, 96, 112, 113, 115, 119, 142, 164,
167, 168, 240, 252, 253, 354, 356

여성영웅신화 118, 167

여신 75, 84, 85

여와女媧 23, 29, 84, 94, 99, 111, 114, 115, 119

역할분담 275, 276

연민 90, 91, 148, 149, 235

염라대왕(염라왕) 198~200, 218, 219, 221, 222, 230, 231,
255~258

영등굿 197, 345

영등신 345, 346, 359, 361, 371

오곡종자 157~159, 167, 196, 247, 252, 254, 341, 345,
355, 356, 360

5국시대 163

오래된 과학 186

오름 20, 22~24, 27, 29, 32~35, 41, 46, 50, 57, 59, 60,
69~71, 76, 80~82, 88, 94, 96~98, 104, 105, 108, 118,
137, 342

오백장군 23, 33, 50~53, 62, 65, 88, 96, 110, 116, 138,
143, 321

오줌발 48, 108, 109

온평본향 363

요왕질침 345

용신 297, 301, 302, 345~347, 349

용연龍淵 50, 59, 109, 112

용왕 134, 169, 341, 347, 350, 352~355, 361, 362, 371

우도牛島 26, 39, 48, 64, 65, 80, 97, 98, 106~108, 204,
361

우주의 질서 286

운명의 신 168, 194, 246, 249~251

원시서사시 89, 175, 327

위숙왕후 30, 120, 123~126, 128

유감주술有感呪術 195, 197

유구琉球 21, 27, 68, 72, 73, 78, 79, 86, 87, 183

육식신肉食神 329

음부 23, 28, 42, 53, 84, 96, 106~108, 111, 114, 115,
150, 167, 202, 214, 226, 248, 251, 271, 275

음사淫祀 131, 268, 289~291, 300, 304, 369

이객환대異客歡待 260

이공본풀이 113, 176, 179, 187, 191, 192, 207, 213,
214, 241

이승과 저승 230

이승과 저승 차지 166, 189, 228

이승법 189, 209

이용옥 353

이자나미 24, 103, 107

이형상 목사 140, 180, 268

인간불도 할마님 188, 194, 195

인간수명 219

인문현상 164, 184, 268

일렛당 354

일렛당본풀이 150, 236, 354

일렛당신 171, 210

일반신 141, 182, 236, 267, 268, 271, 278, 281, 306,
308, 355, 371

일반신본풀이 81, 98, 101, 103, 113, 164, 167, 168,
179, 182, 187, 188, 203, 206, 207, 210, 236, 255,
266, 269, 277, 278, 280, 281, 305, 310, 320, 341,
343, 346, 354

일본 102, 105

일본국 157, 345, 350, 361, 363, 364

일월조상 182, 349

일출봉 34, 37, 39, 45, 48, 60, 61, 100

ㅈ

자기중심주의 163, 231

자력신앙 248

자연신 286, 306

자연신앙 284, 286, 297

자청비(ㅈ청비) 67, 102, 113, 118, 151, 167, 196, 197,

215~217, 251~255

잠수굿 197, 347

저승관 222

저승법 189, 208

저승 삼차사 221, 222

저승할망 194, 195, 211, 235, 236

전상놀이 215, 244, 250

전상前生신 194, 244~247

전통문화 152, 338

점필재집佔畢齋集 123, 131

정견모주正見母主 113, 128

정낭 201, 225, 271~273, 276

정낭신 201, 226, 272

정명定命 199, 200, 218, 219, 222, 257

정수남 151, 196, 215~217, 252, 253, 255

정수남(냄)이 252

제3세계 155

제민창濟民倉 367~370

제석본풀이 237, 238

제왕운기帝王韻紀 122~125

제주돌문화공원 20, 67, 92

제주문화 151, 164, 183, 185, 254

제주신화 92, 93, 121, 149~153, 155, 164, 168, 183~186, 235, 242, 341, 343

제주어 153

제주칠머리당영등굿 338

제주큰굿 187, 206, 338

젯부기 삼형제 113, 191, 212, 213, 237, 239

조동일 24, 74, 83, 89, 96, 121, 122, 126, 127, 158, 162, 175, 262, 310, 321, 327, 356, 358, 360

조상신 141, 175, 177, 182, 183, 213, 263, 264, 267, 270, 303, 304, 307, 308, 346, 351, 367

조상신본풀이 175, 176, 179, 182, 188, 190, 206, 263, 265, 278, 287, 293, 305, 346, 351

조왕신 198, 226, 257, 273, 274

조왕할망 143, 198, 201, 218

족두리 47, 56, 69

죽솥 24, 26, 27, 50~52, 62, 88, 90, 116, 138, 148

중문본향당본풀이 332

중산세감中山世鑑 73, 78, 79, 86

중세신화 306, 350

지리산 30, 120, 122~126, 131, 133~135, 137, 142, 143, 300

지모신 132, 252, 306

지산국 173, 174, 313~317, 319~322, 327, 328, 330~332, 334, 336

지역학 164

지장본풀이 188, 204, 205, 207, 219, 259~261

지형창조 24, 26, 32, 66, 67, 72, 138

지형형성 22, 27, 48, 70~72, 76, 77, 80, 86, 94, 97, 98, 108, 110, 137, 342

직업조상 164, 179, 182

직조문화 157, 355

직조술 100, 101

진성기 270, 288, 321, 352, 361

차

차귀당 268, 302, 305, 366

차사본풀이 198, 255, 258

찬신讚神 335, 336

창세가 66, 81, 87, 98, 209, 229

창세서사시 74, 83, 327

창세신 104

창세신화 21, 26~29, 66, 68, 71, 72, 76, 78, 80~82, 99, 106, 117~119, 137, 155, 330

창조신 31, 75, 76, 82, 98, 101, 115, 121, 143

처서본풀이 187, 198, 199, 207, 218

처첩갈등 274, 275, 329, 330

천연두 194, 233

천왕天王 30, 31, 120, 122, 130~134, 301

천왕닭 317, 320, 322

천자국 161, 170, 346

천지개벽天地開闢 26, 57, 67, 70, 83, 84, 165, 209, 227, 237, 310, 316, 317, 320, 322, 336, 341

천지분리 신화 81, 86, 98

천지왕 66, 82, 103, 138, 141, 165, 166, 189, 207, 208, 228, 229, 284, 344

천지왕본풀이 28, 66, 81, 87, 118, 164, 167, 188, 189, 207, 209, 227, 229, 231, 232, 236, 284, 286, 310, 330, 336, 344

철기문명 85, 157, 238, 248

초감제 28, 81, 82, 98, 103, 118, 188, 190, 207, 229,
230, 283, 286, 310, 320, 321

초공본풀이 113, 118, 187, 190, 207, 211, 237, 238,
240, 241

춘향전 197

칠머리당 161, 180, 344, 358

칠머리당영등굿 344, 345

칠성눌 304

칠성단 267, 281, 296, 304

칠성당 293~295

칠성본풀이 182, 187, 203, 207, 222, 224, 266, 267,
269, 270, 277, 278, 280~283, 287, 288, 293, 296,
297, 305, 307

칠성신 182, 267~269, 271, 277, 278, 280~283, 287,
289, 293~297, 304~308

칠성신앙 278, 279, 282, 283, 286, 307

칠성제 270

칠원성군 283, 287, 293, 295

칠원성군상 270

타

타라악 365

탄소장자 설화 246, 247

탐라국 151, 154, 156~159, 161~ 163, 178, 207, 278,
279, 283, 284, 286, 341, 342, 352, 355, 356, 358~
360, 364, 365

탐라국 건국신화 156, 158, 169, 247, 311, 330, 333,
337, 341~343, 346, 355

탐라순력도 181

토신굿본풀이 297, 302, 313

토산여드렛당본풀이 278, 293, 366, 370

토산일렛당본풀이 353, 354

티아마트Tiamat 23, 94, 111

티탄Titan족 84, 85

파

평화 89, 119, 143, 149

표착 356

『표해록漂海錄』 139, 301, 302, 365, 366, 372

『풍속무음』 267, 281

풍운조화 319

하

하나 부족 모티프 241

한라산 20, 22~24, 26, 27, 31~34, 36~40, 42, 45, 46,
49~51, 53, 55~64, 67, 69, 70, 76, 80, 88, 94, 96, 97,
98, 104~106, 108, 110, 116, 118, 120, 122, 136~140,
142, 143, 156, 161, 169, 172~175, 181, 182, 224,
268, 279, 284, 289, 311, 314, 316, 317, 319, 321,
322, 324, 327, 336, 342, 344, 358, 360, 362, 364,
371, 372

한라산계 169, 171, 172, 204, 310, 313, 332, 337, 362

한모살 37, 53, 61

할락궁이 192, 213, 214, 242, 243

할망 22, 23, 26, 27, 30, 31, 33, 34, 37, 38, 41~46, 48,
50~53, 55, 58, 62, 65, 68, 84, 96, 100, 106~108, 111,
114, 121, 136, 139~141, 143, 233

할망본풀이 150, 270, 352, 353, 355

할미 22, 30, 31, 121, 134~136, 139, 141~143

해산물 유래담 275

해양(해상)능력 161, 162, 352, 355, 358, 359

해양문명 183

해양문화 272, 340, 345

해양신앙 347, 349

해양신화 342

허웅아기 본풀이 199

현대문명 186

현용준 171~173, 287, 313, 352, 361, 367

형이상학 혁명 146

홍로본향 312, 313, 315

홍리물 49, 50, 59, 112

홍진국 마누라 195

화석 51, 62, 67, 116, 117, 271

화합 89

환생꽃 192, 209, 211, 213, 216, 219, 242, 251, 254

후지산 104, 105

설문대할망과
제주신화

초판1쇄 발행 2017년 4월 23일
초판2쇄 발행 2018년 9월 20일

지은이 허남춘
펴낸이 홍기원

총괄 홍종화
편집주간 박호원
편집·디자인 오경희·조정화·오성현·신나래·박선주
       김윤희·이상재·이상민·최아현
관리 박정대·최기엽

펴낸곳 민속원
출판등록 제1990-000045호
주소 서울 마포구 토정로 25길 41(대흥동 337-25)
전화 02) 804-3320, 805-3320, 806-3320(代)
팩스 02) 802-3346
이메일 minsok1@chollian.net, minsokwon@naver.com
홈페이지 www.minsokwon.com

ISBN 978-89-285-1034-4 94380
SET 978-89-285-0359-9

ⓒ 허남춘, 2017
ⓒ 민속원, 2017, Printed in Seoul, Korea